16	3	2	13
5	10	11	8
9	6	7	12
4	15	14	1

Zuza Homem de Mello

A ERA DOS FESTIVAIS
UMA PARÁBOLA

editora 34

EDITORA 34

Editora 34 Ltda.
Rua Hungria, 592 Jardim Europa CEP 01455-000
São Paulo - SP Brasil Tel/Fax (11) 3811-6777 www.editora34.com.br

Edição conforme o Acordo Ortográfico da Língua Portuguesa.

Imagem da capa:
A torcida, marca registrada da Era dos Festivais

Imagem da 4ª capa:
Jair Rodrigues, Nara Leão e Chico Buarque no II Festival da TV Record em 1966

Capa, projeto gráfico e editoração eletrônica:
Bracher & Malta Produção Gráfica

Revisão:
Alexandre Barbosa de Souza
Cide Piquet
Isabella Marcatti

1ª Edição - 2003, 2ª Edição - 2003, 3ª Edição - 2003, 4ª Edição - 2008,
5ª Edição - 2010 (1ª Reimpressão - 2020)

Catalogação na Fonte do Departamento Nacional do Livro
(Fundação Biblioteca Nacional, RJ, Brasil)

Mello, Zuza Homem de
M527e　　A Era dos Festivais: uma parábola / Zuza Homem
de Mello — São Paulo: Editora 34, 2010 (5ª Edição).
528 p. (Coleção Todos os Cantos)

Inclui fotografias, discografia e bibliografia.

ISBN 978-85-7326-272-8

1. Festivais de música - Brasil. I. Título.
II. Série.

CDD - 780.7981

A ERA DOS FESTIVAIS
Uma parábola

A Era dos Festivais é também o título de um CD duplo com 28 gravações históricas, selecionadas por Zuza Homem de Mello, que representam a trilha sonora da época. O repertório dessa coletânea, produzida pela Universal Music, está relacionado na Discografia ao final do livro.

A ERA DOS FESTIVAIS

UMA PARÁBOLA

Para
Vovó Elisa, que me ensinou a ouvir rádio,
Dona Lisah, a mãe que me deu o apoio para se-
guir na música,
Ercilia, amada companheira dos 52 anos para a
frente, os melhores,
Patricia e Mônica, as filhas que depois quis ter,
Marina e Luisa, as netas que tenho.

Na rua da Consolação, em São Paulo, ainda com paralelepípedos e trilhos de bonde, ficava o Cine Rio, que em 1959 foi transformado no Teatro Record. A partir desse ano, foram apresentados em seu palco alguns dos maiores nomes do *show business* internacional.

PRÓLOGO

A cabine de projeção do Cine Rio na rua da Consolação, 1.992, seria certamente o local ideal para a instalação do controle de áudio no teatro. Bastava abrir uma ampla janela de vidro duplo e instalar a mesa de som, monitores e *rack* onde anteriormente ficavam os projetores cinematográficos, que o problema estaria resolvido. Sobrava espaço até para uma bancada de manutenção e uma pequena cabine de locução para possíveis intervenções, como no estúdio próximo ao Aeroporto de Congonhas. Essas foram as mudanças cuidadosamente executadas durante a temporada de Nat King Cole no Brasil, em 1959, pela equipe do chefe do departamento técnico da TV Record, o seu Spencer, um simpático português de cabelos finos e muito lisos, que se orgulhava com razão de sua menina dos olhos, o som do Teatro Record. Tanto que as duas grandes colunas de alto-falantes montadas nas laterais do palco representavam o que havia de melhor na época. Pelo menos em São Paulo, não havia nada superior. A mesa de som, marca Gates, de oito canais, viera do auditório que a emissora ocupara provisoriamente na sede da Federação Paulista de Futebol nos anos 50, frequentado por um pequeno público que assistia a programas simultâneos de televisão e rádio. Simultâneos, sim, pois embora alguns deles, como o *Histórias das malocas* e a edição paulista do *César de Alencar*, fossem apenas de rádio, o show semanal de Ângela Maria ia ao ar pela Rádio Record e ao mesmo tempo pela TV Record. Ao vivo e em preto e branco. Assim era a televisão ainda herdeira do rádio no início dos anos 60, a década que iria alçar a música popular a seu estágio mais fértil.

Da janela de vidro da cabine de som do Teatro Record, tinha-se uma excelente visão do balcão, no primeiro plano, de parte da plateia, e o que mais interessava, do palco todo, incluindo o poço de orquestra que foi aberto logo depois.

O único inconveniente era o acesso à cabine. Partindo-se do *hall* de entrada havia uma escada com tapete vermelho que se bifurcava em mais dois lances: pela esquerda, chegava-se ao balcão superior da plateia e, pela direita, atingia-se a saleta do gerente do teatro. Era o reinado do Gaúcho, Ângelo Cunha, profissional experiente e ladino, com respeitável bagagem na Companhia de Teatro de Revista Walter Pinto, no Rio de Janeiro. Gaúcho, que tinha cara de cantor de tango, demonstrava reações tão frias como as de um crupiê: contava dinheiro enquanto conversava, sem o menor esforço. Era casado com Cecília, uma ex-vedete argentina corpulenta, de porte elegante e sempre muito bem maquiada, como nos seus áureos tempos de ribalta. Terminado o trabalho, ambos iam jantar no restaurante Gigetto, ainda na rua Nestor Pestana, ocupando invariavelmente a mesma mesa. A saleta do Gaúcho, modestamente mobiliada, era local dos encontros praticamente diários entre ele e Paulinho Machado de Carvalho, o diretor. Também era o centro de longos e produtivos bate-papos com artistas de rádio, televisão, teatro e cinema, com empresários brasileiros e estrangeiros, além de colunistas do ramo televisivo como o sóbrio Egas Muniz, com seu fino bigodinho de lorde, ou o sarcástico e indefectível gozador Denis Brean — o grande compositor campineiro — e o sempre tranquilo e espigado Max Gold, o carioca que com uma fala muito mansa não era outro senão a própria Candinha da *Revista do Rádio*, talvez a mais lida coluna de mexericos sobre os felizes personagens do rádio e TV brasileiros. Outra figurinha rara dessa fauna impagável era Mauro "Capucetta" Cesarini, um *bon vivant* que descrevia com perfeição lugares onde nunca tinha estado. Recebia as informações por tabela de seu íntimo amigo, o empresário Ricardo Cella, um boa-pinta que não passava mais que uma semana em São Paulo, viajando atrás de contratações. Ricardo descrevia as cenas e Mauro, que embora longe de ser um galã dizia-se perito nas intimidades de alcova, logo se apossava das informações, chegando a minúcias espantosas. Pobre Maurão, no dia em que soube que sua herança tinha evaporado! A vasta área de estacionamento defronte aos Correios no Anhangabaú, na realidade, não pertencia a seu progenitor, que, enquanto vivo, brindava-o com uma mesada bem razoável. Após a sua morte é que Mauro despencou, ao saber a verdade sobre a propriedade do terreno que ele tinha como herança garantida. Pelo menos no Teatro Record, Mauro Capucetta soube cumprir como ninguém a missão que lhe era destinada: *sexy relations*.

Também frequentavam a sala da gerência o porteiro Benedito, o iluminador Luiz Doce, o contrarregra Armando Mirabelli e, principalmente, aquele que, pelo aroma, anunciava sua presença antes mesmo de chegar: o sempre muito bem trajado Paulo Charuto, seguramente o mais garboso componente da equipe fixa do Teatro Record. Paulo Charuto, que, quando se entusiasmava passava a falar uns cinco pontos acima do volume, era frequentemente confundido com o dono daquilo tudo, ou seja, dono do teatro, do canal 7 e até das Emissoras Unidas de rádio. Dá para acreditar? Como era xará do proprietário, tirava disso o maior partido possível para conseguir facilmente ingressos, vantagens ou favores de despachantes, funcionários públicos, empregados de linhas aéreas e hotéis, *maîtres* de restaurantes, porteiros, bilheteiros, motoristas, detetives, mocinhas ou coroas; enfim, uma infinidade de pessoas que podia dominar no beiço, para obter com inacreditável perícia o que só ele conseguia, deixando até o diretor incrédulo. O "doutor Paulo", como se identificava, nunca fazia muita questão de desmentir que, de fato, não era o dr. Paulo Machado de Carvalho, o verdadeiro dono daquilo tudo.

Dessa saleta do Gaúcho, cujas paredes felizmente nunca falaram, é que partia, sobre o vão onde ficava o cofre com os borderôs e o dinheiro da bilheteria, o lance da escada estreita, com degraus de ferro, para a cabine de som. A "Técnica", como era chamada, cujo minúsculo estúdio de locução era usado raramente, como em janeiro de 1962, quando Agnaldo Rayol deveria cantar no show *Skindô*, mas, por motivos contratuais com a TV Tupi, não podia aparecer em cena. A solução foi escondê-lo no estúdio às escuras e, na hora H, sua voz era ouvida na plateia, para espanto dos reclamantes que, desesperados, não conseguiram descobrir o truque durante a temporada inteira.

Ali era o território do técnico de som do Teatro Record, que sonorizava os programas, na maioria musicais, tendo como assistentes um segundo operador, Oswaldo Schmiedel, o instalador de microfones Ernani de Nardo e um técnico de manutenção que geralmente podia ser encontrado no bar vizinho tomando cafezinho. Assim que terminavam as transmissões, por volta de 11 da noite, o operador, que naquela época era impropriamente chamado de sonoplasta, dava uma respirada funda levantando-se aliviado para efetuar a derradeira operação da jornada, retirar os *patch cords* do *rack*. Isto é, os cabos que eram manobrados para estabelecer as ligações dos vários microfones com cada canal da mesa.

A noite de 10 de outubro de 1966, em particular, tinha sido uma tremenda pedreira. Tanto que, terminados os ensaios da tarde, Gaúcho ficara tão cansado que, ao invés de ir jantar como habitualmente, resolveu dar uma volta no vasto quarteirão que bordejava o cemitério da Consolação, a fim de espairecer um pouco e memorizar bem as múltiplas manobras que deveriam ser efetuadas várias vezes e com precisão na transmissão daquela noite.

Agora porém, depois de tudo terminado, ele podia descontrair. Fazia silêncio. Havia acabado a finalíssima do II Festival da Música Popular da TV Record, com um empate entre "A banda", de Chico Buarque, e "Disparada", de Geraldo Vandré e Théo de Barros. Grande parte do público já saíra, alguns ficaram comentando o resultado no saguão, a cortina preta do palco fora reaberta, e os funcionários, exaustos, desmontavam o que era preciso antes de irem para suas casas. O técnico já estava desplugando o último *patch* quando alguém subiu a escada. Era o diretor da TV Record, Paulinho Machado de Carvalho, trazendo um envelope fechado. "Zuza, leve esse envelope para casa e guarde num cofre. Não entregue para ninguém." Mais uma vez Paulinho confiava um segredo a seu fiel funcionário. No envelope, estavam as fichas de votação dos jurados — um resultado que durante muitos anos permaneceu um mistério da Era dos Festivais.

Zuza Homem de Mello

Zuza Homem de Mello

1.
"CANÇÃO DO PESCADOR"
(I FESTIVAL DA TV RECORD, 1960)

No Brasil, como em alguns países, festival é um evento com duas concepções diferentes. A primeira é uma forma de reunir exibições artísticas durante um certo período, tendo como denominador comum um gênero musical, como o samba, ou uma determinada área artística predominante, como o teatro. Nesse modelo de festival não existe competitividade, sendo assim mais uma feira de amostras de um setor da arte. Seu objetivo é oferecer, em curto espaço de tempo, a oportunidade de acesso a novas tendências, a novas obras, ao que está em voga, ou ainda, num sentido diametralmente oposto, revisitar a obra de artistas amplamente consagrados. Entre os mais concorridos e aclamados do mundo estão o monumental Festival de Edimburgo e o de Bayreuth, ou ainda os Festivais de Jazz que proliferaram pelo mundo numa abundância jamais imaginada nos seus primórdios, em meados dos anos 50. No Brasil, pode-se considerar como um pioneiro desse modelo o I Festival da Velha Guarda, que o cantor e radialista Almirante promoveu pela Rádio Record em 1954, trazendo a São Paulo Pixinguinha, João da Baiana, Donga e outros músicos notáveis de décadas anteriores para exibições no Teatro Colombo, do bairro do Brás, e no Parque do Ibirapuera. Agradaram tanto, que no ano seguinte seria promovida uma segunda edição, devidamente ampliada, e com o apoio, desta vez, da TV Record. O Festival de Teatro de Curitiba e o Free Jazz Festival, que têm se realizado periodicamente no Brasil, também pertencem a este tipo.

O outro modelo de festival, cujo objetivo também é ir em busca de novas manifestações, é marcado pela competitividade. Essa é a grande diferença. Os festivais de cinema de Cannes e Veneza, que não deixam de ser festivais, são eventos de competição. Por mais que disfarcem, os concorrentes buscam a vitória. Ora, como em música popular novas manifestações geralmente implicam em obras inéditas, quando se fala em festival de música popular no Brasil, a ideia é mesmo de uma competição de canções, a exemplo do que também existe em Viña del Mar, no Chile, e em San Remo, na Itália. Não é pois uma competição entre grupos, entre bandas ou intérpretes. Os concorrentes são de fato os autores das obras, os compositores e letristas.

Esse conceito de festival de música popular ou de festival de canção, que se estabeleceu nos anos 60, já existia no Brasil, embora com outro título: eram os concursos de músicas carnavalescas promovidos com sucesso no Rio de Janeiro na década de 30, embora em 1919 já tivesse se realizado, sem muita repercussão, um concurso organizado por Eduardo França.

Anos mais tarde, o crescente aumento anual de novas composições destinadas a animar o carnaval instigou a decantada Casa Edison do Rio de Janeiro, que gravava os discos Odeon, a promover um certame. Assim é que em 18 de janeiro de 1930 realizou-se no Teatro Lírico a primeira edição desse Concurso, premiando com 5 contos de réis a marcha de Ary Barroso "Dá nela", cantada por Francisco Alves. "Vem cá neném", de Bento Mussurunga e Carolina Cardoso de Menezes, e "Melindrosa futurista", de Clovis Roque da Cruz, foram a segunda e terceira colocadas, respectivamente. Surpreendentemente, na mesma época, a revista *O Cruzeiro* também realizou um concurso para escolha das melhores composições para o carnaval de 1930. O veredicto do júri, que incluía figuras ligadas à música e literatura como Lorenzo Fernandes e Olegário Mariano, indicou como ganhador dos 2 contos de réis o samba de Lamartine Babo "Bota o feijão no fogo", gravado depois por Januário de Oliveira num disco da marca Columbia. Em segundo, "Eu sou do amor", composta por Ary Barroso mas inscrita em nome de sua noiva, Ivone Arantes, e em terceiro "Macumba da Mangueira", também de Ary em parceria com Almirante. Percebe-se assim que ambos os concursos estavam vinculados a duas gravadoras rivais, a Odeon e a Columbia de então, que seria sucedida pela Continental em 1943.

De 1931 em diante, os concursos foram realizados por vários anos seguidos, como parte das festividades oficiais do carnaval do Rio e, por essa razão, promovidos pelo Departamento de Turismo da Prefeitura do Distrito Federal. O carnaval foi oficializado em 1932 e a partir de então é que nascem as subvenções e premiações, gerando controvérsias muito parecidas com as que existem até hoje nos desfiles de escolas de samba.

Os critérios para a eleição dos vencedores de tais concursos variavam bastante, mas de uma maneira geral o público sempre esteve presente. Uma das formas de escolha era a da música mais aplaudida durante a apresentação. Ou a mais cantada. A outra era o juízo de um júri nem sempre muito abalizado. Havia também o sistema de votação, o chamado voto popular, mas também esse teve seus percalços, as injustiças que o tempo se encarregou de passar a limpo. "O teu cabelo não nega", que foi a vencedora no Teatro João Caetano em 1932, consagrou-se para sempre, mas, por outro lado, "Cidade maravilhosa" não ganhou em 1935. Foi a segunda colocada. E por acaso alguém se lembra da marcha de Nássara e Frazão, "Coração ingrato", a vitoriosa? André Filho, autor da marcha que se tornaria o hino da cidade do Rio de Janeiro, rompeu relações com Ary Barroso, um dos jurados. Rompeu e quase se atracaram, não fosse a intervenção de outros compositores. Talvez tenha sido este o primeiro caso de uma série que se repetiria ao longo dos concursos e festivais: a dos erros de decisão dos jurados. Ou, dependendo da exaltação e da interpretação dos cronistas, o primeiro caso de uma "marmelada" na música popular.

Se pairam dúvidas quanto a 1935, é certo que a marmelada ocorreu em 1938. Nesse ano houve anulação do resultado, inventando-se uma artimanha para desclassificar "Touradas em Madri", a desculpa da ausência no júri do presidente da comissão nomeada no edital, Átila Soares. O motivo verdadeiro também era ridículo: segundo os compositores reclamantes perdedores, a música não era uma marcha, era um paso-doble, considerado ritmo alienígena. O concurso se transformou num verdadeiro tumulto, houve nova classificação e "Pastorinhas", que havia ficado em segundo, passou para primeiro. Alguns dos demais concorrentes anteriormente contemplados tiveram suas posições alteradas, outros foram simplesmente descartados, e portanto prejudicados, sem ter nada a ver com o peixe. O incrível dessa história é que em quaisquer dos resultados estava presente o nome de um dos maiores compositores carnavalescos da história, João de Barro, o Braguinha. Ele era o parceiro de Alberto Ribeiro em "Touradas em Madri" e de Noel Rosa em "Pastorinhas", que, ao vencer, abriu caminho para o gênero marcha-rancho. Enquanto "Pastorinhas" ganhou na categoria de marchas, na de sambas, o vencedor de 1938 acabou sendo "Juro", de Haroldo Lobo e Milton de Oliveira. Assis Valente, o autor de "Camisa listada", samba vencedor no julgamento anulado, foi vergonhosamente chutado para terceiro, a posição anterior de "Juro". Vale recordar que Milton de Oliveira é considerado o criador da caitituagem na música brasileira. Muito anos mais tarde, o ato de caitituar seria acrescido de um "jabaculê", ou "jabá", designando a propina que os discotecários recebiam para interferir na programação, favorecendo compositores, cantores ou gravadoras. Estas acabaram assumindo de vez a responsabilidade, transferindo as vantagens diretamente aos proprietários ou diretores das emissoras, passando por cima dos discotecários e programadores. Foi quando esse procedimento, que tanto mal tem causado à cultura brasileira, passou a ser oficializado sob o nome de "verba de promoção".

A rivalidade também foi um componente de fundamental importância nos concursos de música carnavalesca da Prefeitura. Orlando Silva contou, daquela sua maneira expressiva e nem sempre muito fiel, sua versão de um episódio do carnaval de 1939: "Gravei quatro músicas e classifiquei as quatro. Olha que isso não é fácil, mas não é mesmo. Agora, com os recursos... mas naquele tempo não fazia não. Eu gravei 'A jardineira' e 'Meu consolo é você'. Gravei 'História antiga', e do outro lado 'O homem sem mulher não vale nada'... foram as quatro premiadas. E o Silvio [Caldas] tinha uma muito boa, 'Florisbela', do Frazão e Nássara. Eles eram jornalistas, então todo dia saía nas revistas... Daí houve o concurso do DIP, Departamento de Imprensa e Propaganda [*sic*]. Mas o negócio não era júri, não tinha nome de jurado, era por voto do público. Aí eu tô em casa, muito bem, deitadinho, mas já o Sílvio, o Frazão, o Rubens Soares, desde 3 horas da tarde estavam na Feira de Amostras pegando voto. E ganhou de 'A jardineira'. Menino, o Benedito [Lacerda, autor de 'A jardineira'] ficou louco, rapaz, Nossa Senhora. Bom, também teve mais três concursos aquele ano, mas aí eu não perdi pra nenhum. Enfiei 'A jardineira' e 'Meu consolo é você', dois no campo do América. Aí teve outro, foi do *Jornal dos Esportes*, outro foi do *Jornal do Brasil*, e outro foi do *Globo*. Mas mesmo assim 'Florisbela' não foi esse sucesso. 'A jardineira' é todo ano, já atravessou gerações. Você vê, quando o baile está meio frio, o maestro manda 'A jardineira', e até mesa sai dançando".

Como se nota, nos concursos de carnaval que proliferavam então, os principais ingredientes que fariam parte dos festivais, mais de trinta anos depois, já estavam presentes: a rivalidade, a participação do público e os estratagemas para vencer.

O auge dos concursos carnavalescos foi mesmo nos anos 30. Nos vinte anos seguintes houve muita marchinha e muito samba que nem vale a pena lembrar. Entre as exceções, foram premiadas nas décadas de 40 e 50 "Lero-lero", de Frazão e Benedito Lacerda (42), "A mulata é a tal", de João de Barro e Antônio Almeida (48), "Chiquita Bacana", de João de Barro e Alberto Ribeiro (49), "Tomara que chova", de Romeu Gentil e Paquito (51), "Sassaricando", de Luiz Antônio, O. Magalhães e Zé Mário (52), "Saca-rolha", de Zé da Zilda, Zilda do Zé e Valdir Machado

(54) e "Quem sabe sabe", de Carvalhinho e Joel de Almeida, em 1956. Quem reconhece esses títulos sabe que as marchinhas carnavalescas estão entre as mais lindas e expressivas áreas da nossa música popular.

Nesse ano de 1956, o escritor Edigar de Alencar, renomado estudioso do carnaval brasileiro, passou pela experiência de integrar o júri, lastimando "o quanto é penosa e ingrata essa tarefa. Apesar dos critérios adotados para a tríplice classificação de mais popularizadas, melhores melodias e melhores letras, o trabalho foi precário. Num sábado inteiro de carnaval estiveram alguns membros da comissão entre quatro paredes de um estúdio a ouvir mais de duzentas gravações!... e o resultado, como sempre, foi comentado, discutido e malsinado... com alguma razão". A mesma experiência teriam os jurados dos anos 60, quando os concursos ganharam um novo *layout* e se transformaram em festivais. Os célebres Festivais da Música Popular Brasileira.

Isso se deu a partir de 1965, com "Arrastão", costuma-se dizer. É que nem todos se lembram que o primeiro festival competitivo de canções na história da música popular brasileira foi promovido no final de 1960 pela Rádio e TV Record. Embora sem grande repercussão, esse é que foi cronologicamente o número 1 entre os de âmbito nacional com participação de compositores de outros estados. O que aconteceu no Rio de Janeiro em setembro desse ano, denominado "As 10 mais lindas canções de amor", era evidentemente restritivo. Foi criado pelas lojas O Rei da Voz e pela gravadora Copacabana, tendo como vencedor Ary Barroso com a "Canção em tom maior", interpretada por Ted Moreno, que não fez carreira, ao passo que "Poema do adeus", de Luiz Antônio com Miltinho, e "Ternura antiga", de Ribamar e Dolores Duran com Lucienne Franco, outras duas entre as dez eleitas, se projetaram através do tempo. O espectro desse "Festival do Rio" era circunscrito ao âmbito carioca, enquanto o Festival da Record tinha ambições maiores, como se verá. Aliás não se chamava festival. Nem concurso. A I Festa da Música Popular Brasileira aconteceu no Guarujá, em dezembro de 1960. Nem os que dela participaram se lembram muito bem. Sobraram poucos rastros.

* * *

Numa certa manhã, Paulinho Machado de Carvalho chamou seu assistente Zuza para uma reunião em sua sala do edifício das três Emissoras Unidas de rádio, a PRB 9, Rádio Record, apelidada de "A Maior", a Rádio São Paulo, PRA 5, a emissora das novelas dirigida pelo dr. Passos, e a Rádio Panamericana, PRH 7, que deixara havia muito de ser a popular emissora dos esportes para se tornar uma pobre coitada vagando como nau sem rumo pelas ondas do éter. Esse edifício, na avenida Miruna, 713, ocupava os fundos do estúdio da TV Record, nas cercanias do Aeroporto de Congonhas, onde anteriormente existia um dos mais reputados salões de festas de formatura da cidade, o Colonial.

Embora a TV Record fosse um confuso conglomerado de salinhas e salões, corredores, escadinhas, passagens e puxados, o prédio da Miruna fora planejado como se deve, abrigando os estúdios das três emissoras de rádio e suas diretorias, tesouraria, departamentos diversos, discoteca, lanchonete e a barbearia no terceiro andar, o ponto onde rolavam as fofocas entre os homens. Mulher nem chegava perto. Cantores, locutores, músicos e funcionários em geral, cercados daquele perfume barato de barbearia, falavam de futebol e contavam anedotas exclusivamente masculinas, exceção feita à mais engraçada e desbocada artista das Emissoras Unidas, a passional cantora Isaurinha Garcia, uma mulher fora de série, divertidíssima. Dos artistas vindos do rádio para a televisão, Isaurinha e o comediante Adoniran Barbosa, que na época não era lá muito reconhecido como compositor, eram as pratas da casa que mais brilhavam. Suas vidas artísticas começaram e acabaram na Record.

Assim que entrei na sala, Paulinho me encarregou de uma nova missão: "Zuza, quero que você cuide desse caso. O Tito quer fazer esse festival de música e nós pensamos transmitir o que for possível". Tito era Tito Fleury, um simpaticíssimo e bem-apanhado radialista, com a voz envolvente indispensável para a atividade. Fora locutor e ator do TBC nos anos 40, quando casado com Cacilda Becker. Agora era jornalista e diretor do radioteatro da Excelsior, PRG 9, 1.100 Khz, com estúdios num prédio da rua 24 de Maio. A sóbria Rádio Excelsior tinha sido da Cúria Metropolitana e era famosa pela *Hora da Ave-Maria*, pontualmente às 6 da tarde, narrada com devoção por Pedro Geraldo Costa, que acabou se elegendo deputado depois da fama que ganhou narrando a oração! Em 1960, a Excelsior era vinculada ao grupo Folha da Manhã.

Em 1959 Tito fizera uma viagem de férias à Europa, e resolvera ir a San Remo, onde se realizava o festival da canção italiana.

O Festival di San Remo era realizado ao ar livre, e aberto a compositores italianos e cantores do mundo. Idealizado pelo floricultor Amilcare Ribaldi em 1946, somente se concretizou em 1951, através da iniciativa do diretor do Cassino de San Remo, Pier Busset, associado ao maestro da RAI, Giulio Razzi. Entre 29 e 31 de janeiro de 1951, foi realizada a modesta primeira edição no salão de festas do Cassino, com entradas a 500 liras que davam direito a assistir ao espetáculo e a um jantar. Foi vencido por Nilla Pizzi com "Grazie dei fiori" e divulgado apenas pela rádio. Quando foi transmitido pela televisão italiana em 1954, o Festival deu um passo vital para seu desenvolvimento, mas foi a partir de 1958 que ele passou a exercer um papel de grande importância na música popular do país, marcando o fim da tradicional "canzone all'italiana". Nesse ano, surgiu um compositor e cantor vitorioso que levou às Américas e aos quatro cantos a nova canção italiana que surgia. Quando Domenico Modugno cantou "Volare, oh oh", o mercado internacional se abriu para a música e até para o turismo na Itália. Modugno, um dos maiores artistas da música popular de todos os tempos, luminoso como o sol, estourou com "Nel blu, dipinto di blu" e, no ano seguinte, repetiria a dose com outra estupenda canção, "Piove", inspirada numa cena a que assistiu na estação ferroviária de Pittsburgh, nos Estados Unidos. Além de Modugno e da nova canção italiana, o Festival de San Remo também estava consagrado mundialmente. Em sua edição de 1959, Tito Fleury estava na plateia e ficou entusiasmado com a possibilidade de criar um concurso semelhante com canções brasileiras. Tanto que trouxe em sua bagagem uma cópia do regulamento.

Voltando da Europa, Tito apresentou sua ideia ao jornal *Última Hora*, onde foi muito bem recebida tanto por Samuel Wainer quanto pelo diretor da sucursal de São Paulo, Josimar Moreira. Como o jornal estava promovendo o Concurso de Miss Luzes da Cidade de São Paulo, Josimar vislumbrou a possibilidade de associar os dois eventos num só. Música e mulher bonita, uma grande jogada bem ao estilo do brasileiro, a cara da *Última Hora*.

Tito estava interessado na música, e para que as canções fossem ouvidas pelo povo, seria indispensável transmitir pela televisão. Procurou a Organização Vitor Costa, pois também trabalhava na TV Paulista, canal 5, com minúsculos estúdios num prédio próximo da esquina da Consolação com avenida Paulista. Para sua surpresa, não houve muito interesse, e ele decidiu levar a ideia para a TV Record, canal 7, pois Paulo Machado de Carvalho, o famoso "Marechal da Vitória" do futebol e diretor da emissora, fora seu primeiro patrão, em 1936, quando Tito era locutor da Rádio Record.

A aproximação se deu de uma forma inusitada: Paulo Machado de Carvalho Filho recebeu um telefonema do governador Jânio Quadros convidando-o para almoçar com Tito Fleury num apartamento que tinha na avenida São João. Foi nesse almoço que, pela primeira vez, ventilou-se a ideia de se realizar o festival.

Paulinho, que já estava intensamente ligado à música popular, encampou a ideia com entusiasmo, o que não era de estranhar. Quando diretor da rádio, estava sempre inventando promoções que conseguiam envolver grande parte da população da cidade, e a proposta de Tito Fleury parecia estar dentro do espírito daquelas iniciativas. Na Record já existia, por exemplo, o Concurso de Garçons, o Concurso de Bandas, coordenado pelo ativo organizador comendador Siqueira, e o célebre Concurso de Resistência Carnavalesca, em que os casais ficavam dançando horas e horas noite adentro, um dia, dois dias, até não aguentarem mais. Esse espírito brincalhão, que a alguns parecia um exagero, era uma característica dos Amaral, a família de dona Maria Luiza Amaral de Carvalho, mãe de Paulinho.

A ideia de Tito Fleury tinha o feitio para se encaixar como mais uma promoção do calendário da Record: um concurso de músicas. Paulinho prometeu transmitir a festa pelas rádios e pela televisão, dando o suporte necessário para a organização do evento. Foi designado o maestro Silvio Tancredi para avaliar as partituras das concorrentes que viessem a ser inscritas através da divulgação na *Última Hora* e na própria Rádio Record. Aceitavam-se canções, sambas, valsas, maxixes, enfim, ritmos brasileiros, e foram inscritas entre 300 e 400 músicas, sob a forma de partituras primárias. As músicas seriam devidamente orquestradas pelo maestro da Rádio Record, Zico Mazagão, um altão de cara comprida que lembrava o ídolo do cinema italiano Totó. Seriam defendidas por alguns elementos do *cast* fixo da emissora, além de cantores da noite como Mag May, Nelson Alencar, João Vicente e Mariana Ribeiro, totalmente desconhecidos até mesmo na rádio. Em compensação, a premiação era pródiga: confeccionados pela H. Stern, os troféus Noel de Ouro eram destinados aos três primeiros colocados; havia medalhas de ouro, prata e bronze para os três seguintes e ainda mais 15 outras para os demais. Prêmios até o vigésimo primeiro colocado. Os patrocinadores faziam questão de que ninguém saísse de mãos abanando da festa. Um deles era o Clube dos Artistas e Amigos da Arte de São Paulo, o célebre Clubinho, que já ocupava o subsolo da rua Bento Freitas, 306, onde a música sem muito compromisso era providenciada pelo pianista Polera, irmão de Joubert de Carvalho, um boêmio e tanto. Para selecionar as 21 músicas, foram realizadas quatro eliminatórias, duas no Clubinho e duas no Teatro Record, estas últimas televisionadas.

Zuza Homem de Mello

Neide Fraga, do elenco fixo da Rádio Record, cantou numa das duas eliminatórias televisionadas no Teatro Record para a I Festa da Música Popular Brasileira, o primeiro festival de caráter nacional.

Havia muito que o Clubinho era um centro da boemia artística paulistana, local de fácil acesso para jornalistas, pois as redações eram todas no centro da cidade, e baixar naquele porão onde todo mundo se conhecia era a melhor pedida para os longos papos após o trabalho. No entanto, a repercussão do festival foi mínima. Não havia nenhum nome muito famoso entre os autores das 21 músicas finalistas divulgadas pela comissão julgadora, num jantar no próprio Clubinho, em 29 de novembro de 1960. A reunião para essa seleção se realizara na véspera e a final já tinha data marcada: seria no Guarujá, no primeiro fim de semana de dezembro daquele ano.

Porém, a parte musical da I Festa da Música Popular Brasileira seria apenas um dos itens no meio de uma programação ultramovimentada. A turma do Clubinho sabia fazer festas e criar badalações melhor que ninguém. Deveria durar quatro dias.

Às 9 horas da última quinta-feira de novembro de 1960, um alegre bando de cantores e músicos da Record saiu de São Paulo, a bordo dos ônibus da Viação Cometa, chegando para almoçar, participar de um coquetel e jantar na piscina do mais chique balneário do estado, o Guarujá, a pérola do Atlântico.

Nos anos 50, chegava-se ao Guarujá de duas maneiras: os mais abonados, de automóvel, após cruzarem de *ferryboat* o canal por onde os navios entravam no porto de Santos. Havia várias balsas, mas quando atracava a Cunhambebe, a maior delas, era uma comemoração na fila de espera. Ia dar para todo mundo embarcar e, não se espantem, sua capacidade era de oito automóveis. Enquanto isso, a turma pé de chinelo tinha que ir até a Ponta da Praia, caminhar até o ancoradouro, atravessar de balsa e, do outro lado, pegar um trenzinho de três românticos vagões de madeira que, nos anos 30, estacionava no Petit Casino, quase defronte ao Grande Hotel, até o ponto final ser removido, anos depois, para a rua detrás, a Mário Ribeiro. Após a desativação da linha férrea, os vagões foram levados para o interior de São Paulo, onde continuam funcionando; uma das velhas locomotivas acabou virando troféu.

O grande centro de animação da estância balneária, nos anos 60, era o complexo do hotel, cassino e piscina, situados na orla da magnífica praia de Pitangueiras, onde as ondas, muito maiores e mais atraentes que as de Santos, espumavam para morrer na areia fina e branca, o que também não existia nas praias santistas, duras e acinzentadas. Bem defronte de Pitangueiras havia a ilha Pombeva, alcançada apenas pelos exímios nadadores, e, já mais além, o mar aberto. O nome oficial do luxuoso

Grande Hotel, de linhas arquitetônicas europeias com uma grande varanda defronte à calçada, decorado com vitrôs e lustres de cristal e forrado de tapetes persas era Grande Hotel de La Plage. Lá se hospedou a nata da sociedade brasileira, figuras marcantes da indústria paulista e personalidades como Santos Dumont, que se enforcou em um de seus quartos em 1932. O auge do Grande Hotel foi nos anos 40 e 50, após a abertura da Via Anchieta, mas quando os abonados frequentadores do Guarujá começaram a adquirir apartamentos nos edifícios que foram construídos, entre eles o emblemático "Sobre as Ondas", o hotel não conseguiu suportar a concorrência, sendo finalmente demolido em dezembro de 1961. A seu lado, separado pela rua Nami Jafet e explorado pela família Bianchi, ficava o Cassino do Guarujá, de linhas mais modernas, que, após o grande favor que o presidente Dutra prestou à classe artística do país, extinguindo o jogo no Brasil em 1946, passou a abrigar um concorridíssimo jogo carteado, frequentado sobretudo pelas senhoras cujos maridos "davam duro no trabalho" na capital paulista.

Defronte ao Grande Hotel, do outro lado da avenida Marechal Deodoro, com suas calçadas de cor rosada, ficava a maior atração do Guarujá nos anos 60, o famoso Grill do Guarujá. Seu principal atrativo era a piscina em forma de ameba, rodeada pelo bar semicoberto de um lado e tendo do outro uma escada que parecia flutuar no espaço com seus degraus de placas de concreto, conduzindo ao mezanino apoiado em colunas em V. Era mesmo um conjunto espetacular, cercado por um muro alto e muita vegetação, cuja face externa, frente ao mar, morria na própria areia da praia.

A piscina era o *point* obrigatório por onde circulava invariavelmente uma "dona boa" que se esticava ao sol, ou onde se reunia um grupo de "gente bem" bebericando em alguma mesa. Era frequentada pelos *playboys* e pelas mais lindas e cobiçadas *socialites* da Pauliceia, como Carmen Terezinha Solbiatti (Mayrink Veiga depois de casada), Nelita Alves de Lima, as irmãs Lúcia e Cecília Matarazzo (que se tornaram respectivamente Falcão e Braga), e a deslumbrante Xinha D'Orey, que fora Glamour Girl do Clube Harmonia de São Paulo. A homarada girava em torno dessas e outras puro-sangue. No verão era certo encontrar numa das mesas, contando casos com seu vozeirão que ecoava pelo ambiente, o engraçadíssimo Sérgio "Cavalo" (Sérgio Barbosa Ferraz), um dos *habitués*, bem como Antônio Augusto Rodrigues, Ricardo Fazzanello, Olímpio e Eduardo Matarazzo, que tiveram um famoso arranca-rabo com o delegado da cidade. Sentado à beira da piscina, geralmente com um copo de

O elenco da Rádio Record em banho de mar na praia de Pitangueiras,
no Guarujá: Estherzinha de Souza, Dircinha Costa, Cinderela,
Moacir Gomes (de pé), Paulo Molin e o jornalista e jurado Nilton Mendonça
(agachados), Neide Salgado e Jorge Magalhães (à direita).

O Grill do Guarujá, centro das atividades sociais e artísticas
do balneário paulista nos anos 60, com o Grande Hotel ao fundo.

uísque na mão, depois de vários já consumidos, ficava o mais lido cronista social, Mattos Pacheco, do *Diário de São Paulo*, facilmente reconhecido pela sua boca torta. Aquele era o centro dos *potins* mais alvissareiros tanto para ele como para outros cronistas, como Ricardinho Amaral, o criador da coluna "Jovem Guarda" no *Shopping News* e depois obrigatória na *Última Hora*. Foi nessa piscina que, segundo se conta, o *playboy* por excelência, Baby Pignatari, célebre por suas históricas gozações, ofereceu certa vez a algumas garotas um lote de atraentes maiôs de um material novo que ele trouxera dos Estados Unidos, capaz de modelar seus corpos como nenhum outro tecido. Cada uma pegou o que mais gostou e foi ansiosa vestir-se para exibi-lo à plateia ouriçada. A rapaziada postou-se à volta da piscina, aguardando a exibição prestes a acontecer. Bastou que mergulhassem para que em poucos minutos os maiôs se dissolvessem como que por encanto, desintegrando-se misteriosamente na água da piscina. Num instante, todas ficaram nuazinhas e desesperadas, sem saber o que fazer diante da plateia que se escangalhava de dar risada. Isso é que era acontecimento.

Para os hóspedes do Grande Hotel, bastava atravessar a rua, passar pela borboleta e desfrutar daquelas delícias exclusivas, dar um mergulho, tomar uma cuba-libre ou um *ice-cream soda*. Quem não era hóspede pagava uma taxa de entrada e, pronto, estava naquele recanto edênico onde as coisas de fato aconteciam. A piscina do Guarujá celebrizou-se também por programar shows e música dançante de qualidade.

O Guarujá era mesmo sinônimo do que havia de mais charmoso em matéria de praia no estado de São Paulo, donde ter sido logicamente escolhido para a final do grande evento. Era o balneário dos paulistas que mais se parecia com San Remo. E o Grill seria o ambiente ideal para a grande festa.

Os participantes, artistas, modelos e jornalistas quase não tiveram tempo livre. Devidamente credenciados e alojados com as garotas do concurso Miss Luzes da Cidade, convidados e concorrentes se esbaldaram com a intensa programação. O concurso de Miss Luzes era uma conhecida promoção da *Última Hora*, comandada pelo costureiro Alberto Mauro em sua coluna diária no jornal. Aliás, Alberto era considerado por Mattos Pacheco o costureiro das estrelas de rádio, televisão e teatro, e estava naquele fim de semana lançando a linha Musical, homenagem aos artistas em geral. Depois do desfile, Pacheco escreveria em sua coluna estar decepcionado, e que "os vestidos da linha Musical dão... dó". É de notar que uma das manecas desse desfile, justamente a Miss Luzes da Cidade, Marilda Moreira, iria iniciar ali uma vitoriosa carreira no Brasil. Em abril de 1963, ela seria contratada como manequim da Rhodia e, como a elegantíssima Mila, se tornaria a maior atração dos seus desfiles.

Naqueles dias de 1960, houve banho de mar, visitas à praia de Pernambuco e até à Base Aérea, um belíssimo coquetel durante a visita ao Forte, almoços e jantares dançantes, mas quem mais abafava eram mesmo as garotas com seus biquínis. Finalmente, no sábado, 3 de dezembro, teve início a última sequência de atividades presenciada pelos convidados, que lotavam todas as dependências do hotel, além de cinegrafistas, animadores, câmeras, locutores e elementos das gravadoras. Foi imaginado de tudo para entreter os convivas: mais banho de mar, mais almoço, uma corrida de garçons, uma gincana e as evoluções, por todos presenciada, do helicóptero da Record. Às 19h30 foi servido um jantar à volta da piscina, com balé aquático, desfile de moda tendo como manequins a Miss Luzes e suas princesas, seguindo-se um show com os maiores nomes do *cast* da Record. Lá estavam Cinderela, a bonequinha loura de olhos puxados da TV que namorava o galã Randal Juliano, o comediante Chocolate, que revirava os olhos e também compunha nas horas vagas, o brotinho Paulo Molin, o elegante locutor Jorge Magalhães, além de outras conhecidas pratas da casa, as cantoras Neide Fraga, Neide Salgado, Dircinha Costa e Estherzinha de Souza. Embora sem receber cachê extra, a Festa do Guarujá fora para eles um verdadeiro bônus.

Normalmente, esses artistas da Rádio Record eram escalados para estar às 6h30 da manhã do domingo na Praça da Sé, a fim de pegar o ônibus que os levaria a algum bairro paulistano, de onde era transmitido o programa matinal *Alegria dos bairros*, com produção de Waldir Buentes. Ou então — grande vantagem! — participar do *Aqui está a Record*, transmitido às segundas-feiras, cada vez de um diferente cinema de bairro. Isso, fora os programas de auditório regulares. Dessa vez, seu super fim de semana nada tinha a ver com o "Tristeza dos bairros", como era chamado. Era praia, hotel, comida da melhor, garotas, muita badalação, tudo de graça.

Os frequentadores do Guarujá estavam animadíssimos com a novidade da festa, apesar de o Festival de Cinema programado para o começo do ano se constituir, como já era hábito, no grande acontecimento do verão que se aproximava. Os ingressos haviam se esgotado e alguns santistas que pretendiam assistir à festa não tiveram outro jeito senão regressar sem conseguir acomodação e sem ver nada. "O povo se comprimia junto aos muros da piscina", descreveu o então repórter destacado pela

Última Hora, Ignácio de Loyola Brandão, que, de câmara fotográfica em punho, sacava fotos no saguão do hotel. Aquele público não estava tão interessado assim em conhecer as canções, como se imagina, mas sim em ver o desfile das garotas.

A comissão julgadora, que começou a ouvir as concorrentes apenas à 1 da manhã, era o que havia de mais eclético: tinha gente do cinema, como a atriz Ruth de Souza e o cangaceiro Milton Ribeiro, o escritor Mário Donato, a gordota cronista social Irene de Bojanô, com seus óculos de lentes tipo fundo de garrafa, o presidente do Conselho Municipal de Turismo, Américo Nagib, e logicamente o prefeito Jaime Daige, que tinha tido o privilégio de colocar a faixa de Musa do Ano de 1960 em Annik Malvil, uma francesinha *starlet* do cinema brasileiro, que sabia como ninguém fazer-se de gostosa. E dava lições de autopromoção ao gravar com um sotaque afrancesado para chamar a atenção.

O apresentador Jorge Magalhães ia anunciando, com sua voz imponente e agradável, as músicas concorrentes interpretadas pelos cantores acompanhados da orquestra. Cavalheiros trajados a rigor e damas de longo, como em todos os programas de gala da televisão. Apesar de prometido, nem a TV Record ou TV Rio, nem a Rádio Jornal do Comércio do Recife ou Guarani de Belo Horizonte transmitiram a Festa da Música. Só as Rádios Record e Panamericana.

Entre os compositores concorrentes, o de mais evidência era o carioca Armando Cavalcanti, autor de marchas de carnaval como "Maria Candelária", "Maria Escandalosa" e "Papai Adão", além do tema do filme *Somos dois*, um samba-canção gravado por Dick Farney. Descrito numa reportagem como "magro, bem-falante, fumando Liberty e munido de drops de cevada", ele conquistou a imprensa, elogiou a festa "para tirar o autor da condição de desconhecido". Do Rio Grande do Sul, inscrevera-se o folclorista gaúcho Barbosa Lessa, famoso pelo "Negrinho do Pastoreio", e entre a grande maioria de paulistas estava a bossa-novista e ótima violonista Vera Brasil. Pouco se sabia dos demais. Inclusive do advogado Vadim da Costa Arsky, também bossa-novista, que conseguiu emplacar nada menos que três canções entre as 21 classificadas. Havia seis sambas, cinco sambas-canção, além de marchas-rancho, congada, baião e canções.

Após a apresentação das músicas, a comissão se reuniu enquanto a orquestra tocava marchas e sambas para um carnavalzinho à beira da piscina. Como o tempo foi passando e nada do resultado sair, os compositores decidiram então improvisar um regional, cantando e batucando nas mesas. Alguém se arrisca a dizer que horas eram a essa altura dos acontecimentos? Pois somente às 5h30 da manhã é que saiu o resultado anunciando a vencedora, "Canção do pescador", a mais aplaudida, de um autor carioca pouco conhecido na época, o pianista Newton Mendonça. Na eliminatória do Clubinho fora cantada por Mag May, mas nessa noite foi defendida por Roberto Amaral, um moreno alto e bonitão que namorava a cantora Neide Fraga, mas que jamais gravou "Canção do pescador". O prometido LP desse festival nunca saiu.

Que foi feito então das outras músicas, onde foram parar "Afinado", "Continue a tentar", "Juízo final", "Eu" e tantas outras?* Que se saiba só "Rimas de ninguém", da Vera Brasil, foi aproveitada. Ela mesma gravou-a em junho de 1964 com arranjos do genial e lendário baixista Boneka, num disco para o mercado americano da etiqueta Revelation, dirigida por Bill Hardy, um fã de música brasileira. Começava assim: "Lua deserta procurando alguém, alguém...".

Observando a relação completa dos jurados, é com espanto que se vai constatar que um deles tinha o mesmo nome do vencedor. Esse componente do júri era Nilton Mendonça, jornalista responsável pela coluna de rádio e televisão "Vendo e ouvindo", ao passo que o Newton Mendonça vencedor do Festival, parceiro de Tom Jobim em "Desafinado" e "Samba de uma nota só", jamais poderia estar no Guarujá a 3 de dezembro de 1960. Quem recebeu o prêmio Noel de Ouro foi Cirene Mendonça, sua mulher, presente à festa. O compositor e letrista, homônimo do jurado, havia morrido dias antes, a 22 de novembro de 1960. Enfarte fulminante.

Dona Cirene fora convidada pela produção e, embora ainda abalada pela morte do marido, foi muito cumprimentada ao receber o prêmio. Essa foi mais uma demonstração do quanto a vida havia sido tortuosa para Newton Mendonça. Não pôde gozar a satisfação pela vitória, e ainda, por ironia, o jurado homônimo seria depois abordado em São Paulo e cumprimentado por um prêmio que não era dele, embora, diga-se de passagem, fizesse questão de esclarecer a coincidência.

Gravada em 1961, por Marisa Gata Mansa, em um LP da Copacabana com quatro músicas de Newton, "Canção do pescador" é uma canção melancólica, bastante simples, com versos que podem ser interpretados como premonitórios, traduzindo de maneira crua o estado de

* Ver, ao final do livro, a seção "Ficha técnica dos festivais", com as informações deste e de todos os principais festivais brasileiros.

Zuza Homem de Mello

Ultima Hora — EDIÇÃO MATUTINA

Ano IX ★ São Paulo, Terça-feira, 29 de Novembro de 1960 ★ N.º 2.657

SELECIONADAS AS 21 FINALISTAS: FESTA DA MUSICA COMEÇA AMANHÃ

REDITO DE KENNEDY!

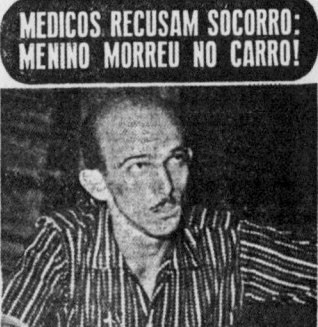

MEDICOS RECUSAM SOCORRO: MENINO MORREU NO CARRO!

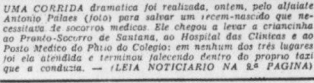

UMA CORRIDA dramatica foi realizada, ontem, pelo alfaiate Antonio Pálaes (foto) para salvar um recem-nascido que necessitava de socorros medicos. Ele chegou a levar a criancinha ao Pronto-Socorro de Santana, ao Hospital das Clínicas e ao Posto Medico do Pbio do Colegio: em nenhum dos três lugares foi ela atendida e terminou falecendo dentro do proprio taxi que a conduzia. — (LEIA NOTICIARIO NA 9.ª PAGINA)

SERÁ AMANHÃ, no Guarujá, o inicio da I Festa da Musica Popular Brasileira. Um extenso programa foi elaborado para os quatro dias do certame, que contará com a presença de dezenas de garotas-Luzes, à frente Marilda Moreira (foto), "Miss" Luzes 1960 Compositores do Brasil inteiro inscreveram seus nomes para a disputa do "Noel" que será distribuído ao fim do conclave. — (LEIA NOTICIARIO COMPLETO NA 11.ª PAGINA)

Notícia do evento criado por Tito Fleury na primeira página do jornal *Última Hora*, destacando a modelo Marilda Moreira (que ficaria mais tarde conhecida como Mila).

Estherzinha de Souza e Roberto Amaral, o intérprete de "Canção do pescador", música de Newton Mendonça vencedora do I Festival da Record em 1960.

ânimo de seu autor: "Lá onde a praia termina/ mora um homem cansado da vida... que foi moço e sonhou tantas vezes/ e em noites de lua fez tanta canção/ minha vida está perto do fim/ tudo é triste, é triste pra mim/ meus cabelos já têm cor do mar/ quando é noite de lua e eu não posso sonhar...".

No dia seguinte à festa, domingo, houve uma indefectível partida de futebol pela manhã e a caravana da Record partiu do Guarujá depois do almoço. Todo mundo exausto, nos ônibus da Cometa. Estava acabada a Festa da Música Popular Brasileira sem que ninguém tivesse visto o que aconteceu pela televisão.

Talvez seja essa uma razão para explicar por que quase nenhum dos seus participantes consiga descrever aquela noite. Por mais que se esforcem, cantores, jornalistas e compositores ainda vivos não se lembram de quase nada. Por outro lado, a intensa programação naqueles dias murchou a importância da parte musical, que acabou sendo apenas mais um item, e sem a mesma projeção dos desfiles de misses. Mas a grande desvantagem foi a escolha dos intérpretes. Certamente, aquelas mesmas canções chegariam muito além na voz de outros cantores. Faltou cantor, faltou cantora.

Foi precisamente essa a mudança fundamental na proposta levada alguns anos depois a outra emissora de televisão por um jovem produtor que ficaria associado para sempre à realização de festivais na música popular brasileira.

2.
"ARRASTÃO"
(I FESTIVAL DA TV EXCELSIOR, 1965)

Nos quatro anos seguintes, de 1961 a 1965, a música na cidade de São Paulo iria passar por uma substancial transformação, rotulada na imprensa como movimento de integração da música popular. Sem se identificar como uma tendência, essa transformação foi se dando gradativa e espontaneamente em bares e teatros, na televisão e nas rádios paulistas, com a mudança dos programas de "palco-auditório" para os de estúdio.

Afora as novelas da Rádio São Paulo, que viviam seus estertores de suspiros e lágrimas através do éter, as atrações em que se concentravam as três grandes emissoras paulistas, Tupi, Record e Nacional, representavam o ocaso dos espetáculos ao vivo, que na década anterior atingiram o auge. No começo dos anos 60, ainda desfilava diariamente em seus auditórios um respeitável *cast* de locutores (Homero Silva, Dárcio Ferreira, Ribeiro Filho, Francisco Renato Duarte) e humoristas (Vicente Leporace, Maria Amélia e José Rubens, Pagano Sobrinho, Adoniran Barbosa) que davam vida aos textos dos redatores e produtores (Thalma de Oliveira, Oswaldo Molles, Túlio de Lemos, Armando Rosas, Júlio Atlas), além de cantores, orquestras e conjuntos regionais, levando sentimento às canções nacionais e internacionais. Programas jornalísticos, só de manhã cedo, como o proverbial *Grande Jornal Falado Tupi*, de Corifeu de Azevedo Marques, em que preponderava a voz solene de Alfredo Nagib. Os poucos programas de discos, logicamente de 78 rotações, começavam em geral depois de meia-noite. Os ouvintes vidrados em música americana não perdiam um *Midnight* na Cultura, cujo prefixo era o intimista "Midnight Masquerade", com o guitarrista Alvino Rey. Antes de o sol raiar, vinham as modas para a caipirada, no volume máximo e pela PRB 9, "A Maior", numa oferta do sabão Minerva, com a grande autoridade no assunto, Raul Torres, líder do trio Torres, Florêncio e Rieli, os "três batutas do sertão". Durante o dia, poucas opções: tangos, também em 78 rotações, *por supuesto*, anunciados pela voz arranhada de Lourenço Amadeu, antítese do padrão vigente, na Rádio Cruzeiro do Sul, depois Piratininga. Ou *big bands* e cantores americanos após a hora do almoço no *Ecos da Broadway*, com o saudoso Renato Macedo, pela Excelsior, introduzido pelo "In The Mood", com a orquestra de Glenn Miller.

Às emissoras, cabia encontrar novos formatos para fazer frente àquela considerável produção radiofônica dos anos 50, que ia ao ar diariamente sem se repetir, e ingressava na fase terminal de seu domínio no cenário radiofônico paulistano, a exemplo das correspondentes cariocas, Nacional, Tupi e Mayrink Veiga. Pois coube à Rádio Bandeirantes, a mais popular emissora paulista, instituir em São Paulo as bases de um novo formato, calcado em programação de estúdio, sem auditório, sem um *cast* daquelas proporções, que mudaria radicalmente as estruturas da programação radiofônica.

A base dessa mudança pioneira em São Paulo, rotulada inicialmente de RB-55, se assentava no triângulo jornalismo, esportes e música com *disc jockeys*. No primeiro vértice, imprimia-se uma vivacidade inédita aos principais noticiários, *Titulares da notícia* e *Primeira hora* (no ar até os dias de hoje, no mesmo horário das 7 às 8), nas vozes de Franco Neto, Antônio Pimentel e Salomão Esper, sob o comando de Alexandre Kadunk; enquanto no segundo vértice, Edson Leite, que também era o diretor artístico, encabeçava o *Scratch do rádio*, uma equipe esportiva de arrebentar a boca do balão: os dois mais vibrantes e estilistas narradores da época, o próprio Edson e Pedro Luiz; dois comentaristas de escol, o finíssimo e irônico Mário Morais e o *gentleman* Mauro Pinheiro; os mais ágeis repórteres de campo, Sílvio Luiz e Ethel Rodrigues; e ainda Braga Jr., Darcy Reis e uma vasta equipe, para transmitir os joguinhos chinfrins através da "Cadeia Verde-Amarela Norte-Sul do Brasil". O terceiro membro desse triunvirato da PRH 9 era Henrique Lobo, que dirigia a programação musical. Henrique era um radialista diferenciado, filho do maestro Elias Lobo Neto, neto do maestro Jerônimo Lobo, bisneto do maestro Elias Lobo e ele próprio pianista, tendo estudado com sua tia Menininha Lobo. Henrique atuou decisivamente na fixação dos programas de *disc jockeys* em diferentes faixas de horário, para fazer frente aos espetáculos de auditório das três grandes.

Vários *disc jockeys* de duas emissoras paulistas em particular, Bandeirantes e Excelsior, eram *experts* em música popular. Além de anunciar, discutiam a matéria com conhecimento de causa, programavam músicas ainda consideradas elitistas, chegando a provocar a ira dos departamentos comerciais, que acomodadamente preferiam o óbvio. O próprio Henrique Lobo (que apresentava *É disco que eu gosto* e *Varig é dona da noite* na Rádio Bandeirantes), Walter Silva (*Pickup do Pica-Pau*, com duas horas no horário do almoço, também na Bandeirantes e mais tarde na Excelsior), Humberto Marçal (com *Mil discos é o limite* e *Sambalanço* na Bandeirantes), Fausto Canova (com o *Tribuna musical* na Excelsior e assumindo, após a saída de Humberto Marçal, o *Sambalanço* na Bandeirantes), além dos irmãos Macedo, Fausto (com o *Arquivo musical* na Bandeirantes) e Ricardo (com o *Discomentando* e *O Diabo disse não*, ambos na Excelsior), eram os nomes mais destacados, afora Moraes Sarmento, do mesmo nível, embora mais apegado ao tradicional. Esses radialistas estavam atentos ao que era lançado pelas gravadoras, e também ao que corria nos bares e bocas, em decorrência do incontestável avanço que a bossa nova produziu no conceito de forma musical no Brasil. Ao lado de alguns discotecários e programadores, como Magno Salerno da Rádio Cultura, eles formavam uma elite de apresentadores e programadores musicais nunca antes igualada nas rádios paulistanas, mantendo um compromisso com o que anunciavam, mostrando discernimento e independência no que escolhiam para seus programas, além da capacidade de perceber que algo novo e importante estava acontecendo e devia ser difundido entre os ouvintes. O sucesso nacional de "Desafinado" com João Gilberto, por exemplo, além do trabalho do divulgador da Odeon Adail Lessa, fora detonado em 1959, quando o *Pica-Pau* parecia estar empenhado numa campanha política, de tanto que repetia e elogiava o disco. Como um dos responsáveis pela divulgação que João Gilberto teve em São Paulo, apresentou em seu programa a gravação do Concerto de Bossa Nova no Carnegie Hall, que assistira em Nova York. Por outro lado, o destacado apresentador Fausto Canova criou uma verdadeira escola em que o bom gosto, o comedimento nas críticas e a abertura para o novo foram a tônica de todos os programas que produziu e apresentou. Aliás, o único deles em atividade até o presente momento e mantendo os mesmos princípios.

Os citados radialistas tinham, dessa forma, sua participação na abertura do gosto musical dos ouvintes ou, ainda, na preparação de seu subconsciente para o que de mais denso ocorria na música popular do país. Os programas tipo *hit parade* eram, como sempre aconteceu, mais acomodados, podendo ser exemplificados por *Telefone pedindo bis* e *Atendendo o ouvinte*, apresentados por Enzo de Almeida Passos, *Parada de sucessos* das Lojas Assumpção, por Hélio de Alencar, com a clássica abertura das clarinadas de "Saint Louis Blues March" pela orquestra de Glenn Miller, e *Grande musical G-9*, com Odilon Araújo. Eram atados ao que mais vendia, não interessando muito nadar contra a corrente. Ouviam-se neles muitos bolerões e semelhantes, nivelados pelos "Alguém me disse", "Fica comigo esta noite" e "Esta noite eu queria que o mundo acabasse" da vida: a pura essência do cafonismo. Dessa forma, as rádios paulistanas tinham programas de discos para gostos bem diferentes: de um lado, os sucessos das paradas, bolerões como "Tenho ciúme de tudo" ou "Perdoa-me pelo bem que te quero"; de outro, canções como "O amor em paz", "O barquinho", "Quem quiser encontrar o amor", identificadas com um segmento bem definido. Onde estaria então o futuro da música brasileira? O tempo se encarregaria de dar razão àqueles programadores.

* * *

Os radialistas paulistanos, que formavam a facção pacífica e eficaz na formação do gosto musical, contribuíram à sua maneira para o surgimento de núcleos na classe estudantil que tiveram iniciativas surpreendentes, a ponto de superar a atividade que deveria ser exercida por promotores profissionais. A moda de espetáculos de bossa nova, uma réplica paulistana dos shows universitários de bossa nova no Rio de Janeiro mais de um ano antes, proliferou a partir de 1961.

Em 27 de junho desse ano, foi realizado com sucesso incomum, no auditório Ruy Barbosa da Universidade Mackenzie, o pioneiro espetáculo *A bossa nossa*, que daria origem à série conhecida como *Show da balança*. A sala com poltronas de madeira ficou abarrotada com mais de 1.500 pessoas ocupando até as alas de passagem para assistir às cantoras Claudete Soares (apelidada de "transistor" em virtude de seu tamanho), Maricene Costa, Alaíde Costa e Ana Lúcia (uma das intermediárias na organização) e aos convidados do Rio: Baden Powell, Geraldo Vandré, Vinicius de Moraes e João Gilberto, que trouxe a então desconhecida em São Paulo Nara Leão. João já tinha seu público em São Paulo, embora tivesse causado comentários controvertidos quando se apresentara em maio de 1960 no Club Paulistano: chegou a parar o show quando esqueceu a letra de "Desafinado". Mas, no show do Mackenzie, ele abafou, sendo o mais aplaudido. Foi esse o primeiro espetáculo paulista de grande repercussão que vinculava a música popular contemporânea a centros estudantis.

No mesmo dia de setembro em que o Centro Acadêmico Horácio Lane, da Engenharia do Mackenzie, promoveu um show antagônico ao show de bossa nova, o *Cancioneiro do Brasil*, produzido por Alberto Helena Jr., apresentado por Sérgio Porto, mas com a velha guarda (Cyro

Monteiro, Cartola, Ataulfo Alves, Jacob do Bandolim, Aracy de Almeida e Silvio Caldas, entre outros), as alunas "gente bem" do Colégio Des Oiseaux arriscaram produzir seu showzinho no fechadíssimo Club Harmonia, que não queria ficar atrás do Paulistano. Foi mais um espetáculo com a turma da bossa nova: Vinicius, Baden Powell, Alaíde Costa e João Gilberto. Em novembro, foi a vez do Clube Pinheiros, que reuniu João Gilberto, Baden Powell e outros, também num espetáculo de bossa nova para seus associados.

No entanto, essa crescente movimentação em torno do gosto musical da juventude mais abonada não era claramente percebida pela televisão. Na Record, artistas da bossa nova como João Gilberto cantavam apenas em ocasiões muito especiais, como na entrega do Troféu Chico Viola de 1960, quando aconteceu nos bastidores um tremendo bate-boca entre ele e o compositor Tito Madi. Nos camarins do Teatro Record, em 14 de janeiro de 1961, João quebrou um violão na cabeça de Tito e ainda cantou depois. Tito não pôde entrar no palco: foi para o hospital.

O outro programa da TV Record que, esporadicamente, também abrigava artistas de vanguarda era a parada semanal de sucessos *Astros do disco*, apresentada pelo casal mais assíduo da telinha na época, o pão Randal Juliano e a sempre impecável morena Idalina de Oliveira.

Na necessidade de conquistar audiência, a TV Excelsior era menos conservadora, incluindo com mais assiduidade João Gilberto e boa parte dos nomes que ainda se projetavam, como Tom Jobim, Vinicius de Moraes e Carlos Lyra, egressos da bossa nova.

Impulsionada pelo estonteante capital do empresário Mário Wallace Simonsen (1909-1965), amealhado com seus negócios como exportador de café através da Comal, a TV Excelsior tornou-se uma das mais de 40 empresas do poderoso grupo Simonsen (ao lado da Panair do Brasil, Cerâmica São Caetano, Wacin Importação e Exportação e Super Mercados Sirvase) quando seu filho, o educadíssimo e viajadíssimo Wallinho (Wallace Cochrane Simonsen Neto), ficou fascinado com a ideia de montar uma rede nacional de televisão, a exemplo das cadeias norte-americanas, o oposto do que pensavam nas Emissoras Unidas os Machado de Carvalho, da TV Record, e os Amaral, da TV Rio, que viviam às turras.

Mário se tornara bilionário comprando diretamente dos fazendeiros safras inteiras de café que, com seu cacife incalculável, conservava estocadas pelo tempo que fosse necessário, até o momento de vender para o mercado exterior em época de geada ou de safra baixa. Desse modo, conquistava lucros fabulosos que engordavam suas contas bancárias. Fiel a seus antepassados, mantinha-as em libras esterlinas na Inglaterra, o que provocava a ira de *tycoons* americanos, como Nelson Rockfeller, que cobiçavam tamanhas fortunas para seus bancos. Wallinho, um *playboy* culto e bonitão, era apaixonado por cinema, que conhecia bastante bem, e por polo, esporte ao qual se dedicava sem medir consequências, não se furtando sequer a mandar retirar metade das poltronas dos aviões da Panair — de seu pai, é bom lembrar — para transportar seus cavalos de raça para o Reino Unido, onde vivia num castelo cinematográfico. Convenceu o pai a entrar na comunicação visual, ainda que sem objetivo de lucros comparáveis aos da Wacin ou mesmo da Panair. Assim, com Wallinho na superintendência e cercada de um certo diletantismo, nasceu a emissora que iria superar a Tupi, canal 4, e a firme liderança da Record, canal 7, lançando inovações fundamentais para os padrões da época.

Um grande show de duas horas e meia, com a presença de Ary Barroso, Dorival Caymmi, Dick Farney e, notem só, João Gilberto, marcou a sua inauguração a 9 de julho de 1960. Realizado no Teatro Artur Azevedo, na Vila Clementino, foi produzido pelo próprio diretor artístico Álvaro Moya e dirigido por Abelardo Figueiredo, com textos de Manoel Carlos, que duas semanas depois estreava como produtor do canal 9 num programa baseado nesse mesmo espetáculo de inauguração. Era o mais novo show domingueiro, destinado a fazer história na televisão brasileira, o *Brasil 60*, estrelado por Bibi Ferreira, patrocinado pela Nestlé e presenciado por senhores engravatados e muito bem-vestidos, ao lado de senhoras que chegavam a ir ao cabeleireiro para comparecer ao auditório lotado.

Manoel Carlos Gonçalves de Almeida, que, como os pioneiros da televisão, iniciou fazendo de tudo, de ator a câmera, já estava na TV Tupi desde março de 1951, passando sucessivamente pelas TVs Paulista (criada pelo deputado Ortiz Monteiro), Record e Rio, antes de chegar à Excelsior, onde permaneceu até meados de 1963 no comando desse programa destinado a receber expressivos nomes da cultura nacional, entre escritores e teatrólogos, políticos e maestros, seresteiros e cantores de bossa nova. Seu título foi mudando para *Brasil 61*, etc., acompanhando o ano em curso, tendo estado fora do ar apenas por oito meses para retornar em março de 1963. Maneco, com seu rosto rechonchudo e nariz redondo, que lhe davam uma aparência de anjinho até a sua fase de autor de novelas da Globo, quando deixou crescer a barba, sempre teve grande intimidade com cantores clássicos da música brasileira. Marcou suas produções na Excelsior aglutinando cantores em parcerias inusitadas: Juca

Chaves cantou com Lamartine Babo, João Gilberto com Orlando Silva... juntou até um quarteto como jamais se sonhou: Carlos Galhardo, Orlando Silva, Silvio Caldas e Dorival Caymmi. Além de cantores, chargistas como Ziraldo, Jaguar, Fortuna, Millôr, comediantes como Oscarito, Colé, Renato Corte Real, Jô Soares e Grande Otelo, ou personalidades como a carnavalesca Eneida foram alguns dos convidados desse riquíssimo programa da TV Excelsior em seus anos de esplendor.

A programação do canal 9 fora baseada ironicamente na de outro canal 7, o de Buenos Aires, e amplamente divulgada para captar em pouco tempo a audiência dos concorrentes. O principal segredo eram os intervalos entre programas, rigorosamente curtos, o oposto daquela abusiva e descontrolada enxurrada de comerciais da Record, que chegavam às vezes a mais de 20 minutos, deixando o povo, coitado, a aguardar pacientemente e sem reclamar daquelas esperas monstruosas que tumultuavam a vida do telespectador. Com uma divulgação originalíssima através de simpáticos bonequinhos e um reloginho que destacava os precisos três minutos dos intervalos com apenas "quatro anúncios" (não se usava ainda a expressão "comerciais"), a Excelsior foi ganhando consistência e audiência. Seu primeiro diretor artístico foi o criativo Álvaro Moya, que depois iria se dedicar à área cinematográfica, sendo sucedido por Graça Melo de outubro de 1962 até o início de 1963. Em seguida, o *cast* da emissora recebeu um reforço impressionante, através de sedutoras propostas de salários altíssimos, nunca vistos na TV brasileira. O dinheiro corria solto, e assim foram contratados, a peso de ouro e numa só enfiada, Lima Duarte — móveis e utensílios das Associadas — e os produtores Túlio de Lemos e Walter George Durst, também da Tupi. Só faltou o *big boss* das Associadas, Cassiano Gabus Mendes. Num evidente descontrole de despesas, vieram ainda, com salários várias vezes superiores ao que ganhavam, o prestigiado comentarista de futebol Mário Moraes, o comediante José Vasconcelos, o veterano seresteiro Silvio Caldas, a ex-cantora de músicas espanholas Lolita Rodrigues, o compositor e cantor Luiz Vieira, o comediante Walter Stuart, artistas e técnicos em penca, causando rebuliço no controlado meio televisivo. Até então, as cúpulas das emissoras tinham um acordo tácito de não contratar artistas da concorrência. A Excelsior chutou o acordo para o espaço e mandou bala.

Ao lado das contratações milionárias, o canal 9 montou uma boa programação cinematográfica, cujos expoentes eram o Dr. Kildare e Ben Casey, criou o *Show de Notícias*, com Fernando Barbosa Lima, e inaugurou a era das novelas, a maior herança da televisão argentina. O custo da TV Excelsior era astronômico, mas havia uma retaguarda financeira que parecia não se esgotar jamais. Em janeiro de 1963, o casal *top* das novelas, Tarcísio Meira e Glória Menezes, assinou com a Excelsior. Até o narrador de futebol Geraldo José de Almeida, um intocável na Record, se transferiu em março de 1963 recebendo só de luvas quase US$ 10 mil. O canal 9 tinha ainda sob contrato duas orquestras de grande prestígio em São Paulo, a de Sílvio Mazzuca e a de Enrico Simonetti, este com seu exclusivo *Simonetti show*.

Pode-se dizer que a TV Excelsior ganhou a simpatia definitiva da audiência de São Paulo a partir de 1º de abril de 1963, quando a TV Record cometeu o erro de estratégia ao anunciar um cantor misterioso que tudo levava a crer fosse Frank Sinatra.

O comandante dessa verdadeira *blitz* nunca vista nos anais da televisão brasileira era Edson Leite (1923-1983), que, vindo de Bauru, alcançara fama como *speaker* de futebol da Rádio Bandeirantes em 1949, chegando ao topo dessa atividade com sua voz segura e vibrante, sua presença de espírito e frases com que cunhou seu estilo, como "meeeeu cronômetro maaaarca...". Mas foi principalmente com o dinamismo de sua invulgar habilidade comercial, negociando cotas de patrocínio de suas próprias narrações, que Edson abriu a trilha como futuro diretor da Bandeirantes e depois da TV Excelsior. Edson era pequeno e magricela, agitadíssimo e ultracriativo, tinha cabelos ondulados e rosto de pele bexiguenta, cultivando o emblemático bigodinho de radialista debaixo de uma bela "napa". Ainda na Rádio Bandeirantes, uma de suas proezas para atingir a liderança parece lorota de pescador: bolou aparelhos de rádio com sintonia fixa, pregados nos 840 quilociclos, que eram distribuídos gratuitamente a bares e restaurantes para criar o hábito de ouvir a PRH 9. Em novembro de 1961, recomendado pelo próprio Álvaro Moya, que preferiu dedicar-se ao cinema junto a Wallinho, assumiu a direção geral da TV Excelsior, trazendo como parceiro no setor comercial seu inseparável companheiro da Bandeirantes, Alberto Saad.

O arrojado Edson Leite, que não ligava a mínima para suas limitações culturais e gafes antológicas — uma das mais célebres era o automóvel "VolksWagner" —, tinha um secretário chamado José Bonifácio de Oliveira Sobrinho, apelidado de Boni, que em 1963 foi guindado a diretor artístico. Além dessa enxurrada de contratações, Edson, que deu uma feição empresarial à TV Excelsior, implantou uma consciência de rede de televisão e regulamentou, com rigor nunca antes visto, a duração de cada programa, a ponto de se poder acertar as horas pelo reloginho dos intervalos. Com sua notável percepção de marketing, descobriu logo que a mercadoria que se vendia em televisão não eram programas, eram segundos. Edson criou assim uma programação horizontalizada, promovendo a emissora como jamais se vira. Expandiu a linha de shows (*Noite de gala*, *Times Square*, *Vovô Deville*, com texto de Sérgio Porto) e, aproveitando os resultados na televisão argentina, introduziu em 1º de julho de 1961 "um programa seriado três vezes por semana", que ia ao ar às segundas, quartas e sextas-feiras às 19h30: *2-5499 ocupado*, com texto e direção, não por acaso, de dois argentinos, Alberto Migret e Tito de Miglio, respectivamente. Também da Argentina, para onde Edson costumava viajar amiúde, vieram o cenógrafo Federico Padilla, uma continuísta e outros profissionais para o novo programa, que foi nada menos que a primeira novela da televisão brasileira. Anos mais tarde, essa seria a base da programação da TV Globo.

Valorizando os artistas brasileiros, inclusive com vinhetas exclusivamente de música nacional, em menos de seis meses a Excelsior já era considerada líder. Corria o mês de outubro de 1963, quando o bailarino Lennie Dale e o grupo Bossa Três foram contratados.

Três anos antes a TV Excelsior arrendara o excelente teatro da Sociedade de Cultura Artística, inaugurado em 1950 por um grupo de amigos da arte na capital paulista. Apesar do risco de adulterar consideravelmente as instalações concebidas para uma sala de concertos, a renda desse aluguel iria aliviar a situação financeira da entidade. Desde julho de 1955, a Sociedade, dirigida pela família Mesquita, tentava administrar a reconstrução do teto do teatro, que desabara. Com a conversão de teatro para televisão, a sala de concertos passou a ser o auditório dos grandes shows do canal 9, o pequeno auditório do subsolo foi adaptado para estúdio de comerciais, as bilheterias, o *foyer* e outras salas viraram escritórios, cabines e outras dependências necessárias para as transmissões, numa adaptação que assim permaneceu durante dez anos.

Situada na rua Nestor Pestana, a Excelsior estava praticamente no âmago da *night life* paulistana, a praça Roosevelt, que não era muito diferente de um descampado de terra em quase toda a sua extensão. Não havia qualquer edificação, a não ser a Igreja da Consolação, na face oeste, com as escadarias da entrada dando para a rua da Consolação, que mais tarde seria alargada, e uma horta dos padres nos fundos. Nas suas ruas laterais, Martinho Prado de um lado e Olinda de outro (posteriormente rebatizada João Guimarães Rosa), havia o Olinda Schule, depois

O programa *Times Square* em maio de 1964, um dos maiores shows de variedades da TV Excelsior, canal 9, com Aizita Nascimento e Grande Otelo.

Encontro de músicos brasileiros e americanos na temporada do baterista Buddy Rich no Farney's: o pianista Pachá, os vibrafonistas Garoto e Mike Mainieri Jr., o flautista Sam Most e o baixista Newton de Siqueira Campos.

Colégio Visconde de Porto Seguro, e alguns dos bares que movimentavam a vida noturna e musical da sociedade de São Paulo.

O mais afamado de todos era A Baiuca, de Sérgio Avadis e Heraldo Funaro, reinaugurado numa casa velha da Martinho Prado, depois de ter sido fechado pelos comandos sanitários no seu endereço primitivo, à rua Major Sertório. O balcão do bar, onde se podia ficar pendurado numa banqueta, era comandado por um *expert* no ramo, o *barman* Andrés, e ficava à direita; ao fundo estava o piano de cauda, emoldurado por uma janela de vidro que separava o ambiente de um pequeno jardim decorativo iluminado; à esquerda havia uma porta que se comunicava com o salão do restaurante que foi anexado. Quem gostasse de música, quem estivesse atrás de um bom papo, nem precisava se preocupar, bastava entrar na Baiuca e se deixar levar.

A Baiuca foi um dos mais duradouros bares da cidade, centro obrigatório de músicos e frequentadores da noite, onde por muito tempo imperaram grandes pianistas como Moacyr Peixoto, jazzista convicto e com longa folha corrida em outras casas de São Paulo: Oasis, After Dark, O Boteco (do mesmo Sérgio Avadis), entre outras. Quando saiu para abrir seu bar, em 6 de novembro de 1961, o Moacyr's, na rua Nestor Pestana, seus acompanhantes, o baterista Rubinho e o baixista Xu, permaneceram na Baiuca, mas com o outro grande nome dos teclados da época, Pedrinho Mattar, com seu estilo *à la* Carmen Cavallaro.

Apesar de os grupos de Manfredo Fest e Walter Wanderley se revezarem, e das canjas de músicos americanos das atrações da TV Record, o bar de Moacyr não se aguentou, foi vendido a Paulo Soledade em maio de 1962 e mudou de nome para Zum Zum. A Baiuca continuava firme, igualmente frequentada por músicos internacionais, como Dizzy Gillespie. Em abril de 1963, Moacyr Peixoto estava de volta com Luiz Chaves e Rubinho (ambos componentes do que seria o Zimbo Trio, formado em janeiro de 1964 na própria Baiuca), tendo como cantora Marisa Gata Mansa. Marisa, que havia namorado Agostinho dos Santos, era uma exuberante mulata clara, de olhos verdes, que deixou o segundo pianista da Baiuca, o jovem Cesinha, alucinado de paixão, a ponto de pedi-la em casamento, embora ele fosse dez anos mais moço. Considerado uma revelação, Cesinha, que idolatrava Walter Wanderley, era ninguém menos que César Camargo Mariano.

Havia ainda, na praça Roosevelt, o Farney's, com o toque decorativo e musical do próprio Dick Farney e que oferecia atrações internacionais que vinham ao Brasil pela TV Record, como o baterista Buddy Rich

No intervalo entre *sets* do lendário bar da noite paulistana A Baiuca, o acordeonista Areski, o baterista italiano Nino (de terno claro), o pianista Pedrinho Mattar (na direção da lambreta) e o baixista Newton. Atrás, o baterista Pirituba

No interior da Baiuca, o guitarrista Duilio (à frente da entrada para o restaurante), a *crooner* Mary Gonçalves, Walter Wanderley ao piano, Mário Augusto ao baixo (à frente do jardim interno), todos sob a vista do pianista Pedrinho Mattar (atrás).

e seu grupo. Foi depois adquirido pelo pianista carioca Djalma Ferreira, e reinaugurado como Boate Djalma em 23 de janeiro de 1962, no qual se apresentavam o proprietário ao órgão e o *saloon singer* americano, residente no Brasil, Fred Feld, ex-atração de outro bar famoso da redondeza, o Michel. Enquanto isso, Dick partiu para outra e organizou uma orquestra de bailes com as maiores feras que havia no mercado paulista.

Do outro lado da praça, ia-se dançar no "benzérrimo" Stardust, comandado pela simpaticíssima dupla Alan e Hugo (piano e bateria), o bar mais frequentado pelos *socialites* de São Paulo, como a locomotiva Bia Coutinho, que tinha mesa fixa todas as noites. No Stardust, o conjunto do Robledo e, mais tarde, o badaladíssimo Jair Rodrigues, com seu gingado de samba e, ao órgão, um Hermeto Paschoal de cabelos curtos, apelidado de Coalhada, embalaram os romances de muitos casais. Bem pertinho dali, na rua da Consolação, pouco abaixo da Nestor Pestana, ficava o maior rival do Stardust, o Cave, criado por Jordão Magalhães e comandado, de abril de 1960 até maio de 1963, por Álvaro "Meninão" Assumpção, que o vendeu para Ciro Batelli. No Cave, menos preocupado com a dança que com música para ser ouvida, o pianista Johnny Alf, que viera do Rio em meados de 1956 para inaugurar a primeira Baiuca, tocou por muito tempo. Depois dele, Aracy de Almeida fez um tremendo sucesso em dupla com Murilinho, também de Almeida, do Vogue carioca. Entre 1961 e meados de 1963, o Cave rivalizava com o Stardust, apresentando artistas como George Green, Baden Powell e Leny Andrade. Cave e Stardust eram as boates *society* na capital paulista onde as contas, frequentemente penduradas "no cabide ali em frente", nunca tinham menos de quatro algarismos antes da vírgula.

As trocas das atrações, dos músicos e conjuntos eram comuns e motivavam uma migração constante e variada entre os frequentadores, mantendo aceso o agito musical que acontecia noite após noite entre nuvens de fumaça e tragos de bebida, que, misturados ao som da música e do bate-papo, eram os principais mandamentos da raça boêmia da cidade.

No Claridge, que ficava na avenida Nove de Julho, e portanto a uma curta distância da praça Roosevelt, atuou Dick Farney antes de abrir seu bar. Depois veio o fabuloso músico pernambucano Walter Wanderley, balançando com seu piano até setembro de 1961, quando Dick Farney foi festejadamente reconduzido ao ninho antigo. Em maio de 1962, o bar do Hotel Claridge seria rebatizado de Cambridge e abrigaria o trio de Pedrinho Mattar. Do outro lado da mesma Nove de Julho, um pouco mais acima, havia o Sirocco, frequentado pelas donzelas da noite, jornalistas

Integrantes do conjunto do pianista Robledo no Stardust:
o argentino Gato Barbieri (no sax-tenor, durante sua estada no Brasil),
Gafieira (na bateria) e Newton de Siqueira Campos (no baixo)

No Cave, Booker Pittman (o segundo da direita para a esquerda)
e três músicos de seu conjunto com o ator Anselmo Duarte, o cronista
Egas Muniz e a jornalista Lenita Miranda de Figueiredo.

e boêmios, onde o samba era tema constante em torno de um bom co-po, principalmente quando apareciam por lá compositores de raiz como Geraldo Filme.

Fora dessa área, iriam proliferar, nessa primeira metade dos anos 60, dois outros bares cujas trajetórias foram significativas tanto pelo aspec-to social quanto pela música. O Lancaster, na parte final da rua Augusta, começou a receber jovens simpatizantes do iê-iê-iê atraídos pelos The Jordans e pelo cantor George Freedman, e tornou-se um foco da garota-da que anos depois iria desaguar no elenco da Jovem Guarda. Enquanto isso, na Vila Buarque, na área da rua Maria Antonia, onde imperavam estudantes universitários das escolas da vizinhança, a Universidade Mac-kenzie e a Faculdade de Filosofia da USP, iria nascer outro bar que mar-cou época no Brasil: o João Sebastião Bar, na rua Major Sertório.

Montada por Paulo Cotrim e Relu Jardim Vieira, a casa derrubou desde seu início a crença de que bares de sucesso tinham que ser elitistas. O Juão, como ficou sendo chamado, era diferente em tudo. Desde a inau-guração, em abril de 1962, sua frequência era de gente da "sociedade, me-nininhas conhecidas, artistas, intelectuais, transviados, desajustadinhas com cabelo taradinha, desajustadas, comunistas e efeminados", segundo o mais dinâmico e bem-informado colunista da época, Ricardo Amaral, que tinha uma coluna imperdível no jornal *Última Hora* de São Paulo. No segundo mês de funcionamento, já havia fila e briga na entrada, con-trolada por três porteiros e às vezes pelos garçons, que também se envol-viam nos rolos, todos chefiados pelo indivíduo que de fato decidia quem entrava e quem ficava de fora, o Divino. Todo mundo queria ser amigo íntimo do Divino, que, como sua própria função indica, de divino não ti-nha nada. Pancadaria, e da grossa, houve mesmo em maio, a ponto de deixar o mundo noctívago paulistano ainda mais excitado. Tudo isso só para dançar a dança da moda, o *twist*? (Que aliás, segundo Vinicius de Moraes em "Só danço samba", já tinha sido dançado até demais.) Pare-ce que sim, porque de fato era na música ambiente que estava o grande segredo do Juão: uma salada de sons imprevisíveis misturada com tal molho e criatividade, que o seu maior *hit* nem mesmo era um *twist*, e sim o clássico "Jesus alegria dos homens", do inspirador do bar, Johann Se-bastian Bach. Valia de tudo nessas fitas históricas do Juão: trechos de locução de futebol, da vitória na Copa de 62, ruídos de pratos quebran-do, poesia e clássicos da música popular. Até quarteto de cordas de mú-sica erudita tocava ao vivo no Juão, à luz de velas. Era, enfim, uma zor-ra total, onde tudo se misturava, som e clientela. A balbúrdia do Juão irritou a vizinhança, a casa foi fechada e reaberta como restaurante, mas logo passou a ter música ao vivo novamente. Cotrim roubou a grande atração do Claridge, o organista Walter Wanderley e seu conjunto, que fizeram história no bar. Walter já era casado com a passional cantora paulista Isaurinha Garcia, mas não perdia a chance de um namorico por fora. Na temporada em que acompanhou a *mignon* Claudete Soares, que ainda cantava sentada sobre o piano com suas pernocas atraentes, aconteceu o inevitável: os dois mergulharam num flerte perigoso e foi o maior rebu quando Isaurinha descobriu: furiosa, um belo dia ela se vingou, bem na porta do Juão, com um gesto impublicável.

Os detalhes desse e de outros "casetis" fazem parte do inesgotável repertório de histórias e lances sobre música, contados na roda que se formava noite adentro, num botequim ao lado da Baiuca, a Baiuquinha ou Sujinho, do Mané português. Decorado com o indefectível painel de azulejos do Atelier Artístico e Mural, servia café até o último freguês, um músico com certeza. Além das parcerias e criações que lá nasceram, inclusive os primeiros entendimentos para a formação do Jongo Trio, célebres passagens desfilavam na voz dos seus protagonistas. Uma das mais conhecidas aconteceu com o excepcional contrabaixista Xu Vianna, o inventor da expressão "mandar o Lima", usada quando um músico faltava a um compromisso e cruzava com o patrão com cara de cachorro que apanhou. No primeiro encontro, justificava-se muito surpreso: "Ué, o Lima não foi? Mandei ele no meu lugar". Como Moacyr Peixoto, Xu, que tratava quem quer que fosse de major e adorava apostar nos burrinhos, detestava baião. Ainda nos anos 50, no Captain's Bar do Hotel Comodoro, na avenida Duque de Caxias, ambos deviam acompanhar a convidada Carmélia Alves, e quando ela atacou "Eu vou mostrar pra vocês, como se dança o baião", Xu replicou na bucha: "Pra mim a senhora não vai mostrar nada". Parou de tocar de estalo, largou o contrabaixo onde estava e se mandou.

Em dezembro de 1962, Claudete Soares continuava no Juão, agora acompanhada pelo trio de Pedrinho Mattar, e revezava-se com o conjunto de Walter, que reformaria seu contrato dali a quatro meses pela bagatela de 800 mil cruzeiros por mês. Ela cantava de pé, descalça sobre a tampa do piano de cauda, emoldurada por candelabros que criavam uma imagem capaz de atravessar fronteiras. De fato, o fotógrafo do *New York Times* John Bryson veio ao Brasil fazer uma reportagem sobre o "talk of the town" da vida noturna paulistana, registrando a inusitada imagem. Em abril de 1964, foi aberto outro bar bem defronte, o Ela, Cravo e Ca-

Dois dos maiores pianistas de bares de São Paulo: Moacyr Peixoto (com Luiz Chaves ao baixo e Rubinho Barsotti à bateria) e Pedrinho Mattar, na época em que o bar do Hotel Claridge (da família Fracarolli) foi renomeado Cambridge, em 1962.

No Juão Sebastião Bar, Claudete Soares cantava sobre o piano tocado por Pedrinho Mattar, sob a luz de velas de um candelabro de prata.

nela, e como nos quarteirões seguintes abundavam inferninhos, o trecho dos bares, em declive, não podia jamais ser confundido com aqueles antros da perdição. A fim de salvaguardar a conduta de passantes distraídos, a descida da Major Sertório recebeu o apelido de Ladeira da Pureza. Pureza de araque, porque nessa mesma descida podiam ser fisgadas garotas de programa que circulavam qual libélulas num jardim em flor.

Ouvindo continuamente esse *scratch* de grandes músicos dos bares e botecos, ou os artistas que iam dar canja após os espetáculos na televisão, além de ocasionalmente presenciar amadores arriscando-se nos passos iniciais de uma carreira, era natural existir uma influência benéfica no apuro musical da juventude estudantil. A música espalhava-se pelos bares e até pelos botequins de lanches, como o bar Redondo, assim chamado em virtude da conformação de sua marquise desde a esquina da rua Teodoro Baima até a avenida Ipiranga, e dois bares na Galeria Metrópole, o Sandchurra, do Paco, e o Rosa Amarela, do Luís Carlos Paraná. A música era atrativo até em residências particulares, onde também se promoviam reuniões periódicas. Assim, através do acesso ao que havia de melhor na música brasileira, moldava-se entre os jovens uma cultura musical de bases sólidas, como numa universidade de música popular. Restava que preparassem sua consciência social para se converter nos elementos da plateia atenta e inflamada dos futuros festivais. Os acontecimentos políticos encarregaram-se de municiá-los com um tipo de música que tinha propriedades tais que as identificariam mais tarde como músicas de festival.

De fato, o que aconteceu a seguir não estava na música das rádios, dos bares e botequins, nas residências ou na televisão. Quem poderia imaginar onde? Bem próximo da praça Roosevelt: no Teatro de Arena.

* * *

Vale a pena um recuo no tempo para descrever como se deu essa interferência decisiva na música popular brasileira, em que a forma musical e poética da bossa nova, decantada pelo seu bom gosto, sofreu uma mudança de rumo sonora e temática. Foi dado um verdadeiro pontapé no lirismo romântico e um abraço com beijo e tudo na ideologia de conteúdo político. Fosse ela evidente ou subliminar, não importa.

Nos anos 50, a atividade teatral em São Paulo tinha se desenvolvido a partir do modelo do TBC com o impulso de diretores italianos, franceses e belgas, e por isso mesmo dotados de uma visão europeia quanto à impostação cultural. Por outro lado, o Teatro de Arena, sem tantos recursos, composto de artistas mais ligados à esquerda, tinha uma perspectiva mais enraizadamente brasileira para ser atingida. Na busca dessas raízes, desenvolvia-se supostamente uma oposição ao TBC, que iria levar o Arena à descoberta de uma forma de teatro mais apropriada para as condições brasileiras. Na peça *Eles não usam black-tie* (1958) deu-se a flagrante presença do homem brasileiro comum como personagem e, consequentemente, com um conteúdo popular dentro da realidade sociopolítica. A peça, de autoria de Gianfrancesco Guarnieri e dirigida por José Renato Pécora, representou uma fratura na medida em que as peças brasileiras, que antes eram montadas apenas para cumprir a lei apelidada de "Três por um" (que obrigava a montagem de uma peça nacional para cada três estrangeiras), passaram a ser um atrativo com sucesso de público. Os atores do Arena também escreviam, o que sugeria a impressão de uma participação mais profunda de suas opiniões sobre o mundo na ótica do teatro. Assim, criou-se um estilo que recebeu a adesão de pintores, arquitetos, jornalistas (como Benedito Rui Barbosa) e músicos.

O sucesso do Arena levou o repertório constituído de *Eles não usam black-tie, Chapetuba Futebol Clube* (1959) e *Revolução na América do Sul* (1960) para o Rio de Janeiro, onde os espetáculos provocaram um interesse muito grande no meio musical, gerando contato imediato entre o grupo do Arena e alguns compositores da bossa nova que foram assisti-los. Foi em razão dessa amizade nascente que Chico de Assis, um dos componentes do núcleo do Arena, convidou alguns dos novos conhecidos para compor músicas para a peça de Vianinha *A mais-valia vai se acabar, seu Edgar* que ele montou por conta própria em 1961, na Faculdade de Arquitetura da Praia Vermelha. Pouco a pouco, os ensaios aos sábados eram transformados em reuniões de música, com a participação de atores do elenco e de compositores como Ângelo Póvoa, Carlos Castilho e dois amigos íntimos, Nelson de Lins e Barros e Carlos Lyra. As reuniões se ampliaram quando Carlinhos Lyra decidiu convidar também alguns sambistas, como Nelson Cavaquinho e Cartola, os três admiradores uns dos outros. Lyra ficara fascinado com as novidades da postura social que desconhecia e, aos poucos, "o amor, o sorriso e a flor" começaram a se distanciar de sua obra musical.

Nessas reuniões nasceria a ideia de se fundar um centro cultural, o que de fato se efetivou no Centro Popular de Cultura, o CPC do Rio de Janeiro, criado em dezembro de 1961 por músicos, teatrólogos, cineastas, artistas plásticos e líderes estudantis, e que se tornou o braço cultural da União Nacional dos Estudantes, a UNE. Promovendo atividades teatrais e cursos, atuando na literatura, cinema e música, um dos objetivos do CPC era, segundo o professor Carlos Estevam Martins, um de seus fundadores, "politizar as pessoas a toque de caixa, para engrossar e enraizar o movimento pela transformação estrutural da sociedade brasileira". Afirmava ainda que "em nosso país e em nossa época, fora da arte política não há arte popular".

A *palavra* era o veículo para as doutrinas do populismo, do nacionalismo e do desenvolvimentismo, que se alinhavam nas propostas para a solução dos problemas nacionais segundo as teorias concebidas em 1955 pelo Instituto Superior de Estudos Brasileiros (ISEB), um órgão subordinado ao Ministério de Educação. Assim, ao seguir nessa mesma direção, o CPC foi, após seis anos, um derivado da filosofia isebiana, pondo em prática métodos e concepções do tripé de modelos teóricos para solucionar problemas do povo brasileiro.

Em consequência, os músicos frequentadores das reuniões do CPC, cujas discussões principais costumavam ser em torno de notas musicais e cifras de harmonia, passaram a conviver com um ambiente diferente do que estavam acostumados, o da realidade social brasileira, em que a abordagem política ocupava o centro do debate. Esse era precisamente o prato do dia no meio teatral. O tema foi se incorporando como uma nova preocupação entre esses músicos, e o passo seguinte à contaminação inicial foi inevitável: os compositores, que trabalhavam a música, passaram a fazer parcerias com quem dominava a palavra, isto é, o pessoal do teatro e do cinema. Uma das pioneiras composições dessa ligação que surgia, e que se transformaria numa nova tendência na música brasileira, teve um sucesso surpreendente: a "Canção do subdesenvolvido", de Carlos Lyra e Chico de Assis. Embora gravada rudimentarmente por um coro, o disquinho vendeu dezenas de milhares de cópias, que eram negociadas em centros de universidades, e se tornou um ícone da época. Assim é que um homem de teatro e não de música, o brilhante, enérgico e participativo Chico de Assis, acabou sendo um personagem responsável pela mudança de curso da música popular brasileira a partir de então.

Carlos Lyra, Geraldo Vandré e Sérgio Ricardo, este por suas ligações com o cinema, foram os três compositores que se envolveram de corpo e alma nesse processo em que Chico de Assis, Ruy Guerra e Glauber Rocha exerceram influência decisiva. Eles perceberam que a canção, além de expressar seus sentimentos pessoais, também poderia abordar a realidade concreta. A partir desse momento, suas obras dão um salto imenso e inesperado. A inocência de "Lobo bobo", de Lyra e Ronaldo Bôscoli, parece brincadeira diante da contundência de "Maria do Maranhão", de Lyra e Nelson de Lins e Barros. As novas letras das canções atualizam a emoção musical, com diferenças palpáveis tanto em relação às da chamada Época de Ouro, dos anos 30 e 40, da qual não fazem parte, quanto às do seu berço musical, a bossa nova. As letras desse período, que podiam ser cantadas para as namoradas, como entoava Dick Farney, representavam o indivíduo classe média, aquele que podia possuir um barquinho, enquanto as da fase de ouro abordavam sobretudo a ingratidão e a malandragem, temas renegados pela bossa nova. Já o conteúdo das novas letras não era nem uma coisa nem outra: abordava o homem brasileiro comum, o que nada possuía, retratando a situação do povo brasileiro naquele momento e o que era preciso fazer para que ele tivesse um destino mais feliz. Era essa a realidade tematizada pelo que se conheceria, nos anos seguintes, como música de festival.

E qual era essa realidade? Ela estava visceralmente ligada aos acontecimentos políticos que agitaram o Brasil nesses anos. Se a euforia durante o governo Juscelino, decorrente do desenvolvimento e das conquistas brasileiras em diversos setores, inclusive o extraordinário crescimento do PIB, teve seu papel na bossa nova, os tormentosos anos 60 mostraram um panorama bem diferente, a antítese daquela fase eufórica.

A atuação de grupos comunistas como o PUA (Pacto de Unidade e Ação, precursor do Comando Geral dos Trabalhadores) na organização sindical e na vida operária, a disputa pelo poder após a surpreendente renúncia de Jânio Quadros, as agitações das Ligas Camponesas, o considerável aumento de greves, as mobilizações estudantis através da UNE na fase João Goulart e, sobretudo, a instituição de uma Doutrina de Segurança Nacional na área militar, atemorizada pelo êxito da Revolução Cubana, geraram uma mobilização social popular indiscutivelmente mais intensa, que atingiu a classe artística. Enquanto os temores na classe média aumentavam, um termômetro da situação era a classe artística, cuja sensibilidade pedia uma tomada de posição.

Carlos Lyra e Geraldo Vandré resolveram vir morar uns tempos em São Paulo, para trabalhar com Augusto Boal e Chico de Assis, envolvendo-se com o teatro, que necessitava de músicos. O mesmo aconteceria depois com Edu Lobo, que, seguindo a mesma trilha, veio compor em parceria com o teatrólogo Gianfrancesco Guarnieri.

A organização política da juventude paulista era um pouco mais desenvolvida que a de outros lugares, e por isso a cultura política dos jovens tinha mais espaço para a arte. A mão de obra necessária a essa cultura exigia recursos e, como sempre, em São Paulo havia dinheiro. Os shows dos estudantes da Universidade Mackenzie, que formaram a série denominada *Festival da Balança*, contavam com uma mola propulsora na forma de subsídio do Partido Comunista, do qual era membro o seu organizador, também diretor do Centro Acadêmico João Mendes Jr., o futuro empresário Manoel Poladian.

Nos anos de 1962 a 1964, justamente quando a bossa nova mais fazia sucesso no exterior, fixando a música popular brasileira como a mais bem-sucedida forma de arte do país, a produção musical paulistana gradualmente se afastava dos cânones dessa mesma bossa nova.

* * *

Nesse ambiente recheado de agitação social e música, rádios, bares e TV Excelsior por todos os lados, floresceram, a partir do segundo semestre de 1962, os primeiros espetáculos semiprofissionais, encetados por dois promotores em potencial, os jornalistas da *Última Hora* Moracy do Val, paulista (que manteve uma coluna diária sobre a vida noturna até julho de 1963), e o paraense Franco Paulino (inicialmente repórter e depois colunista da área musical). Os dois realizaram *jam sessions* no Teatro de Arena, logo denominadas *Tardes de bossa*, e encontros musicais em residências de conhecidos seus, como a loura Ana Lúcia, cantora paulista de certa projeção. Sua finalidade era aproximar músicos e cantores de São Paulo, mas não havia como disfarçar a intenção de fazer uma represália à comentadíssima, e um tanto infeliz, declaração de desprezo pelo samba paulista emitida por Vinicius de Moraes, em sua célebre assertiva de que São Paulo era o túmulo do samba. Aliás, tanto ele como Tom Jobim e Ronaldo Bôscoli reconheceram publicamente, em janeiro de 1963, a vitalidade da noite paulistana. Vinicius constatou pessoalmente essa efervescência em julho do mesmo ano, quando foi ao Juão Sebastião Bar após o espetáculo *Bossa nova*, da Universidade Mackenzie, do qual participara ao lado de cariocas (Baden Powell, o sexteto de Sérgio Mendes e o Trio Tamba), paulistas (o Sabá Trio, Paulinho Nogueira e Ana Lúcia), além de cantoras "paulistanizadas" como Claudete Soares, Alaíde Costa e Marisa Gata Mansa, e de nordestinos que atuavam em São Paulo, como Geraldo Cunha, Geraldo Vandré e Walter Santos. No bar, havia uma "noite dos novos", e naquele dia um deles tocava suas músicas ao violão. Seu nome era Francisco Buarque de Hollanda.

Outro promotor desse mesmo modelo de espetáculos musicais, que misturava conhecidos e desconhecidos, foi um frequentador das *Tardes de bossa* no Arena, que resolveu criar algo semelhante junto com seu amigo Luís Vergueiro. Aproveitando o horário alternativo das segundas-feiras à meia-noite, concebeu as *Noites de bossa* para o Teatro de Arena, que aconteceriam de janeiro até abril de 1963 e projetariam, entre outros, o violonista Théo de Barros e o pianista César Mariano. Os espetáculos começaram a atrair um público cada vez mais entusiasmado — a ponto de serem necessárias duas sessões numa das noites — para ver em ação músicos e cantores que na verdade não tocavam nem cantavam estritamente bossa nova.

Esse promotor, candidato a produtor de televisão, chamava-se Solano Ribeiro. Com curso na Escola de Arte Dramática, uma passagem como cantor do grupo de rock The Avalons, liderado pelo guitarrista Dudu, outra como ator do Teatro de Arena, o politizado Solano, com cabeça empresarial, foi se firmando no grupo do Arena. Em maio de 1963, começaria a escalada de seu verdadeiro objetivo, ao ser convidado pelo diretor da Excelsior, Boni, para exercer um cargo burocrático, o de coordenador de programação. Aos poucos, foi estendendo seus conhecimentos a outros setores da televisão, ao mesmo tempo em que prosseguia com suas produções no teatro. Do Arena para a Excelsior, da Excelsior para o Arena, era só atravessar a praça Roosevelt, uma sopa.

Quase um ano depois, a direção do teatro cedeu-lhe o horário principal para montar o show *Bossa & balanço*, com Lennie Dale e seu balé, o trio de César, a cantora Marisa, paixão do pianista, e o pandeirista Gaguinho. O show emplacou, com casas lotadas de 17 de abril a 7 de junho de 1964.

Em agosto, as atividades de Solano na TV Excelsior iam de vento em popa: passou a produzir o programa *Signo show* e tornou-se um dos co-produtores do *Bibi sempre aos domingos*, o novo título do programa de Bibi Ferreira, então sob a direção geral de Walter Avancini. Nos dias 30 de setembro, 1º e 2 de outubro, ele produziu uma série de três espetáculos, gravados no auditório do canal 9, sob o nome *Primavera Eduardo é Festival de Bossa Nova*, para serem transmitidos no sábado, dia 10. Solano montou um elenco com artistas de São Paulo (Alaíde Costa, Walter Santos, Ana Lúcia, Paulinho Nogueira, Zimbo Trio e Pedrinho Mattar Trio) e do Rio (Oscar Castro Neves e seu noneto, Rosinha de Valença, Os Cariocas e o Copa Trio). Também trouxe uma cantora muito badalada entre os músicos da noite carioca. Seu nome era Ellis Regina, grafado assim mesmo, com dois "ll", como aparecia nas capas dos três discos que gravara até então. Muitos estranhavam aquele nome esquisito, e ninguém sabia com certeza se era com um ou dois "ll". Na hora de falar, então, era um perereco: alguns acentuavam o "e" — Élis —, outros acentuavam o "i" — Elís. Quem era afinal essa cantora bonitinha que vinha pela quarta vez cantar em São Paulo?

"Há uma estrela no céu, há uma estrela na terra, e esta brilha na constelação do *cast* da Rádio Gaúcha! Vem aí, Elis Regina!", anunciava empolgado o animador Maurício Sobrinho antes de cada apresentação da mais aguardada atração de seu popularíssimo programa, aos domingos de manhã, transmitido do cinema Castelo, bairro da Azenha. A garota assinara seu primeiro contrato profissional com a Rádio Gaúcha em 1960, ao completar 16 anos, já tendo participado durante meses do *Clube do guri*, da Rádio Farroupilha, com Ari Rego. Foi o começo da carreira de Elis Regina em Porto Alegre, com sua voz juvenil e afinada, como se ouve nos seus dois primeiros discos da Continental.

Quando o *Brasil 62* de Bibi Ferreira passou a ter como novo patrocinador as Lojas Renner, foi seu desejo inaugurar a série com um programa gravado em Porto Alegre. Para preparar a gravação e selecionar dois artistas gaúchos, um rapaz e uma garota, que iriam cantar num dos programas, foi enviado ao Sul o produtor Manoel Carlos. Vários artistas locais se candidataram para a audição, realizada na Rádio Gaúcha. Os escolhidos foram o violonista Neneco — que desapareceria de cena após uma tentativa de se estabelecer no Rio — e Elis Regina, já considerada na cidade grande barbada em qualquer competição de que participasse.

Na noite da gravação em Porto Alegre, Bibi Ferreira adoeceu e, na última hora, Walter Silva, que atuava na área de esportes da Excelsior, foi convidado para substituí-la, gravando o programa e revendo a gauchinha que conhecera semanas antes, quando ela estivera em seu *Pickup do Pica-Pau*, na Rádio Bandeirantes, para divulgar seu primeiro compacto com "Dor de Cotovelo", uma das faixas de seu LP de estreia na Continental, *Viva a Brotolândia*.

Nessa noite em Porto Alegre, ela circulava feliz entre os grandes cartazes que participaram. Algumas semanas depois, ela viria cantar pela primeira vez em São Paulo, no auditório da TV Excelsior, no programa *Brasil 62*, sob o patrocínio da cadeia sulina de lojas.

Já bem mais amadurecida, a 28 de março de 1964, Elis desembarcava no Rio de Janeiro com seu pai como contratada da CBS, onde havia gravado seu terceiro LP, para candidatar-se ao elenco do disco da peça *Pobre menina rica*, de Carlos Lyra e Vinicius de Moraes. Foi preterida por Dulce Nunes e, diante disso, sentiu-se à vontade para assinar com a gravadora Philips, por sugestão do produtor Armando Pittigliani, que até torcia por esse aparente insucesso. Por influência de Armando, Elis passou a atuar regularmente em programas da TV Rio, com salário fixo de 80 mil cruzeiros, e em *pocket shows* no decantado Beco das Garrafas.

Por volta de 1 da manhã de quarta-feira, 5 de agosto, estreava na boate Djalma, em São Paulo, um novo show reunindo o cantor Sílvio César e Elis Regina. A diminuta plateia ficou com a sensação de presenciar o surgimento de uma estrela. O show poderia ter sido um acontecimento histórico na noite paulista não fosse a falta de público, o que provocou um desentendimento entre o quinteto Sambossa 5 e o patrocinador Teco. Os músicos — Kuntz à clarineta, Costita ao saxofone, Luiz Mello ao piano, Xu Vianna ao baixo e Turquinho à bateria — ganhavam na base de *couvert* artístico e, após as quatro primeiras noites de casa vazia, chegaram à conclusão de que não valia mais a pena prosseguir, tendo que trabalhar e voltar para casa sem nenhum. Elis e Sílvio, que cantavam "Olhou pra mim" e "Você" entre outras, tinham recebido boa cobertura na imprensa, mas, diante da situação, o que fazer? Solidários com os músicos, a última sessão no Djalma foi na sexta-feira, 14 de agosto. No dia seguinte, a boate fechou para uma reforma e reabriu tempos depois com música de disco. Show ao vivo, nunca mais. O começo da carreira de Elis em São Paulo não foi nem um pouco auspicioso. Antes de voltar para o Rio, ela tinha aproveitado para participar de um programa da TV Excelsior no domingo, 9 de agosto, cantando depois de outra cantora pouco conhecida, Wanda Sá.

Ao retornar a São Paulo, para cantar na série produzida por Solano, em setembro, ela abafou em grande estilo. Depois de ouvi-la em "Menino das laranjas", de um compositor novo, o baixista Théo, lá estava, aplaudindo de pé na primeira fila da plateia, o radialista Walter Silva, que a contratara pouco antes para o show *Boa bossa*, realizado no Teatro Paramount, em 31 de agosto.

No quinto dia de setembro, precisamente um mês após a estreia na malfadada temporada do Djalma, e de volta ao Rio, ela cantaria no Bottles ao lado do Copa Trio, com o pianista Dom Salvador, o baixista Gusmão e o baterista Dom Um Romão, no show *Sósifor agora*. Antes da estreia, o bailarino americano Lennie Dale, que dirigia o show do bar vizinho, o Little Club, com Wilson Simonal, Marly Tavares e o Bossa Três, resolveu dar uma mão na coreografia. A partir daí, Elis passou a usar os braços em movimentos rotatórios para trás enquanto cantava, o que daria grande realce a suas apresentações e seria motivo para muitas contro-

À frente da boate Djalma,
o conjunto Sambossa 5,
que acompanhava a *starlet*
Jacqueline Mirna, ex-bailarina
da TV Record, em julho de
1964, com Xu Vianna (baixo),
Luiz Mello (piano), Kuntz
(clarinete), Hector Costita
(sax) e Turquinho (bateria).

Em 5 de agosto de 1964,
Elis Regina canta pela primeira
vez em São Paulo, na boate
Djalma, da praça Roosevelt,
com o cantor Silvio César.

Eles fazem o "show"

Silvio Cesar e Ellis Regina, dois dos nossos bons cantores de musica moderna, estão se apresentando na Boate Djalma. Silvio é autor de varias composições de sucesso tais como "Nunca Mais", "Olhou Prá Mim", "Conselho a Quem Quiser Voltar", "Seo José" e outras.

musica
kauffmann

Comemoração

vérsias. Contudo, a sugestão mais importante e menos comentada do bailarino Lennie Dale foi na parte musical. Como já fizera com Simonal, Lennie sugeriu que, para obter maior impacto, ela poderia utilizar um artifício que não era nenhuma novidade nos shows da Broadway e que, no Brasil, daí em diante seria chamado de "desdobrada". Elis, uma águia em perceber o que funcionava em música, tratou de aplicar imediatamente a nova ideia. No show que fez a seguir, *O remédio é bossa*, novamente no Paramount, em 26 de outubro, Elis testou a desdobrada no "Terra de ninguém", cantando com o autor, Marcos Valle. Quando ela atacou sozinha "Mas um dia há de chegar/ e o mundo vai saber/ não se vive sem se dar...", o público veio abaixo, para espanto de todos, inclusive de um de seus heróis, Tom Jobim, que também participava do espetáculo. Nesse show e nesse momento, Elis sacou o que seria a chave do seu estilo musical.

De fato, em janeiro de 1965, ao gravar seu primeiro disco na Philips, com arranjos do baixista Luiz Chaves, de Paulo Moura e de Lindolpho Gaya, ela já seria uma outra Elis, bem diferente dos *lollypops à la* Celly Campelo dos três discos anteriores. Na primeira faixa, seu "Reza" teria uma monumental diferença da versão que o próprio autor, Edu Lobo, gravara na mesma época com o Trio Tamba. E a diferença era a desdobrada. Após os primeiros compassos *ad libitum*, a orquestra vem com tudo e Elis manda ver: "Ah meu santo defensor/ traga o meu amor/ laia, ladaia, sabadana, Ave Maria...". Nesse disco, ela não disfarçava que já estava batendo asas para cima de Edu Lobo. Nada menos que três músicas eram suas: além de "Reza, "Resolução" e "Aleluia". Da mesma forma, Elis, sempre a primeira a chegar ao estúdio, pediria ao arranjador Paulo Moura que aplicasse a desdobrada no final de seu arranjo para "Menino das laranjas". O título do disco era premonitório: *Samba eu canto assim*.

Ao cantar "Menino das laranjas" no *Primavera Eduardo...* de Solano Ribeiro, Elis já atacava no novo estilo, com o movimento de braços, que seria descrito como nado de costas, e a desdobrada, *of course*. Aquela não era mais a Elis com acento no "e". Era uma nova Elis: era Elis Regina, com acento no "i".

Três dias após o *Primavera Eduardo...*, Solano, que havia deixado crescer a barba e adquirido uma aparência de Dr. Freud, estava duplamente encantado com Elis. Pela mulher, com quem estava namorando, e pela cantora, que convidou para outros programas da TV Excelsior nesse segundo semestre de 1964. Sua carreira deslanchava rapidamente:

shows na TV Rio e TV Excelsior de São Paulo, no Beco das Garrafas e no Teatro Paramount, premiada como a melhor cantora da noite do Rio de Janeiro, Troféu Imprensa em São Paulo, prêmios Sete Dias na TV e *Revista do Rádio*.

Ao mesmo tempo, Solano amadurecia outro projeto, um evento em que pudesse reunir compositores e intérpretes daquela música brasileira que vinha sendo ouvida nos bares, nos shows das universidades, nas reuniões em residências particulares, no Teatro de Arena e, ocasionalmente, em alguns programas de rádio e da própria TV Excelsior.

Ele comentava com amigos sobre sua ideia de levar essa nova música para a televisão. À medida que seu temperamento empresarial foi se combinando com a experiência de músico e produtor de teatro e TV, dois universos se fundiram, e ele acabou sendo o agente desse projeto que, na verdade, já existia, mas não no Brasil.

A ideia que cutucava Solano Ribeiro era fazer um festival de música brasileira. Na Itália, o Festival de San Remo provava sua força com sucessos espalhados pelo mundo, e ele meteu na cabeça que podia fazer um festival de música popular no Brasil. Pediu uma cópia do regulamento ao editor Henrique Lebendiguer, o proprietário da Fermata, e ao traduzi-la concluiu que a fórmula italiana deveria ser modificada. Quem inscrevia as músicas em San Remo eram as editoras e gravadoras, em função de seu interesse em investir em novos compositores de sua escolha, que assim acabavam dominando o festival. Algumas músicas eram defendidas por artistas estrangeiros, convocados pelo festival, como foi o caso de Louis Armstrong e, mais tarde, seria o de Roberto Carlos. Solano entendia que a competição deveria ser aberta a compositores, portanto eles é que deveriam inscrever suas obras. De outro lado, os intérpretes, que no fundo eram os astros, seriam escolhidos pela direção do festival, assim como nos programas de TV. Depois de adaptar o regulamento de San Remo, ele procurou os principais diretores da TV Excelsior, Edson Leite e Alberto Saad. Ambos se empolgaram, aprovando o projeto de Solano.

* * *

O primeiro Festival da TV Excelsior foi lançado no início de 1965, quando a emissora já era líder havia vários meses, segundo o Ibope. Foi divulgado que o festival seria no Guarujá, de 14 a 20 de fevereiro, e que o primeiro colocado ganharia 10 milhões de cruzeiros. As inscrições seriam feitas mediante a entrega das partituras das canções em postos da rede Excelsior, instalados em São Paulo, Rio de Janeiro e Porto Alegre, e em suas afiliadas de outras praças.

Ainda assim, Solano Ribeiro fez contato com vários compositores amigos seus para que mandassem composições inéditas, pretendendo com isso receber músicas bem diferentes daquela que muitos julgavam ser a música da época. Sua experiência lhe garantia que havia uma geração de extraordinários compositores novos para serem lançados no mercado, assim como um público predisposto a aceitar músicas, músicos e cantores desconhecidos. Tal qual acontecera com Cesinha e Théo no Teatro de Arena.

Para avaliar o material, formou-se um grupo que se reunia na casa do cantor e compositor Caetano Zammataro, o Caetano Zamma, na alameda Joaquim Eugênio de Lima, 133. Essa comissão, abastecida com sucos e sanduíches nas longas reuniões para ouvir cada composição inscrita, era formada por Amilton Godoy, do Zimbo Trio — que além de avaliar também tocava ao piano a partitura para os demais membros —, Augusto de Campos, Décio Pignatari, Damiano Cozzella e Walter Silva. Como Solano havia imaginado, foram filtradas algumas boas músicas de compositores que se projetavam, como Francis Hime, Baden Powell, Caetano Veloso e Chico Buarque.

A segunda etapa do trabalho de Solano seria reunir o elenco de intérpretes, o ponto que, no seu modo de ver, daria credibilidade ao evento e o nível de qualidade necessário a um grande programa de televisão. O que fazia sucesso na época eram os boleros com Anísio Silva, Gregorio Barrios, Nelson Gonçalves e outros, mas Solano sabia muito bem que existia um elenco capaz de cantar as novas músicas, contrapondo-se a esses cantores mais populares. Embora cada compositor ou cada dupla de compositores pudesse ter apenas uma música selecionada dentre o máximo de duas inscritas, os intérpretes poderiam defender mais de uma canção, e assim, aqueles em quem ele mais confiava, como Elis Regina e Jair Rodrigues, certamente cantariam mais de uma música. Entre os cantores, foram convocados iniciantes como Wilson Simonal, Claudete Soares e Geraldo Vandré, outros consagrados como Agnaldo Rayol, Agostinho dos Santos, Altemar Dutra, Cauby Peixoto, Cyro Monteiro, Elizeth Cardoso, Miltinho e Orlando Silva, e ainda outros que faziam parte do bloco intermediário, como Germano Mathias e Marisa.

Em fevereiro, o festival foi adiado e o prazo para o término das inscrições, dilatado, a fim, dizia-se, de dar oportunidade aos compositores de outros estados. A nova data marcada para seu início foi de 14 a 20 de março, ao passo que o show de abertura seria produzido por Franco Paulino e Luís Vergueiro. Contudo, tanto as datas quanto o show seriam modificados mais uma vez. A equipe de contatos do canal 9 continuava se mobilizando em busca de patrocinador para um evento de tamanho vulto, o que finalmente se conseguiu no início de março.

Quem quer que tenha tido a ideia de propor à Rhodia o patrocínio do I Festival de Música Popular Brasileira da TV Excelsior, em 1965, acertou na mosca. A divisão têxtil da Rhodia, um conglomerado de origem francesa da indústria química, era a Rhodiaceta, que produzia fios de acetato, viscose, náilon e poliéster destinados à indústria de tecidos. Esta, porém, não tinha o menor charme se comparada aos compradores do produto final, os tecidos para a moda. O então diretor de *marketing* da Rhodiaceta, Livio Rangan, ex-bailarino de origem italiana que também havia trabalhado com moda, propôs à empresa uma nova forma de expansão de vendas, tentando empolgar o consumidor final, aquele que ia às lojas comprar tecidos, e não os clientes diretos da empresa, isto é, as fábricas de tecido. Seu argumento era que, atingindo o comprador de ponta, despertariam o desejo dos consumidores de tecido, o que forçaria a indústria têxtil a ir bater às portas da Rhodia.

A fim de atingir esse objetivo, sua estratégia era aproveitar sua experiência em moda para promover desfiles de grande porte, nos quais, naturalmente, os mais atraentes tecidos seriam mostrados com suas novas cores, padrões e texturas, e ao mesmo tempo fomentar um elemento inerente a todos os desfiles do mundo, a música de fundo durante a passagem das manequins. A novidade da ideia de Livio era dar um grande realce à música, a ponto de ela ter um peso igual ao dos desfiles propriamente ditos, ou seja, promover a participação de músicos, cantores e dançarinos como parte integrante do evento. Seria um verdadeiro show musical, inaugurando um novo conceito em matéria de desfile de moda, ao unir o glamour das manequins, na passarela ou no palco, com o atrativo de um espetáculo com o que havia de melhor na música popular brasileira.

Aprovada a ideia, Livio passou a ser um dos homens de maior projeção dentro da Rhodia, perfeitamente de acordo com seu bom gosto, seu temperamento atiçado, sua capacidade de seduzir e sua vaidade. Era ele quem montava esses espetáculos com mulheres bonitas e músicos refinados. Os shows da Rhodia tinham ainda um detalhe: deviam percorrer o maior número de cidades possível, tal qual um circo rodando pelo Brasil afora e exterior. Foi o que se deu em julho de 1964, com Nara Leão e o conjunto de Sérgio Mendes, no Japão, e que iria se repetir em 1965 com Wilson Simonal e o Bossa Três, de Luiz Carlos Vinhas, contratados em janeiro.

Ao conceber o festival, Solano tinha muito claro que ele deveria ser realizado no Guarujá, nos moldes do de San Remo. No entanto, diante do patrocínio da Rhodia, teve que ceder. Assim como os desfiles, o festival seria itinerante, ainda que a primeira eliminatória acontecesse onde ele queria, no Guarujá. E mais: os shows de abertura seriam os que Livio Rangan contratara, estrelados por Simonal e as manecas.

Provavelmente ninguém na Rhodiaceta, nem mesmo Livio, se lembrava que o binômio música e desfile tinha sido justamente a tônica da I Festa da Música Brasileira da TV Record, cinco anos antes, no chiquérrimo balneário. Imaginava-se que a música do evento, as canções concorrentes, mostrariam a cara da mais nova música popular brasileira através da produção inédita de seus compositores. Parecia um casamento destinado a que ambas as partes, TV Excelsior e Rhodia, fossem felizes por muitos e muitos anos.

O I Festival Nacional de Música Popular Brasileira, nome oficial do evento, ficou então marcado para se iniciar no dia 27 de março, com a apresentação de 12 músicas, e não mais dez como fora anunciado antes. Por conseguinte, o total fora ampliado para 36, das 1.290 inscritas. Nessa data, seriam escolhidas quatro canções; outras quatro sairiam da segunda eliminatória, dia 30 de março, no auditório do canal 9, à rua Nestor Pestana, e mais quatro na terceira eliminatória, marcada para o dia 3 de abril, no Hotel Quitandinha, em Petrópolis. A grande final teria assim a participação das 12 escolhidas nas três eliminatórias, num grandioso programa a ser transmitido ao vivo no sábado, 6 de abril, diretamente do Teatro Astoria, no Rio de Janeiro, sede da TV Excelsior Rio, canal 2.

Todos seriam acompanhados ou pelo Trio Tamba ou pela Orquestra Excelsior, regida pelo diretor musical do festival, Sílvio Mazzuca, em arranjos de alguns dos maiores nomes da época: Mário Tavares, Severino Filho, Radamés Gnattali, entre outros.

Os prêmios somavam um total de 21 milhões de cruzeiros, sendo 10 milhões e o troféu Berimbau de Ouro para a primeira música, 5 milhões para a segunda, 3 milhões para a terceira, 2 milhões para a quarta e 1 milhão para a quinta.

O festival seria aberto com um desfile em homenagem ao quarto centenário do Rio de Janeiro e com o show *Rio 400 anos*, criado por Miele e Bôscoli, do qual participariam o conjunto Bossa Três, de Luiz Carlos Vinhas, acrescido de ritmistas, Raulzinho do Trombone e os cantores

Wilson Simonal e Marly Tavares. Já o desfile de modelos apresentaria as criações e fantasias de Alceu Pena, sob o comando de Livio Rangan. A mais famosa modelo da Rhodia era a mesma Mila da Festa da Record de cinco anos antes.

Para julgar as músicas em cada eliminatória e também na final, pensou-se em convidar um júri de alto gabarito: o maestro Lirio Panicalli, os críticos Lúcio Rangel e Nestor de Holanda, os jornalistas Sérgio Cabral, Franco Paulino, Lenita Miranda de Figueiredo, Sílvio Túlio Cardoso, e o produtor Aloysio de Oliveira.

Para surpresa da direção do festival, uma vez anunciadas as concorrentes, houve uma enorme pressão de jornalistas e compositores do Rio de Janeiro, descontentes com a ausência de sambas dos grandes compositores entre as 36 músicas escolhidas. Levantou-se a possibilidade de uma revisão, o que foi feito. O júri foi novamente reunido, houve um reajuste em algumas músicas e a situação ficou parcialmente acomodada, causando porém uma impressão negativa no festival. Solano tentava de todas as maneiras evitar que o júri tivesse que decidir sob pressão.

Finalmente, chegou o dia da primeira eliminatória do I Festival Nacional de Música Popular Brasileira, com transmissão direta da TV Excelsior, canal 9, no último sábado de março de 1965, dia 27. Todos os participantes foram encaminhados para o Hotel Delfim, onde já estavam os dez elementos do júri, jogando conversa fora no bar do hotel, ao lado do assessor de imprensa Mário Regis Vitta. Os encarregados de julgar as músicas daquela noite eram críticos especializados e músicos de São Paulo e Rio de Janeiro, um júri tão capacitado como o que se imaginara originalmente. Lá estavam os jornalistas Franco Paulino, Lenita Miranda de Figueiredo, Sérgio Cabral, Nestor de Holanda, Everaldo Guillon e Sílvio Túlio Cardoso, o psicanalista-escritor-novelista Roberto Freire, o radialista Roberto Corte Real, os maestros e arranjadores Erlon Chaves e Eumir Deodato. Naquele primeiro encontro, em que todos contavam amenidades sobre suas vidas profissionais, ninguém desconfiava que o júri iria pouco a pouco se dividir em dois grupos distintos.

O elenco de cantores e músicos havia ensaiado em São Paulo, indo de ônibus para o Guarujá no próprio dia 27. Após terem passado as músicas para testar o som, foram todos trocar de roupa no mesmo Hotel Delfim.

O acontecimento despertara grande interesse no público do balneário e o salão do cassino acabou ficando pequeno. A TV Excelsior havia vendido ingressos em quantidade razoável, mas os organizadores não contavam com a quantidade de convites distribuídos pela Rhodia e pela Prefeitura do Guarujá. Poucas horas antes do início do evento, houve uma inesperada afluência de público, e não havia como acomodar tanta gente: tumulto na entrada e lá dentro mais de 2 mil pessoas se acotovelando num salão em que cabiam 500, sob um calor tipo "alá-lá-ô". A temperatura atingia 39 graus.

O show da Rhodia deveria abrir a noite, antes da apresentação das concorrentes, sob o comando do elegante e querido locutor Kalil Filho. Quando os artistas e músicos do festival voltaram do hotel, o cassino já estava completamente lotado e não havia como entrar, havendo até risco de desabamento, segundo um engenheiro. À medida que o show da Rhodia foi se desenrolando, os participantes do festival foram entrando com dificuldade e, apenas 30 segundos antes do final, todos estavam a postos.

A eliminatória foi enfim transmitida pelo canal 9 até quase 1 da manhã, quando Kalil Filho anunciou solenemente as quatro classificadas. A decisão foi bem recebida, embora alguns elementos do júri tivessem sentido o início de um certo joguinho de interesse por parte do patrocinador do festival.

O cronista Sérgio Porto, que assistiu ao festival pela televisão ao lado de Dorival Caymmi, elogiou em sua coluna, assinando como Stanislaw Ponte Preta, as interpretações de Alaíde Costa, que cantou maravilhosamente "Flor da manhã", e também de Marisa Gata Mansa, que levara a tiracolo seu marido César Camargo Mariano, Altemar Dutra, Elizeth Cardoso e Márcia. Mas Sérgio não ficou muito satisfeito, chegando a comparar o programa com o "Festival de besteira que assola o país", que ele mesmo havia criado. Quanto a Elis, achou que imitava Lennie Dale, ficava só berrando e mexendo com os braços.

Ainda assim, foi ela quem conquistou o público e o júri, tornando-se a grande vencedora da noite, somando 296 pontos com a interpretação de "Por um amor maior" (de Francis Hime e Ruy Guerra), que alguns já pressentiram ser uma das melhores letras. A segunda música colocada foi "Sonho de um carnaval" de Chico Buarque de Hollanda, defendida por Geraldo Vandré, alcançando 176 pontos.

Chico ainda era estudante de Arquitetura mas já circulava no meio musical universitário, participando dos primeiros shows musicais produzidos pelo radialista Walter Silva, que se tornaram muito populares na época. Quando sua música foi selecionada para a primeira eliminatória, soube que seria defendida por Geraldo Vandré, que já era um cantor profissional nos shows universitários e no Juão Sebastião Bar e que ele conhecia vagamente através da sua irmã Miúcha. O arranjo seria do Erlon Chaves. Chico combinou assistir a eliminatória com alguns amigos de Arquitetura, indo para o Guarujá no Fusca de sua irmã. Antes da apresentação, Vandré havia se queixado de que o tom era muito baixo, mas mesmo assim classificou a música para a final. O acontecimento foi comemorado com um grande porre de Chico e sua patota. Foram ainda classificadas no Guarujá "Miss Biquíni" defendida por Márcia, e "Flor da manhã".

Na segunda eliminatória, realizada numa terça-feira, 30 de março, no auditório do canal 9, o nível melhorou bastante segundo a opinião geral. Foram classificadas cinco e não quatro músicas: "Eu só queria ser" (Vera Brasil e Miriam Ribeiro) com Claudete Soares, "Valsa do amor que não vem" (Baden e Vinicius), cantada por Elizeth Cardoso, "Rio do meu amor" (Billy Blanco) por Wilson Simonal, "O amor que se fez canção" (Joubert de Carvalho) por Hugo Santana e "Arrastão" (Edu Lobo e Vinicius) por Elis Regina, que assim passaria a defender duas músicas na final. Foi nessa noite que Elis concluiu que a música que defendera no Guarujá, a de que mais gostava, não era a candidata mais forte. "Arrastão" fez um sucesso retumbante, repetindo-se a manifestação da plateia daquele show no Teatro Paramount do ano anterior. Ao contrário de Sérgio Porto, Elis foi elogiada pelo jurado Franco Paulino na sua coluna da *Última Hora* e apontada como uma das prováveis candidatas ao primeiro lugar. Se Edu, o autor da música, não era conhecido, o letrista era, e isso pesou fortemente na decisão dos jurados.

Quem não gostou muito dessa tendência, inerente à interpretação nada *cool* de Elis, foi o diretor da Rhodiaceta Livio Rangan. Para ele, a música mais de acordo com a linha do patrocinador era "Rio do meu amor", cantada brilhantemente por Wilson Simonal (que era também o astro do seu show), que se encaixava perfeitamente com as festividades de comemoração do quarto centenário do Rio de Janeiro, pois era uma verdadeira ode à cidade. A letra bem trabalhada começava assim: "Que ficou quatrocentão, quatrocentão/ Rio que ficou quatrocentão, quatrocentão", e abordando o Estácio do passado, as francesas do Ouvidor, o futebol, o carnaval, o jogo do bicho e outras mumunhas em que Billy Blanco era mestre. O samba, engenhosamente construído sobre escalas ascendentes e descendentes, repleto de síncopes, exigia do intérprete qualidades acima do habitual. Justamente o que Simonal — que já o gravara em 15 de março pela Odeon, com arranjo de Lirio Panicalli, para seu próximo disco — tinha de sobra.

No Hotel Delfim, antes da eliminatória do Guarujá, em 27/3/1965: Franco Paulino, Agostinho dos Santos, Geraldo Vandré e Sérgio Cabral (sentados). De pé: o trombonista Raul de Souza (com cigarro), Erlon Chaves (com um copo), o baterista Edson Machado e o jornalista Adones de Oliveira (ambos de óculos escuros).

Os jurados da segunda eliminatória, que classificou "Arrastão", no auditório da TV Excelsior em São Paulo: Roberto Corte Real, Nestor de Holanda, Sérgio Cabral, Erlon Chaves, Roberto Freire, Lenita Miranda de Figueiredo, Silvio Túlio Cardoso, Franco Paulino, Everaldo Guillon e Eumir Deodato.

A tentativa de interferência de Livio Rangan incomodava pelo menos dois dos jurados, Franco Paulino e Roberto Freire, os quais, preocupados com os problemas políticos de então, interessaram-se em observar mais a fundo a sinceridade de um tipo de letra e o comportamento de certos artistas, que refletiam atitudes da juventude contrária ao regime militar. Estando ambos envolvidos com a reação à ditadura, foram levados a proteger os artistas e as propostas revolucionárias, caso de "Arrastão", pela qual se apaixonaram. Com exceção de Sérgio Cabral, Lenita e Erlon Chaves, havia, entre os que não pensavam assim, um interesse maior em outro tipo de música, exemplificado pelas que Livio preferia. Um dos jurados desse grupo, Eumir Deodato, fez uma acusação grave, afirmando que "Arrastão" era plágio de uma música de Villa-Lobos. Indignado, Roberto Freire, que conhecia a obra do mestre a fundo, desafiou-o a trazer a partitura que comprovasse o plágio.

— Se você não trouxer essa partitura, eu te quebro a cara! Não admito que você acuse de roubo um cidadão por quem eu tenho todo o respeito — arremeteu Roberto Freire.

Essa partitura nunca foi apresentada em nenhuma outra reunião. A partir daí, a corrente mais politizada decidiu radicalizar de vez, preocupando-se em defender as canções de qualidade dentro do jogo de interesses que existia. E esse jogo foi longe: na reunião seguinte, os jurados foram surpreendidos ao encontrar, sobre a mesa, pacotes com tecidos da Rhodia em seus lugares, numa visível tentativa de sedução do patrocinador. Pelo menos os pacotes "desses" jurados, foram todos devolvidos.

Na terceira eliminatória, sábado, dia 3 de abril, no Hotel Quitandinha em Petrópolis, foram classificadas "Queixa" (Sidney Miller, Zé Kéti e Paulo Tiago) com Cyro Monteiro, "Jangadeiro" (João do Vale e Dulce Nunes) com Catulo de Paula, "Por quem morrer de amor" (Ronaldo Bôscoli e Roberto Menescal) com Peri Ribeiro e "Cada vez mais Rio" (Luiz Carlos Vinhas e Ronaldo Bôscoli) com Wilson Simonal.

O nível foi ainda melhor, havendo concordância do resultado com a reação do público. A mais votada foi "Jangadeiro" (220 pontos), aplaudidíssima e muito elogiada pelos jurados. Cyro Monteiro, intérprete de "Queixa", do novato Sidney Miller, também fez grande sucesso. Desta vez, Livio ficou muito feliz com o resultado: as músicas cantadas por Simonal e Peri eram perfeitas para seu show, bem no estilo bossa nova.

* * *

Na terça-feira, 6 de abril, um verdadeiro circo de músicos, cantores, jurados, jornalistas e técnicos aportou no Teatro Astoria, um cinema adaptado que servia de auditório para a televisão. O antigo Cine Astoria, na rua Visconde de Pirajá, Ipanema, era agora sede da TV Excelsior Rio, canal 2. A partir das 21 horas entraria no ar a final do I Festival Nacional da Música Popular Brasileira.

Entre as 13 concorrentes, não havia quem não comentasse sobre a favorita: "Arrastão", de Edu Lobo e Vinicius de Moraes, defendida por Elis Regina.

"Arrastão" nascera numa festa na casa dos Caymmi, quando se cantava a terceira parte da "História de pescadores", o trecho denominado "Temporal". Ao improvisar um contracanto para o nome de cada um dos pescadores (Pedro, Chico, Lino, Zeca), Edu percebeu que estava nascendo uma música sob a inspiração de Dorival Caymmi. Guardou a ideia e completou a música depois, mostrando a Vinicius quando este voltou de uma viagem.

Vinicius sentiu o tema praieiro e, incorporando um certo misticismo à pescaria, começou a escrever a letra de "Arrastão". Ele não gostava muito de trabalhar com gravação de fita, então pediu para Edu ir tocando a música ao violão enquanto ia fazendo a letra aos pedacinhos e mostrando para ver se estava ficando bom. Assim foi feita "Arrastão", em tempo relativamente curto.

Não era uma ruptura com a bossa nova, nem uma corrente contrária, e sim uma decorrência da estrutura harmônica da bossa nova. "Arrastão" passou a ser um divisor de águas, provocando o surgimento de uma música popular moderna, abreviada na sigla MPM. A grande novidade, o que conquistaria o júri e a plateia do festival, seria a interpretação explosiva de Elis Regina, o oposto da versão calma gravada anteriormente pelo autor com o Tamba Trio em seu primeiro disco na Elenco. Antes de o disco ser lançado, Solano havia procurado Edu para incluir uma música no Festival da Excelsior e Edu pedira ao produtor da Elenco, Aloysio de Oliveira, para segurar o lançamento do disco a fim de preservar o item de música inédita exigido no regulamento. Assim, "Arrastão" pôde ser inscrita. Como cada compositor podia incluir duas músicas para que uma fosse escolhida, Edu mandou "Aleluia", parceria com Ruy Guerra, e "Arrastão", com Vinicius de Moraes, que ele achava ser a melhor. Deu no cravo.

A escolha de Elis como intérprete era quase natural, uma vez que ela já cantara três músicas de Edu em seu disco *Samba eu canto assim*, pela

Philips. Com seu estilo e pelo jeito como cantava em seus shows, o oposto do intimismo da bossa nova, era previsível que Elis daria uma interpretação mais dramática à canção, completamente diferente da concepção de Edu.

Mas Edu não podia antever tudo. Além de mergulhar nos versos como um tubarão, Elis iria acrescentar duas marcas registradas de seu estilo, ambas devidamente testadas desde outubro do ano anterior nos espetáculos que fizera no Rio de Janeiro e em São Paulo. Uma delas eram os movimentos dos braços, que tanto chamaram a atenção e que sugeriam o ato do pescador puxando a rede, ao mesmo tempo que fixariam o visual de seu estilo na pequena tela da TV. A outra marca era a desdobrada, que ela também sabia capaz de levantar a plateia, como já acontecera em "Terra de ninguém" no show do Teatro Paramount. Ambos os recursos, como se viu, haviam sido sugeridos não por um músico mas por um dançarino-coreógrafo, o ítalo-americano Leonardo Laponzina, mais conhecido como Lennie Dale, que chegara ao Brasil integrando um grupo de baile para o musical de Carlos Machado *Elas atacam pelo telefone*, na boate Fred's, e, apaixonado pelo Rio, resolvera ficar.

A fim de aproveitar melhor os passos de dança, Lennie criou coreografias para outros artistas e para si próprio, exercendo uma influência fundamental na fase inicial da carreira de Elis Regina e inovando o visual da música popular brasileira, até então limitado ao modelo banquinho e violão. Lennie, que foi considerado equivocadamente o inventor da dança da bossa nova, aplicava sua experiência como coreógrafo americano nas boates do Beco da Garrafas. O mesmo vale para a desdobrada (que costumava anunciar com um chamado "S'imbora!"), já presente na música americana, por exemplo nas gravações de "New York, New York" com Frank Sinatra, que os DJs adoram detonar para encher a pista em festas de casamento, a partir do famoso *vamp* introdutório. Após a modulação, ao término da primeira vez, há uma *fermata*, e o andamento é alterado para uma levada mais lenta, no verso "Those little town blues...", criando um clima dramático e contagiante que a canção original não tinha, como se pode conferir na trilha sonora do filme, com Liza Minelli. Esse expediente, tradicional em shows da Broadway, desenvolvido nesse caso pelo próprio Sinatra com o arranjador Vinnie Falcone, é a mesma desdobrada dos nossos festivais.

Na interpretação de Elis Regina para "Arrastão", a música vem num tempo rápido, como se fosse uma marcha, passa por uma frase lenta, quase *ad libitum* (Minha Santa Bárbara/ me abençoai/ quero me casar com

Janaína), para retornar ao tempo marchado na repetição da melodia. Mas quando atinge o refrão pela segunda vez, que é o trecho mais empolgante da melodia, e que na primeira parte tinha os versos "J'ouviu/ olha o arrastão entrando no mar sem fim...", ocorre a desdobrada, anunciada pela bateria: pa-paa-pá. Os novos versos "Pra mim/ valha-me meu, Nosso Senhor do Bonfim..." são cantados num andamento muito mais lento, ou seja, são os mesmos compassos, porém num tempo bem mais dilatado. Em termos musicais, trata-se de um súbito *rallentando*, e seu efeito é imediato. Além de ressaltar a marcação da frase, a desdobrada causava um dinamismo tão invulgar que o público era levado a aplaudir ali mesmo, antes de a música terminar. Era tudo o que as canções precisavam para impressionar o júri e empolgar as plateias. Esse expediente foi tão importante que passaria a determinar o modelo das músicas de festival.

Nos anos seguintes, quando esse formato ficou evidente para compositores, intérpretes e até para o público, a desdobrada seria então chamada vulgarmente de "Catupiry-Tamandaré", aproveitando a divisão métrica das duas palavras. A desdobrada caiu como uma luva na interpretação de uma cantora como Elis, que, sabendo como criar e explorar a dinâmica de uma canção, deu um novo destino ao seu visual e ao da própria música popular brasileira na televisão. Foram inúmeros os compositores e cantores que ficaram fascinados quando viram Elis Regina em suas aparições na TV.

No Teatro Astoria, Elis e mais outros 12 cantores disputavam o Berimbau de Ouro com canções que representavam o que havia de mais novo na música brasileira. Antes de cantar, Elis leu o bilhete que Vinicius de Moraes, presente na plateia, lhe mandara através do repórter da *Folha de S. Paulo* Adones de Oliveira: "Arrasta essa gente aí, Pimentinha". E arrastou mesmo. Quando pisava o palco, a baixinha virava um gigante. Elis sabia desde a véspera que no júri ainda havia empate e que a vitória de "Arrastão" estava muito difícil. Fez uma apresentação empolgante para os presentes no teatro e para quem assistia pela televisão. O teatro veio abaixo, foi uma ovação emocionada e incontida. Depois dessa final, surgiu na imprensa o apelido "Élice" Regina, que ela odiava e teria sido criado pelo sarcástico Ronaldo Bôscoli.

"Sonho de um carnaval" foi a última música apresentada nessa noite. Outras já tinham sido muito bem recebidas, como "Jangadeiro", de João do Vale, cantada por Catulo de Paula, e "Rio do meu amor", de Billy Blanco, cantada por Simonal. A música de Chico foi discretamente aplaudida, pois o tom continuava muito baixo e a orquestra encobriu a voz de um Vandré visivelmente nervoso. No intervalo, antes de se anunciarem as vencedoras, estavam todos no saguão quando Chico Buarque ouviu Braguinha comentar: "Essa última música é uma porcaria!".

Enquanto isso, os membros do júri se reuniam para decidir. "Arrastão" era a preferida do público e de metade dos jurados, para os quais, não havia como negar, o nome de Vinicius tinha muito peso. Mas, a essa altura, até os jurados que já tinham decidido votar contra "Arrastão" ficaram com vergonha e foram derrotados pela exibição de Elis. Apenas um deles não se conformou com tal decisão: como era esperado, Eumir Deodato, que ganhou o apelido de "Eu Gênio". Irredutível, foi o único a votar contra "Arrastão", que então ganhou por 9 a 1.

O resultado seria comunicado por Bibi Ferreira, a estrela máxima da TV Excelsior. Quando foi anunciada a quinta colocada, "Cada vez mais Rio", de Luis Carlos Vinhas e Ronaldo Bôscoli, o diretor da Rhodia ficou possesso e retirou-se do recinto. Para ele, essa música, que teria entrado por debaixo do pano na seleção das 36 finalistas, é que deveria ganhar. Seu plano era incluí-la no repertório do show itinerante da Rhodia, cujo astro maior era o próprio Wilson Simonal. Este chegou a chorar ao saber do resultado, recusou-se a entrar no palco com os demais e declarou mais tarde que "Arrastão" não podia ganhar porque era música regional. Contudo, na opinião de vários presentes, a música de Chico Buarque ou a de João do Vale é que mereciam o quinto lugar. Nenhuma das duas foi premiada. O quarto lugar foi para "Queixa" de Zé Kéti, Paulo Tiago e um desconhecido, Sidney Miller, mas quem subiu ao palco foi o intérprete, Cyro Monteiro. Vera Brasil e Miriam Ribeiro foram premiadas com o terceiro lugar por "Eu só queria ser", que depois seria gravada com a cantora Claudete Soares. O segundo lugar foi para outra canção que não convenceu, a "Valsa do amor que não vem", de Baden e Vinicius, tão insossa que logo desapareceria. Ficou patente que essa colocação foi conseguida por mérito exclusivo da magistral interpretação de Elizeth Cardoso. A decisão para o primeiro lugar foi aplaudidíssima pela plateia. Venceu a favorita: "Arrastão", de Vinicius de Moraes e Edu Lobo, com uma Elis Regina que não cabia em si de contente e saiu dali consagrada.

Após a premiação, como alguns ainda insistissem em reclamar do resultado, Cyro Monteiro resumiu o festival com uma de suas frases que acabaram fazendo história: "Não houve aqui vencidos nem vencedores. Quem ganhou foi a nossa música".

A final do Festival da TV Excelsior foi celebrada em vários pontos do Rio de Janeiro. A maior parte dos jurados foi jantar num restaurante. Baden Powell foi para seu apartamento no Copacabana Palace, festejar o segundo lugar e cantarolar com os amigos a música que julgava ser a mais popular de todas: "Carnaval, desengano,/ deixei a dor em casa me esperando...". "Sonho de um carnaval" seria gravada por Vandré em seu segundo LP, de 1965, *Hora de lutar*, e depois por Chico no lado B de *Pedro pedreiro*. Na esteira do sucesso desta última, Chico Buarque seria contratado pela TV Record, fazendo parte do segundo time de artistas dos programas musicais e da parada semanal, *Astros do disco*. Com o salário mensal de 500 cruzeiros, ele comprou um Fusquinha usado. A canção de Chico também havia conquistado o jurado Franco Paulino, que escreveu em sua coluna "A bossa é música": "O Chico ainda vai espantar este país".

Depois da vitória, Elis Regina, a mais cumprimentada, foi direto para a festa de comemoração no apartamento de Vinicius, a tempo de assistir ao final do programa pela televisão. Dois dias depois ela estaria no Paramount, em São Paulo, com Jair Rodrigues e o Jongo Trio, cantando na primeira das três noites do show que resultaria em seu segundo disco pela Philips, *Dois na bossa*, que logo seria o novo recordista de vendagem no Brasil. No dia 10 de abril, ela receberia no Teatro Record o prêmio Roquete Pinto como cantora revelação do ano, e no dia 18 embarcaria para uma temporada no Peru acompanhada pelo Zimbo Trio.

Vinicius, rodeado de amigos e evidentemente de muito uísque, estava alegríssimo. Ausente, apenas o parceiro, Edu Lobo. Edu estava em São Paulo desde fevereiro, trabalhando com Gianfrancesco Guarnieri na trilha do musical *Zumbi, rei dos Palmares*, que seria rebatizado de *Arena conta Zumbi*. Como ainda não havia rede nacional de televisão, Guarnieri convidou Edu para irem ao Bar Redondo, próximo do Teatro de Arena, de onde telefonariam para saber o resultado. Os pais de Edu, que assistiam ao festival pela televisão, foram contando por telefone quem estava sendo premiado. Quando disseram que o segundo lugar era de Baden e Vinicius, Edu perdeu as esperanças e falou:

— Bom, Guarnieri, agora eu perdi, nunca vão dar dois prêmios para o Vinicius.

Meio triste, entregou o telefone para Guarnieri, que retrucou animadíssimo:

— Você vai ganhar! Deixa eu continuar ouvindo.

Logo depois, saiu pulando, felicíssimo com a notícia que ouvira de Fernando Lobo:

Elis Regina recebe
das mãos de Adolpho
Bloch seu prêmio por
"Arrastão".
A premiação ocorreu
durante o programa
de Bibi Ferreira
(à esquerda),
no auditório da
TV Excelsior, em
São Paulo.

Dias depois do festival,
Elis Regina canta no
Teatro Paramount
com Jair Rodrigues
e o Jongo Trio o
pot-pourri que seria
o maior sucesso do
disco *Dois na bossa*.
No chão, a "cola" da
sequência musical.

— Você ganhou, seu f... da p...!

Os dois tomaram o maior pileque da paróquia, ali mesmo, no Bar Redondo.

Com o dinheiro, 5 milhões de cruzeiros, Edu comprou um Fusca do ano anterior, para poder sobrar algum. O zero km de 1965 custava 3,2 milhões e o usado, 2,5 milhões. Edu preferiu o 64 e depositou a outra metade no banco. Foi o primeiro dinheiro grande que ganhou e a partir daí sua vida mudaria. Dois dias depois do festival, jornais e revistas estampavam a foto do jovem Edu Lobo, que logo foi convidado por Aloysio de Oliveira para fazer um show com o Tamba Trio e Nara Leão. Começava uma nova carreira para o compositor de "Arrastão". Como artista de palco, deixou de comer sanduíche para comer bem com o dinheiro que ganhava.

Os compositores das cinco primeiras músicas ainda se reuniram no dia 12 de abril, em São Paulo, para serem homenageados no Teatro de Arena e no programa de Bibi Ferreira na TV Excelsior, quando receberam os cheques dos prêmios. Ronaldo Bôscoli recebeu o do quinto, Cyro Monteiro o do quarto, Vera Brasil e Miriam Ribeiro o do terceiro, Vinicius e Baden o do segundo, e novamente Vinicius mas ao lado de Edu, que usava uns apertadíssimos sapatos pretos de seu pai. Receberam o cheque de 10 milhões e um berimbau de ouro das mãos do governador Adhemar de Barros, que jamais ouvira falar de berimbau em sua vida. Entregaram o troféu para Elis Regina, que gravaria "Arrastão" em estúdio no arranjo de Luizinho Eça. Essa gravação foi lançada em maio, num compacto com "Aleluia" no lado B. Praticamente nada existe das imagens desse festival, em função do incêndio na TV Excelsior em 2 de junho de 1967, restando apenas cenas de Elis cantando "Arrastão" com o cabelo armado em coque balão, tão em voga na época.

* * *

"Arrastão" determina o nascimento do gênero música de festival, que tinha por modelo a temática com uma mensagem, como na letra de Vinicius; a melodia contagiante, como na música de Edu Lobo; o arranjo peculiar, que levantava a plateia, e a interpretação épica de Elis Regina.

"Arrastão" deu um novo rumo para a música popular brasileira (mais tarde alcunhada MPB) e foi o ponto de partida da música na televisão, um espaço que não existia antes. A despeito de a audiência não ter sido espetacular, a partir do Festival da TV Excelsior, a música brasileira pela TV não seria mais a mesma. Os quase sonolentos programas em que um grande cantor ou cantora se apresentava durante meia hora num cenário de gosto discutível, mesmo com uma mulher admiravelmente fotogênica como Maysa, chegavam ao fim de uma era. No novo modelo, havia um outro elemento: o público.

Nascia, embora timidamente, um novo gênero de programa de televisão, no qual a plateia se manifestava e torcia. Como no futebol, havia a competição. Em vez de jogadores e times, cantores e compositores. Em vez de estádios, os auditórios. Nascia uma nova torcida no Brasil, a torcida pelas canções.

A partir do I Festival da Excelsior, programa musical na televisão brasileira seria outra coisa. Uma coisa única no mundo. E ainda mais: pela primeira vez na história da televisão brasileira, quem estava em casa tinha um contato direto com o que acabava de sair do forno, a nova usina de produção da música popular, a privilegiada geração dos anos 60. Esse público tinha liberdade de avaliar de imediato a nova canção, influenciado ou não pelas plateias. Liberdade de avaliar era um direito de cada cidadão, num país em que a liberdade de pensar vinha sendo tolhida pouco a pouco havia quase um ano.

Quem iria colher os frutos desse novo formato? Poucas semanas depois, Paulinho Machado de Carvalho provou ter percebido que valia a pena investir pesado. Aliás, valia a pena investir pesadíssimo. Elis Regina era um fenômeno.

3.
"PORTA-ESTANDARTE"
(II FESTIVAL DA TV EXCELSIOR, 1966)

Dias antes do Natal de 1965, Solano Ribeiro, que havia pedido demissão do cargo de produtor de *Bibi sempre aos domingos* em julho, entrou na sala de Edson Leite, diretor da TV Excelsior, para lhe desejar boas festas:

— Então, como está nosso festival? Vai ter em 66? — perguntou.

— Não só vai ter como já temos até o contrato do patrocinador assinado — respondeu Edson, satisfeito.

— Assinado? — espantou-se Solano.

— E com o mesmo patrocinador, a Rhodia. Vai ser em São Paulo, Porto Alegre, Rio e Ouro Preto. Vamos ter mais eliminatórias, em várias cidades.

Esse era um ponto que contrariava em cheio o plano original de Solano. Ainda que no primeiro festival tivesse concordado com a realização das três eliminatórias em diferentes cidades, ele fazia questão de que a sede do festival fosse uma cidade pequena e charmosa, um balneário onde, à medida que as eliminatórias fossem acontecendo, haveria um crescendo até o dia da final, o que traria muitas vantagens para o *marketing* do evento. Com a presença de jornalistas e artistas, a cidade viveria em função da música, gerando um noticiário constante, provocando ainda muita badalação nos bares e boates em torno do evento. A televisão, os concorrentes, a própria cidade seriam beneficiados, sendo notícia ao longo de um mês. Daí a escolha do Guarujá.

Solano se sentiu no mínimo traído e o sangue subiu-lhe à cabeça.

— E quem vai dirigir esse festival? — quis saber.

— Ora, você vai dirigir.

Solano sacou tudo. Era preciso endurecer.

— Eu? Eu, não.

Solano não titubeou, tomando a decisão rapidamente.

— Esse não é o meu festival, esse é o festival do Livio Rangan. Eu vou embora.

E não perdeu tempo: saindo da sala, sentou-se à frente da máquina de escrever da secretária de Edson, dona Nina, e ali mesmo bateu seu pedido de demissão. Tchau, canal 9.

Para a TV Excelsior, que se propunha a manter boas relações com um cliente como a Rhodia, essa demissão caiu do céu. O segundo festival seguiria o padrão Rhodia.

A postura do júri e o resultado final do primeiro festival haviam ficado entalados na garganta de Livio. Como patrocinador, ele se sentia no direito de direcionar o tipo de música que beneficiasse seu projeto na Rhodia. E sua estética musical era a dos shows da Rhodia. Mas o que ele nem desconfiava é que a estética da música popular brasileira já vinha sendo transformada nas profundezas de seus porões. E o mais importante: justamente o primeiro festival é que tinha determinado o padrão dessa nova estética.

O novo diretor designado para o II Festival Nacional de Música Popular Brasileira foi Roberto Palmari, cineasta e amigo de Livio Rangan. Este seria o único festival dirigido por Palmari.

Nesse final do ano de 1965, a situação da TV Excelsior era bem diferente da de 1963, quando a emissora vinha numa escalada avassaladora, com a expansão da rede através da abertura da TV Excelsior Rio, canal 2. Foi quando estreou o *Show de Notícias*, o pai do *Jornal Nacional* da Globo, que antecedia diariamente shows musicais, como os de Moacyr Franco e de Luís Vieira, o *Cynar show*, *A grande revista*, as atrações internacionais Gilbert Becaud e Ray Charles, além do que vinha sendo introduzido com um esmero inigualável para os padrões de televisão no Brasil. Era uma verdadeira máquina de divertimento de primeira linha, levando a Excelsior a dividir a liderança com a Record nos últimos meses de 1963. Mas, desde meados de 1964, a cena vinha mudando.

A 31 de março, instaurara-se no país um movimento militar com o propósito declarado de livrar o Brasil do comunismo, que estaria supostamente sendo implementado no país pelas atitudes e reformas efetuadas até então pelo presidente João Goulart. O período de 19 a 31 de março fora marcado por marchas, prisões, demissões de ministros, mobilizações, movimentos de tropas e, finalmente, o golpe. Para atingir seus desígnios, os novos donos do poder promulgaram decretos conhecidos como Atos Institucionais, os "AI", que tinham o objetivo, entre outros, de reduzir o poder do Congresso, embora este se mantivesse funcionando. O AI-1 preparara o terreno para os inquéritos policial-militares, possibilitando perseguições, prisões e torturas dos inimigos do novo regime, entre os quais os estudantes, que tiveram a sede da UNE incendiada, juízes e parlamentares, que foram cassados, e participantes das Ligas Camponesas. A classe artística foi atingida desde logo, com a prisão de Carlos Lyra, Dias Gomes e Mário Lago em abril de 1964. O AI-1 permitiu a eleição indireta do general Castelo Branco, que presidiria o país até 31 de janeiro de 1966. Seus poderes foram ampliados pelo AI-2, decretado a 17 de outubro de 1965, que extinguiu os partidos políticos e forçou uma situação de bipartidarismo, composto por Arena (da situação) e MDB (da oposição).

Diante da ditadura, apelidada no meio artístico de "redentora", as posições assumidas por Mário Wallace Simonsen, o cabeça do grupo Comal/Panair/Excelsior etc., a favor de João Goulart antes da ascensão dos militares ao poder, apoiando inclusive um plebiscito, iriam determinar o início do fim de seu poderoso império. O tremendo baque acarretado por sua morte, em Paris, a 24 de março de 1965, dias depois de ter seus bens sequestrados, iria desencadear um longo mas irreversível processo de perdas, com ações de despejo, atrasos de salários, controle das ações da TV Excelsior Rio pelo Estado, cassação, mudança da diretoria e outros passos que conduziriam a emissora a um final inexorável, o desligamento definitivo das câmeras de televisão, que ocorreria cinco anos depois, em abril de 1970.

Essa lamentável derrocada era disfarçada na medida do possível, como no dia do quarto aniversário da emissora, quando, durante o *Moacyr Franco show*, foi distribuído entre os funcionários um gigantesco bolo de 3 metros. O rumo que o destino reservava ao canal 9 e o mal-estar que se pressentia na classe artística contra o domínio militar pareciam não interferir na transbordante música de São Paulo dos anos 1965 e 1966.

Enquanto, no Rio, comentava-se sobre uma crise na vida noturna com o fechamento do Rio 1.800, do Porão 73, do Top Club, do Arpège e até do Golden Room do Copacabana Palace, em São Paulo os bares com música ao vivo continuavam lotados: Cave, Dobrão (o novo bar de Hélio Souto), Saloon e Serenata (ambos na rua Augusta), os três da praça Roosevelt — Djalma, Baiuca e Stardust —, Ela, Cravo e Canela, Juão Sebastião Bar, Candlelight (aberto defronte ao Juão), Le Club, Rosa Amarela, Delval, o Champanhota, o Zelão, o Le Barbare de Luís Carlos Paraná, o Quitandinha e seus shows folclóricos de macumba, o Pierrot da rua Vieira de Carvalho, o Sambalanço, a boate Oasis, o Toalha da Mesa e o Garoa. A cidade se firmava como a meca dos artistas da música popular brasileira. Era da capital paulista que emanavam os principais shows da televisão com presença de público.

Quase todos os grandes nomes que surgiram na música em 1965 e 1966 estavam contratados com exclusividade pela TV Record para abastecer seus programas, que formavam um verdadeiro leque de gêneros e estilos da música popular brasileira. Esses artistas eram essenciais para cantar as canções inéditas que viessem a ser inscritas no II Festival Nacional da Música Popular Brasileira da TV Excelsior. Elis Regina, Jair Rodrigues, Chico Buarque, Elizeth Cardoso, Roberto Carlos, Edu Lobo, Wilson Simonal, Hebe Camargo, Claudete Soares e Alaíde Costa eram exclusivos da Record, que fez um rapa na música popular, deixando só as beiradas para a concorrente que lhe havia roubado a liderança.

Conseguindo manter o patrocínio da Rhodia em 1966, a TV Excelsior, como no primeiro festival do ano anterior, se aliava à revista *Manchete* e ao jornal *Folha de S. Paulo* para a promoção do segundo.

A festa de gala do lançamento seria a 24 de abril de 1966, mas era preciso um avalista. Quem melhor que Elis Regina? Afinal, ela era uma cria da Excelsior desde sua vitória com "Arrastão". Só que, a essa altura, Elis era contratada da Record e comandava *O fino da bossa* havia quase um ano. Nem passava pela vizinhança da Nestor Pestana. No máximo, saía de seu apartamento na esquina da avenida Ipiranga com a Rio Branco, subia a Consolação e entrava no Teatro Record, onde era a estrela. Como os Machado de Carvalho não admitiam que seus artistas sequer passassem pela frente dos canais rivais, foi preciso uma autorização especial para que ela comparecesse nesse domingo ao auditório do canal 9 para o lançamento oficial do Festival. Elis compareceu, foi fotografada e televisionada, mas no dia seguinte estava gravando mais um *Fino da bossa* na Record.

Em seu novo formato, as eliminatórias agora seriam em cidades diferentes: Guarujá (29 de abril), Porto Alegre (6 de maio), Recife (13 de maio), Ouro Preto (20 de maio) e Rio de Janeiro (27 de maio). Seriam apresentadas 50 músicas, dez em cada praça, uma verdadeira maratona. Cada eliminatória forneceria três músicas para a final, que ocorreria em São Paulo, com 15 canções disputando prêmios no valor de 40 milhões de cruzeiros: 20 milhões para a primeira colocada e mais 20 milhões divididos entre as quatro seguintes, além dos troféus Berimbau de Ouro, Prata e Bronze. Os acompanhamentos ficariam a cargo da Orquestra da TV Excelsior, comandada por Sílvio Mazzuca, além dos grupos de Pedrinho Mattar, Trio Três D, de Antônio Adolfo, e um certo grupo Barra Três.

Naturalmente, alguns dos astros que cantariam no Festival deram o ar de sua graça na festa dessa noite. Astro de festival não era, nem podia ser, compositor, em geral ilustres desconhecidos do público. Um deles, por exemplo, com uma canção escolhida para a eliminatória do Rio de Janeiro, poderia ir ao clube mais grã-fino de São Paulo na época, a Sociedade Harmonia de Tênis — como de fato foi, meses mais tarde, com seu amigo Zuza, que o apresentou a meio mundo — e passar completamente despercebido. Ninguém deu a menor pelota para aquele baianinho magro e queixudo de cabelo encaracolado. Caetano Veloso não era nem cantor.

Os cantores que estiveram no lançamento pertenciam ao que se pode chamar de atrações assíduas na noite paulistana, participando eventualmente dos shows de teatro, reuniões musicais e até programas de televisão fora do chamado horário nobre: Sérgio Augusto, Yvete, Roberta, Tuca, Antônio Borba eram alguns dos candidatos a um lugar ao sol na música popular brasileira. Convenhamos, não era um time que pudesse segurar a barra de um grandioso programa de televisão recheado de músicas desconhecidas. Mas era o que se tinha. Era o que a TV Excelsior podia ter. Numa atitude louvável, a direção do festival desejava revelar também um grande intérprete para a música popular brasileira, que poderia estar entre as mais visadas pelos olheiros nessa noite: Doroty, Maria Odete ou Silvinha. As três eram de São Paulo, pois do Rio viera apenas uma cantora de nome: a terceira colocada no concurso A Voz de Ouro, cujo primeiro LP, *A voz adorável de Clara Nunes*, seria lançado em junho.

Das 2.779 músicas inscritas em todo o Brasil, 50 haviam sido selecionadas para as eliminatórias, que se iniciariam no Guarujá.

* * *

A TV Excelsior cometeu um pecado capital na primeira eliminatória, realizada na sexta-feira, 29 de abril: não transmiti-la ao vivo. Quem quisesse saber o que acontecera no Guarujá deveria ligar a televisão no canal 9, a partir do meio-dia do domingo, quando seria apresentada a gravação da primeira eliminatória. Em termos de festival pela televisão, alguém na Excelsior pisou na bola. A direção do festival era de Kalil Filho (um dos apresentadores), Waldemar de Morais (produtor do programa de Bibi Ferreira) e Roberto Palmari.

O júri tinha nomes expressivos e competentes: o poeta Paulo Mendes Campos, o crítico Lúcio Rangel e os maestros Eduardo de Guarnieri, Diogo Pacheco, Guerra Peixe e Radamés Gnattali. O cronista Rubem Braga também era do júri, mas não estava no Guarujá.

Além das dez músicas apresentadas, houve um show com Elza Soares, Lennie Dale e o Bossa Três, bem no estilo "show da Rhodia". O evento foi realizado no Clube da Orla e pelo menos uma daquelas cantoras desconhecidas se tornaria famosa nos anos 70: Clara Nunes, que apresentou "Canção do amor que se foi". Entre os relativamente conhecidos, estavam Djalma Dias, um mulato sestroso, boa-pinta, que também fazia o gênero "show da Rhodia", emplacando "Bem bom no tom", e Flora, que não conseguiu emplacar "Pra que mentir". Evidentemente, não era o samba-canção homônimo de Noel Rosa. A Flora, sim, era quem estão pensando, a futura Flora Purim. Ao final, com a apresentação de Kalil e Carlos Zara, o júri classificou ainda "Motivos", com o cantor de São Paulo Sílvio Aleixo, e "Joga a tristeza no mar", com Germano Batista. Coincidência ou não, os cantores das três classificadas estavam de branco.

A eliminatória de Porto Alegre, realizada no Teatro da Reitoria da Universidade Federal do Rio Grande do Sul em 6 de maio, teve o privilégio de apresentar um novo cantor, que faria história, cantando com um pulôver de gola rulê, também branco. Um "mineiro" por adoção, nascido no Rio, de 23 anos, esperançoso, que se candidatou quando leu no jornal uma oferta de vagas para intérpretes no festival. Em Belo Horizonte, era o solista do quarteto vocal Sambacana, cantando músicas americanas e brasileiras. Inscreveu-se e foi convocado para ir a São Paulo a fim de conhecer a música a ser defendida.

Os candidatos estavam reunidos numa sala onde aprendiam as músicas acompanhados por um conjunto. Entrou sem ser percebido, começou a remexer as partituras, sem identificação de autoria, e se sentiu atraído por uma delas que, pelas suas noções musicais, acreditava ser de Baden Powell. Uma vez escolhida a canção, retornou com a partitura para Belo Horizonte, deixando a organização desesperada, pois ela devia ser destinada a outra pessoa. No fim, a canção era mesmo de Baden e Lula Freire, e foi defendida e classificada por ele sob aplausos dos gaúchos. O título era "Cidade vazia"; o nome do cantor: Milton Nascimento.

Quem também foi aplaudidíssima em Porto Alegre, empolgando a gauchada, foi uma cantora de 17 anos que viera de São Paulo. Ela já tinha participado do programa *O fino da bossa*, deixando boquiabertos todos os que estavam no Teatro Record, artistas e público. O trompetista Waldir, da Orquestra Record, é que trouxera cuidadosamente pela mão aquela tímida "mineirinha" nascida no Rio e dona de uma voz estonteante. Quando ensaiou com a orquestra, à tarde, soltou o gogó e daí em diante ninguém mais falava em outra coisa antes do programa, que seria gravado nessa mesma noite, 16 de agosto de 1965. Cantou como gente grande. Seu nome era Maria das Graças, a música era "Amor demais". Como naquela época também despontava uma outra Maria da Graça, que depois ficaria conhecida como Gal Costa, essa Maria das Graças trocou seu nome artístico para Cláudia. A mesma Cláudia que Elis Regina logo tratou de chutar para escanteio, fuzilando-a com seu temido olhar estrábico e evitando que fosse contratada pela Record. E não foi mesmo: tornou-se *freelancer* depois de atuar no programa *BO-65*, da TV Tupi.

Cláudia arrasou na eliminatória de Porto Alegre, classificando "Mensagem" perante 2 mil pessoas que, ao final, pediam bis de pé com tanta insistência, que Kalil Filho teve que dar uma justificativa: "O distinto público que perdoe esta atitude antipática, mas Cláudia não pode bisar seu número pois este é um festival de compositores e não de cantores". Entusiasmado com Cláudia, o maestro Diogo Pacheco, um dos jurados, prometeu convidá-la para uma ópera infantil que regeria. Em compensação, outra cantora de São Paulo, Silvinha, foi mal-recebida quando se anunciou que "Se a gente morresse de amor" também ia para a final.

O público paulista assistiu pelo canal 9 à eliminatória de Porto Alegre, no dia 8 de maio, dois dias depois de sua realização. Nessa mesma época, estavam abertas as inscrições para o Festival da TV Record, que seria realizado em setembro.

* * *

O show do intervalo na eliminatória do Recife teria Lennie Dale, Geraldo Vandré, Trio 3 D e o conjunto Voz do Morro com Zé Kéti. Elza Soares já não atuara em Porto Alegre. Havia armado um escarcéu dos diabos antes do embarque para o Sul: queria porque queria embarcar no Caravelle das 16h30 e ainda levar um acompanhante. Consta que a imposição teria partido do jogador Garrincha. O diretor da Rhodia não admitiu. Elza teria que ir no voo da Vasp e de manhã. Não foi e foi expelida dos shows da Rhodia daí em diante. Os astros do show do intervalo eram agora Lennie e Vandré.

Por falta de energia, a eliminatória acabou sendo transferida do Esporte Clube do Recife para o auditório da TV Jornal do Comércio. Classificaram-se as seguintes canções: "Acalanto", com a suave Ivete e o piano de Pedrinho Mattar imitando uma canção de ninar; "Inaê", com Nilson, um dos Cantores de Ébano; e "Perdão", com uma das mais cotadas intérpretes, Maria Odete.

* * *

Numa noite fria, diante da fachada barroca do Museu dos Inconfidentes, na praça Tiradentes de Ouro Preto, intensamente iluminada, um público de mais de 5 mil pessoas assistiu, sem arredar pé, a despeito da temperatura de 10 graus, à quarta eliminatória do II Festival da Excelsior. Músicos e cantores utilizaram o próprio museu como vestiário, os jurados ficaram tiritando de frio numa mesa defronte ao palco, enquanto o público, em sua maioria estudantes da própria cidade e de Belo Horizonte, entusiasmou-se mais com o ator Carlos Zara, um dos apresentadores, do que com o show da Rhodia ou com as dez músicas que disputavam três novas vagas para a final. Fazia tanto frio que o bailarino Lennie Dale nem pôde dançar com sua camiseta regata. Depois do show, o outro apresentador, Kalil Filho, anunciou as três classificadas: "Irremediavelmente", com Silvinha, que cantou e tocou violão sentada; um samba cujo título forçava a galhofa, "Canção para um maiô azul com bolinhas brancas", defendido por Jair Campos, paulista de Tupã; e "Porta-estandarte", que foi muito aplaudida e incluída na lista das favoritas. "Porta-estandarte" foi a única música desse festival defendida por dois cantores: Airto Moreira, percussionista da noite paulistana, ex-integrante do Sambalanço Trio (ao lado do pianista César Mariano e do baixista Claiber), e a gordota Tuca, conhecida dos meios musicais universitários de São Paulo. Uma marcha-rancho com uma dupla mista de cantores podia ser novidade naquele festival, mas não na música brasileira. Um dos autores de "Porta-estandarte", Geraldo Vandré, que também integrava o show da Rhodia com Lennie Dale, vibrou com a classificação, sentindo-se parcialmente recompensado pela desclassificação de "Hora de lutar" no festival do ano anterior.

A noitada em que alguns cantores foram esquentar a goela nos botecos da histórica cidade mineira confirmou o sucesso de "Porta-estandarte". Tuca cantou a música várias vezes para a estudantada mineira. Outra cantora, Roberta, com seus belos olhos verdes mas desolada por não classificar "Se o Sol falasse", encheu a cara na boate Calabouço. Mas não deu vexame.

A última eliminatória seria realizada no auditório da TV Excelsior em Ipanema, o mesmo da final do festival anterior. A Excelsior carioca caprichou na parte que lhe coube: tascou uma banda de música defronte

Participantes da primeira eliminatória no Clube da Orla,
Guarujá: o apresentador Kalil Filho e, à direita, Roberta, Ivete,
Germano Batista, Djalma Dias e Flora Purim.

Djalma Dias, durante a quarta eliminatória em 20 de maio de 1966,
na praça do Museu dos Inconfidentes em Ouro Preto.

ao teatro, conseguiu trazer o governador Negrão de Lima, que como bom político declarou não haver música mais encantadora que a brasileira, e ainda convidou para o júri Dorival Caymmi, Eumir Deodato, Lúcio Rangel e Paulo Tapajós.

Após a apresentação das dez músicas, a grande surpresa foi a presença de Elis Regina, cedida pela Record, no show ao lado de Lennie e Vandré. Depois, a decisão dos jurados. Foram para a final "Chora céu", mais uma de Cláudia, a valsa "Tic tac", com Doroty acompanhada por Pedrinho Mattar, e "Boa palavra", em que Maria Odete conquistou a plateia soltando a voz com vontade nos versos finais, "Boa palavra rapaz...".

Quem se desse ao trabalho de observar a lista das 15 finalistas veria que três cantoras tinham classificado duas músicas cada uma: Silvinha, Maria Odete e Cláudia, que por sinal já havia até gravado as suas duas, "Chora céu" e "Mensagem".

Foi o motivo para gerar um tremendo bafafá. Com o êxito de Elis Regina no ano anterior, alguns cantores estavam certos que o festival iria detonar suas carreiras, mas para isso era indispensável ir à final. Se fossem desclassificados, bye-bye. Daí por que surgiram fofocas de que ninguém poderia cantar duas músicas na final. Deveriam ser chamados novos cantores para as três músicas e as tais cantoras teriam que escolher uma só. Armou-se o maior barraco. Surgiram rumores de que se Cláudia não cantasse suas duas classificadas, cairia fora. Nas entrelinhas, podia-se entender que os novos cantores a serem escolhidos seriam favorecidos, chegando a uma final sem merecer.

Assim mesmo, o júri, usando de sua soberania, tomou a decisão: quem tinha classificado duas músicas teria de optar por uma delas. As três meninas foram então obrigadas a escolher, se quisessem participar. Silvinha preferiu "Se a gente morresse de amor", Maria Odete, "Boa palavra", e Cláudia, "Chora céu". As outras três canções teriam mesmo novos intérpretes: "Irremediavelmente" ficaria com uma outra novata, Érica Norimar, "Perdão" com Clara Nunes e "Mensagem" seria cantada por Djalma Dias, enquanto "Bem bom no tom", que ele classificara no Guarujá, passava para a mulata Carmen Silva. Nas conversas de cocheira, dizia-se que a Rhodia estava de olho em Djalma Dias para seu show itinerante, e que para isso ele precisava estar na final com uma boa canção. O diretor Roberto Palmari saiu em defesa da decisão, alegando que aquilo não era um concurso de cantores, mas de músicas. "Estamos preocupados, primeiro, em revelar músicas, não em revelar cantores, embora isto esteja dentro de nossos planos, pois do contrário não teríamos dado oportunidade a tantos estreantes e semiestreantes." Quem quisesse assim, muito bem, senão, que se virasse. "A Rhodia não mais patrocinaria seus shows itinerantes, e portanto o argumento a favor de Djalma Dias não se justificava", completava Palmari, colocando um ponto final no diz que diz que.

Tudo grupo. Três meses depois do festival, a Rhodia montaria um novo show para excursionar pelo Nordeste do Brasil com o recém-formado Trio Novo (Théo, Heraldo e Airto) e Geraldo Vandré. Na verdade, o grupo instrumental montado por Airto a pedido de Vandré era um quarteto, mas Livio Rangan achava Hermeto Paschoal muito feio e o quarteto foi reduzido a trio. Sem comentários.

Para bagunçar ainda mais o coreto, o júri também tomou outra decisão importante. Em 2 de junho, decidiu promover uma repescagem, incluindo mais quatro músicas ao lado das 15 já selecionadas nas eliminatórias. Foram elas: "Comunhão", com Edgar Pozer, apresentada no Rio, "Fim de tristeza", com Doroty, apresentada em Ouro Preto, "Prelúdio para um amor que começou", com Sônia Lemos, apresentada no Rio, e "Balança a roseira", que também fora desclassificada no Rio com Flora, namorada de Airto. O maestro Guerra Peixe saiu em defesa da medida adotada, alegando que as quatro também tinham condições de concorrer em pé de igualdade com as 15 finalistas. "Têm boas letras e melodias agradáveis", complementou o cronista Rubem Braga, também do júri. Será que ainda sobrava espaço para outra mudança? Nunca se sabe.

Enquanto o governador de São Paulo, Adhemar de Barros, era cassado em decorrência da autofagia dos processos que atingiram líderes do golpe de 1964, abandonando o Palácio dos Campos Elísios com um chapéu branco bem ao estilo de um fazendeiro de São Manoel, cantores e músicos ensaiavam à tarde, no auditório da TV Excelsior da rua Nestor Pestana. A finalíssima, que seria às 20 horas desse domingo, 5 de junho, deveria ter 19 músicas: as 15 classificadas e as quatro favorecidas. De fato, na sexta-feira eram "19 cantores jovens interpretando as músicas que serão o sucesso do ano", segundo a divulgação da TV Excelsior. Entretanto, ocupando uma página inteira da *Folha de S. Paulo*, a emissora anunciava no domingo que concorriam ao troféu Berimbau de Ouro 18 músicas. Faltava "Joga a tristeza no mar", classificada no Guarujá. Onde teria sido jogada a música cantada pelo recifense Germano Batista?

Além dos seis componentes fixos das eliminatórias, o júri teria a participação extra do humorista Millôr Fernandes, do paranaense Túlio de Lemos (um homenzarrão com voz de baixo profundo, grande produtor de rádio e TV e autor das perguntas do programa da Tupi *O céu é o limite*, nos anos 50), do crítico de música erudita Alberto Soares de Almeida e do correspondente da *Cash Box* no Brasil, Luís Guedes.

Desta vez, o Festival foi ao vivo, começando pontualmente às 20 horas, dentro das rígidas normas de horário do canal 9. Com toda a pompa e circunstância que o evento merecia, os dois apresentadores, Zara e Kalil, trajados a rigor, foram anunciando uma a uma as 18 finalistas, acompanhadas, em meio à natural ansiedade dos concorrentes, ora pela orquestra regida por Sílvio Mazzuca, ora por um grupo instrumental.

"Porta-estandarte", "Boa palavra" e "Chora céu" foram vibrantemente defendidas por seus intérpretes e, consequentemente, as mais aplaudidas pelo público paulista que lotava o auditório do canal 9.

Depois de um intervalo, foram anunciados os vencedores. Inicialmente, o melhor intérprete, que receberia um automóvel Gordini: Djalma Dias, eleito após uma difícil decisão em que havia cinco cantores empatados. Entre eles, Maria Odete, ovacionada entusiasticamente ao interpretar a curiosa melodia de Caetano Veloso, no arranjo de Antônio Adolfo, com uma garra impressionante, exagerada até sob certos aspectos, mas que fez vibrar a assistência quando soltou sua voz potente na frase final: "Boa palavra rapaz...". Era a figura mais bonita do festival, uma atraente mulher de olhos verdes e cabelos alourados que quando soltos lhe davam um ar de *vamp*. Namorava o baixista Théo, de quem ficaria noiva uma semana depois, no dia dos namorados, numa festa no Juão Sebastião Bar.

Os demais contemplados, anunciados segundo a praxe na ordem inversa, foram "Boa palavra", de Caetano Veloso, em quinto, "Cidade vazia", de Baden Powell e Lula Freire, em quarto, "Chora céu", de Adilson Godoy e Luiz Roberto, em terceiro, "Inaê", de Vera Brasil e Maricene Costa, em segundo, e "Porta-estandarte", de Geraldo Vandré e Fernando Lona: a campeã do II Festival da TV Excelsior.

Milton Nascimento não impressionou tanto quanto em Porto Alegre e a canção "Cidade vazia" nunca entrou para o seu repertório. Quem acabou gravando esse lindo samba foi Elizeth Cardoso, em seu LP *Muito Elizeth*, lançado pela Copacabana no mesmo ano. Os autores ganharam como prêmio uma passagem para os Estados Unidos.

Quem mais vibrou com o segundo lugar foi a letrista Maricene Costa, mais conhecida como cantora dos shows universitários denominados na época de "bossa nova paulista". Sua parceira na música, Vera Brasil, era naquela altura a mais veterana compositora de festivais, pois parti-

Vera Brasil, compositora da segunda colocada, "Inaê", com Geraldo Vandré e Fernando Lona, autores da canção vencedora, "Porta-estandarte".

cipara do primeiro da Record, em 1960. Desiludida com os jurados cariocas do festival de "Arrastão", nem fez questão de assistir a essa final. Excelente violonista e autora de composições ricas e bem mais complexas do que aparentam à primeira vista, teve seu maior sucesso em 1964, o "Tema do boneco de palha", que ela mesma gravara. O ótimo intérprete de "Inaê", Nilson Prado, tinha sido solista tenor do conjunto Nilo Amaro e seus Cantores de Ébano, famoso por "Leva eu sodade", no qual o destaque era a voz grave de Noriel Vilela, a essa altura já falecido. Nilson tinha uma linda voz e representava no grupo o mesmo que Tony Williams nos The Platters.

O primeiro lugar foi muito bem recebido pelo público e festejado pelos intérpretes. A talentosa e vibrante Tuca, Vanelisa Zagni da Silva, era uma cantora paulista, participante assídua do programa *Primeira audição*, da TV Record, desde outubro de 1964, onde também começaram Chico Buarque, Taiguara e outros. Gravara seu primeiro LP, *Meu eu*, na Chantecler, antes do Festival, mas sua fama cresceu mesmo depois da vitória. Ela participaria de outros festivais, permanecendo alguns anos na Europa antes de retornar e falecer, em 1978, vítima de uma parada cardíaca aos 33 anos. Tuca era gorda e tentava emagrecer com um violento regime alimentar. Pode ser considerada a personagem da música brasileira que mais se aproximou da cantora Mama Cass, do Mamas and The Papas, na voz, no físico e até na breve vida agitada.

Seu companheiro de palco, o catarinense Airto Moreira, era um dos mais competentes bateristas da noite paulista, embora fosse percussionista e, desde o início de sua carreira no Paraná, desejasse ser cantor. Quando menino, tocava pandeiro em Ponta Grossa. Tornara-se baterista por acaso, aos 13 anos, quando o titular da orquestra num baile de carnaval faltou. Tocou em Curitiba, em inferninhos de São Paulo, até formar o Sambalanço Trio com César Mariano e Claiber. Mas, após o festival, quando esperava detonar a carreira de cantor que almejava, quem gravou "Porta-estandarte" com Tuca foi Geraldo Vandré, no selo Chantecler. Airto parecia ter urucubaca como cantor. Em compensação, logo depois do festival ele montaria, a pedido de Vandré, um grupo com Hermeto, Théo e Heraldo para o show da Rhodia, que, reduzido a trio pela tal cisma de Livio Rangan, excursionaria pelo Brasil. Depois de uns tempos em que teve que se contentar em ser Trio Novo, o Quarteto Novo seria finalmente constituído, fazendo história. No final de 1967, Airto foi aos Estados Unidos determinado a trazer de volta sua companheira Flora Purim, com a passagem paga por Lennie Dale e 800 dólares que

Chico Buarque lhe dera. Não falava uma palavra de inglês, tocou num restaurante com o pianista Cedar Walton em troca do jantar e do dólar do bilhete de *subway*, ralando por mais de dois anos até receber um convite de Miles Davis. Nos Estados Unidos, Airto veria seu talento ser reconhecido, abrindo as portas para a percussão brasileira no mundo, mais até que alguns cubanos já estabelecidos no jazz. Na sua esteira, diante da crescente onda de percussionistas, a revista *Down Beat* se viu obrigada a criar a categoria "Percussionists" na sua eleição anual, para os que antes eram embaralhados no item "Instrumentos diversos". Airto Moreira tornou-se um dos artistas brasileiros mais admirados no exterior, com uma carreira repleta de atividades e momentos fulgurantes.

O paraibano Geraldo Pedrosa de Araújo Dias adotou o nome artístico Geraldo Vandré em homenagem a seu pai José, cujo prenome era Vandregésilo. Era mais conhecido como cantor do que como compositor, embora desde 1962 tivesse parcerias com Carlos Lyra ("Quem quiser encontra o amor") e com Baden Powell ("Samba de mudar" e "Rosa flor"), além de canções de cunho nordestino, em que fez letra e música, como "Fica mal com Deus". Até 1966, seu maior sucesso havia sido como cantor, em dupla com Ana Lúcia, numa composição de Baden Powell e Vinicius de Moraes, o "Samba em prelúdio", que tinha a novidade do contraponto.

Quando Vandré foi passar o carnaval de 1966 em Penápolis com seu amigo Fernando Lona, encontrou o sossego que procurava para compor. Ele já sabia que o contraponto cantado em duo funcionava. O samba-canção chopiniano "Samba em prelúdio", gravado por Geraldo e Ana Lúcia acompanhados pelo piano de Walter Wanderley, vendera tão bem que a gravadora Audio Fidelity havia proposto lançar um LP inteiro com o casal. Geraldo recusou, embora concordasse que poderia alcançar grande sucesso comercial. Em Penápolis, ele e Fernando resolveram então fazer uma marcha-rancho que pudesse aproveitar a ideia do contraponto, já testada e aprovada, para também ser cantada por um homem e uma mulher. Assim nasceu "Porta-estandarte", com música de seu novo parceiro, o baiano de Feira de Santana Fernando Lona, compositor e ator na boa terra, companheiro do grupo baiano de Gil, Caetano & Cia., mas desagrupado desde que estes vieram para São Paulo. Fernando viera para o Sul a convite de Luís Vieira e ficou morando de favor no seu escritório à rua João Adolfo. Morando é força de expressão: chegava na hora de dormir e de manhã cedinho tinha que dar o pira antes que os empregados aparecessem.

O engenhoso esquema da canção que fizeram consiste em ter a mesma sequência harmônica para duas melodias diferentes, a primeira cantada pelo homem, a segunda pela mulher. Ambos cantam sozinhos e depois repetem suas partes encaixadas uma na outra, pois não cantam juntos ao mesmo tempo. É o que se chama de cânone. Apenas a frase final, com a mesma melodia, é cantada em uníssono pelos dois, causando grande efeito, que pode se multiplicar se repetido várias vezes.

Assim, em "Porta-estandarte" ele canta "Olha que a vida é tão linda/ e se perde em tristezas assim/ desce teu rancho cantando..." na primeira parte. Depois ela canta a segunda parte "Eu vou cantando a minha vida enfim/ cantando, e canto sim...". Na repetição vem o cânone: "Olha que a vida é tão linda/ e se perde em tristezas assim/ *Eu vou cantando a minha vida enfim*/ desce teu rancho cantando/ *cantando, e canto assim...*". O final acaba virando uma apoteose, com ambos em "Na avenida girando/ estandarte na mão pra anunciar" repetido várias vezes.

O ponto crucial da música estava no contraponto, que fazia o público aplaudir antes do final, como acontecera antes com "Arrastão". Não deu outra. A música ganhou, deixando Vandré eufórico, por sentir que pela primeira vez seu talento era reconhecido em público. Ele chegou a chorar de emoção, entre cumprimentos e abraços de Deus e o mundo no auditório da Nestor Pestana.

Fernando nem viu o resultado. Como tinha que levantar muito cedo, saiu da TV Excelsior direto para o seu "mocó" ali pertinho, na rua João Adolfo. Mas foi acordado por um festivo Vandré e por alguns jornalistas amigos que vieram celebrar a vitória no acanhado escritório.

A intenção de Vandré era abrir uma gravadora com sua metade dos 20 milhões, o que não aconteceu. Tampouco vingou a dupla Vandré/ Lona. Como vencedor do festival, o baiano de Feira de Santana ficaria de vez em São Paulo, para onde tinha vindo quatro meses antes. Fernando Lona participou de peças, retornou à Bahia em 1972, lá ficando por cinco anos, sempre em atividades teatrais. Retornou a São Paulo para gravar o LP *Cidadão do mundo* pela Tapecar, no qual cantou "Porta-estandarte". Sua derradeira atuação foi no show *De cordel a bordel*, em novembro de 1977. Logo depois morreu num desastre na BR 116, a caminho de Curitiba. Tinha 40 anos.

Vandré sumiu por uma semana e voltou à cena logo depois para gravar "Porta-estandarte" com Tuca, que seria lançada no próprio mês de junho pela gravadora Chantecler. Foi uma imposição da gravadora para que Tuca pudesse ser liberada para o seu LP. Em novembro, Geral-

Fernando Lona, Tuca e Airto Moreira, vencedores do II Festival da TV Excelsior com "Porta-estandarte".

Os compositores Fernando Lona e Geraldo Vandré recebem o prêmio
Berimbau de Ouro no auditório da TV Excelsior, com a presença
do apresentador Kalil Filho (à esquerda), do maestro Sílvio Mazzuca (de costas),
do produtor Waldemar de Morais e do ator Carlos Zara (à direita).

do gravou pela segunda vez sua marcha-rancho com Théo, Heraldo (dois violões) e coro, em outro compacto que seria a primeira faixa de seu terceiro LP, *Cinco anos de canção*. O disco saiu pela Som/Maior, o selo nacional que substituía a Audio Fidelity de Sidney Frey, e que depois seria vendido à RGE, de José Scatena.

"Porta-estandarte" foi ainda gravada em 1966 por Dalva de Oliveira, num compacto da Odeon que tinha no lado A seu grande sucesso, "Máscara negra". Em 1969, a cantora Helena de Lima, acompanhada pela Banda da Polícia Militar do Estado da Guanabara, também gravou "Porta-estandarte", num LP da Première.

De todos os participantes do II Festival da Excelsior, quem mais se beneficiou foi inegavelmente Geraldo Vandré. Seu desejo de fazer canções identificadas com os anseios e os valores culturais do povo de seu país passou a ser viável e, principalmente, reconhecido. A vitória foi uma injeção de ânimo como ele nunca sentira antes. Vandré passou a se dedicar sozinho a uma obra que se alinhava com uma nova forma de arte no Brasil, as músicas de festival. Em suma, Vandré passou a encarnar, por um período, o compositor dos festivais, aquele que dizia o que as torcidas queriam ouvir. Vandré cantou e o povo cantou com ele.

A partir de "Porta-estandarte", Geraldo Vandré iniciou sua caminhada para se tornar, anos depois, um dos grandes mitos de sua geração na música popular brasileira.

* * *

A partir de janeiro de 1966, a direção da TV Excelsior foi dividida entre Edson Leite, Alberto Saad, Otávio Frias de Oliveira e Carlos Caldeira Filho, numa tentativa do Grupo Folha de resolver uma situação que vinha se agravando desde abril de 1964.

Se a relação com o novo governo começou a se deteriorar quando o Departamento de Jornalismo se negou a noticiar a vitória do golpe militar, os problemas financeiros iniciaram-se de fato quando o diretor superintendente Wallinho Simonsen, representante do espólio de seu pai, falecido em 1965, resolveu arrendar os estúdios da Companhia Cinematográfica Vera Cruz, em 1966, numa tentativa de expansão para a gravação das novelas. Após dez meses de aluguéis atrasados, houve uma ação de despejo e, logo em seguida, os salários começaram a atrasar. Em janeiro de 1967, vieram as primeiras demissões, seis meses antes de um incêndio no prédio da rua da Consolação, 279, onde estavam os arquivos de reportagens, contabilidade e do Departamento de Pessoal.

Zuza Homem de Mello

A derrocada da TV Excelsior: o auditório do Rio de Janeiro,
antigo Cine Astoria, é lacrado pela polícia.

Como as ações da TV Excelsior São Paulo não podiam ser negociadas, pois as emissoras de televisão dependiam de concessão do governo militar, foram dadas à penhora na ação promovida pelo Banco do Brasil contra a empresa que dera origem ao grupo, a Comal, exportadora de café. O cerco foi se fechando: as ações da TV Excelsior Rio foram sequestradas, passando para o controle estatal e caindo nas mãos do governador Carlos Lacerda, nomeado depositário por ser o presidente do Banco do Estado da Guanabara.

A cassação das TVs Excelsior São Paulo e Rio foi, conforme um comunicado sem muitas explicações do Dentel, motivada por infrações que feriam normas do Código Brasileiro de Telecomunicações. Houve movimentos dos técnicos e artistas, reuniões, tudo em vão. Era uma questão de tempo.

Em abril de 1970, Wallace Simonsen declarou ter vendido a TV Excelsior a Dorival Mascide de Abreu, mas o negócio não poderia ser fechado segundo as autoridades federais. No mesmo mês, apagaram-se as câmeras da Excelsior na rua Nestor Pestana, 196, após 39 horas de uma vigília promovida para arrecadar fundos para a Campanha da Esperança. Os fundos destinavam-se aos funcionários que estavam sem receber.

4.
"A BANDA" E "DISPARADA"
(II FESTIVAL DA TV RECORD, 1966)

Quem passa pela rua da Consolação no quarteirão entre a Fernando Albuquerque e a Matias Aires, não pode imaginar que ali, justamente onde hoje a vasta fachada da loja de lustres Yamamura domina quase todo o lado par, tenha sido o maior foco do *show business* e da música popular brasileira nos anos 60. Ali ficava o Teatro Record, inaugurado em 17 de janeiro de 1959. O endereço era rua da Consolação, 1.992.

Antes, o local sediava o Cine Rio, com sua entrada e bilheteria revestidas de pastilhas azuis em paredes onduladas, ambas desativadas quando o prédio foi negociado com a Record. O público passou a ingressar no teatro pelo edifício ao lado, que abrigava a nova bilheteria, de vidro, sem o estilo da antiga, com apenas uma janelinha retangular.

O Cine Rio fazia parte do circuito da Metro e fora inaugurado com o filme *Lili* nos anos 50. Sua frequência era muito parecida com a dos cinemas Majestic e Paulista — ambos na rua Augusta, de um e outro lado do espigão da Paulista —, isto é, garotas e rapazes dos Jardins e Higienópolis, gente bem, como se dizia na época. Nos anos 30, o Cine Rio chamava-se Cine América, e na década seguinte foi adaptado para um rinque de patinação.

Vizinho ao teatro, no sentido da avenida Paulista, havia um edifício cinza de três andares, feioso e sem graça, que acabou sendo incorporado à Record em junho de 1961, quando as instalações originais não davam mais conta do recado. Lá foram montados escritórios, salas de ensaio, de costura, guarda-roupas e um único apartamento, em que morava o já citado Paulo Charuto. O endereço desse prediozinho medonho era rua da Consolação, 2.002.

A Consolação continua sendo rua até hoje, embora pudesse ser promovida a avenida com todos os méritos. Naquela época, sim, merecia ser rua, pois ainda não tinha sido alargada, e por ela subiam os bondes "camarão" da linha para Pinheiros. O camarão era um bonde fechado, espaçoso, com bancos de madeira em diferentes posições e piso de ripas de madeira paralelas; tinha esse nome porque era de cor vermelha. Sua parada mais próxima do teatro era um pouco além, na esquina da rua Maceió, mas certa noite havia tão pouca gente para assistir ao José Vasconcelos que o gerente, Gaúcho, mandou o porteiro Benedito parar os bondes um pouco antes, bem na frente do teatro, e convidar quem quisesse assistir de graça *Eu show o espetáculo*. Por incrível que pareça, os motorneiros o obedeceram e pararam os bondes antes do ponto, mas quase ninguém se interessou em ver José Vasconcelos "na faixa". Isso foi na primeira semana, porque na segunda, inexplicavelmente, começou uma enchente que foi até o fim da temporada. É o que se pode chamar de divulgação boca a boca. O Zé viera do Rio com uma mão na frente e outra atrás, num Romi Isetta caindo aos pedaços, e quase implorou para conseguir o teatro. Poucos meses depois, já tinha comprado uns cinco carros. Ganhou os tubos, lotando a casa sozinho durante vários meses.

Assim eram as coisas na Record, época de grandes shows internacionais, começo dos anos 60. Pensam vocês que já existia aquela orgia de loja de iluminação na Consolação? Qual o quê! Havia apenas a lustres Bobadilha, com três lojas, uma na esquina com a Matias Aires, outras duas mais acima. O comércio era bem diferente. Defronte ao teatro, no número 2.011, ficava o restaurante A Pizzaiola, onde após os ensaios íamos comer de vez em quando. Lembro-me que quando entramos lá com Vittorio Gassman, todo mundo ficou estático, olhando aquele homenzarrão espetacular que parecia ter um ímã instalado nos olhos. Mais abaixo, no número 1.916, ficava o Walter, que alugava pianos, e ao lado do teatro, no sentido do cemitério, o Lanches Stromboli, um bar sem atrativo de qualquer espécie onde você poderia encontrar os maiores astros da música brasileira tomando café de pé ou comendo um sanduíche. Ainda do lado par, havia, mais acima, o Banco Auxiliar, onde se depositava a féria da bilheteria, a loja de móveis Atoji, a doceira Vendôme e, na esquina da avenida Paulista, talvez o único remanescente da época até hoje, o famoso Bar Riviera, estabelecido em 1949, ponto de encontro de jornalistas. Bem na frente do Riviera, número 2.043, ficava o Cine Ritz Consolação, que mais tarde a TV Tupi alugou para apresentar suas atrações internacionais, ou seja, uma réplica do Teatro Record.

O cantor Roy Hamilton, que viveu um romance tórrido com Elizeth Cardoso, levado a efeito num dos apartamentos do Othon Palace Hotel da rua Líbero Badaró, foi a primeira atração internacional do Teatro Record naquele início de 1959, quando se concretizou a ideia da emissora de ter um teatro para seus programas com presença de público. Mas então o Teatro Record ainda não estava totalmente equipado.

Em 1958, quando Paulinho Machado de Carvalho era o diretor da Rádio Record e seu irmão Alfredo, da TV Record, a transmissão de programas com presença de público, tanto na Rádio como na TV, era feita precariamente, do pequeno auditório da sede da Federação Paulista de Futebol, na avenida Brigadeiro Luís Antônio, um pouco maior que o antigo auditório da rádio, no centro velho da cidade, rua Quintino Bocaiuva, 22. O pai de ambos, Paulo Machado de Carvalho, figura de proa no futebol, relacionava-se muito bem com José Ermírio de Morais, presidente da federação e diretor da Votorantim, um dos anunciantes que patrocinavam programas de televisão na Record. Os dois haviam acertado que programas ao vivo como os de Ângela Maria, Maysa e Agostinho dos Santos seriam realizados nesse auditório, que, todavia, mostrou-se cada vez mais inadequado. Foi a oportunidade para o doutor Paulo concretizar o velho plano de comprar uma sala maior e um teatro, nomeando Paulinho como diretor. Assim, Paulinho, nascido em 1924, mesmo sem ser diretor da TV Record, acabou podendo ingressar na televisão sem provocar ressentimento no irmão Alfredo, realizando um sonho que seu pai acalentava havia muitos anos.

Além de Marechal da Vitória, o dr. Paulo Machado de Carvalho tinha uma alcunha familiar que provavelmente não lhe causava tanto prazer, mas que era uma descrição perfeita do seu traço fisionômico mais marcante: Cabeça de Manga. De fato, com a careca reluzente e os olhos pequenos atrás dos óculos, sua cabeça era idêntica a uma manga em pé. Paulinho herdou-lhe o formato da cabeça, os olhos puxados e miúdos, a miopia e a careca precoce. Além de uma fabulosa memória visual, possui uma simpatia cativante, um forte poder de persuasão através de uma retórica treinadíssima e uma dicção de causar inveja até à mais conhecida professora da matéria na São Paulo daqueles dias, dona Madalena Lebeis.

Em 1946, com pouco mais de 18 de anos, estava certa vez no Uruguai acompanhando o time do São Paulo Futebol Clube, quando recebeu um telegrama do pai, na época diretor do clube: "Comprei a Rádio Panamericana. Volte para tomar conta". Assim, Paulinho, que tinha trabalhado na Rádio Record em tarefas diversas, como a de auxiliar de discotecário na sua época de ginásio no Colégio São Luiz, foi guindado a diretor da mais nova componente da cadeia, transformando-a na Emissora dos Esportes e conquistando expressiva audiência. Voltou à Rádio Record em 1950, mas numa posição muito mais sólida: para comandar o seu setor artístico. Aí, conseguiu repetir o êxito da Panamericana, promovendo uma dinâmica programação ao vivo com os maiores artistas da música popular brasileira, grande parte vinda da Rádio Nacional do Rio de Janeiro. Quando foi inaugurada a TV Record, em 27 de setembro de 1953, e seu irmão Alfredo transferido da direção comercial da Rádio São Paulo para a TV, Paulinho permaneceu na Rádio, mas o pai já lhe reservava uma função para quando a TV se desenvolvesse. A aquisição do Teatro Record permitiu a realização desse seu velho sonho. Um belo espaço para a transmissão de programas ao vivo de rádio e televisão e o ingresso do filho Paulinho no canal 7. Sem ferir Alfredinho.

Paulo Machado de Carvalho Filho era talhado para o *show business* e possuía uma visão artística mais forte que a ambição ostensiva de lucro, apesar de não ser nada generoso nos acertos da empresa. Embora não fosse muito dado a viajar para assistir a espetáculos no exterior, pois tinha pavor de avião, sua intuição do que ia dar certo, ou do que deveria ser corrigido para acertar o que não estava indo bem, era impressionante. Tinha a firme convicção de que a melhor maneira de aproximar o artista e o público era o palco, o contato direto entre ambos, a reação imediata que se estabelece numa plateia, ao contrário do que ocorre num estúdio de televisão. Se precisasse provar sua teoria, já bastava o êxito extraordinário das temporadas internacionais de Bill Haley e seus Cometas, Louis Armstrong (no ginásio do Ibirapuera), da orquestra de Woody Herman (no Teatro Paramount) e de Johnny Ray (no Cine Arlequim), por ele realizadas antes do Teatro Record.

Após o êxito retumbante de Nat King Cole em abril de 1959 no Teatro Paramount, que fora alugado pela Record para a temporada de uma semana e tivera lotação esgotada em todos os shows, o Teatro Record estava pronto para atrações mais exigentes que a inaugural, Roy Hamilton. Ele fora equipado com um fosso para orquestra, indispensável para dar conta da intensa programação internacional da TV, que duraria mais de três anos.

À medida que os programas com público presente da TV Record passaram a ser transmitidos do Teatro Record, a maioria com entradas pagas, as transmissões do estúdio próximo ao Aeroporto de Congonhas foram pouco a pouco perdendo importância. A TV Record passou a ter um novo cenário, inédito em qualquer emissora brasileira: a cara de seus artistas. E a comunicação que se estabeleceu entre os artistas e o público — o qual também era mostrado na tela por iniciativa do editor de imagens, na época chamado diretor de TV, o terceiro irmão Machado de Carvalho, Antônio Augusto, o Tuta — levou a TV Record a uma situação de liderança nunca atingida até então.

Paulo Machado de Carvalho Filho (à direita) com o grande Pixinguinha, no Ibirapuera, durante o Festival da Velha Guarda, organizado por Almirante para a Rádio Record no ano do Quarto Centenário da Cidade de São Paulo, em 1954.

Elizeth Cardoso foi contratada por Paulinho Machado de Carvalho para apresentar o *Bossaudade* na TV Record, em 1965, programa que abrigava os grandes nomes da Velha Guarda.

O Teatro Record tinha autonomia total em relação à Televisão: possuía uma equipe técnica completa, incluindo cenaristas, guarda-roupa, iluminadores, sonorizadores, contrarregras etc. Além disso, herdara a grande orquestra da Rádio, em que se destacavam, nas cordas, a viola do futuro maestro Benito Juarez; um naipe de palhetas com o caprichoso oboísta Salvador, às vezes o sax tenor Adolar, dono de um belo som *à la* Coleman Hawkins, com quem aliás se parecia; o naipe de metais com o esplêndido trompetista Setimo Paioletti e o trombonista Arlindo; e ainda a sessão rítmica, comandada pelo pianista Duda, com o baterista Xororó, o bongoseiro Sabu (grande papador das mulatas que circulavam pelo auditório) e o pandeirista Pato Preto, cujo rosto reluzia até no escuro. Em compensação, o baixista argentino Salinas, pai do conhecido arranjador Daniel Salinas, dava para o gasto. Digamos que quase sempre acertava. Duda ficou uma onça e nunca se conformou quando o piano teve que ser pintado de branco para a temporada de Nat King Cole: o som nunca mais foi o mesmo. Para dirigir a orquestra, a Record contava com uma plêiade inacreditável de maestros e orquestradores: Hervê Cordovil, Luiz César, Zico Mazagão, Ciro Pereira e Gabriel Migliori, um time da pesada. Na orquestra da Televisão, que atuava nos estúdios da avenida Miruna, o maestro era Renato de Oliveira. Havia no Teatro um corpo de baile fixo, do qual participaram, nessa primeira metade dos anos 60, Ruth Rachou, Iracity Segretto, Yoko Okada, Vilma Vernon, Betty Faria, Jaqueline Myrna e Leda Troyka, dentre as que se notabilizariam mais tarde. Para transmitir a programação, bastava encostar defronte à calçada do teatro o caminhão de externas, usado nos jogos de futebol, montar as câmeras e entrar no ar, invariavelmente sob a direção de TV de Tuta, que anos depois iria desenvolver a Rádio Jovem Pan.

Do ponto de vista comercial, a TV Record prosperou enormemente quando conseguiu atrair verbas de publicidade, antes destinadas à imprensa escrita. Sua audiência atingiu então os 58%, contra 25% da Tupi e 8% da Excelsior, inaugurada em julho de 1960. Para chegar a esse predomínio impressionante, era preciso haver uma combinação muito bem amarrada entre os Departamentos de Publicidade (dirigido por Alfredo Amaral de Carvalho) e Artístico. Além de programas de estúdio com grande penetração popular, como o *Circo do Arrelia* e a *Ginkana Kibon*, a programação vitoriosa tinha como destaques as transmissões de futebol com a narração de Raul Tabajara, comentários de Leônidas da Silva, "aquele que conhece, porque já esteve lá", e dois solertes repórteres de campo, Sílvio Luiz e mais tarde Reali Jr. O outro destaque da TV Record

Zuza Homem de Mello

eram os shows internacionais transmitidos do Teatro Record, numa sequência jamais igualada por qualquer teatro do país, nem mesmo no período dos cassinos brasileiros.

Entre 1959 e meados de 1962, a Record fez uma verdadeira devassa na área do *show business* internacional, contratando cantoras como Ella Fitzgerald e Sarah Vaughan, *entertainers* como Sammy Davis Jr. e Caterina Valente, orquestras como Benny Goodman e Harry James, expoentes do jazz como Dizzy Gillespie e Buddy Rich, astros italianos como Domenico Modugno, Pepino di Capri, Nico Fidenco e Sergio Endrigo, franceses como Charles Aznavour, Dalida e Sacha Distel, atrações no pico de suas carreiras como Gene Barry, o herói Bat Masterson, Brenda Lee e Rita Pavone, shows completos de grande elenco como o *Holiday in Japan* de Steve Parker e o *Cotton Club Revue*, comandado por Cab Calloway, estrelas e astros do cinema como Jane Russell, Dorothy Lamour, Yvonne de Carlo e Tony Curtis, bailarinos como Harold Nicholas, divas como Marlene Dietrich e Yma Sumac, monstros sagrados como Vittorio Gassman e Maurice Chevalier, novos ídolos da juventude como Frankie Lymon e Frankie Avalon, grupos nostálgicos como os Ink Spots, cantores renomados como Frankie Laine, Tony Bennett e Billy Eckstine, e até variedades na linha do *Ed Sullivan Show*, como o *Jamboree Circus* ou o surpreendente *American Ice Show Revue*, para o qual se armou um rinque de patinação no pátio do estúdio próximo ao Aeroporto. Todo esse povo, que vinha pela primeira vez ao Brasil, passou pelo canal 7, para encanto do público frequentador do Teatro Record da rua da Consolação. Grande parte apresentou-se também no Rio, geralmente no Fred's de Carlos Machado ou no Golden Room do Copacabana Palace, cuja direção artística era dinamicamente conduzida por Oskar Ornstein. Com uma programação dessas, às vezes duas atrações num só mês, não é de admirar que sua rival, a TV Tupi, ficasse só com a rebarba, embora se devam destacar algumas atrações das Associadas, como Julie London, o guitarrista Les Paul, a cantora Della Reese e a caravana do marcante American Jazz Festival, em julho de 1961, com Coleman Hawkins, Chris Connor, Roy Eldridge, Tommy Flanagan e o genial baterista Jo Jones, entre outros.

Com a experiência anterior e um invulgar olho clínico para detectar talentos, Paulinho Machado de Carvalho, diretor do Teatro Record, transformou-se no mais poderoso empresário do *show business* brasileiro de todos os tempos.

Embora, a partir do advento do videoteipe, alguns programas do Teatro Record passassem a ser gravados, eles não eram editados. Mesmo quando os números musicais não saíam perfeitos — o que, diga-se de passagem, era muito raro — ainda assim não eram interrompidos e repetidos diante da plateia pagante. Isso dava ao público de casa a sensação de que até os vídeos gravados no Teatro eram transmitidos ao vivo, e foi esse o segredo da impressionante comunicação que se estabeleceu entre a TV Record e o público brasileiro. A edição de programas musicais com presença de público — verdadeiro processo de retalhação que lhes dá uma assepsia que se tornaria anos depois padrão na TV Globo — pode ser considerada uma das principais causas da queda de audiência dos programas musicais na televisão.

As atrações internacionais na Record começaram a escassear em virtude da rápida valorização do dólar. O patrocínio dos artistas, contratados em dólar, tinha que ser negociado em cruzeiros com meses de antecedência — mas quem podia assegurar a quanto estaria o dólar quando o artista chegasse ao Brasil? Uma das últimas temporadas dessa fase áurea foi a da orquestra de Les Brown, em março de 1962, pois em setembro já havia uma sensível retração na contratação de grandes cartazes internacionais.

A programação do Teatro Record foi enveredando por outro caminho, concentrando-se em temporadas mais longas de espetáculos brasileiros dentro do conceito do teatro de revista. *Skindô*, montado originalmente por Abrão Medina no Rio de Janeiro, *Oba*, de Carlos Machado, e *Tio Samba* (com a mesma equipe de *Skindô*: a coreógrafa Sonia Shaw, seu marido, o arranjador Bill Hitchcock, e o produtor e autor dos textos Aloysio de Oliveira), foram algumas das produções do primeiro semestre de 1962, inadequadas para a programação do canal 7. Atrações desse tipo, que atraíam público pagante ao Teatro Record, não obtinham o mesmo resultado, em termos de audiência, quando na televisão. Ou seja, não conseguiam sustentar a grade da programação. Essa foi uma das brechas que permitiu à TV Excelsior disputar a liderança.

A pá de cal ocorreu em março de 1963. O agente da General Artists Corporation de Nova York, Eddie Elkort, ofereceu à Record um artista que, além de cantar como Frank Sinatra, era quase seu sósia. Um prato cheio para os filhos do doutor Paulo exercitarem a veia de folgazões que herdaram do lado materno, os Amaral, conhecidos na sociedade paulistana como "os Bororós" por causa de sua tez morena e boca larga. Sentindo a concorrência da Excelsior, Paulinho contratou Duke Hazlett para uma única apresentação em estúdio e deu início a uma campanha anunciando "o grande astro que finalmente viria ao Brasil" em março

A primeira Rádio Record à Praça da República, nº 17, São Paulo, por volta de 1929, antes de ser vendida a Paulo Machado de Carvalho.

O Teatro Record em 1962, à rua da Consolação, nº 1.992, na época das revistas musicais, entre a fase dos shows internacionais e a dos programas de música popular brasileira, que viriam em 1965.

de 1963. Gradativamente, foi-se criando um alvoroço incontrolável na imprensa, que usava de todos os recursos para desvendar a charada apregoada pela Record: quem seria "o astro que você espera há dez anos"? Frank Sinatra? Ou Yves Montand, como no furo que Moracy do Val julgou ter dado em sua coluna da *Última Hora*? O sigilo permanecia absoluto.

Dias antes da estreia, anunciada para 31 de março, fui ao Aeroporto do Galeão recepcionar o cantor Duke Hazlett. Tratava-se de um americano careca, com jeito de executivo, cuja identidade era guardada a sete chaves. Recebi-o com a maior discrição possível, levei-o ao meu Volkswagen e rumamos para Campos do Jordão.

Depois de subir a Serra das Araras, não consegui mais resistir vendo aquele gringo narigudo e careca do meu lado, que não tinha nada que lembrasse a fuça do Frank Sinatra. Achei que tínhamos sido engrupidos. Parei o carro no acostamento, encarei-o de frente e disse: "Mas como é que você se parece com o Sinatra?". "Just a moment, sir", respondeu-me calmamente. Abriu sua mala, retirou uma peruca, ajeitou-a, fitou-me firmemente com um ar *blasé* e começou a cantar "When somebody loves you/ it's no good unless she loves you/ all the way...". Não acreditei no que vi. Estava diante de Frank Sinatra, cantando só para mim, ali, à beira da Via Dutra. Ficamos três dias no Hotel Toriba, de Campos do Jordão, comendo do bom e do melhor, passeando a cavalo e matando o tempo. E eu, apavorado com a possibilidade de que alguém desconfiasse quem era o colega.

Em São Paulo, a imprensa fazia das tripas coração para adivinhar a identidade do cantor-surpresa. Cada repórter tentava de tudo para dar o furo, numa ansiedade que beirava o paroxismo e que se transmitia em progressão geométrica à população. Na tarde do dia 31 de março, desci com o cantor para São Paulo, escondendo-o na chácara do dr. Paulo, ao lado dos estúdios da TV, perto do Aeroporto de Congonhas. Depois, levei-o para ensaiar alguns números com a orquestra e, à noite, driblando dezenas de jornalistas que cercavam o prédio da avenida Miruna, entramos desabaladamente pela segunda vez no estúdio, onde alguns músicos ainda estavam firmemente convencidos de que o homem era realmente Frank Sinatra. Pouco antes da meia-noite, o apresentador Blota Jr. anunciou que a Record iria finalmente desfazer o mistério, mostrando a atração tão anunciada. A silhueta de Duke Hazlett era idêntica à de Sinatra, e quando ele começou a cantar, muitos juraram que era "The Voice". Ao final da música, a revelação: já passava de meia-noite, era 1º de abril, desfez-se a farsa, e o público cativo da Record sentiu-se frustrado, revoltando-se com o engodo. A imprensa desceu o malho. Só na *Última Hora*, Ricardo Amaral, Moracy do Val e Jorge Ileli caíram de pau. Com toda razão. O tiro saíra pela culatra. Dava Excelsior na cabeça.

Atrações internacionais deixavam de ser o grande trunfo para levantar audiências, como comprovaram os frustrantes resultados das temporadas de Gilbert Bécaud na Excelsior, em junho de 1963 (a despeito da badalação exagerada de Ricardo Amaral em sua coluna da *Última Hora*); de Maurice Chevalier, em agosto, para a Record; e até de Ray Charles, em setembro, para o canal 9. Nessa época, o dólar batia em 1.005 cruzeiros.

Com seus programas nacionais ao longo de 1963 e 1964, a Excelsior foi conquistando gradativamente a simpatia do povo paulistano, uma área em que os Machado de Carvalho eram considerados imbatíveis. O nível das temporadas internacionais da Record em 1964 foi incrivelmente inferior ao de anos anteriores: Sergio Endrigo em março, Rita Pavone (que conquistara o país com "Datemi un martello" e teve um romance com o baterista Netinho, do conjunto The Clevers, rebatizado Os Incríveis) em junho e Trini Lopez em outubro (no auge, com seu "La Bamba") foram os mais notáveis. Em compensação, vieram bagulhos como o grosseiro arremedo dos Beatles, chamado The American Beetles, a decadente Carmen Sevilla e a desconhecida Stella Dizzi, cada um mais decepcionante que o outro.

Numa tentativa de reconquistar a audiência que perdia mês a mês, em junho o canal 7 lançou uma campanha que beirava o desespero, simbolizada pelo "tigrinho do canal 7" que "vai engolir todo mundo". Em novembro, enquanto a Tupi lançava o *Spot Light* com Wilson Simonal e convidados como Elis Regina, a Record sofria um considerável desfalque com a morte de Silveira Sampaio, que vinha lhe assegurando a liderança absoluta nas noites de sexta-feira com o seu, até hoje insubstituível, *S. S. Show*. Nesse mês, as pesquisas de audiência do Ibope apontavam implacavelmente: TV Excelsior com 43,3%, TV Record com 25,7%. Em fevereiro de 1965, a Record caía para 24,6%, ficando em terceiro, atrás da TV Tupi. O canal 7 parecia sem rumo ao apregoar que iria investir em novelas humorísticas e policiais. Nem mesmo nos corredores da emissora sabiam dizer o que estava acontecendo. E os prezados telespectadores não entendiam nada.

Quando o canal 9, TV Excelsior, anunciou em março seu I Festival Nacional de Música Popular Brasileira, o canal 7 tentou revidar apresentando no Teatro Record um ridículo Festival de Música Italiana, com seis cantores de segunda linha que ninguém sabia a que vinham, de onde eram e o que cantavam. Um vexame atrás do outro.

Essa era a situação das três principais emissoras de televisão, Excelsior, Tupi e Record, em março e abril de 1965, quando Elis Regina venceu o Festival cantando "Arrastão". Assim que assistiu à cantora pela televisão, os neurônios ligados ao *show business* de Paulinho Machado de Carvalho entraram em funcionamento a todo vapor. "Essa ninguém tasca", pensou ele com seus botões.

* * *

A entrada do empresário Marcos Lázaro no cenário do *show business* brasileiro deu à atividade de contratação de cantores um inédito caráter de profissionalismo, muito diferente do que se estava acostumado. Marcos reunia qualidades raras e fundamentais para essa carreira: era um verdadeiro fanático em fuçar artistas dentro ou fora do mercado. Além disso, tinha um fôlego de sete gatos para trabalhar e quase conseguir o milagre de estar em dois lugares ao mesmo tempo. Marcos tinha uma formação matemática, refletida na organização, posta a serviço de sua atividade. Foi ele quem deu a Elis Regina um tratamento digno de uma futura grande estrela, levando-a logo no início de sua carreira ao melhor contrato que qualquer artista já havia assinado com uma emissora de televisão no Brasil. Por seu lado, ao interpretar "Arrastão", Elis Regina mostrara ao Brasil como uma cantora podia carregar uma canção e levá-la aonde nem os autores imaginaram. Elis praticamente cunhou uma expressão que passou a ser incorporada à linguagem dos festivais: "defender uma canção".

Ainda mais: Elis foi a cantora que comandou o programa musical que desencadeou uma época gloriosa da música popular na televisão. Ao conquistar o público como cantora, Elis estava investida de autoridade para dar aval aos novos cantores e compositores que surgiriam no Brasil a partir de então. Mas, para isso, ela precisava estar onde estava, no comando de um grande programa de televisão. Com sua visão artístico-empresarial, foi Marcos Lázaro quem conseguiu esse grande trunfo para sua artista predileta. O início de sua carreira como empresário ilustra sua intuição e agilidade para o mundo do espetáculo.

Marcos, argentino nascido na Polônia, era um engenheiro especialista em cálculo de concreto que viera para o Brasil, ainda sem a mulher, em fevereiro de 1963 e, para passar o tempo após o trabalho, começara

Zuza Homem de Mello

a frequentar a boate Oasis, onde o proprietário Eduardo Antonelli, sozinho após a saída de Jimmie Christie da sociedade, vivia se queixando de artistas que não cumpriam o prometido. Um dia, Marcos viu na TV Tupi um número de *varietés* de conhecidos seus da Argentina, um casal de bailarinos sobre patins, e, após o programa, convidou-os para jantar e permanecer no Brasil. "Impossível", responderam, "só temos dois dias de hotel pagos pela televisão". Marcos se despediu, foi à boate e sugeriu o número para Eduardo, que estranhou a ideia de apresentar bailarinos acrobáticos para um público acostumado com cantores como Helena de Lima. Mas aceitou fazer um teste às 4 da manhã, depois que a boate fechasse.

A bailarina tinha cabelos compridos atados num rabo de cavalo com uma argola de metal e, quando virava o corpo, o rabo batia contra as colunas da pista, dando a impressão de que ela iria quebrar a cabeça, o que deixou Eduardo ainda mais inseguro em contratá-los. "É isso que vai ser o sucesso, o público vai querer assistir ao show para ver quando a bailarina vai se matar", argumentou o vendedor Marcos. Uma semana de experiência foi o suficiente para que o boca a boca atraísse um público que queria ver "quando a bailarina iria se matar". O casal de patinadores ficou um mês, recebendo 10 mil cruzeiros por dia, e, obviamente, ninguém morreu. Os 20% da comissão a que Marcos tinha direito (sobre os 300 mil por mês) cobriam com folga seu aluguel. O contrato foi renovado por mais seis meses e ao final Eduardo pediu-lhe novos números. Marcos foi atrás de um malabarista caracterizado de chinês que vira num circo, o gaúcho conhecido como William Wu, que imitava um número do filme da moda, *Europa à noite*. Em setembro de 1964, Marcos ofereceu-lhe o dobro do que tirava por semana e garantiu mais seis meses do aluguel.

Mordido pela mosca, Marcos começou a ir atrás de números de circo para negociá-los. Enturmou-se com os argentinos que trabalhavam na TV Excelsior e conseguiu colocar artistas de circo nos programas de Bibi Ferreira e no *Hebe, Cynar e simpatia* da TV Paulista, onde, certo dia, o diretor Walter Forster, durante a apresentação de uma mocinha, perguntou-lhe:

— Gostou da cantora? É muito boa e precisa de um empresário como você, alguém que trabalhe.

— Sim, me interessa — respondeu no seu jeito seco e firme, sendo logo apresentado ao pai da mocinha.

Marcos convenceu seu Romeu de que Elis Regina poderia morar em seu apartamento na esquina das avenidas Rio Branco com Ipiranga, Edifício Agulhas Negras, 21° andar, com sua mulher e filhos.

Com um contrato verbal, Elis tornou-se exclusiva de Marcos, que pediu licença da firma de engenharia, pois ainda conseguia faturar em cima de cachês de outros artistas que conseguia no Rio para o *Astros do disco*, da Record, através de seu amigo, o jornalista e dublê de empresário Max Gold.

No sábado 10 de abril de 1965, foi realizada mais uma vez a festa de entrega do ambicionado troféu da televisão brasileira, o prêmio Roquete Pinto, instituído pelas Emissoras Unidas e apresentado anualmente numa cerimônia de gala pela TV Record. Além da premiação, tradicionalmente anunciada pelo insuperável Blota Jr., com suas *boutades* cheias de verve, e por sua elegante esposa Sônia Ribeiro, as apresentadoras da TV Record abafavam em seus trajes de gala: a impecável Idalina de Oliveira, a suave loura Wilma Chandler, além de Márcia Maria e Selmi Barbosa. Como na entrega do Oscar, a premiação era entremeada por uma sucessão de quadros musicais, balé e humorismo, num show monumental. Os contemplados ficavam no balcão do teatro, aguardando para receber seus prêmios e, quando anunciados por Blota, desciam por uma passarela com escadas que dava acesso ao palco pela lateral, como no Radio City Music Hall, de onde a ideia foi copiada.

Uma das premiadas, Bibi Ferreira, foi a única a quebrar o protocolo, dizendo algumas palavras sobre a difícil situação por que passava o canal 9 naqueles dias, a despeito da liderança. Nesse ano, a revelação de cantor foi Jair Rodrigues e de cantora, Elis Regina. Quando seu nome foi anunciado, o público prorrompeu numa ovação impressionante, e ela veio lá de cima, percorrendo a passarela num vestidinho sem mangas, pouco acima dos joelhos, com um cintilante par de meias prateadas que, para o público que estava na plateia, destacava ainda mais suas pernas. Uma ousadia surpreendente. Elis e Jair foram os grandes ídolos daquela noite, e o público foi ao delírio quando ela cantou "Arrastão". Os empresários de Elis e Jair, respectivamente Marcos e Corumba, acompanhavam o show da coxia quando se aproximou um senhor e disse a Marcos: "Preciso falar com você". Era o diretor da Record, Paulo Machado de Carvalho Filho, que ele não conhecia pessoalmente. Depois de muito hesitar, com medo de ser barrado na porta, Marcos teve a confirmação do convite no restaurante Giordano através de Manoel Carlos, que produzia o *Astros do disco* desde dezembro de 1963. Resolveu então ir conversar com Paulinho.

— Quero contratar a Elis Regina. Te dou 6 milhões de cruzeiros por mês e você vai ser meu braço direito na Record — disse-lhe o diretor no encontro que tiveram.

Eram mais de US$ 15 mil por mês. Com os 20%, dava 1,2 milhão de cruzeiros. Marcos Lázaro diria adeus à dureza.

— Não posso, porque já tenho um contrato assinado com a TV Tupi — respondeu Marcos.

Não era exatamente assim, mas Marcos não estava blefando de todo. Enquanto Manoel Carlos insistia com Paulinho para contratar Elis, o produtor Abelardo Figueiredo, que dirigia o programa *Spot Light* com Wilson Simonal, também tinha pedido ao diretor Cassiano Gabus Mendes para contratar a cantora. Marcos havia elaborado e assinado um contrato para que Cassiano o levasse ao escritório da rua Sete de Abril, onde os diretores das Associadas Armando Oliveira e Edmundo Monteiro deveriam firmá-lo como contratantes. Como a quantia era menor que os 6 milhões de cruzeiros oferecidos pela Record, Marcos resolveu pedir a Cassiano o contrato de volta, justificando-se com a oferta de Paulinho, dada por escrito.

— Não posso devolver porque já foi para a diretoria — respondeu Cassiano. — Mas hoje eu vou à Sete de Abril e, se não estiver assinado, eu trago de volta.

Marcos ficou aguardando, ansioso. Quando retornou, Cassiano entregou-lhe o envelope dizendo:

— Tenho uma má notícia para você.

Marcos gelou. Certamente o contrato devia estar assinado. Abrindo o envelope, viu que estava em branco.

— Por que não foi assinado?

— É que os diretores não admitiam que uma cantora ganhasse mais que eles — respondeu Cassiano.

Marcos respirou aliviado, apanhou o envelope e saiu voando para se encontrar com Paulinho no Teatro Record.

O contrato de Elis Regina com a TV Record foi firmado enquanto ela estava em turnê pelo Peru, no dia 21 de abril de 1965, por Marcos Lázaro e Manoel Carlos, que assinava em nome de Paulinho. Daí em diante, tanto Marcos como Maneco — o primeiro como o agente que sabia ir atrás e negociar, e o segundo como o representante da TV Record e um dos que sugeriam artistas — tornaram-se peças fundamentais no processo de contratação dos cantores brasileiros para a fase áurea da música popular que nascia na televisão. A comissão de Marcos Lázaro seria a mesma que ganhava desde os tempos do circo: 20% sobre o cachê de cada artista solicitado.

* * *

Elis estava contratada por 6 milhões de cruzeiros por mês, uma fábula. Paulinho Machado de Carvalho, que se deixou guiar pelo mesmo faro que o levara a ser o mais poderoso empresário do *show business* brasileiro, talvez nem soubesse exatamente o que o impulsionara a arriscar tanto dinheiro. Mas tinha dado a maior cartada de sua vida.

A ideia de como aproveitar Elis na televisão estava mais ou menos embutida nos três espetáculos produzidos por Walter Silva no Teatro Paramount logo após o festival de "Arrastão". Elis, em dupla com Jair Rodrigues e acompanhada pelo Jongo Trio (Cido no piano, Sabá no baixo e Toninho Pinheiro na bateria), havia causado furor. Originalmente, o espetáculo seria composto por Baden Powell e o Jongo Trio, mas como Baden estava em temporada na boate Cave, Jair fora escolhido na última hora. Só faltava adaptá-la para o programa de televisão: uma cantora branca, baixinha, que sambava com o corpo e girava os braços e que, quando abria a boca, deixava a plateia a seus pés; um cantor mulato, simpático e empolgadíssimo, que entrava no palco sorrindo de leste a oeste, gingando e jogando os longos braços sem nenhuma direção. Ambos cantando e apresentando convidados, dando até a impressão, a alguns ingênuos, de manter um romance platônico que nem de leve existia. A dupla era acompanhada por um trio que era unha e carne com Elis, o Zimbo Trio, formado pelo baixista Luís Chaves, em quem ela confiava cegamente, Rubinho, o mais badalado baterista de São Paulo, e um pianista de ouvido absoluto e formação clássica com uma queda para Oscar Peterson no samba, Amilton Godoy. Essa fórmula seria a coluna vertebral do programa *O fino da bossa*, nada mais que um reflexo do show do Teatro Paramount.

A Record tinha ainda no seu *staff* o produtor João Evangelista Leão, que fora da equipe do show de Silveira Sampaio. Por força dessa atividade, o gordo, simpático, competente e sensível João Leão, que além de ter bom faro para novidades na música, conhecia Deus e o mundo, podia produzir com facilidade um programa musical relativamente modesto mas que teria grande importância, o *Primeira audição*, que esteve no ar entre 27 de outubro de 1964 e 3 de fevereiro de 1965. O programa de 25 minutos era gravado no estúdio da avenida Miruna, com presença de uma pequena plateia, e apresentava músicos e cantores ainda desconhecidos, a garotada a caminho do profissionalismo: Chico Buarque, Taiguara, Toquinho, Tuca e outros.

Através de João Leão, a Record convocou ainda Horácio Berlinck Neto, jovem estudante de Direito, ativo e fanático por música popular, que produzira com Eduardo Muylaert, em 25 de maio de 1964, para o Centro Acadêmico XI de Agosto da Faculdade de Direito do Largo de São Francisco, do qual era diretor, um show de muita repercussão no meio estudantil, com o Zimbo Trio, Alaíde Costa, Rosinha de Valença, Sérgio Mendes, Jorge Ben, Os Cariocas, Luiz Henrique, Walter Wanderley, Claudete Soares, Oscar Castro Neves, Ana Lúcia e Wanda Sá, que por sinal saiu consagrada. O show foi um sucesso e seu título, um achado. Tanto que Horácio o registrou: *O fino da bossa*, mantido também na pioneira e histórica gravação, lançada pela RGE.

Dessa maneira, Paulinho Machado de Carvalho tinha reunido em pouco tempo a equipe mais capacitada do Brasil para realizar programas musicais pela televisão. Agora, era só acionar os complementos para fechar o círculo. Com sua preciosa agenda, recheada de nomes e valores de cachês, o empresário Marcos Lázaro foi alojado numa salinha do prédio do teatro, equipada com monitor de televisão, para contratar quem quer que fosse solicitado pela equipe de *experts* em música popular do passado, presente e futuro. A TV Record tinha portanto a cantora e o cantor, os músicos, o intermediário para contratar, os produtores e ainda um título com luz própria, *O fino da bossa*. Era tudo de que necessitava para marcar época na televisão brasileira, embora pouca gente imaginasse que fosse atingir tais dimensões.

O fino da bossa fez um sucesso fulminante, a dupla Elis & Jair, heterogênea na música mas harmoniosa para a televisão, funcionou melhor que o esperado: enquanto ela conquistava os fãs de bossa nova, ele se encarregava dos que eram contra. A Orquestra da Record — dirigida pelo competente e respeitado maestro e arranjador Ciro Pereira — e mais dois grupos que foram contratados para acompanhar a nata da música popular brasileira, o Quinteto de Luiz Loy (inicialmente um trio) e o Regional do Caçulinha, completavam o time fixo. As atrações variavam semanalmente.

Em pouco tempo, suas gravações — um espetáculo sem interrupção, com entradas a 5 cruzeiros que ainda davam direito a assistir ao desfile de aquecimento, uma preliminar não gravada mostrando gente nova e inexperiente, os juniores de *O fino da bossa* — passaram a ser programa obrigatório para quem gostasse de música na cidade. *O fino da bossa* era gravado às segundas-feiras e transmitido às quartas, inicialmente às 22h10 e depois às 19h40. O histórico primeiro programa, que foi ao ar no dia 19 de maio, gravado dois dias antes, tinha como convidados Nara Leão, Baden Powell, Cyro Monteiro, Edu Lobo, Manfredo Fest Trio e Maria Odete. Em menos de dois meses tornou-se o cerne de uma nova linha de programação para a TV Record, os programas de música popular brasileira, onde se concentraram os artistas do fabuloso *cast* que rapidamente foi sendo montado. Na primeira rodada, foram contratados com exclusividade Edu Lobo, Alaíde Costa, Claudete Soares, Orlando Silva, Nara Leão e Baden Powell. Logo depois eram incorporados Lennie Dale, Rosinha de Valença, Baden Powell, Chico Buarque, Peri Ribeiro, Maria Bethânia, Agnaldo Rayol, Trio Tamba, Os Cariocas, Cyro Monteiro, Nelson Gonçalves, Francisco Petrônio, Paulinho Nogueira e Jorge Ben, todos eles antes do final de 1965.

Não havia nada mais "in" do que encaixar a palavra "bossa" em tudo quanto fosse atividade musical, resultando alguns *trouvailles* infames como o show *Sovina é bossa* ou o Bar Bossinha; outros beirando o ridículo como *Bossa é Banespa* ou Cine Bossa Show, e ainda os mais óbvios e menos inspirados como *Tarde de bossa*, *Noite de bossa*, *Domingo de bossa*, o humorístico *Bossa riso* no canal 5, além do programa *Ca-Nova bossa*, de Fausto Canova, na Rádio Tupi, ou a nova série da TV Tupi *BO 65* aproveitando mais um dos shows no Paramount. E os trios? Bossa Três, Bossa Jazz Trio e Bossa Rio. Estava na hora de aproveitar a onda.

Em junho, as temporadas internacionais de Frank Sinatra Jr. na TV Record (com a orquestra de Tommy Dorsey dirigida pelo saxofonista Sam Donahue, uma vez que o trombonista já era falecido) e de Johnny Mathis na TV Excelsior figuram entre as derradeiras de um ciclo em fase agonizante ante a crescente pujança da música brasileira, que suscitava um entusiasmo nunca visto na juventude, correspondendo a seus anseios de liberdade, que iam aumentando à medida que a Censura fechava o cerco. Em maio, os espetáculos *Opinião* e *Arena conta Zumbi* foram atingidos na carne com o corte ou a obrigação de substituição de trechos alusivos à situação política do país. Imediatamente, as bilheterias foram afetadas: o interesse pelos dois espetáculos dobrou. *Zumbi* iria bater o recorde de nove meses em cartaz.

O inquestionável sucesso de *O fino da bossa*, exibido no Rio através de videoteipes (transportados por via aérea numa pesada maleta), estimulou a criação de outro programa para abrigar os veteranos, já que a nata da música brasileira do passado, a velha guarda, estava quase toda viva, de Vicente Celestino a Jacob do Bandolim, de Aurora Miranda a Carolina Cardoso de Menezes. O produtor da TV Excelsior Glauro Couto procurou Paulinho de Carvalho para sugerir um programa direcionado para o público desses artistas, e a direção da Record percebeu que tinha outro poço de petróleo a ser explorado, não podia desprezar a oportunidade de criar um segundo espetáculo musical, que inicialmente seria chamado *Gente bamba* e depois foi batizado de *Bossaudade*, também por sugestão de Glauro. O nome era horrível, mas se o conteúdo fosse bom o programa poderia pegar, o título que se danasse... Glauro foi contratado, mas teve uma doença fatal, morrendo logo depois. A produção foi entregue a Manoel Carlos, que dominava a matéria com o pé nas costas, auxiliado pela mesma equipe de *O fino da bossa*, completada por Tuta e Nilton Travesso.

Para apresentar o novo programa, ao lado de Cyro Monteiro, foi convidada outra grande cantora brasileira, Elizeth Cardoso, cuja carreira era conduzida pelo dr. Augusto Mesquita, com quem Paulinho já negociara em ocasiões anteriores. Dar-se-ia assim continuidade a uma tradição da Rádio Record, que trouxera Carmen Miranda do Rio nos anos 30, e da TV Record, que na década de 50 criara programas de televisão exclusivos para Maysa e Ângela Maria, e agora apostava fichas polpudas na mais nova componente desse time de estrelas, Elis Regina. Ainda por cima, um programa com Elizeth evitava os possíveis encontros com Elis, resolvendo certas quizilas da baixinha com as cantoras para as quais torcia o nariz, e Elizeth era uma delas. O primeiro *Bossaudade* foi gravado no Teatro Record em 14 de julho, com a "Divina" muito insegura como apresentadora, Cyro Monteiro perfeitamente à vontade, o Regional do Caçulinha, que estreava na TV Record, a mesma orquestra do Teatro, porém regida pelo maestro Gabriel Migliori, e os seguintes convidados da faixa de coroas da música popular: Aracy de Almeida, Dalva de Oliveira, Orlando Silva, João Dias e Jacob do Bandolim. Elis Regina também participou, cantando "Arrastão", e todos, em coro, encerraram o programa com o samba de Noel "Com que roupa?". O *Bossaudade* ia ao ar na quarta-feira, às 22h10, com reprise aos domingos.

No domingo, dia 22 de agosto, pouco mais de um mês depois, enquanto o líder do Campeonato Paulista, o Santos Futebol Club, vencia a Portuguesa por 4 a 0 com três gols de Pelé, ia ao ar pela TV Record o primeiro programa da série *Jovem Guarda*. Por uma decisão da Federação Paulista de Futebol, o canal 7 acabava de perder um grande filão de sua programação, as transmissões dos jogos de futebol ao vivo, e, para preencher as tardes de domingo, decidira investir num terceiro programa musical, desta vez destinado a outra faixa etária: a juventude do iê-iê-iê. O *Jovem Guarda* era comandado por Roberto Carlos, já então um dos cantores mais populares do Brasil, em fase de pleno sucesso com "O calhambeque" e emplacando mais dois, "História de um homem mau" e "Não quero ver você triste". Roberto havia sido contratado no início de agosto e nessa tarde estavam com ele Tony Campelo, Roni Cord, Rosemary, os grupos Jet Blacks, The Rebels, Os Incríveis e seus dois companheiros na apresentação, o parceiro Erasmo Carlos, o "Tremendão", e a "Ternurinha" Wanderléa. Originalmente, havia-se pensado em Celly Campelo, porém seu marido vetou a ideia e as opções seguintes foram Rosemary e Wanderléa.

Esses três programas atendiam praticamente a todas as tendências da música popular brasileira, genericamente rotuladas como bossa nova, velha guarda e Jovem Guarda. Os principais cantores desses três grupos, e não os compositores, seriam os astros dos futuros festivais.

Em virtude do sucesso crescente dos três primeiros musicais da TV Record, novos programas seriam criados. Com a saída de João Leão e Horácio Berlinck Neto, em setembro, levando consigo o título *O fino da bossa*, os produtores, que vinham fazendo mais ou menos separadamente cada um daqueles programas, foram reunidos sob um nome comum, embora em diferentes combinações. Esse grupo passou a ser conhecido como "Equipe A", e juntava três homens de televisão. Antônio Augusto Amaral de Carvalho, o Tuta, encarregado da seleção de imagens de TV, que, sendo filho caçula do dr. Paulo, era o líder natural. (O nome da equipe provinha, aliás, dos três "A" com que seu nome aparecia nos *slides* como diretor de TV, "A. A. A. de Carvalho".) O segundo membro era o respeitado Nilton Travesso, dono de apurado senso estético, que, vindo dos estúdios da avenida Miruna, onde era produtor e diretor de TV em outros programas, cuidava da dinâmica do acabamento plástico dos espetáculos. O terceiro era Manoel Carlos, que também escrevia os textos, sugeria convidados e se revezava com Nilton na direção de palco. Sua primeira tarefa foi produzir um grandioso show, com a presença de todos os contratados das áreas musical e de humor, no dia 27 de setembro, para comemorar os 13 anos do canal 7. O êxito foi tamanho que a emissora instituiu um programa mensal, transmitido ao vivo todo dia 7, plenamente de acordo com a tendência cabalística da qual os Machado de Carvalho não abriam mão. Era o *Show do dia 7*.

O quarto componente da Equipe A, anexado depois, procedia do rádio, sendo também homem de confiança dos Machado de Carvalho. Discretíssimo, com o clássico bigodinho fino e os cabelos lisos repartidos, adornado com uma echarpe de seda no pescoço e praticante de golfe, era um dândi e uma verdadeira eminência parda nas Emissoras Unidas, como sugeria seu apelido, "Fiel da Balança". Chamava-se Raul Duarte.

Raul seria uma figura tão importante nos júris de seleção prévia e de julgamento dos festivais, que vale a pena fazer um retrospecto de sua carreira radiofônica.

* * *

A Rádio Record tinha esse nome porque seu primeiro proprietário, Álvaro Liberato de Macedo, aproveitara o mesmo nome de sua loja de discos para a rádio que fundou em 1928, a PRAR, instalada na praça da República, número 17. Em 1931, já com o prefixo PRB 9 e sob a direção de seu segundo proprietário, Paulo Machado de Carvalho, a Rádio Record teve três célebres *speakers*: César Ladeira, Nicolau Tuma e Renato Macedo, cujas vozes se tornaram famosas irradiando boletins durante a Revolução de 1932. Quando Ladeira, "A Voz da Revolução", foi para o Rio, Raul Duarte entrou em sua vaga. Sua importância aumentou consideravelmente quando o dr. Paulo e seu cunhado, João Baptista do Amaral, reataram as relações que estavam rompidas para constituírem juntos a cadeia das Emissoras Unidas, nos anos 40. O propósito desse acordo, que durou pouco tempo, era juntar cinco estações — Record, São Paulo, Bandeirantes, Panamericana e Cultura — para enfrentar as Emissoras Associadas de Chateaubriand, Tupi e Difusora. Na composição societária entre os dois cunhados majoritários, o dr. Paulo presenteou com 2% de ações uma pessoa de sua inteira confiança, Raul Duarte. Desde então, embora fosse um acionista minoritário, tornou-se o fiel da balança entre os dois grupos dominantes, os Carvalho e os Amaral, e, muitos anos mais tarde, entre os Carvalho e Sílvio Santos.

Na sua época de rádio, Raul passou de locutor a produtor de programas. Num deles, os competidores eram convidados a formar uma frase com a palavra fornecida pela produção. As engraçadíssimas situações decorrentes — como a do candidato que, diante da palavra "colóquio", saiu-se com a frase "Coloque o chapéu no cabide" — foram o embrião do programa que Raul sugeriria a Tuta mais de vinte anos depois. Era uma maneira diferente de aproveitar a disponibilidade do fabuloso elenco artístico que a TV Record tinha sob contrato. O programa foi batizado *Esta noite se improvisa*, e nele os candidatos tinham que se lembrar da letra de alguma música que contivesse a palavra-chave anunciada pelo apresentador Blota Jr., após o bordão que se consagraria a ponto de substituir o título original do programa: "A palavra é...". A imaginação fértil e uma memória de elefante fizeram do fidalgo Raul Duarte um membro fundamental da Equipe A. Seguramente, era o mais discreto de todos, até mesmo que o Tuta, que fazia qualquer negócio para não ter de ir ao mais comezinho acontecimento social. O programa *Esta noite se improvisa* estrearia em abril de 1967, depois de uma bem-sucedida experiência no *Show do dia 7*, e consagraria Chico Buarque e Caetano Veloso como os maiores conhecedores das canções brasileiras.

* * *

Ainda em 1965, a TV Record decidiu criar outro programa, a princípio para ser apresentado por Agnaldo Rayol, Ângela Maria e um humorista. Gravado pela primeira vez no dia 9 de novembro, acabou sendo comandado por Agnaldo e pelo comediante Renato Corte Real, que assim abandonava a série *Papai sabe nada*. No formato do musical/humorístico, Agnaldo e Renato pretendiam ser rivais, desafiando-se frequentemente em diálogos e situações semelhantes às vividas por Dean Martin e Jerry Lewis no cinema, um servindo de escada para o outro. Nesse programa, o *Corte Rayol show*, cujo prefixo era uma versão de "Ma vie", havia um quadro musical montado por Lúcio Alves, a *Roda de samba*, em que quatro cantores que jamais haviam cantado juntos preparavam, à tarde, um número vocal inédito para ser apresentado na mesma noite, pela primeira e última vez. Um quarteto por programa, como o que juntou de certa feita Lúcio, Agostinho dos Santos, Elis e Elza Soares.

Em 20 de dezembro, Elis gravou o último *O fino da bossa* do ano, embarcando em vilegiatura para a Europa, em companhia de sua secretária Cenira e da esposa de Marcos Lázaro. O programa, já com a denominação simplificada de *O fino*, seria comandado nos primeiros meses de 1966 por Peri Ribeiro e depois por Wilson Simonal, que deixava o *Spot Light* da TV Tupi. Simonal foi também contratado para comandar mais um musical, que entraria no ar em junho de 1966, o *Show em Si... monal*, possivelmente o mais inventivo deles todos, com uma receita que combinava três ingredientes principais: a proposta musical sofisticada e jazzística desse cantor soberbo (tanto no sentido de magnífico como de presunçoso) e seu criativo grupo Som Três, liderado por César Camargo Mariano; a música de balanço, que receberia a denominação de "pilan-

Zuza Homem de Mello

Três membros da Equipe A, Nilton Travesso, Tuta Amaral de Carvalho
e Manoel Carlos, com Paulinho Machado de Carvalho (de camisa polo escura)
e Solano Ribeiro (à direita), vendo a cobertura do *Jornal da Tarde* sobre
o II Festival da Record. Na estante ao fundo, as maletas em que eram
transportados os videoteipes para emissoras de outras praças.

Elis Regina e Wilson Simonal, os dois maiores cantores brasileiros
da época, no *Show em Si... monal* da TV Record.

tragem" e o levaria ao topo da carreira; e as situações insólitas, engendradas para deixar o público sem saber ao certo o que era verdadeiro ou falso, sério ou cômico. Vale até recordar uma das mais hilariantes, quando um figurante ficou tão empolgado com a missão de simular uma discussão, que partiu para valer, nocauteando em pleno palco o pobre do contrarregra Armando Mirabelli, que, estarrecido, ficou sem entender nada enquanto a patuleia abismada aplaudia freneticamente tamanho empenho dos atores.

Naquele verão de 1966, ao mesmo tempo que Elis passeava pelo Velho Mundo, a audiência do *Jovem Guarda* crescia assustadoramente, alavancada pelo novo sucesso de Roberto Carlos, "Quero que vá tudo pro Inferno". A garotada iconoclasta superlotava o Teatro Record nas tardes de domingo, identificando-se com os cabeludos de roupas extravagantes, acolhendo o alheamento como forma de revolta contra as preocupações e formalidades, adotando as novas gírias como a linguagem de sua preferência e entregando-se à espontaneidade ingênua das letras e à alegria do ritmo para cantar e dançar livremente. O iê-iê-iê começava a dominar a bossa.

* * *

No dia 29 de janeiro, durante a entrega dos troféus Chico Viola, a TV Record anunciou que promoveria o seu II Festival da Música Popular Brasileira, com 20 milhões em prêmios. Muitos acharam que aquele seria o segundo porque a TV Excelsior já havia feito um em 1965, mas poucos se lembravam que seis anos antes houvera o primeiro, no Guarujá. Essa, a razão de ser o segundo. E mais, seu título oficial não continha o vocábulo "Nacional", para diferenciá-lo do evento da Excelsior. Havia, no entanto, um ponto em comum que faria a diferença: seu produtor chamava-se Solano Ribeiro, o homem que sabia fazer festivais.

Dias depois de pedir demissão da TV Excelsior, Solano fora direto ao Teatro Record e, através de Marcos Lázaro, procurara Paulinho Machado de Carvalho para sondar se ele toparia realizar o festival. De início, ele não se entusiasmou com a ideia. O Festival da Excelsior não tinha sido um grande sucesso de audiência. Mas, ainda assim, Paulinho confiou na possibilidade de um novo caminho e respondeu: "Tudo bem, Solano, só que aqui é um pouco diferente: a gente gosta de olhar tudo, não podemos dar liberdade total". Solano concordou, pedindo para formar a comissão selecionadora das músicas que fossem inscritas.

A direção do festival determinaria quem seriam os intérpretes, apesar dos compositores gozarem da liberdade de fazer sugestões na inscrição. Para isso, contariam com o fabuloso *cast* de cantores e cantoras dos programas musicais que estavam semanalmente na tela da Record, mostrando a impressionante faceta criativa da música popular na televisão brasileira.

Na rua Nestor Pestana, o II Festival da TV Excelsior, cuja realização fora confirmada dois dias antes, a 27 de janeiro, não tinha a estrela que a emissora projetara em sua primeira edição. Com todo o seu devastador desempenho nas contratações, o canal 9 deixara escapar justamente quem mais precisava, aquela que tinha detonado o processo de reversão na liderança de audiência, Elis Regina. Desde o momento em que os dois certames foram anunciados, ficou no ar a nítida sensação de que o da Record iria sobrepujar o da Excelsior, que muitos acreditavam ter sido a criadora dos festivais.

O ano de 1966 ainda prometia novidades. Quando Elis retornou da Europa, a 5 de março, encontrou um ambiente completamente diferente do que deixara em dezembro. *O fino* perdia feio para o *Jovem Guarda*. Em termos de audiência, a juventude da bossa era dominada pela garotada do iê-iê-iê. A avalanche das jovens tardes de domingo era tal, que a TV Excelsior tratou de colocar no ar uma carta de baralho para concorrer. Contratou Wanderley Cardoso e Rosemary para encabeçar o *Festival da juventude*, que estreou no dia 6 com a participação de Marcos Roberto, Demetrius, Os Vips, Prini Lorez, Rinaldo Calheiros e The Jordans. O novo programa entrava no horário de Bibi, que saía do ar definitivamente, e foi rebatizado de *Juventude e Ternura*. A Tupi também prometia um programa aos sábados, *Na onda do iê-iê-iê*, com gravações de ídolos internacionais como Rita Pavone, Neil Sedaka e outros.

Era preciso levantar *O fino*. Com sabor de ordem do dia, foi afixada nos bastidores do Teatro Record uma proclamação de pasmar: "Atenção, pessoal, *O fino* não pode cair! De sua sobrevivência depende a sobrevivência da própria música moderna brasileira. Esqueçam quaisquer rusgas pessoais, ponham de lado todas as vaidades e unam-se todos contra o inimigo comum: o iê-iê-iê". Assim mesmo, com todos os efes e erres.

A conclamação em nada afetou o *Jovem Guarda*. Elis precisou desmentir sua declaração à revista *Intervalo*, a réplica brasileira do *TV Guide*, à qual teria dito que "esse tal de iê-iê-iê é uma droga, seus intérpretes são uns debiloides"; precisou fazer sala para Roberto e, para provar que era tudo invenção, além de abraçá-lo nos bastidores, prometeu que iria cantar no seu programa. Ao final desse surpreendente mês de março, a Record anunciou sua mais nova contratada, Hebe Camargo, a perene estrela da TV, que teria um programa de entrevistas aos domingos. Ela estreou a 6 de abril, cantando, ao final, um dueto com Agnaldo Rayol para deixar os corações da maciça audiência vibrando de emoção. Mesmo sendo um programa de entrevistas, um *talk show* — como se diria anos depois —, o programa *Hebe* também fazia parte da ofensiva musical que levava a TV Record a uma posição de supremacia na televisão brasileira, tendo a música como arma. "De que maneira?", perguntará o leitor. Por um caminho indireto: como Hebe Camargo era originalmente cantora, os contratados do elenco da Record, quando convidados, eram inevitavelmente induzidos a cantar. Para emocionar o telespectador e tornar certas entrevistas inesquecíveis, podiam comparecer ainda a mãe ou o pai dos cantores, como foi o caso de dona Ercy, com seu sorriso alvo e aberto, mãe de Elis Regina. "A cara de uma é o focinho da outra" — comentou quem assistiu ao programa. O objetivo fora atingido.

Para incentivar as inscrições no festival, agendado para setembro, entrou no ar às terças-feiras, 19h30, um programete produzido pelo time de Solano Ribeiro. A pequena equipe, instalada num dos apartamentos do prédio vizinho ao Teatro Record, incluía a secretária Marilu Martinelli, o assistente Renato Corrêa de Castro e Alberto Helena Jr. Foi Helena quem sugeriu acrescentar às chamadas pequenos documentários sobre gêneros, compositores ou temas do passado da música brasileira, a fim de torná-las mais atraentes. Um deles tratava das origens do samba de breque e reunia Cyro Monteiro e Dilermando Pinheiro; outro abordou o samba branco, com Paulo Vanzolini, Adoniran Barbosa e Chico Buarque; um terceiro focalizou o sambista Vassourinha. Com direção de TV de Sílvio Luiz, a série acabou recebendo o prêmio Governador do Estado, além de cumprir o objetivo de divulgar o festival. A entrada de Helena na equipe ocorreu depois que este pediu demissão do recém-criado *Jornal da Tarde* (onde era crítico musical), em um encontro com Solano no Ferro's Bar. Solano convidou-o para trabalhar no festival como redator dos tais programetes, que estrearam em abril.

Abril foi também um mês particularmente significativo para Roberto Carlos, que aniversariava no dia 19. Foi capa da revista *Cash Box* e comandou um *Jovem Guarda* especial, no imenso Cine Universo, no bairro do Brás, com a presença de todo o elenco regular e mais Simonal e Elis, que cumpria sua promessa. Ao final desse programa inesquecível, dois dias antes de completar 23 anos, Roberto foi levado praticamente nos braços dos fãs até o carrão que o esperava, seguindo direto para o aeroporto, de onde embarcaria para uma curta temporada em Lisboa. Nada de tirar férias de três meses como Elis. O iê-iê-iê, considerado alienado, ganhava a batalha sobre a bossa, considerada participante.

O governo militar, que já tinha cismado com os espetáculos de música engajada tipo *Opinião*, começou a prestar atenção cada vez maior aos novos ídolos da música popular. Alguns deles já incomodavam com suas posturas públicas. Nara Leão, recém-chegada da Europa, entrou na mira de juristas do Ministério da Guerra após suas declarações ao *Diário de Notícias*, por eles consideradas ofensivas às Forças Armadas e de caráter nitidamente subversivo. "Nara é de opinião: esse exército não vale nada", foi a manchete que fez subir o sangue dos militares mais aferrados. Chegando a São Paulo para participar do programa *O fino* do dia 23 de maio, leu num jornal do hotel que poderia ser presa a qualquer momento. Foi um fuzuê, comentado até no exterior. Por fim, o ministro da Justiça, Mem de Sá, abandonou a ideia de abrir um processo e Nara foi endeusada até por Drummond, que lhe dedicou uma crônica sob a forma de poesia com 17 quadras, dirigida a Castelo Branco. Uma delas exprimia bem o que a juventude participativa sentia naquele momento: "De música precisamos/ para pegar o rojão,/ para viver e sorrir,/ que não está mole não". E arrematava: "Meu ilustre general/ dirigente da nação,/ não deixe, nem de brinquedo,/ que prendam Nara Leão".

Complementando o esquema de promoção do *cast* da TV Record, a Rádio Panamericana foi renomeada Rádio Jovem Pan, e contratou os principais cantores da TV para programas exclusivos que, cada um a seu modo, dirigiam-se a um público específico dos musicais da televisão. Elizeth, Roberto, Agnaldo, Wanderléa, Erasmo, Elis e Simonal tinham seus programas de rádio, eventualmente gravados em suas casas para lhes facilitar a vida, nos quais podiam comunicar-se fora da televisão, propiciando aquela intimidade que faz a delícia dos fãs, tocando e promovendo suas próprias gravações e conduzindo a desprezada Rádio Panamericana a uma rápida e competitiva ascensão. Com esse novo reforço, a audiência da TV Record, formada por quem se interessava por música brasileira, ia gradativamente se transformando numa nação.

Essa nação foi despertada no dia 29 de julho de 1966 com uma notícia equivalente à explosão de um torpedo no bojo da embarcação: os estúdios da TV Record e das Rádios Record, São Paulo e Panamericana, na avenida Miruna, estavam em chamas. Na cidade, ninguém conseguiu ficar indiferente ao saber que, além dos equipamentos, perderam-se preciosos vídeos dos gols de Pelé e de programas musicais. Numa tacada de mestre, a música que estava no ar quando a programação da Jovem Pan foi interrompida, passou a ser executada sem parar após o retorno das transmissões, convertendo-se em verdadeiro canto de louvor à esperança da gente. Os versos de Torquato Neto para "Louvação", de Gilberto Gil, cantada por Elis Regina no disco gravado no Teatro Record em 16 de maio, pareciam ter sido compostos para a ocasião. Só faltou o heroico corpo de bombeiros adotar "Louvação" como seu novo hino. A juventude se identificou com aquele chamamento que mexia com seus brios, juntando mais um poderoso ingrediente ao ponto de convergência que tinha "um destino certo e preciso": uma forma lícita de protestar e fazer valer sua voz contra a mordaça da ditadura militar.

Em sua coluna na *Última Hora* do dia 1º de setembro, Walter Negrão mencionava um decreto que teria sido publicado nos últimos dias de agosto, pelo qual versos como "Quero que você me aqueça neste inverno" ou "Você me acende com teu beijo... hui, hui, hui", com esses ruídos sensuais, seriam censurados. E ainda, segundo Walter, as letras de tom subversivo, supostamente as de Chico Buarque. Verdade ou não, a música caminhava cada vez mais para ser o meio de expressão da juventude.

Os 800 estudantes da Faculdade de Filosofia da USP que se reuniram no dia 20 de setembro decidiram realizar uma passeata que assumiu proporções insuspeitadas. As manifestações relâmpagos que ocorreram no dia seguinte em diferentes pontos da cidade mostravam um movimento bem organizado contra a ditadura, pela democracia, a favor de eleições livres. Cada estudante recebeu um estilingue, bolinhas de vidro, tubos de plástico e rolos de papel higiênico e, munidos desses armamentos, detonaram protestos que, estrategicamente, duravam dez minutos, pipocando aqui e acolá em movimentações rápidas, na rua Maria Antonia, na ladeira General Carneiro, na rua da Liberdade e em outros pontos. Acusados de ligações subversivas, os centros acadêmicos eram tidos como focos de intentos antinacionais. Os protestos levaram a polícia a bloquear a entrada do cruzamento das ruas Maria Antonia e Itambé, ao lado do Mackenzie, onde se realizava uma vigília da classe estudantil, que desde 1º de abril de 1964 vinha se convertendo num anátema para o governo militar. Muitos estudantes foram presos no DOPS e libertados no dia seguinte. O movimento foi apoiado por um manifesto assinado, entre outros, por Nara Leão, Elis Regina, Agnaldo Rayol, Ronnie Von e Chico Buarque. Uma semana depois, acontecia, com a participação de vários desses artistas e a presença de muitos daqueles estudantes, no teatro da rua da Consolação, a primeira eliminatória do

II Festival da TV Record. Era dia 27 de setembro, décimo terceiro aniversário da emissora.

* * *

A distribuição das 36 concorrentes para as três eliminatórias fora feita por sorteio às 22 horas de 10 de setembro no Teatro Record. Os cantores escalados para o festival retiravam os envelopes onde, além do nome da canção e de seus autores, estava o de quem iria defendê-la. Apenas Elizeth Cardoso, melindrada pelo corte de seu *Bossaudade* em virtude da queda de audiência, não estava entre os que iriam cantar no festival. E quais eram essas 36 canções cujos intérpretes podiam ser sugeridos pelos autores, mas que efetivamente foram indicados pela direção do festival? Quando se encerrou o prazo de inscrição, a 30 de julho, foi montado um grupo de trabalho para realizar a triagem das concorrentes num local que fosse afastado tanto da TV como do Teatro. Escolheu-se um salão na Escola Santa Helena, de dona Irene, mãe de Alberto Helena, que também tocava piano e conhecia bem o ambiente musical. Nessa escola da esquina da avenida Brasil com praça David Campista, durante o mês de agosto, reuniram-se sigilosamente o maestro Julio Medaglia, Raul Duarte, o produtor Roberto Corte Real e o psicanalista/jornalista Roberto Freire para ouvir César Camargo Mariano passar ao piano 2.635 músicas, cujas letras eram anexadas nas fichas de inscrição, sem a identificação dos autores. As letras serviam como primeira forma de eliminação: se tivessem rimas do tipo "Brasil varonil" com "país tão viril", as músicas eram cortadas imediatamente. A seguir, iam para o grupo A as canções visivelmente superiores, consideradas fortes candidatas. No grupo B, ficavam as que tinham boas chances nas eliminatórias, e o C era destinado às que mereciam uma repescagem. O quarto grupo era o lixo, as descartadas depois de ouvidas. Idêntico processo, com o mesmo sigilo, foi adotado nos festivais em que Solano se envolveu daí em diante. Assim, a seleção foi pautada pelo maior escrúpulo. Tanto que, para não prejudicar ou favorecer ninguém, nenhum dos membros sabia quem eram os autores das músicas. Durante esse mês, Adoniran Barbosa cruzou com Raul nos corredores da Record e lhe disse o título de sua música. Raul respondeu: "Não me faça isso. Era possível que eu votasse na sua música de boa vontade, mas você me dizendo, vou alegar suspeição e não vou votar". E não votou mesmo, justificando o porquê. Quando saiu a relação das concorrentes, a música de Adoniran não estava entre as 36. Também ficaram de fora as de João do Vale, João

Roberto Kelly, Ataulfo Alves, Capiba, Toquinho e Dori Caymmi. Zé Kéti inscreveu 16 canções e só uma foi incluída.

Terminada a seleção, seria montado o júri do festival. A diferença de gosto musical entre Solano e Alberto Helena foi uma das razões do equilíbrio entre seus membros. Solano tinha sua história com o rock e era ligado às propostas mais modernas; já Helena era fixado nas tradições do passado. Foi um bom contraponto, que impediu o júri por eles montado de tender para uma linha só.

Foram requisitados os cinco participantes do grupo de seleção, Julio, Raul, os dois Robertos — Corte Real e Freire — e o pianista César Mariano. Do Rio vieram os jornalistas Sílvio Túlio Cardoso e Luís Guedes com o compositor Mário Lago. De São Paulo, o jornalista Franco Paulino, o compositor Paulo Vanzolini, o jornalista e compositor Denis Brean e o jornalista Alberto Medauar, da revista *Intervalo*, que entrou na promoção com a TV Globo. Era um júri bem balanceado: tinha gente nova como César e Franco, gente do disco como Corte Real, Vanzolini era bem tradicional, Denis era briguento, Roberto Freire, um intelectual, e Julio, um maestro. Por outro lado, alguns eram francamente de direita, outros sabidamente de esquerda. Os 12 iriam decidir o destino das 36 concorrentes ao II Festival da TV Record sob o patrocínio do sabão Viva.

Em função dos musicais de televisão, São Paulo era o centro para o qual convergiam os maiores nomes da música popular brasileira. A turma de compositores se reunia para trocar ideias ou mostrar suas novas composições em três bares da Galeria Metrópole, na avenida São Luiz: o Ponto de Encontro, o Jogral, de Carlos Paraná, e o Sand Churra. Frequentavam também o Pari Bar atrás da biblioteca Mário de Andrade, o Zelão da Nestor Pestana, o Redondo ao lado do Arena e o Ferro's da rua Martinho Prado. Num deles, poderiam estar Gilberto Gil, Vandré, Chico Buarque, Paulinho da Viola, Sérgio Ricardo, os jornalistas Alberto Helena, Franco Paulino, Chico de Assis e outros. Antes mesmo do festival, os *habitués* já conheciam várias das músicas inscritas, que eram cantadas pelos autores, ansiosos em sentir a reação de um microcosmo do que seria a plateia no Teatro Record. Essa ansiedade era compartilhada com jornalistas ou com futuros adversários. Certa noite, Geraldo Vandré, que tinha um Fusquinha, saiu com Alberto Helena e o produtor Luiz Vergueiro. De repente, parou o carro e disse: "Eu vou cantar para vocês a música que vai ganhar o festival. É a maior revolução, porque é o sertanejo moderno com Guimarães Rosa; vocês não tem a menor ideia do que vai ser". E cantou "Disparada". Os dois ficaram se olhando abis-

Cervejinha entre os jovens Paulinho da Viola, Chico Buarque
e Toquinho, em um bar de São Paulo, 1966.

mados. Foi uma porrada, era uma música revolucionária, coisa de um visionário.

Além de "Disparada", havia entre as concorrentes títulos que sugeriam sutis abordagens políticas e outros de nítido cunho romântico: "Lá vem o bloco", de Guarnieri e Lyra, "Ensaio geral", de Gil, "Canção para Maria", de Capinan e Paulinho da Viola (que se conheceram em reuniões no Teatro Jovem do Rio), "De amor ou paz", de Luís Carlos Paraná e Adauto Santos, "Canção de não cantar", de Sérgio Bittencourt, "Jogo de roda", de Ruy Guerra e Edu Lobo, "Um dia", de Caetano Veloso, e "A banda", de Chico. Ia começar a corrida atrás da Viola de Ouro, um troféu com menos de uma palmo de altura, desenhado por Flávio Império, e de 20 milhões de cruzeiros para a primeira colocada, 10 milhões para a segunda, 5 milhões para a terceira, 3 milhões para a quarta, 2 milhões para a quinta e uma viagem à Itália para a melhor letra.

* * *

A música mais aplaudida na primeira eliminatória, na terça-feira, 27 de setembro, foi "Disparada". Ao final da apresentação, a cantora Maria Odete, que defendera "Um dia", não se conteve e entrou no palco para beijar o noivo Théo de Barros, parceiro de Vandré. O espetáculo começou às 22h10 e terminou depois de meia-noite e meia, num palco repleto de flores, para uma plateia que não lotava o auditório, mostrando-se fria com Roberto Carlos, que cantou "Anoiteceu", bem-humorada ao rir da interpretação de Isaurinha Garcia para "Conformação" e animada com o entusiasmo de Leny Eversong em "Lá vem o bloco". A plateia também podia votar numa das quatro classificadas, que foram reapresentadas ao final: "Disparada", "Um dia", cuja melodia parecia uma homenagem a Luiz Gonzaga através de uma citação de "Vem morena", a impetuosa "Lá vem o bloco" e "Canção de não cantar" com o MPB 4. Os apresentadores, como sempre acontecia nos grandes eventos da Record, eram o casal mais chique da emissora, Sônia Ribeiro e Blota Jr. Terminada a repetição das quatro, todos os cantores voltaram ao palco, menos Roberto Carlos, que ficou decepcionado por não classificar a romântica composição de Francis Hime e Vinicius de Moraes.

"Disparada" foi cantada por Jair Rodrigues acompanhado pelo Trio Marayá (Hilton Acioly, Behring e Marconi) e pelo Trio Novo, com uma instrumentação estranha: viola caipira tocada por Heraldo do Monte, uma queixada de burro tocada por Airto Moreira e violão tocado pelo autor da música, Théo de Barros. Antes do resultado, Vandré circulava nervoso pelos bastidores, rebatendo e xingando quem o chamava de quadrado pelo uso da viola, mas ficou feliz quando ouviu alguém dizer "Bobagem, Geraldo, sua música já ganhou disparado". Até Elis ficara impressionada ao sapear o ensaio numa das salinhas. A concentração de Jair surpreendeu a todos, habituados a vê-lo despachado e dispersivo em seus sambas. Porém os mais intensos comentários se fixaram nos surpreendentes estalidos que ecoavam pelo teatro cada vez que Airto castigava as mandíbulas do mais estrambótico e vigoroso instrumento que jamais repercutiu no Teatro Record. Ninguém imaginava que uma queixada de burro pudesse ser aproveitada como instrumento de percussão com resultado tão poderoso, como se nele estivessem embutidos um amplificador e uma câmara de eco. "Disparada" provocou uma vibração generalizada, francamente superior a qualquer outra concorrente daquela noite. No restaurante El Potro, onde se reuniram depois vários participantes, o emotivo Vandré chegou a chorar com a receptividade à sua música.

Para a segunda eliminatória, no dia seguinte, havia uma certa expectativa das músicas defendidas pelas cantoras Maysa e Elis Regina, mas a maior ansiedade era para a apresentação de Nara Leão em "A banda", de Chico Buarque. Nara deveria cantar à frente de uma bandinha de coreto do interior, com tuba e bumbo, num arranjo de Geny Marcondes. Foi a primeira concorrente e mal ouvida, pois a voz débil de Nara era encoberta pelo som da banda, postada atrás, que penetrava pelo microfone da cantora. Não conseguiu impressionar tanto quanto "Disparada", embora fosse de longe a mais aplaudida, em especial por um grupo que podia ser uma torcida organizada. Roberto Carlos conseguiu classificar "Flor maior" (Célio Borges Pereira) e Jair emplacou mais uma, "Canção para Maria", de Paulinho da Viola e Capinan. Entre os demais cantores, nem Maysa com a tristonha "Renascença" (Cláudio Varella e José Pereira), nem Orlando Silva suspirando em "Amor de mentira" (Zé Kéti e Silvio Tancredi), nem Cláudia, que acabou chorando depois de "O sonhador" (Luís Roberto e Ruth Salles), nem Maria Odete, cuja má dicção prejudicou "Levante" (Geraldo Vandré), foram aprovadas pelo júri. Classificaram-se ainda "Ensaio geral" (Gilberto Gil) com Elis e, como era esperado, "A banda", apesar dos problemas que prejudicaram o entendimento da letra. Após a eliminatória, Chico se mandou para a Galeria Metrópole e passou a madrugada cantando a marcha com os amigos, reforçando a perspectiva de ganhar o festival.

No sábado, dia 1º de outubro, não houve o *Astros do disco* pela TV Record. A apresentação do terceiro lote de 12 canções já programadas, e mais "Adarrum" (Roberto Nascimento), que não pudera entrar no segundo em virtude de problemas nas cordas vocais da cantora Doroty, completaria as 36 concorrentes ao Festival. Antes mesmo da eliminatória, "Disparada" e "A banda" já se destacavam como as duas francas favoritas, o que se confirmou após a apresentação das 13 novas músicas, consideradas as mais fracas das três noites.

Elza Soares, bem aplaudida, classificou "De amor ou paz" (Adauto Santos e Paraná). Maysa, apesar de o público não se entusiasmar, levou seu "Amor, paz" em parceria com Vera Brasil para a final. Elis empenhou-se e conseguiu colocar sua segunda música, "Jogo de roda", o mesmo acontecendo com Nara e o conjunto Barrafunda em "O homem" (Millôr Fernandes), cuja melodia desagradou o jurado Raul Duarte. O júri parecia mesmo convencido de que as melhores canções estavam entre as escolhidas antes. O público pensava o mesmo: houve até vaias quando Maysa e Elis repetiram suas classificadas na terceira eliminatória. Ao perceber que "Ensaio geral" teria mais chances que "Jogo de roda", Elis tratou de dar ênfase ao protesto da letra de Gil, a fim de ganhar a ala esquerdista da plateia.

Gilberto Gil tinha chegado a São Paulo para trabalhar na Gessy Lever precisamente na fase inicial de O *fino da bossa*, e ganhara um convite para assistir a um dos primeiros programas da série, na noite em que Ary Toledo se apresentou cantando "Pau de arara", também conhecida como "O comedor de Gillete". Assim como outros compositores que viviam em São Paulo, Gil encontrava na televisão o meio de exposição das músicas engajadas, cujas letras levantavam os problemas da luta de classes e da má distribuição de renda que sensibilizavam a classe estudantil. Tendo participado da efervescência dos grêmios universitários, da UNE e do CPC, que abrigavam as atividades artísticas das esquerdas, Gil, ao lado de Caetano, Vandré, Chico Buarque e Edu, vivenciara as escaramuças do golpe de 1964, enfrentado cachorros nas ruas durante a greve da legalidade e atravessando noites de vigília nos centros acadêmicos. Havia portanto entre eles esse traço de união na militância pela resistência democrática durante a primeira fase do regime ditatorial, bem como um repertório de *slogans* e palavras de ordem que eram facilmente transformados em temas de letras. Havia uma disposição muito forte entre esses novos compositores, egressos da vida universitária, em colocar a música a serviço da luta política do momento. Como uma postura, como uma demanda. "Ensaio geral" tinha a alegoria das escolas de samba, "do rancho do novo dia" e "do cordão da mocidade", mas a metáfora era a do bloco popular com suas forças de resistência contra o regime, e Elis foi escolhida como intérprete por ser uma representante dessa linha. Mais um motivo para se empenhar mais por "Ensaio geral" que por "Jogo de roda".

Na reapresentação de "A banda" nessa noite da terceira eliminatória houve uma novidade: a fim de resolver o problema de som que prejudicara a primeira apresentação, o produtor Manoel Carlos sugeriu que Chico Buarque, mesmo a contragosto, entrasse no palco com seu violão para cantar a música inteira, antes de Nara repeti-la com a bandinha atrás, pouco importando se continuasse sendo mal ouvida, pois Chico já teria dado o recado. A manobra deu certo e agradou em cheio, ampliando a torcida de "A banda", pois Chico e Nara, além de muito queridos, formavam um par jovial. Os que queriam ouvir a repetição da outra favorita é que ficaram decepcionados, vaiando Blota Jr. quando anunciou que Jair estava em Curitiba e não cantaria "Disparada". Ainda assim, ficou claro, tanto para o júri quanto para o público, que apenas duas músicas disputariam a Viola de Ouro: a marchinha "A banda", que revivia a pureza de espírito das cidades do interior nos anos 30, e a moderna moda de viola "Disparada", que pintava com cores nunca antes percebidas a vida de um boiadeiro que era rei. Coincidentemente, duas letras longas, contrariando a máxima de que grandes sucessos populares devem ter letras curtas. As demais concorrentes, inclusive as duas de Elis, estavam praticamente fora do páreo, eram pano de fundo para a cena.

Nos dez dias seguintes, a cidade de São Paulo passou a viver em função do grande duelo marcado para a final do II Festival da Record. Nas rodas e reuniões, a discussão sempre desembocava nas preferências entre as duas músicas. Como as transmissões diretas do Festival chegavam a quase todo o país, o tema ganhou amplitude nacional. Nunca o Brasil vivera uma discussão cultural tão empolgante como aquela. "A banda" contra "Disparada" era como Palmeiras x Corinthians, como Vasco x Flamengo em decisão de campeonato. Inúmeros cronistas escreveram sobre o assunto nos principais jornais. *O Estado de S. Paulo* resumiu: "Desde o finzinho de setembro, só duas torcidas contam: a da Associação Atlética Disparada e a da Banda Futebol Clube". Nenhum tema artístico ganhou tão rapidamente as ruas, sendo discutido por frequentadores de bares e botequins, por motoristas e passageiros nos táxis, pela aluna e o professor, a dona de casa e a empregada. Faziam-se apostas nos elevadores, todo mundo tinha um palpite, cada um preferia um ritmo. Acontecia uma discussão sobre estética na rua, o gari e o jornaleiro argumentavam o que era mais bonito, o que era mais moderno, o que era mais antigo, qual letra era melhor... O Brasil inteiro viu pela primeira vez que música popular era coisa muito séria.

Naquela semana, Hebe Camargo recebeu em seu programa os jurados Franco Paulino, Roberto Freire, Paulo Vanzolini, Raul Duarte e Denis Brean para tentar arrancar deles o que pensavam do Festival. Roberto Freire, com sua respeitada autoridade na análise das letras, era um dos que sentiam que o jurado devia lutar por aquilo que houvesse de melhor na música popular brasileira, defender gente nova, atentando para a importância que teria uma música vencedora na carreira dos compositores que estavam se lançando. Não chegou todavia a revelar que percebia existir na juventude uma esperança de que os concorrentes tivessem alguma ligação política com o movimento estudantil. Denis, o autor de "Bahia com H" e crítico ferrenho da bossa nova, lancetou: o Festival havia destruído dois mitos, a bossa nova e Vinicius de Moraes. Nenhuma das conclusões estava correta. Mas disseram também a Hebe que a disputa entre "Disparada" e "A banda" virara assunto de rua. Franco Paulino foi fundo ao avaliar que o Festival tinha reconduzido a canção brasileira "ao único lugar de onde pode sair e para onde deve ir: o povo, a rua". Estava certíssimo. Era disso que estavam impregnadas as duas favoritas.

* * *

Théo de Barros, contrabaixista de trios das boates de São Paulo, conhecera Vandré numa daquelas reuniões de sábado entre cantores e compositores, promovidas por Moracy do Val e Franco Paulino em casas particulares no final de 1962. Na casa de Maricene Costa, Théo mostrou o "Menino das laranjas" e Vandré foi o primeiro a gravá-lo com o quinteto do saxofonista Meireles, mas sem a desdobrada que estaria na gravação posterior de Elis Regina, em arranjo de Paulo Moura.

Em 1966, no espetáculo *Mulher, este super-homem*, montado para a Rhodia, Livio Rangan queria enriquecer o show com um som tipicamente brasileiro, para contrastar com o mais que batido trio de piano, baixo e bateria. Assim nasceu a ideia de um grupo mais regional, arregimentado por Airto Moreira, que exploraria percussão sem bateria, viola caipira com Heraldo do Monte e violão com Théo. Livio batizou-os de Trio Novo, para tocar temas folclóricos com um tratamento mais sofisticado.

Nas viagens do show, enquanto estavam abertas as inscrições para o Festival da Record, Théo e Vandré, o cantor do espetáculo, tiveram a ideia de compor uma música que fosse um perfeito reflexo do que o Trio Novo tocava nos shows da Rhodia. Quando a trupe atingiu São Paulo, Vandré ouviu de Solano Ribeiro: "Por que você não faz uma moda de viola?". Convicto de que em canção popular a música devia ser uma funcionária despudorada do texto, Vandré criou então, numa viagem em que retornava de Catanduva, uma letra quilométrica de tom regional, mas sem se prender a uma zona determinada. Dias depois, mostrou-a a Théo e lhe pediu que fizesse a música, que foi feita em duas ou três noites. Mesmo cortando algumas frases, a canção ficou bem comprida e ganhou o subtítulo "Moda para viola e laço".

Tendo sido uma das últimas inscritas, os compositores ficaram sem muita opção na escolha do intérprete, quando Solano interveio novamente e sugeriu Jair Rodrigues, que sabia ter sido criado no interior e portanto poderia se identificar com aquele tipo de música. De fato, os convidados para o aniversário do produtor João Evangelista Leão, em julho de 1965, na sua casa da rua Cuba, tinham ficado espantados quando, na cantoria que se formou após o jantar, Jair atacou uma sequência de modas de viola. Nenhum dos presentes, nem Elis Regina, suspeitava daquela sua faceta, que até poderia ser aproveitada no *Fino da bossa*. Mas seria um sacrilégio. "Disparada" é que lhe daria a chance de cantar a música de sua infância em Igarapava, interior de São Paulo. Paradoxalmente, foi uma música regional que deu ao sambista Jair Rodrigues sua grande projeção.

Seguindo o conselho de Solano, Vandré foi com Hilton Acioly, do Trio Marayá, ao apartamento de Jair na esquina da rua Aurora com avenida São João, onde morava com a mãe, para convidá-lo a defender "Disparada". Vandré quis certificar-se de que ele não faria as brincadeiras costumeiras de *O fino da bossa*. "Olha, negão", disse ele, "não brinca muito quando você for cantar minha música, porque ela é coisa séria". Jair entendeu perfeitamente o espírito da coisa.

Durante os ensaios na casa de um casal venezuelano no bairro das Perdizes, foi feito o arranjo com a participação do Trio Marayá nos vocais e as novidades que transformaram a apresentação de "Disparada" na mais chocante exibição musical da Era dos Festivais. Inédita no Brasil, a queixada de burro estalada pelo percussionista Airto Moreira foi conseguida em Santo André. Vandré queria o som de uma chicotada para combinar com a letra e Airto tentou primeiro batendo dois tamancos, depois, blocos de madeira, os *wood blocks*. Nenhum agradou. Lembrouse então das orquestras espanholas, como a Casino de Sevilla, que vira em Curitiba, onde, nas pausas dos cantores flamencos, o percussionista esmurrava uma queixada produzindo um som de grande efeito. Urgia conseguir uma queixada em São Paulo. Soube que um baterista de nome Pita tinha uma e lá foi ele com Geraldo para Santo André atrás do homem. Propuseram alugá-la, mas Pita não concordou.

— Só se eu for tocando no conjunto.

— Então você quer me vender a queixada?

Acertaram o valor, Vandré puxou as notas do bolso e o "instrumento" foi incorporado. A queixada era perfeita, os dentes ficavam meio soltos e estremeciam na mandíbula prolongando o estampido do impacto, como um eco. Era exatamente o som da chicotada que Vandré queria. Além disso, o som da viola caipira, numa época em que os trios de bossa nova ainda dominavam, criou uma sonoridade musical que caiu como uma luva para a expectativa da plateia mais politizada.

A atuação de Jair teve sugestões de Vandré, que, mesmo não conhecendo teoria musical, tinha a sensibilidade para criar o clima, aquilo que faz a diferença entre uma peça tecnicamente perfeita e uma peça excepcional, mesmo que imperfeita.

Quando Jair entrou no palco pela primeira vez para cantar "Disparada", a plateia foi pega de surpresa. Era outro Jair Rodrigues. Ao atingir o meio do palco, parou diante do microfone, manteve a perna esquerda à frente, a direita para trás, ficou de perfil, apenas com o tronco voltado para o público, amarrou a cara e atacou: "Prepare o seu coração/ pras coisas que vou contar/ eu venho lá do sertão/ eu venho lá do sertão/ eu venho lá do sertão/ e posso não lhe agradar...". O público manteve um silêncio sepulcral. Apelidado de "Cachorrão", Jair, um cantor buliçoso que provocava gargalhadas com o espalhafato com que apresentava sambas, cantou a música inteira sem dar um sorriso. Foi um impacto inesquecível, e, aquele, o momento mais importante de sua vida artística. Quando atingiu a nota mais aguda nos versos "Na boiada já fui boi/ boiadeiro já fui rei/ não por mim nem por ninguém/ que junto comigo houvesse", o público prorrompeu em aplausos. "Disparada" se impôs graças a Jair Rodrigues. Para Théo, o final da primeira apresentação, aquele segundo de silêncio entre a última nota e os aplausos, foi o mais longo da sua vida. Ele ainda não sabia qual seria a reação a uma música tão diferente. Porém, depois daquela apresentação inicial, ele passou a confiar na música que Vandré previa que iria ganhar o Festival.

No dia seguinte, Théo, Airto, Heraldo e Vandré teriam de viajar com a Rhodia. Tiveram que montar outro trio, com os violonistas Edgar Gianullo e Ayres de Arruda e o percussionista Manini, que tocava no Arena, para as reapresentações e a final.

Enquanto a plateia mais politizada torcia por "Disparada", na outra ponta estavam os que só queriam saber de "A banda".

* * *

Chico Buarque de Hollanda tinha gravado seu primeiro compacto — de um lado "Pedro pedreiro" e do outro "Sonho de um carnaval", do I Festival da Excelsior — e já fazia seus showzinhos, quando foi contratado pela TV Record e teve três músicas suas — "Pedro pedreiro", "Olê olá" e "Madalena foi pro mar" — gravadas por Nara Leão no LP *Nara pede passagem*. Com as duas últimas, ela procurava escapar, pelo viés do lirismo, da quase obrigação de cantar apenas temas sociais, as chamadas "músicas de protesto", com que ficara estigmatizada por sua atuação no show *Opinião*.

Ser gravado por Nara era o passaporte para o Olimpo da música popular brasileira, e assim Chico passou a ser mais conhecido como compositor do que como cantor. Costumava reunir-se com outros compositores num dos botequins da Galeria Metrópole, o Sand Churra, e, certa noite, Gilberto Gil, que Chico apelidara de "Todo Redondo", mostrou uma música que tinha feito para o Festival da TV Record: "O rancho do meio-dia/ o cordão da liberdade/ e o bloco da mocidade/ vão sair no carnaval...". Dizia que iria ganhar o festival com aquela música e, caçoando de Chico, que ainda não estava seguro se seria mesmo compositor, desafiava-o a também inscrever uma. Animado com as músicas gravadas por Nara, além de "Pedro pedreiro" com o Quarteto em Cy e ainda seu segundo compacto com "Olê olá" e "Meu refrão", ele começou a acreditar que poderia ser mesmo compositor, animando-se a fazer músicas com mais frequência. Embora já tivesse feito canções de forte conotação social em *Morte e vida severina*, Chico tinha conversado com Nara sobre um certo fastio que sentia em relação à música de protesto, exatamente a moda de que ela queria se livrar. Assim nasceu a ideia de fazer uma música mais ingênua, que fugisse dessa área.

"A banda" foi composta por volta de março ou abril de 1966, num violão apelidado de Julieta, substituto do anterior, o espanhol El Cordobés, roubado de seu carro na porta do Teatro Record. Chico resolveu inscrevê-la no Festival para ganhar da música de Gilberto Gil e foi para Rio de Janeiro, onde passou três meses em seu primeiro show para valer, com Odete Lara e o MPB 4, na boate Arpège. Aí, contudo, não podia cantar "A banda", o que só fazia entre os amigos íntimos, como certa vez num restaurante de Copacabana, sem reparar que numa mesa próxima estava a cantora Linda Batista, que veio beijá-lo depois. Ainda no Rio, o cantor Mario Reis também o ouviu cantá-la depois do show da boate Arpège, e lhe pediu para gravá-la, mas Chico tinha reservado a música para o Festival da Record, oferecendo-a a Nara Leão. Pediu a Geni Marcondes para fazer um arranjo de bandinha de coreto e, assim, "A banda" foi apresentada por Nara na segunda eliminatória, depois também por Chico na reapresentação de 1º de outubro e, na final, novamente pelos dois.

Como o disco de Nara cantando "A banda" tocava nas rádios, Chico Buarque, um joão-ninguém no I Festival da Excelsior, começava a ficar conhecido e sua música, a levar vantagem com a intensa divulgação nos dez dias que antecederam o prélio musical, marcado para 10 de outubro. Torcedor ou não de uma das duas, quem quer que fosse tinha que se definir e defender a sua preferida. Aproximava-se o dia da final, cercado da ansiedade que transformou a peleja num acontecimento único na história da arte brasileira: "A banda" *versus* "Disparada".

A expectativa era tão grande que alguns cinemas e teatros chegaram a suspender suas sessões acreditando que não haveria viva alma para assisti-las naquela segunda-feira. Quem não conseguisse lugar no Teatro Record, certamente estaria em casa torcendo diante da televisão.

Quando foi convidado para apresentar o Festival, Blota Jr. já sabia de antemão que não poderia participar da finalíssima, que coincidiria com o período proibitivo de quarentena obrigatória aos radialistas com candidatura política. Na noite de 10 de outubro, ele foi substituído por Randal Juliano, que, ao lado de Sônia Ribeiro, teria a difícil missão de proclamar o resultado pelo qual tanta gente aguardava roendo as unhas e mordendo os lábios, tamanha era a aflição.

A disputa era tão equilibrada que na imprensa circulou o boato da possibilidade de um empate. "Caso haja empate, já se pensa numa solução para a entrega dos prêmios", escreveu no dia da final o então colunista de TV da *Última Hora* Walter Negrão, que se tornaria depois conhecido autor de novelas.

Na tarde da final, enquanto os cantores ensaiavam no Teatro Record, realizou-se uma reunião entre os 12 membros do júri e Solano Ribeiro, na qual se discutiu abertamente sobre as músicas que tinham mais chances de vencer. Paulinho Machado de Carvalho não participou desse encontro, preferindo assistir ao ensaio do Teatro, o que raramente fazia. Através de Raul, ficou sabendo do que foi discutido na reunião, e talvez aí tenha brotado inconscientemente a ideia do empate, que todavia jamais poderia ser cogitado pois não tinha cabimento propor empate antes do resultado.

O ensaio, que durou das 15h30 às 19h30, era dominado pela alegria de Jair Rodrigues, que plantava bananeira e fazia ginástica enquanto Maysa ensaiava. Roberto Carlos ensaiou de óculos escuros; Elis chegou às 6 da tarde, sem pintura e também de óculos. Na plateia, Gil aplaudia afirmando: "Perfeito, é isso mesmo que eu queria". Nara foi a que mais ensaiou: cantou "A banda" nove vezes e "O homem", três.

As opiniões sobre o vencedor dividiam até mesmo os funcionários do Teatro Record, que chegaram a fazer um bolo. A imprensa estava dividida, a opinião pública estava dividida, os participantes estavam divididos.

* * *

Quem tinha seu ingresso para a grande final daquela noite era um privilegiado, podia assistir e torcer abertamente. Alguns vieram com cartazes que seriam levantados quando as músicas fossem cantadas. Na plateia lotada, as toaletes das senhoras e os palazzo-pijama das moças da sociedade paulista faziam contraponto às calças Lee e blusões dos universitários lado a lado com o governador Carvalho Pinto, também presente.

A ordem de apresentação era decidida por sorteio realizado a cada música por uma pessoa da plateia. A primeira sorteada, anunciada por Sônia Ribeiro, era "Disparada". Jair cantou com um blazer vermelho e a mesma seriedade das vezes anteriores, acompanhado pelo Trio Marayá. A competência de Aires à viola, Edgard ao violão e Manini com a aguardada queixada de burro permitiu passar quase despercebido que eram músicos substitutos. Eles saíram do palco sob os gritos entusiasmados de "Já ganhou!". O Trio Novo (Théo, Airto e Heraldo) estava com Vandré em Natal.

A segunda apresentada foi "Canção de não cantar", com o MPB 4, vindo a seguir Elza Soares com "De amor ou paz", e Jair novamente em "Canção para Maria", tendo que ouvir pedidos de "A banda" quando terminou. Leny Eversong cantou "Lá vem o bloco", mas a plateia insistia querendo ouvir "A banda". A estudante que se ofereceu em seguida para o sorteio perguntou a Sônia: "Cadê a do Chico?". Quando o envelope foi aberto, nem ela acreditou: era a papeleta de "A banda". Danuza Leão viera do Rio para ver a irmã, que foi considerada a mais elegante do Festival. Nara usava uma blusa de seda brilhante com gola rulê, saia de lamê prateada e sapatos baixos também prateados. Chico entrou antes, sorridente, de *smoking*, foi recebido com flores de suas colegas da Faculdade de Arquitetura e, nem bem começou a cantar, foi acompanhado por um grande coro dos que torciam e sabiam letra e música de cor: "Pra ver a banda passar/ cantando coisas de amor...". No auditório, pulava-se como se comemorasse um gol. Maysa é que pegou um rabo de foguete para cantar "Amor, paz" após uma introdução de violão solo. As vaias cresceram quando Elis entrou. Ela abaixou a cabeça, levantou-a encarando quem vaiava, apanhou uma flor e atirou-lhes, revertendo a situação e entrando imediatamente em sintonia com os que ansiavam por versos inflamados, que pudessem ser interpretados como de conteúdo político, no caso, "Tá na hora vamos lá/ carnaval é pra valer/ nossa turma é da verdade/ e a verdade vai vencer". Assim, Elis foi aplaudida novamente na brilhante interpretação de "Jogo de roda". Finalmente, cantaram Roberto Carlos, mais inseguro que o habitual, Maria Odete com sua postura de Joana D'Arc em "Um dia" e Nara na mais criticada das 12 finalistas, "O homem".

Randal Juliano anunciou que, devido às dúvidas, algumas músicas seriam reapresentadas, aumentando a tensão do público que não mudava sua preferência por "A banda" ou por "Disparada". Era preciso dar tempo para que o corpo de jurados, que durante a apresentação estivera postado na primeira fila do balcão, pudesse decidir na sala do prédio ao lado, que se comunicava com o Teatro. Na reunião, foi feita uma primeira classificação. Alguns jurados sentiam que "Disparada" era a melhor música, mas votaram em "A banda". O que se percebeu é que havia uma absoluta divisão do júri. Os votos foram contados. "A banda" tinha sete votos, "Disparada" tinha cinco. Seria essa a decisão final. Roberto Freire entregou o resultado a Paulinho Machado de Carvalho do lado de fora e ouviu:

— Roberto, houve um impasse terrível. O Chico se nega a receber o prêmio.

— Mas por quê?

— Ele se nega. Disse que se for votada "A banda" ele devolve o prêmio em público.

Ambos entraram na sala dos jurados. O que teria acontecido?

Enquanto o júri estava decidindo, Chico Buarque, já desconfiado de que iria ganhar, ouviu alguém afirmar: "Você ganhou". Parecia uma grande notícia, mas Chico foi para perto de Paulinho Carvalho e disse:

Jair Rodrigues defende "Disparada" na final de 10/10/1966, com o percussionista Manini na queixada de burro, substituindo Airto Moreira.

— Olha aqui, não deixa eu ganhar de "Disparada". Eu não posso levar esse prêmio sozinho.

— Como? O júri é que decide.

— O júri pode decidir o que quiser. Eu não quero levar esse prêmio sozinho. Se "A banda" for a primeira, eu devolvo o prêmio em público.

Era uma decisão irrevogável. Paulinho viu que era sério, subiu correndo ao terceiro andar do predinho onde o júri estava reunido e, quando entrou na sala, disse:

— Tenho uma novidade pra vocês. O Chico acaba de me comunicar que de jeito nenhum leva esse prêmio sozinho.

A surpresa gerou um tremendo alvoroço. Os jurados já tinham dado suas notas, havia uma decisão já entregue. Paulinho ponderou que a plateia estava dividida e as duas músicas estavam tão perto, que o melhor era mesmo o empate, pois qualquer um que perdesse seria um desastre para a empresa: metade ia achar maravilhoso e a outra metade ia achar péssimo. O melhor seria arrumar o empate: o objetivo do festival era fazer com que as músicas crescessem e virassem sucesso. Finalmente, decidiu-se então pelo empate e pela divisão do prêmio entre os compositores das duas músicas.

Quando todos já haviam praticamente aceitado a decisão que não estava no regulamento, Mário Lago fez uma exigência: concordaria com o empate desde que a música de Gilberto Gil, que não estava classificada, fosse para quinto lugar. "Ensaio geral", cantada por Elis Regina, tinha um forte sentido político. Os outros concordaram e a música passou para quinto.

Paulinho desceu e propôs a Chico dividir o prêmio. Chico topou. Nenhum compositor soube desse acerto naquela hora. A todos eles foi dito que houve um empate de seis a seis.

Chico pediu que pelo amor de Deus não se contasse como fora o final da apuração: tinha consciência de que "Disparada" era melhor.

Os vencedores seriam anunciados por Randal Juliano e Sônia Ribeiro. Antes da proclamação, Jair ouvia nos corredores os comentários: "Negão, você vai ganhar com 'Disparada'". Mas, quando foi anunciado o terceiro lugar para a outra música que ele cantara, "Canção para Maria", deduziu que não teria mais chance alguma. Recebeu o prêmio, agradeceu, saiu e já se preparava para ir embora: "Vou tomar uma no bar e vou pra casa". Alguém da produção segurou Jair pelo braço e disse: "Não, espera aí, parece que tem um problema, é melhor você ficar". Jair desistiu de sair e esperou.

Quando Randal anunciou o resultado do empate, uma parte da plateia gritava "Jair! Jair!", enquanto outra gritava "Chico! Chico!", mostrando os cartazes com os nomes das duas músicas. Houve aplausos, houve vaias, mas quando Chico, Nara e Jair vieram juntos ao palco, foi um delírio sob chuva de papel picado, pétalas de flores dos balcões e acenos de lenços brancos. O público eufórico fazia um carnaval fora de época, pedindo bis para as duas vencedoras.

Jair representava os autores, que não estavam em São Paulo e só souberam da vitória dois dias depois pelo telegrama enviado por Paulinho. Chico Buarque entrou com um boneco nas mãos. Era o Mug, o talismã de sorte criado por Horácio Berlinck, uma jogada de *marketing* que não aconteceu a contento.

Entre os presentes, um dos únicos a se declarar insatisfeito era Caetano Veloso, que dizia abertamente para quem quisesse ouvir: "É ridículo que um festival termine com a música de Gil em quinto lugar! Foi a coisa mais importante feita até hoje na arte popular brasileira".

Após o Festival, a polícia foi chamada para desimpedir o trânsito em frente ao Teatro Record, pois, apesar da noite fria e chuvosa, havia um verdadeiro carnaval de comemoração da vitória.

Chico começou a festejar no bar ao lado do Teatro Record. Depois, seguiu para a casa dos pais na rua Buri, bairro do Pacaembu, com seus amigos todos cantando e bebendo até a madrugada. Roberto Carlos saiu do teatro dizendo que tinha um compromisso muito importante. Nara foi à casa de Chico com sua roupa de mulher medieval, saindo mais tarde acompanhada de Flávio Rangel, diretor de *Liberdade liberdade*. Jair comemorou no bar Jogral, onde houve boca livre pois Luís Carlos Paraná, o proprietário, ganharia 10 milhões com seu segundo lugar, "De amor ou paz".

O jurado Roberto Freire foi jantar no Gigetto e, vendo Caetano Veloso numa das mesas, aproximou-se para lhe dar os parabéns pelo prêmio de melhor letra. Eis o que ouviu: "Não precisa me dar parabéns. Só quero parabéns quando ganhar o primeiro lugar".

O disco com a gravação de "A banda" por Nara Leão, da Philips, já estava nas ruas; era um compacto simples com "Ladainha" (Gilberto Gil e Capinan) no lado B. Vinte e quatro horas depois do Festival haviam sido vendidas 10 mil cópias. Em outubro, três gravações disputavam a preferência dos fãs de "A banda": a de Nara, que atingiu 100 mil cópias no final do mês, a de Chico pela RGE e a do Quarteto em Cy. Logo depois, saiu uma enxurrada de "Bandas", com corais e bandinhas,

Chico Buarque e Jair Rodrigues festejam a vitória de "A banda" e "Disparada", que terminaram empatadas em primeiro lugar no II Festival da Record, em 1966.

Jair Rodrigues e Nara Leão, com Chico Buarque, recebem os prêmios de melhor intérprete do II Festival da Record.

com Mário Zan, o palhaço Carequinha e Wilson Simonal. Ainda foi gravada por Milton Banana Trio, Agostinho dos Santos, Sérgio Mendes, Lady Zu. No exterior, por Herb Alpert, Paul Mauriat e até na trilha da propaganda dos cigarros Peter Stuyvesand "A banda" esteve presente. A mais cativante, porém, aconteceria bem depois, em 1971: a do veterano Mario Reis, apaixonado pela música antes mesmo do Festival.

"Disparada" foi gravada por Jair Rodrigues pela Philips, mas o disco saiu atrasado devido a uma pendência com a RCA, que, tendo contrato com Vandré, queria pular na frente. Geraldo cederia os direitos desde que Jair gravasse também outra música sua, por isso o compacto de "Disparada" teve "Fica mal com Deus" no lado B e não "Canção para Maria", como seria natural. A gravação de Vandré na RCA ficou pronta em outubro. "Disparada" foi gravada também por Paulinho Nogueira, Adauto Santos, Sérgio Reis, Tonico e Tinoco e até Ornella Vanoni. "Canção para Maria" foi gravada por Paulinho da Viola com o Regional do Canhoto, num compacto com "Momento de fraqueza" no lado B.

Dois LPs com músicas de festival foram lançados.* O *Festival dos Festivais* era um disco da Philips que reunia as principais canções do da Record e do FIC, já que ambos aconteceram colados um ao outro. A TV Record tratou de aproveitar o momento, instituindo um novo selo, Artistas Unidos (AU), sob a direção de quem mais entendia de discos na emissora, Roberto Corte Real. Em combinação com a Rozenblit de Recife, foi lançado o primeiro disco da gravadora (que não duraria muito tempo), o de número 70.000, intitulado *Viva o Festival da Música Popular*, com uma capa de Minoru em vermelho-escuro e azul, que começava com o tema-prefixo do Festival pela orquestra e coral e continha gravações ao vivo misturadas com outras de estúdio, mas montadas como se tudo tivesse sido colhido em pleno festival, numa produção grosseira para os dias atuais. Da mesma maneira que a Philips não tinha todos o intérpretes originais, a AU também teve que usar alguns substitutos: em vez de Nara e Roberto Carlos, um coral infantil, em vez do MPB 4, Hebe Camargo. Neste LP, a plateia canta e bate palmas entusiasticamente com Chico Buarque, Elis dá tudo na música de Gil, ao passo que as manifestações do público em "Disparada" com Vandré são montadas. Desejou-se o melhor mas fez-se o que se podia. Não deixa de ser um documento vivo do primeiro grande festival de cunho nacional.

* Ver a "Discografia da Era dos Festivais", ao final deste volume, com a ficha técnica dos discos oficiais dos festivais abordados no livro.

No final de outubro, o *disc jockey* carioca Celso Teixeira levantou pela Rádio Mundial uma questão menor, típica de quem desconhece música: a segunda parte de "Disparada" seria plágio da uma composição do violonista Dilermando Reis, "Oiá de Rosinha". Dilermando, que havia feito a música em 1958 depois de ouvir uns violeiros em Montes Claros, norte de Minas Gerais, admitiu ser até possível, mas afirmou que nunca entraria na justiça contra Théo de Barros. Théo e Vandré negaram veementemente que conhecessem tal composição e várias personalidades da música, como Almirante e Maria Bethânia, negaram a existência de plágio. Com autoridade.

No sábado, dia 29 de outubro, foram entregues os prêmios do Festival numa festa de gala. A Record mandou confeccionar um outro troféu para ser entregue aos autores. Gil cantou "Ensaio geral" depois de Elis, Caetano cantou "Um dia", Vandré cantou "Disparada" antes de Jair. Chico embolsou metade do primeiro prêmio, que acabou sendo de 30 milhões, divididos entre os três compositores, 15 milhões para ele e 15 milhões para a dupla Théo e Vandré. Com a sua parte, Théo comprou um carro Simca Chambord. Jair, um dos grandes beneficiados, ganhou a Viola de Prata como melhor cantor.

As comemorações se estendiam a setores jamais imaginados: o pintor Clóvis Graciano, inspirado na música de Chico, fez uma série de quadros, inclusive um painel intitulado "A banda"; e Carlos Drummond de Andrade dedicou um poema a Chico Buarque.

Meses mais tarde, Paulinho Machado de Carvalho convidou Chico e Nara para comandarem um programa produzido pela Equipe A, *Para ver a banda passar*. O programa não emplacou pois, embora graciosos, os dois não funcionavam como âncoras, chegando a ser apelidados por Manoel Carlos de "os desanimadores de auditório". Tempos depois, Nara se apavorou com a onda de shows, o assédio da imprensa e do público. Não queria nada disso em sua carreira. Resolveu passar uns tempos fora e foi morar na França.

Essa era uma época em que os cantores ainda lutavam para defender uma música em festival e os autores não demonstravam abertamente seu desejo de ocuparem o espaço onde o foco de luz fosse mais intenso. Para Paulinho de Carvalho, o festival era um espetáculo que produzia um confronto entre as várias correntes. Independentemente do aspecto musical, ele via aqueles cantores como personagens do espetáculo jogando uns contra os outros, simbolizando posições definidas onde cada um representava um papel: o do bandido, do mocinho, do pai da moça, do

Geraldo Vandré, Elis Regina e Chico Buarque na festa de gala de 29 de outubro de 1966, quando foram entregues os prêmios do II Festival da Record.

fortão, do coitadinho. A disputa entre intérpretes deu uma grande força ao segundo Festival como ainda daria ao terceiro. Esses fatores envolviam o espectador como num espetáculo. Era o que a Record pretendia fazer.

De outro lado, alguns compositores sentiram que, com a penetração na TV, o Festival sedimentara a música brasileira popularmente, criando-se a ideia de usar a música como instrumento para uma revolução socialista.

A atitude de Chico Buarque, da qual ele nunca se vangloriou, nem sequer comentou nas centenas de entrevistas e depoimentos que concedeu ao longo da vida — inclusive para este livro —, revela, em primeiro lugar, a nobreza de seu caráter. Em segundo, o seu reconhecimento da qualidade de "Disparada", o que o competente corpo de jurados não demonstrou claramente. Ou melhor (ou pior), admitiu mas não expressou, pois houve jurado que, mesmo admirando mais "Disparada", votou em "A banda". E por isso "A banda" venceu na votação.

Na sua estrutura harmônica A-B-A, dotada de uma melodia simples e intuitiva, seus versos descrevem a fugaz mas animada passagem de uma banda pela cidadezinha, um momento feliz dentro da situação que prevalece, da gente sofrida que se despede da dor por alguns momentos. Era a favorita do público por ser uma marcha fácil de cantar, festiva e contagiante, em que se batem palmas ingenuamente acompanhando o ritmo binário, numa conjuntura gregária indiscutível. O jovial par Chico e Nara formava um casal dos sonhos, a bandinha ambientava o cenário e assim "A banda" foi consagrada. Francisco Buarque de Hollanda entrava para a música brasileira como o mais querido compositor do século, fecundo, inteligentemente simples, popularmente culto, ilimitadamente criativo, e, pouco tempo depois, tremendamente sedutor ao desvendar a alma feminina.

Contudo, "A banda" não era uma obra-prima. "Disparada" é uma obra-prima no trabalho de Vandré, de Théo, da música sertaneja, assim como "Luar do sertão" e poucas mais. Sua construção é irretocável na letra e na música. Após uma introdução instrumental vigorosa com viola e violão, que se incorpora à canção toda vez que repetida, a melodia é exposta em andamento lento no esquema A-A-B, até o primeiro retorno da introdução. Nesse momento, estala a queixada de burro anunciando a nova exposição a ritmo, num andamento próximo ao de um rasqueado. O esquema é alterado, o motivo A é repetido quatro vezes antes de B, seguido novamente do breve instrumental antes de partir para o final, arrematado com o la-la-iá-la-ra-la-lá... Ao longo dessa construção musical arrebatadora, a letra se abre como uma cortina para uma narrativa, que até pode não agradar, concentrada no "boi" (o boiadeiro que veste a pele do boi líder depois que este morre, induzindo a boiada a segui-lo), que por necessidade foi boiadeiro e rei. A sequência se faz num verso inspirado, em que vê o mundo rodar nas patas de seu cavalo. Aí o grande achado, a transição de gado — que se marca, tange, ferra, engorda e mata — para gente. Com gente é diferente. O boiadeiro que já foi boi, rei, lugar-tenente de gado e de gente, agora é cavaleiro de um reino que não tem rei. Uma canção épica que detonou os ouvidos brasileiros mais sensíveis para a desprestigiada música sertaneja, com a força de um compositor visionário que, metaforicamente, induzia o código revolucionário que a classe estudantil queria ouvir, a mensagem pela qual aguardava.

Com essas duas músicas, a bucólica "A banda" e a telúrica "Disparada", o II Festival da TV Record mostrou para os brasileiros de todas as classes sociais a grandeza da sua música popular, um bem dotado do mais alto valor artístico do qual tinham por que se orgulhar.

I Festival Internacional Da Canção Popular

RIO 1966
20/30 OUT.
Secretaria de Turismo do Estado da Guanabara

com a colaboração da TV–RIO • BANCO DO ESTADO DA GUANABARA • MANCHETE e FATOS E FOTOS

VARIG · TRANSPORTADORA OFICIAL DO FESTIVAL

Cartaz do I FIC, de 1966, com o galo desenhado
por Ziraldo, símbolo do festival.

5.
"SAVEIROS"
(I FIC/TV RIO, 1966)

Numa de suas vindas ao Rio de Janeiro (pois tem domicílio na cidade do México, além de residências em Nova York e Londres), Augusto Marzagão, de shorts e sem camisa, enfrentava um calor insuportável em seu amplo apartamento, com vista para o mar e a espetacular piscina do Copacabana Palace, quando o telefone tocou. Dessa vez era o presidente do Brasil. Um telefonema do presidente é motivo para escovar o ego de qualquer indivíduo fora da esfera política. Para Marzagão, é fato corriqueiro. Fernando Henrique Cardoso desejava consultá-lo sobre o que o afligia: o caso entre a Embraer e a Bombardier ameaçava transformar-se num problema capaz de afetar acordos entre os dois países, Brasil e Canadá. Com a lucidez de seu raciocínio rápido, o cauteloso Augusto Marzagão foi tecendo considerações sobre um caminho que poderia ser seguido pelo presidente. Mais uma vez, como já acontecera com Jânio Quadros, José Sarney e Itamar Franco, ele era solicitado a prestar sua sábia assessoria a uma decisão governamental.

Essa é uma das facetas do "Homem do FIC", como ficou conhecido desde 1966 quando criou o Festival Internacional da Canção, que teve sete edições na cidade do Rio de Janeiro, de 1966 a 1972, seis das quais dirigidas por ele. "Ter aberto essa clareira privilegiada ao talento, em situação particularmente adversa, constituiu, por si só, uma realização pessoal de projeção suficiente para abrir a Augusto Marzagão uma página na nossa história cultural", escreveu Fernando Henrique no prefácio ao livro *Memorial do presente*. Marzagão, o discreto e ultrabem-informado personagem dos bastidores da vida política brasileira durante anos, é um mestre na arte de conversar e, de quebra, um emérito contador de casos e anedotas.

Marzagão nasceu em 1929, na cidade de Barretos, na hinterlândia paulista, conhecida pela criação de gado zebu e, mais recentemente, pelas Festas do Peão Boiadeiro. O ex-seminarista, que vendia doces quando menino, veio para São Paulo aos 18 anos, empregando-se como caixa no bar Olimpicus, tarefa insignificante para o grau de cultura que já vinha acumulando desde o seminário. Pouco depois, como repórter policial do extinto diário *O Tempo*, conheceu Jânio Quadros, que o convidou para ocupar o cargo de secretário particular, nascendo daí uma sólida amizade que lhe propiciaria a tarefa de organizar a vitoriosa campanha para presidente, além de um respeito duradouro, abreviado nesta frase: "Augusto é tão habilidoso e surpreendente que, se ele um dia encontrar a morte, vai olhá-la dos pés à cabeça e dizer: 'Nunca pensei que a senhora fosse tão magrinha e elegante'".

Um mês antes da renúncia de Jânio, ocorrida em agosto de 1961, Marzagão tinha solicitado sua demissão, pedindo para ser transferido para o IBC como responsável pela promoção do café brasileiro na Itália. De seu posto no escritório do Instituto Brasileiro do Café em Milão, montou um centro de degustação na área do Festival de San Remo, aproveitando para assistir anualmente ao desfile das novas canções italianas e fazer amizade com empresários artísticos de todo o mundo. Desde jovem, Marzagão tinha uma ligação umbilical com a música.

Quando voltou para o Brasil, em setembro de 1965, foi solicitado por Jânio Quadros para dar uma mãozinha na campanha de Negrão de Lima para governador do estado da Guanabara, o qual, depois de eleito e querendo recompensar seu esforço, perguntou-lhe o que desejava. Marzagão respondeu simplesmente que gostaria de fazer um festival de música internacional, justificando que poderia ser benéfico à juventude brasileira, que atravessava, no seu entender, uma profunda crise de esperança com o regime militar. Surpreso, Negrão de Lima solicitou-lhe não comentar com ninguém tal reflexão, mas pediu um orçamento. Para todos os efeitos, o Rio de Janeiro é que estava carente de atrações turísticas. O orçamento seria aprovado.

A novidade do FIC foi reunir dois festivais num só. A fase nacional, com eliminatórias e uma final, já era um festival completo. E a fase internacional, com canções interpretadas por artistas convidados concorrendo com a vencedora brasileira, era praticamente um segundo certame.

Com o apoio do secretário de Turismo, ministro João Paulo do Rio Branco, Marzagão, que já estava na Secretaria desde novembro de 1965, arregaçou as mangas e saiu atrás de uma emissora de TV para a indispensável cobertura. Levou o projeto inicialmente para a TV Globo, mas como Walter Clark não demonstrasse grande interesse, foi bater às portas da TV Rio, onde foi bem recebido pelo diretor musical Erlon Chaves e pelo dr. Delamare, o diretor geral. A resposta foi positiva e a TV Rio decidiu apoiar o FIC.

Aquele poderia ser um grande lance para o canal 13, que acumulava baixos índices no Ibope. E, de fato, ninguém na emissora se arrependeu da decisão: o FIC lhe daria 45 pontos de audiência na primeira eliminatória e 62 na final nacional, em 24 de outubro. A Globo caiu na real e mudou de ideia, tentando então participar da fase internacional, marcada para se iniciar no dia 27. Só que a essa altura o satisfeitíssimo dr. Delamare não concordava de maneira nenhuma em repartir a transmissão. Num *tour de force*, sob grande pressão do próprio governador Negrão de Lima, Marzagão foi se reunir novamente com Walter Clark (Boni só entraria na Globo em março de 1967) e, depois de ouvir a proposta de interesse, argumentou:

— Se a Globo tivesse o Festival nas mãos e a TV Rio quisesse transmitir a final, você estaria de acordo?

Walter respondeu que agiria como o dr. Delamare, isto é, resistiria.

— Mas, por outro lado — acrescentou com sua habilidade de negociador —, a entrada da Globo pode dar uma cobertura ainda maior ao Festival.

Marzagão retrucou:

— Com os 62 pontos alcançados na final nacional, o que a Globo poder acrescentar? Talvez uns 5%. Nada feito.

A reunião terminou e a TV Globo ficou fora do I FIC. A transmissão ao vivo da fase internacional, no dia 30 de outubro de 1966, atingiria 72% na cidade. A TV Rio lavou a égua. No ano seguinte, a TV Globo transmitiria o II FIC.

* * *

O percurso para a concretização do I FIC foi um festival de complicações e dificuldades: ninguém acreditava na ideia maluca de trazer uma montanha de artistas famosos para a fase internacional. A fim de garantir a presença de vários deles sem cobrar cachê, Augusto Marzagão foi costurando contatos durante meses, através de suas amizades no exterior, usando como isca o sonho de conhecer a bossa nova no Rio de Janeiro.

Inicialmente, pensou-se no Teatro Municipal como palco do Festival; melhor seria nem ter tentado. A resposta da direção foi taxativa: "Festival de música popular? Nem pensar". A segunda opção era o Teatro Carlos Gomes, na praça Tiradentes, que estava ocupado com um espetáculo cuja temporada não poderia ser interrompida. Foi quando o diretor artístico do Festival, o ponderado Paulo Tapajós, grande seresteiro e ex-diretor da Rádio Nacional, saiu-se com esta surpreendente proposta de doido:

— Por que não fazemos o Festival no Maracanãzinho?

Marzagão quase caiu de costas. O Ginásio de Esportes Gilberto Cardoso, inaugurado em setembro de 1954, fora palco de torneios esportivos, como o campeonato mundial de basquete, e até de concurso de miss, mas nunca de um espetáculo musical. Com aquela abóboda que deixava qualquer um zonzo, sem entender patavina do que diziam os locutores nas competições esportivas? Simplesmente, não tinha condições técnicas para aquilo. Festival da Canção no Maracanãzinho era uma demência total.

Marzagão resolveu visitar o ginásio. Reuniu uma equipe da TV Rio, um cenografista, técnicos de som e o maestro Erlon Chaves para vistoriar tudo. Bateram palmas, gritaram de vários pontos e, como era esperado, ninguém compreendia uma só palavra. O som ecoava para lá e para cá como uma bola de pingue-pongue. Foram feitas experiências com alto-falantes, testes de reverberação acústica, e o resultado foi desalentador. A conclusão dos técnicos é que era de assustar. Para se ter uma absorção razoável do tremendo eco que rebatia de baixo para cima e rodopiava nas paredes laterais, só havia uma solução: o Maracanãzinho teria de ficar completamente lotado e o público absorveria o som. Capacidade do ginásio: 13.163 espectadores, sem as cadeiras de pista. Detalhe: obviamente, não se poderia lotar o ginásio para um teste de som, agradecer e mandar todo mundo para casa. Assim, como nas corridas de cavalos, quando não há mais jeito e o confirmador é retirado, "haveria uma só partida e a todo risco".

Para garantir a lotação completa do Maracanãzinho na primeira eliminatória, parte dos 15 mil ingressos de cada espetáculo da fase nacional teria de ser oferecida gratuitamente e só depois, na fase internacional, seria possível pensar em venda para valer. As vendas seriam feitas em postos da ADEG, na Estação das Barcas, no Mercadinho Azul ou através da Secretaria de Turismo, da TV Rio e de agências de viagem. Daí para a frente, era rezar para que o público comparecesse. As arquibancadas custavam 1,5 mil cruzeiros e as cadeiras de pista próximas do palco, 5 mil.

* * *

A solenidade de lançamento do FIC foi realizada no salão nobre do Palácio Guanabara em 31 de agosto de 1966, quando o secretário de Turismo anunciou as 36 selecionadas entre 1.956 inscritas. A comissão que escolhera as canções fora presidida pelo professor Marques Rebelo e formada pelos admirados maestros Guerra Peixe e Lindolpho Gaya, pela compositora Geny Marcondes, pianista de Taubaté que estudou com Magdalena Tagliaferro e foi casada com o maestro Koellreutter, e pelo compositor Nelson de Lins e Barros, que morreria de enfarte poucos dias depois da final, em 3 de novembro de 1966, deixando um vácuo na música popular brasileira.

Entre as 36 concorrentes, havia nada menos que três músicas de Capiba, apontado por Guerra Peixe como o maior compositor do Nordeste; uma de Geraldo Vandré e Tuca ("O cavaleiro"); outra dos baianos Alcivando Luz e Carlos Coqueijo ("É preciso perdoar"); e também de Luís Bonfá e Maria Helena Toledo ("Dia das rosas"), Gilberto Gil e Caetano Veloso ("Beira-mar"), Gilberto Gil e Torquato Neto ("Minha senhora"), Billy Blanco ("Se a gente grande soubesse"), Edu Lobo e Vinicius de Moraes ("Canto triste"), Baden e Vinicius ("Chora coração") e Dori Caymmi e Nelson Motta ("Saveiros").

Os intérpretes foram anunciados em 22 de setembro: Maysa, Elis, MPB 4, Agnaldo Rayol, Sílvio César, Dóris Monteiro, Maria Bethânia, entre outros. As 36 músicas foram divididas em dois grupos de 18. Naquela altura, o II Festival da Record estava na boca dos jornalistas, do público carioca e o vitorioso Chico Buarque, com a corda toda. O compacto de "A banda" vendera 15 mil cópias em um só dia, uma loja chegou a garantir que vendia, em média, 50 discos por hora. Daí a razão de Chico Buarque ter sido escolhido para presidente do júri internacional, sendo ainda o artista brasileiro mais procurado pelos estrangeiros que chegavam ao Rio. O outro intérprete vencedor da Record era Jair Rodrigues, também requisitado para defender uma música no FIC. Porém, na véspera do Festival, a boate Oasis de São Paulo, onde ele estava em temporada, comunicou que só o liberaria em troca de um pagamento de 1,89 milhão de cruzeiros. Por isso, o próprio compositor, Luiz Carlos Sá, foi escalado para cantar sua música, "Inaiá".

No final de setembro, após a divulgação das concorrentes e intérpretes, quando os artistas estrangeiros de mais de 20 países já estavam confirmados, o secretário de Finanças Márcio Alves detectou uma violenta queda na receita do estado e comunicou ao governador que o Festival poderia gorar. De início, cogitou-se transferir a fase internacional para o ano seguinte, o que teria péssima repercussão, causando imenso descrédito interna e externamente. Alegou-se que o estado não tinha condições de gastar milhões, que a presença de personalidades do exterior poderia dar margem a manifestações de hostilidade ao Governo Federal e que o Festival tinha caráter político. Enfim, os 300 milhões de cruzeiros do orçamento aprovado tiveram que ser reduzidos a menos da metade. No afã de reduzir despesas, a equipe do Festival teve de fazer ginástica para diminuir as diárias dos hotéis, conseguir um desconto de 50% nas passagens da Varig, deixar o custo da orquestra por conta da TV Rio em troca da transmissão, pedir um desconto nos troféus. O prêmio do vencedor caiu de 20 milhões para 11 milhões de cruzeiros, conseguiu-se um patrocínio da Sousa Cruz e o troféu Galo de Ouro para o vencedor — com crista de rubis, cauda de turmalinas e dois brilhantes nos olhos — teve um desconto de 50% da H. Stern.

Ainda assim, foi preciso que o secretário de Turismo João Paulo do Rio Branco (oficial de gabinete: Carlos de Laet) convencesse o governador de que haveria retorno com a venda de ingressos da parte internacional, pois a nacional daria um imenso prejuízo. Negrão de Lima foi dobrado com a argumentação e no dia 6 de outubro de 1966 bateu o martelo: o Festival começaria no dia 20.

Quatro dias antes do início, sortearam-se os 18 concorrentes que participariam da primeira eliminatória, ficando os demais automaticamente escalados para o dia 23 de outubro.

O cenarista Fernando Pamplona criou três plataformas suspensas em forma de disco, com piso imitando mármore: uma para os apresentadores, outra para os cantores, a dois metros do chão e um pouco acima da orquestra, e a terceira para o coral.

* * *

Os ensaios foram iniciados na quinta-feira, dois dias antes, no auditório da TV Rio, com a imprensa circulando entre músicos e cantores à cata de informações. Alguns compositores estavam presentes, procurando antecipar quais seriam seus mais fortes concorrentes. Tanto Dori como Nelson Motta, os autores de "Saveiros", perceberam nesse primeiro ensaio que o páreo seria com a música defendida por Elis Regina. De sapatos sem salto e óculos, ela ensaiou, meio invocada e sem dar muita atenção aos que circulavam à sua volta, o "Canto triste" de Edu e Vinicius, acompanhada do mesmo trio de "Arrastão", na belíssima orquestração do maestro Guerra Peixe. Bastaram alguns minutos para ficar satisfeita com o ensaio. Dois cantores que viriam de São Paulo não apareceram nessa tarde: Claudete Soares, que defenderia "Cantar e chorar" (Vera

Augusto Marzagão exibe, para
a equipe da Secretaria de
Turismo do Estado da
Guanabara, o estudo criado
por Fernando Pamplona para
o palco do I FIC, em 1966.

Augusto Marzagão
e o maestro Erlon Chaves,
respectivamente diretor
executivo e diretor musical
do I Festival Internacional
da Canção.

Brasil), e Wilson Simonal, que estava escalado para cantar "Maria". Os autores, Vinicius e Francis Hime, não escondiam sua preocupação com as firulas com que o cantor poderia incrementar a interpretação, tanto que, quando ele chegou ao Rio para o segundo ensaio, recebeu recomendações expressas de não inventar absolutamente nada, apenas cantar a música como fora feita. Vinicius tinha outro motivo para se preocupar: ainda não encontrara um intérprete para "Chora coração", que afinal seria Taiguara. Nesse ensaio, Simonal cruzou com Dori e deu seu prognóstico: "Você já ganhou. Sua música é linda". Cantores e compositores ficaram ainda mais nervosos.

Se o ambiente já estava tenso durante os ensaios na TV Rio, ficou ainda pior no dia da eliminatória no Maracanãzinho: nessa tarde, uma parte do cenário ruiu. Foi um corre-corre alucinado para consertar tudo antes do início do espetáculo, marcado para as 8 da noite

Finalmente, com as câmeras da TV Rio a postos, sob a direção geral de Carlos Manga na gravação, que depois seria distribuída no Brasil pela TV Record e suas afiliadas, e com a presença do governador Negrão de Lima, teve início o I FIC. A orquestra atacou um *pot-pourri* de várias músicas sobre o Rio de Janeiro e, logo em seguida, a "Canção do Festival", composta por Ronaldo Bôscoli e Erlon Chaves, cantada por um coro. Os apresentadores Murilo Neri e Adalgisa Colombo, a ex-Miss Brasil, convidaram os 23 componentes do numeroso júri a ocuparem seus assentos: as cantoras Elizeth Cardoso e Eliana Pittman, os críticos Juvenal Portela (do *JB*), João Maurício Nabuco, Sílvio Túlio Cardoso (do *Globo*), Ilmar Carvalho (substituindo o colunista Zózimo Barroso do Amaral) e Mauro Ivan (do *Correio da Manhã*), os jornalistas Sandro Moreira, Justino Martins (de *O Cruzeiro* e vice-presidente do júri), Luís Fernando Guedes (da *Cash Box*), Hugo Dupin, o "Mister Eco" (do *Diário de Notícias*) e Arnaldo Niskier, a colunista Gilka Serzedelo Machado, os compositores Hermínio Bello de Carvalho, Roberto Menescal e Chico Buarque de Hollanda (o único aplaudido), o radialista Almirante, os musicólogos Edgard de Alencar, Mozart de Araújo (presidente) e Aloísio de Alencar Pinto, o diretor do MIS Ricardo Cravo Albin, o apresentador Flávio Cavalcanti e o escritor e cronista Henrique Pongetti, todos eles do Rio de Janeiro.

Marzagão justificou que o júri era numeroso a fim de representar correntes musicais variadas, o que evitaria uma vencedora sem sabor popular. Por sugestão de Juvenal Portela, a decisão das 14 finalistas entre as 36 músicas seria tomada somente após as duas eliminatórias, no domingo à noite, evitando-se dessa maneira a obrigatoriedade de escolher sete indicações em cada uma delas.

Os jurados sentavam-se diante de uma mesa em semicírculo, entre a plataforma dos intérpretes e a plateia, de tal maneira que pudessem assistir às apresentações "de camarote" e serem vistos ao menos parcialmente pelo público. Para entrar no recinto, tinham que atravessar um túnel, e, quando se viram diante daquela agitadíssima multidão, calculada em 8 mil pessoas, tiveram que ouvir gritos de "Bicha! Bicha!", contra alguns deles, uma novidade aterradora. Menescal virou-se para Chico e disse: "Qualquer coisa você me empurra para debaixo dessa mesa, porque estou apavorado com essa torcida". A recepção para os jurados era uma prévia do que poderia vir a acontecer aos intérpretes e compositores em festivais daí em diante.

Com arranjo de Guerra Peixe, a orquestra atacou a primeira música, "Guerra e paz", de uma autora pouco conhecida, Vilma Camargo, com uma intérprete ainda mais desconhecida, Penha Maria. Nenhum entusiasmo no público ou entre os jurados. A terceira canção é que iria despertar ambos: foi cantada por Nana Caymmi, irmã do jovem compositor Dori Caymmi, que tocava violão a seu lado com a orquestra dirigida pelo maestro Lindolpho Gaya, autor também do belíssimo arranjo que aproveitava a linha de baixos imitando sons do movimento do mar, criada pelo autor da música. "Saveiros", com letra de Nelson Motta, foi bem recebida pelo público, despontando como forte candidata. Logo em seguida, entrou Elis Regina para defender com dignidade a quarta canção dessa noite, "Canto triste", de Edu Lobo. Cantou corajosamente, enfrentando o público do ginásio do Maracanãzinho com uma canção lenta, provavelmente o oposto do que se esperava. Seguiram-se, entre outras, "O amor é chama", dos irmãos Valle, com Cláudia, e "É preciso perdoar", do juiz do TRT da Bahia e professor universitário Carlos Coqueijo e Alcivando Luz, com o grupo vocal MPB 4. Era a única concorrente da Bahia e foi a antepenúltima da noite, já que a última foi "Amada", com Estelinha Egg, esposa do maestro-arranjador Lindolpho Gaya, que conduzia a orquestra.

Os estrangeiros que estavam assistindo comentaram que esperavam músicas mais agitadas, sentindo falta do ritmo mais alegre do samba. De maneira geral, acharam as músicas muito tristes, uma avaliação inevitavelmente reforçada em função do título de uma delas, "Canto triste".

Alguns jurados ficaram impressionados com "Saveiros". Menescal perguntou para Chico o que estava achando, e ouviu:

Feliz, Nana Caymmi é bem recebida na primeira eliminatória do FIC depois de defender "Saveiros", em 22 de outubro de 1966.

— Adorei a música do Dori, adorei.

— Eu também. Mas a turma não está gostando, não. Eu fiz uma enquete e acho que a música vai ser desclassificada. Acho que a gente tem que fazer as pessoas prestarem atenção, porque a música é muito legal.

Os dois conversaram a respeito com vários jurados, exaltando as qualidades da canção de Dori, que era grande amigo de Edu Lobo, autor da outra concorrente de harmonia mais elaborada, "Canto triste".

Era uma canção muito bem trabalhada e dificílima de cantar, motivo pelo qual a tacharam de complicada, sendo mais própria, talvez, para um ambiente pequeno. Fora composta para fechar a peça *Zumbi, rei dos Palmares*, mas o diretor Augusto Boal não gostou, achou triste demais e cortou-a antes mesmo de ser concluída. Depois, Edu mostrou a canção incompleta a Vinicius, que ficou animadíssimo, obrigando-o a terminar a melodia para depois fazer a letra. Ao contrário de "Arrastão", não obedecia aos padrões que já se delineavam como típicos de festival, sendo muito aplaudida na primeira noite. Elis, que cantou lendo a letra, dizia estar satisfeitíssima: "'Canto triste' é a música mais linda que já cantei até hoje". Elis apregoava para quem quisesse ouvir que estava noiva de Edu Lobo, com anel no dedo e tudo. O autor de "Canto triste" nem no Brasil estava, fazia uma turnê pela Alemanha, apesar de um jornal carioca ter noticiado que os dois saíram do Maracanãzinho aos abraços e beijos, como dois pombinhos.

O presidente do júri, Mozart de Araújo, fazia de tudo para promover "Canção do negro amor", de Capiba, que considerava uma glória nacional, enquanto Almirante, decepcionado, também se queixou da tristeza reinante, esperando músicas mais alegres para o dia seguinte. Elizeth fez as mesmas restrições e ambos não estavam nada satisfeitos com a qualidade do som.

O "som do Maracanãzinho" era um drama. Tanto os jurados como os artistas estrangeiros criticaram severamente, lamentando que o Festival não tivesse sido no Teatro Municipal. Além dos problemas acústicos, dois amplificadores apresentaram defeito. O júri recusou-se a conceder notas para as músicas que não conseguiu ouvir, deixando para ouvir as gravações no domingo, antes de eleger as 14 músicas que iriam disputar a final.

O ensaio para a segunda eliminatória do FIC foi realizado no próprio domingo, com a orquestra de Severino Araújo conduzida pelos maestros Gaya, Erlon Chaves e o próprio Severino, cada qual regendo seis músicas. Como foi marcado para as 17 horas, no próprio ginásio, era preciso que os intérpretes estivessem prontinhos às 16h30, o que provocou protestos principalmente das cantoras. "Um absurdo", reclamavam, pois na hora do espetáculo estariam uns cacos, com os vestidos amarrotados e a maquiagem derretendo naquele calor. Acabaram ensaiando como estavam.

A preocupação maior era novamente o som. Como os técnicos montaram caixas de alto-falantes no teto, houve uma pequena melhora, mas ainda assim jurados, jornalistas, cantores, músicos e público continuavam se queixando. As músicas do domingo foram consideradas um pouco mais alegres, com mais vibração, contrastando com as de sábado.

A primeira foi "Inaiá", que, segundo alguns, poderia disputar os primeiros lugares se fosse defendida por Jair Rodrigues. Seu intérprete, Luiz Carlos Sá, seria mais tarde um dos componentes do trio Sá, Rodrix e Guarabira.

A quarta foi "Beira-mar", de Caetano Veloso e Gilberto Gil, cantada por Maria Bethânia na sua primeira e última apresentação em festivais durante toda a sua carreira. Caetano estava no Maracanãzinho para ver a irmã Bethânia, já então uma cantora de nome desde que substituíra Nara Leão no show *Opinião*, em fevereiro do ano anterior.

"O cavaleiro" com Tuca, vestindo um palazzo-pijama azul com lantejoulas, a sexta música dessa noite, foi uma das que conquistaram o público. Comentava-se que Tuca era a autora da música toda, tendo Vandré colaborado apenas com alguns versos.

A sétima foi "Minha senhora", de Gilberto Gil e Torquato Neto, com Gal Costa, uma nova cantora que acabara de chegar da Bahia. Ela nem tinha roupa adequada para se apresentar. Cantou envolvida por uns paninhos e, segundo um dos jurados, parecia uma figurante da Mangueira. Era tão tímida que nem ajeitou o pedestal do microfone, cantando semicurvada, mas com uma afinação que impressionou fortemente os conhecedores. Menescal virou-se para Mister Eco, a seu lado, e perguntou:

— Você está gostando? Você está entendendo?

Ouviu a seguinte resposta:

— Não estou entendendo muito, e não estamos gostando desse negócio.

Menescal ficou surpreso, pois estava siderado pela cantora, mais até que pela própria canção.

— Mas ela é o máximo! Não sei quem é essa menina... Alguém me falou que se chama Gracinha, quero conhecê-la agora mesmo — retrucou Menescal, sentindo que estava diante de um João Gilberto de saia.

Estava convicto de que a melhor surpresa do Festival era o aparecimento daquela cantora baiana que, com a delicadeza de sua afinação, deu a muitos a impressão de estarem diante de uma grande canção.

A décima primeira foi "Dia das rosas", defendida por uma nova Maysa, loura, magra e feliz em cantar uma marcha-rancho, desmentindo que só se dava bem no gênero "dor de cotovelo". Sua interpretação foi das mais comentadas e a música do casal Luís Bonfá e Maria Helena Toledo, em arranjo de Eumir Deodato, destacou-se como uma possível finalista. Em seu vestido de gala, Maysa cantava "Hoje é dia das rosas/ que enfeitam formosas/ amores se unindo/ num lindo jardim...".

As queixas pela escolha do Maracanãzinho para o FIC não pararam após as 18 músicas. Até o maestro Erlon Chaves lamentou que um espetáculo de música fosse realizado num local onde se joga basquete. Os cantores do exterior chegaram a temer uma desclassificação causada pela audição precária de suas interpretações.

Depois de reunidos, os jurados definiram as 14 finalistas, das quais apenas cinco, segundo o polêmico crítico do *Jornal do Brasil* e historiador musical José Ramos Tinhorão, tinham condições de salvar o certame. Uma delas era "Canto triste". Também lamentou que os compositores tivessem dado preferência a temas tristes, concluindo: "Essa tristeza foi obra da bossa nova [...] pelo fato de haver crescido em ambientes fechados, na intimidade das boates e apartamentos...". Destacou, contudo, que "havia fatores positivos: o amadurecimento do público e a eliminação de juízes despreparados, como se vira pelo resultado do Festival da Record".

Sérgio Cabral também lamentou a tristeza, destacando que o povo queria alegria, como em "A banda". Entre as intérpretes, duas delas não ficaram nada satisfeitas com as 14 escolhidas: Bethânia não gostou de ver a música de seu irmão desclassificada e Cláudia se achou injustiçada. Não houve tempo para choro nem vela, pois no dia seguinte as 14 músicas estariam disputando três prêmios e a vaga para a fase internacional.

* * *

Na noite de 24 de outubro, final nacional do I FIC, a estimativa do público presente foi de 5 mil pessoas, menos que em qualquer das duas eliminatórias de sábado e domingo. Em compensação, houve participação muito maior, traduzida tanto nos aplausos como nas vaias.

Se o público foi mais entusiasmado, a qualidade do som continuava muito ruim, criticada abertamente pelos jurados e por quem estava nas cadeiras. Para tentar pelo menos melhorar a situação, tomou-se uma medida das mais extravagantes: os fotógrafos não podiam chegar muito perto do palco, nem deviam falar alto durante a apresentação das 14 classificadas.

Devidamente industriados por Chico Buarque e Menescal, os demais jurados prestaram atenção redobrada à primeira e à segunda concorrentes, "Saveiros" e "Canto triste", cantadas respectivamente por Nana Caymmi, que saiu do palco chorando, e Elis Regina, que não mostrou os dentes em momento algum. Depois de "Canção brasileira" (Heckel Tavares e Luiz Peixoto), foi a vez de "Chorar e cantar" (Vera Brasil e Sivan Neto), bastante aplaudida, com Claudete Soares em arranjo de Eumir. As seguintes foram "Não se morre de mal de amor", de Reginaldo Bessa, bem cotada desde a primeira eliminatória, "É preciso perdoar", "Inaiá" (Luiz Carlos Sá), que tinha torcida organizada, "O cavaleiro", novamente muito aplaudida, com Tuca ao violão em arranjo de Radamés Gnattali, e "Se a gente grande soubesse", defendida por Billinho, de 10 anos (filho de Billy Blanco), e o Quarteto em Cy em arranjo de Oscar Castro Neves. "Dia das rosas", com Maysa, sob muitos aplausos em seu lindo e comentadíssimo vestido de renda guipure sem mangas, com decote redondo e um cinturão de tafetá de seda, antecedeu "Canção do medo" (Sérgio Bittencourt), outra com torcida organizada. "Apoteose do samba" (Heriveto Martins e Klecius Caldas), com Miltinho e um grupo de passistas e ritmistas de escola de samba, foi vaiada: sua inclusão entre as 14 finalistas tinha sido considerada um deboche diante da desclassificação de "Minha senhora". Comentou-se que a música estava na final para compensar a falta de sambas no Festival. "Festa de cores" (Capiba) foi a última, quando ficou claro que a preferência do público dividia-se entre "Dia das rosas" e "O cavaleiro". Maysa e Tuca precisaram de atendimento médico, de tanto nervosismo.

Enquanto o júri escolhia as três primeiras, o público, ansioso, vaiava exigindo o resultado sem dar a devida atenção ao número musical preparado para o intervalo. Severino Araújo regeu a orquestra na protofonia do *Guarani* de Carlos Gomes, antecedendo um desfile de atrações: o alemão Helmut Zacharias, que ficara bem impressionado com "Dia das rosas", tocou violino, o mexicano Roberto Cantoral cantou boleros *y otras cositas más*, num microfone empunhado pelo apresentador Murilo Neri. Aquele show de espera, uma amostra do que seria a parte internacional, não era o que o público queria. Os cariocas estavam apaixonados por "A banda" e pelos olhos verdes de seu autor. Vaiavam e grita-

Zuza Homem de Mello

vam "A banda! A banda!". Não houve jeito. Chico Buarque teve que arranjar um violão emprestado, sair de seu posto de jurado, subir ao palco e atacar "Estava à toa na vida/ o meu amor me chamou...". Alegre e entusiasmado, o público cantou então em coro com Chico. Nenhuma canção daquela noite fora tão bem-recebida. Assim, em pleno Maracanãzinho, a música que mais agradou não foi nenhuma das concorrentes do FIC e sim uma vencedora do Festival da TV Record. O entusiasmo era tanto que o alemão Zacharias ficou louco para gravá-la quando voltasse para seu país, achando que ela poderia se transformar no novo hino nacional. Depois de Chico, o Quarteto em Cy voltou ao palco para também cantar "A banda".

Ao serem proclamados os vencedores, já bem tarde da noite de segunda-feira, voltaram as vaias, desta vez mais prolongadas, demonstrando que o público não concordava com a decisão do júri. O terceiro lugar para "Dia das rosas" foi recebido com vaias intensas para o júri e uma ovação para Maysa, a predileta na plateia. "O cavaleiro" ficou em segundo. Tuca e Maysa repetiram suas músicas com mais segurança e mais aliviadas da tensão, pois já eram segunda e terceira colocadas.

Quando "Saveiros" foi anunciada vencedora, o público fez um breve silêncio, seguido de algumas palmas e uma vaia estrepitosa. O tempo se encarregaria de demonstrar que a maioria do júri estava certa ao premiar aquela canção lindíssima. A escolha foi feita após uma divisão que se estabeleceu entre os jurados. Almirante, favorável à "Canção brasileira" de Heckel Tavares, tratou de arrebanhar os mais velhos para o seu time, enquanto o jurado Juvenal Portela, do *Jornal do Brasil*, combinou com seu grupo dar notas máximas para "Saveiros", criando uma oposição aos que dela não gostavam. Um deles, Mozart de Araújo, chegou a declarar posteriormente que Dori tinha roubado a música do compositor clássico inglês Edward Elgar. Em sua coluna no *Jornal do Brasil*, Portela justificaria seu voto, reconhecendo ser um "trabalho melódico aceitável, a letra bastante razoável e o tema encontrado, quase uma exceção no comum dos candidatos [...] acessível a qualquer ouvido [...] Se houve uma ala no estádio que vaiou essa classificação, isto é perfeitamente explicável: os compositores não são os da moda". Apontou ainda uma falha do júri por não classificar "Minha senhora" entre as 14 finalistas. Na realidade, o que havia era uma grande cantora, Gal Costa, que conseguiu dar a muitos a impressão de defender uma grande música, com arranjo de Francis Hime. Dias depois do Festival, Menescal, que havia se apaixonado pela sua voz, começou a fazer campanha a seu favor na gravadora

Philips. Não demorou muito para que Gal e Caetano fossem contratados para fazer seu primeiro disco, *Domingo*.

Outro baiano, Carlos Coqueijo, revoltou-se tanto com o resultado que subiu ao palco mesmo sem ser chamado. Mal imaginava ele que "É preciso perdoar", de sua autoria, essa sim uma estupenda canção, faria uma bela carreira, sendo gravada por João Gilberto num de seus melhores discos.

De maneira geral e em diferentes gradações, as três primeiras colocadas receberam vaias, claramente concentradas na canção vencedora, e assim Nana Caymmi acabou ficando injustamente marcada, durante vários anos, como a cantora da primeira grande vaia em festival, o que não a impediu de levar a sério sua carreira, mostrando ser uma pessoa forte e preparada. O reconhecimento definitivo se deu quando gravou "Medo de amar", de Vinicius de Moraes.

A filha de Dorival Caymmi voltara ao Brasil separada e com três filhos, depois de residir por quatro anos na Venezuela, onde não colocara o pé num palco, pois seu marido não permitia que cantasse. Até então, sua carreira se limitara a uma participação com o pai em "Acalanto", num disco da Odeon, a convite do diretor Aloysio de Oliveira, e ao LP *Nana* (1963), em que deu as primeiras mostras de seu refinado bom gosto na escolha de repertório. Quando seu casamento com o médico Gilberto Paoli, em Caracas, chegou ao fim, em dezembro de 1965, pegou as trouxas e, com o filho João Gilberto na barriga, voltou para o Rio, onde tentou retomar sua atividade de cantora. Não teve muita sorte: precisando sustentar a família, foi barrada no programa *O fino da bossa*. Desiludida, recebeu do irmão a missão de defender "Saveiros", que fora selecionada na gravação pelo Quarteto em Cy. Nelson Motta preferia que Elis fosse a intérprete, mas acabou prevalecendo a escolha de Dori. Nana quase não ensaiou a música, pois além de ter abandonado a carreira anos antes, só pensava nos filhos e em como se manter no Brasil. No dia da final, não teve como voltar para Copacabana a fim de amamentar o filho. Ficou no Maracanãzinho a tarde toda para ensaiar, teve febre e foi atendida pelo médico de plantão. À noite, com os cabelos presos num coque, e nervosíssima durante a apresentação, teve um choque de leite. Sem que o público percebesse, gotas de leite materno brotavam de seus seios, molhando seu belíssimo vestido prateado, que ficou manchado para sempre. Depois de proclamada vitoriosa, soube enfrentar os protestos com coragem, repetiu a canção, mal conseguindo se ouvir, sob vaias que encobriam a orquestra, enquanto Maysa, que a hostilizara nos ensaios,

No dia 24 de outubro de 1966, Nana Caymmi recebe a maior vaia de sua vida ao defender "Saveiros" na final nacional, o que não a impediu de levar a canção à vitória.

"Agora é hora de aplausos. Vamos!": Maysa esquece a rivalidade e apoia Nana contra as vaias no Maracanãzinho.

aplaudia de pé, gritando: "Agora é hora de aplausos, vamos!". Dori era abraçado emocionadamente por seu amigo Marcos Valle, quando Nana saiu do Maracanãzinho escoltada por batedores, apavorada com a reação do público que vaiara a decisão do júri.

"Saveiros" fora inscrita por Dori Caymmi pouco antes do encerramento do prazo, recebendo o número 1.597. A partitura estava guardada na primeira gaveta de sua escrivaninha, de onde foi retirada para concorrer. Dori, que vinha tentando havia seis anos cortar o cordão umbilical que o ligava ao pai, inspirou-se na Bahia, onde morou algum tempo, para compor a canção. Vendo os saveiros e os pescadores do alto de um morro em Salvador, resolveu fazer uma melodia baseada na vida daqueles homens. A música nasceu pouco depois, numa reunião de família, um ano antes do Festival, na casa de seu então sogro, ao lado de sua primeira mulher, Ana Beatriz, Nelson Motta e namorada. Fez toda a melodia nessa noite e pediu uma letra ao parceiro, que tinha 21 anos, ainda estudava e pretendia ser repórter. Nelsinho não conhecia a Bahia e nem sabia muito bem o que era um saveiro. Dori explicou-lhe o que eram os saveiros e os barqueiros. Assim nasceu, em 1965, a letra "Nem bem a noite terminou/ vão os saveiros para o mar/ levam no dia que amanhecem/ as mesmas esperanças do dia que passou..." para a canção, que já fora inscrita no I Festival da TV Excelsior, mas desprezada no cestão das concorrentes, deixando ambos frustrados.

Sem refrão e sem segunda parte, a composição é um depurado desenvolvimento do motivo melódico inicial de oito notas (as do verso "Nem bem a noite terminou"), com tênues mudanças de modo menor para maior e vice-versa, como o acorde inicial de ré maior com sexta e nona sob o fá sustenido do início da primeira frase (na palavra "Nem"), ou o mi menor com sétima e nona sob o lá do início da segunda (no "Vão" de "Vão os saveiros para o mar"). Um momento precioso é a bemolização do si que recai sobre a sílaba "-nhe" de "amanhece", no terceiro desenvolvimento do motivo, contrastando com o retorno ao maior na primeira resolução, a do verso "do dia que passou". Uma composição de músico para músico, que exige um intérprete rigoroso com a afinação para não cometer enganos comprometedores em alterações tão sutilmente elaboradas.

Para Dori, recém-chegado dos Estados Unidos, onde atuara no sexteto do saxofonista Paul Winter, "Saveiros" representou a primeira oportunidade, amplamente reconhecida entre os *connaisseurs*, de mostrar a competência e refinamento de uma obra que seria desenvolvida com uma coerência invejável, a despeito de levianamente qualificada como "difí-

As intérpretes das três primeiras colocadas na final nacional
do I FIC: Tuca, 2º lugar com "O cavaleiro", Nana Caymmi, 1º lugar
com "Saveiros", e Maysa, 3º lugar com "Dia das rosas".

cil" por quem não se dava ao trabalho de ouvi-la como devia. Por seu turno, Nelson Motta logo passou de estagiário para repórter taxado de menino prodígio no *Jornal do Brasil*, desenvolvendo sua carreira como um jornalista atento e participante de inúmeros momentos importantes na história da música brasileira. Os dois ainda se encontrariam em outros festivais, uma vez que, paralelamente à carreira de produtor e empresário, Nelson dedicou-se também à atividade de letrista.

"Canto triste" não ficara sequer entre três primeiras, embora até Dori Caymmi a elogiasse como a mais bonita das 36 concorrentes. No Maracanãzinho, alguns jornalistas estrangeiros, bem como o compositor e arranjador Johnny Mandel ("The Shadow of Your Smile"), haviam gostado mais de "Dia das rosas", ao passo que David Raksin (compositor de "Laura") elogiou Taiguara, e Jay Livingston (de "Mona Lisa") foi outro que se empolgou com "A banda", do festival passado. Como se vê, em pleno FIC, a personalidade masculina mais badalada era o vencedor do Festival da Record, Chico Buarque, que pela primeira vez se via na condição de ídolo nacional e, logo, internacional. Entre as mulheres, Maysa com seus olhos verdes e Elis como cantora eram as que mais chamavam a atenção dos artistas estrangeiros, por sua vez os mais procurados e fotografados pela imprensa.

Tuca, abraçada por Vanja Orico e por Amália Rodrigues, ficou muito satisfeita com o segundo lugar, afirmando que "O cavaleiro" era sua melhor composição. No dia seguinte, foi ao Copacabana Palace cantar suas músicas para as delegações estrangeiras, terminando seu showzinho para os gringos na areia da praia, acompanhada por Paulinho Nogueira ao violão. O elenco de compositores e músicos estrangeiros que Marzagão havia conseguido arrebanhar para o Rio de Janeiro era de tirar o chapéu. Entre eles, os cantores Pedro Vargas, Yma Sumac, Amália Rodrigues e Jean Sablon; da França vieram ainda Maurice Jarre e Michel Legrand; da Argentina, Horacio Malvicino (guitarrista) e o compositor Julio de Caro (autor de "Boedo"), e do Paraguai, Mauricio Cardoso Ocampo, autor de "Galopera". A delegação americana contava ainda com os compositores Jimmy Van Heusen ("All The Way"), Ray Evans, o parceiro de Jay Livingston, os arranjadores Nelson Riddle, Lex Baxter, Herb Alpert e Henri Mancini, de todos o mais procurado, pois estava no auge do sucesso. Eram tempos românticos e todo esse povo veio sem receber cachê, apenas para gozar das delícias da praia e da piscina do Copa, conhecer a bossa nova, o Rio e eventualmente as estonteantes curvas das mulheres brasileiras. Vários deles integraram o júri da parte

Na piscina do
Copacabana Palace,
o time de convidados
ilustres do I FIC:
Les Baxter, Ray Evans,
Jay Livingston, Bob
Russell, Henri Mancini,
Nelson Riddle e David
Raksin.

Os dois mais festejados
convidados do festival:
o compositor e
arranjador Henri
Mancini e o jurado
Chico Buarque de
Hollanda, o jovem
autor de "A banda"
que vencera o festival
da Record dias antes.

internacional do Festival. Para conseguir um time desse naipe, Marzagão contou também com o apoio do Itamaraty, através do consulado brasileiro em Los Angeles.

* * *

Após a final nacional, houve uma grande festa na casa do pai de Nelson Motta, onde Nana, logo depois da vitória, foi comemorar na companhia de seus melhores amigos: Ronaldo Bôscoli, Silvinha Vinhas e Wanda Sá. Nenhum deles esperava que "Saveiros" ganhasse. Só lá é que ela pôde relaxar, apesar de ainda magoada, nem tanto com as vaias, mas com a fofoca que circulou de que Dorival Caymmi havia comprado o júri para a vitória dos filhos. Caymmi estava com a pressão alta, mal conseguindo assistir ao FIC pela televisão.

Enquanto o trio dos vencedores, os dois irmãos Caymmi e Nelson Motta, festejavam, outros participantes foram comemorar na boate 706, tomando conta da noite. Maysa bebeu todas e no meio daquela alegria começou a provocar Elis, que estava na mesma mesa:

— Sua gauchinha de merda, você não canta nada.

Elis retrucou:

— Não me provoca, não.

Com o caco cheio, Maysa continuou mandando ver, até pegar uma garrafa e arremessá-la contra Elis. Pressentindo o que já estava para acontecer, Menescal conseguiu agarrar a garrafa antes que atingisse o alvo, salvando Elis de um acidente de sérias consequências e deixando Maysa sem entender nada. No meio da festa, ainda persistia uma disputa ferrenha entre as cantoras.

A pinimba entre as duas tinha antecedentes. Um ano antes, na campanha beneficente do canal 9 *Quanto vale uma criança*, Maysa, que doara uma pulseira de ouro, estava distribuindo autógrafos quando dela se aproximou timidamente uma moça baixinha:

— Eu sou Elis Regina e gostaria que você cantasse no meu programa.

O programa do canal 7 atravessava uma fase auspiciosa em outubro de 1965. Maysa afastou os cabelos dos olhos, encarou-a firmemente, e fulminou:

— Não.

Dias antes, Maysa havia anunciado que iria parar de cantar, mas dizia-se que estava blefando para testar sua popularidade. É possível que estivesse mesmo, pois voltou em grande estilo na boate Urso Branco, em São Paulo, com a orquestra regida por Chiquinho de Morais, lotando os

1.500 lugares. Mas O *fino da bossa* de fato nunca teve Maysa entre os convidados.

Com a vitória, "Saveiros" foi designada para representar o Brasil na parte internacional do I FIC, que se iniciaria no dia 27 de outubro e terminaria no domingo, dia 30. A música ficou em segundo lugar, perdendo para a insípida "Frag den Wind" ("Pergunte ao vento"), de Helmut Zacharias e Carl J. Schäuble, interpretada por Inge Brück e sobrepujando a preferida da plateia, a insossa canção francesa "L'Amour toujours l'amour". Os prêmios para os vencedores da fase nacional foram entregues nesse domingo: Luís Bonfá estava nos Estados Unidos e quem recebeu o prêmio de terceiro lugar foi sua mulher e parceira Maria Helena Toledo, ao lado de Maysa. Os compositores Dori e Nelson dividiram os 20 milhões de cruzeiros; Nana ganhou 5 milhões e uma passagem para os Estados Unidos, que vendeu assim que recebeu. Precisava faturar para defender o leite das crianças. Depois do FIC, Nana Caymmi retirou-se por um tempo e fez uma *rentrée* num show que definiria seu perfil de cantora.

Após o Festival, Nana não pôde esconder uma grande mágoa que passou a ter de Elis Regina. Em setembro de 1966, Elis já tinha gravado pela Philips as músicas para seu disco seguinte, o álbum *Elis*, com arranjos de Chiquinho de Morais no estúdio da Gravodisc, em São Paulo. Após o lançamento, a gravadora colocou na praça um compacto com a música que ela cantara no festival, "Canto triste", e que, astuciosamente, tinha do outro lado nada menos que a música defendida por Nana. Isso mesmo, a própria "Saveiros", numa interpretação lenta que decepcionou Nelson Motta e Dori Caymmi, presentes no estúdio durante a gravação.

Esse compacto não tinha nenhum vínculo com o álbum *Elis*, como normalmente as gravadoras procediam para incrementar a venda dos LPs. A estratégia era outra. Como a Philips queria repetir o sucesso de "A banda" com Nara Leão e do compacto de Chico Buarque pela RGE, apressou-se em lançar o seu compacto do FIC. Tratou de produzir a todo vapor uma nova arma para a batalha que se travava entre as gravadoras, o compacto com Elis também com arranjos de Chiquinho de Morais. Nessa guerra valiam até esses golpes baixos, como uma cantora cantar a música da outra. Instituía-se oficialmente uma nova fase entre as gravadoras, que daí em diante estariam sempre fazendo figa, e até mais, para surgir um gênero diferente ou um novo movimento que, transformado em modismo, possa embalar as vendas. Como se deu com a bossa nova. Naqueles meses de outubro e novembro de 1966, as gravadoras brasileiras estavam descobrindo uma nova área de atuação, a dos discos de festival, que atingiriam picos a partir desse ano. Os gráficos de vendas, que costumavam subir ligeiramente em março e estabilizar até o final do ano, passaram a se elevar substancialmente em setembro e outubro, meses dos festivais, que assim passaram a ter grande importância no nosso mercado.

Nana também lançou "Saveiros" logo após o Festival. Era um compacto da Elenco gravado em estúdio, tendo "Velho pescador" do lado B e com seu nome grafado simplesmente Nãna (provavelmente para evitar que se pronunciasse Naná), sem o Caymmi. Somente em 1980 Dori gravaria a canção como gostava, com a introdução de outra canção sua, "O mar é meu chão", pois tinha a convicção de que, se tivesse sido cantada assim no Festival, teria sido ainda mais vaiada.

Não era difícil explicar por que nenhuma das três vencedoras da fase nacional, tampouco "Canto triste", que ficara de fora, ou "Minha senhora", já eliminada das 14 finalistas, havia empolgado o público como se esperava. Ainda que "Canto triste" e "Saveiros" sejam indiscutivelmente superiores à valsa "Dia das rosas" e a "O cavaleiro", estas, quando muito, razoáveis, havia um problema fundamental: nenhuma delas tinha o perfil que já vinha se delineando desde os primeiros festivais e que permitiria identificar as chamadas "música de festival".

Havia, contudo, entre essas mesmas cinco músicas, uma coincidência que deu margem a uma frente de batalha muito mais marcante nesse Festival do que a tão lamentada tristeza da grande maioria das canções. A coincidência é que as cinco eram cantadas por mulheres, cantoras que tinham histórias diferentes e acabaram se cruzando numa competição de canções. Sem que o público percebesse, embora participasse inconscientemente com seus aplausos e vaias, o que de fato marcou a fase nacional desse Festival foi o confronto entre as cantoras. Por trás do palco do I FIC travou-se uma batalha que não estava no programa. Os bastidores eram arena de uma guerra surda, a ponto de Stella Caymmi, que já era esquentada, resolver entrar em cena. Quando soube que sua filha estava sofrendo uma tremenda pressão de Elis e Maysa, a ponto de ter desmaiado, não se conformou: foi ao camarim feminino, discutiu com um segurança, abriu caminho no grito e fechou o tempo defendendo Nana e exigindo respeito. Dori, com sua cara enfezada de capitão da PM, chegou a ameaçar Elis. A temperatura ferveu no Maracanãzinho.

Já nas arquibancadas, o público aprendeu, e muito bem, algo que praticaria daí em diante em todos os festivais, até chegar a uma catarse de inacreditáveis proporções. Foi no I FIC que o público aprendeu a vaiar. E, sem se dar conta, a cometer injustiças.

6.
"PONTEIO"
(III FESTIVAL DA TV RECORD, 1967)

No dia 29 de abril de 1929, inaugurava-se em São Paulo um novo cinema, localizado fora do chamado Centro Velho, o triângulo das ruas Direita, XV de Novembro e São Bento. Com um investimento de 400 contos de réis, a Paramount Studios dotou a cidade de uma sala de classe, com arquitetura estilo "neoclássico afrancesado", no mesmo local que já havia abrigado uma praça de touros: avenida Brigadeiro Luís Antônio, 79. O novo cinema, dotado de equipamentos Movietone e Vitaphone, teve o privilégio de exibir o cinema falado pela primeira vez na América do Sul, um "super film da Paramount", *Alta traição* (*The Patriot*), "classificado como a obra máxima do ano", estrelado por Emil Jannings e com direção de Ernest Lubitsch, "o maior gênio de cinema". A intelectualidade e a nata da sociedade paulistana se reuniram alvoroçadas para assistir ao programa de gala, a exibição do filme antecedida de uma *ouverture* da Orquestra Sinfônica, dirigida pelo maestro Leo Renard. A orquestra ficava no poço, como em qualquer espetáculo de variedades. Sim, porque o Paramount, ao contrário do chique Cine Rosário da rua São Bento, que seria inaugurado em outubro, era mais que um cinema, era um Cine Teatro. Além de um vasto palco, possuía camarins, urdimento, gambiarras, luzes de ribalta, poço de orquestra, alçapão de ponto, enfim: todo o necessário para a montagem de um espetáculo de teatro musicado.

As acomodações do público estavam à altura: depois de descer de seus automóveis Packard ou La Salle, os espectadores podiam abrigar-se sob a marquise, ingressando, pelas grandes portas de ferro e vidro, no *foyer*, com seu piso de mármore quadriculado em preto e branco, de cujas laterais partiam as escadas rumo ao balcão e, à frente, os poucos degraus que, através de portas de madeira com grandes visores redondos de vidro azul-escuro, davam acesso à plateia. Ligeiramente em declive e em forma de ferradura, com poltronas estofadas, esta era rodeada de camarotes em nível um pouco mais elevado, dela separados por um gradil de alvenaria com acabamento fresado. Por cima dos camarotes, a face externa do parapeito do balcão era recoberta de vitrais retangulares coloridos, com lâmpadas por trás. Antes do início de uma sessão, quando as luzes principais da sala se apagavam, sobravam acesos apenas os vitrais à volta toda, criando um clima de magia que envolvia o público durante um ou dois minutos, enquanto as cortinas de veludo azul-marinho eram abertas lentamente, estimulando a ansiedade pelo começo do espetáculo.

Essa *ouverture* visual de luzes coloridas também fazia parte do ritual que precedia as sessões em cinemas do centro de São Paulo, como o Broadway, o Ritz São João e o Bandeirantes. Nestes, havia três ou quatro carreiras de lâmpadas ocultas contornando a cortina. Soava um gongo majestoso e o ambiente era iluminado ora por um vermelho intenso, ora por um verde sombrio, ora por um amarelo berrante, ora por um azul misterioso. O *glamour* fazia parte da tradição em espetáculos cinematográficos numa época em que ir ao cinema requeria o mesmo aparato de quando se ia a um concerto.

Quase 30 anos mais tarde, em 1958, a TV Record alugou o Cine Teatro Paramount para a temporada da orquestra do clarinetista Woody Herman, cujo maior astro era o contrabaixista Major Holley, que causava sensação quando vinha para a frente solar, tocando com arco e cantando a mesma nota uma oitava acima. Produzia um som inusitado, que a maioria desconhecia, embora os jazzistas bem-informados soubessem que fora Slam Stewart o criador dessa combinação de voz e baixo com arco. Antes da temporada de Woody Herman, São Paulo já recebera e aplaudira outras notáveis orquestras americanas: a do trombonista Tommy Dorsey, que tocou no Lorde Hotel e no Hotel Excelsior da avenida Ipiranga, a de Xavier Cougat, que tocou na sala vermelha do Cine Odeon, na rua da Consolação, e a de Dizzy Gillespie, em inesquecíveis exibições de *bebop* no Teatro Santana, à rua 24 de Maio.

O Paramount foi novamente arrendado pela TV Record para a temporada de Nat King Cole em abril de 1959 e, meses mais tarde, para o espetáculo estrelado pelo *entertainer* Cab Calloway, *Cotton Club Revue*. No primeiro caso, havia duas razões determinantes para o aluguel: o Teatro Record da Consolação estava em obras para a construção do poço de orquestra e o Paramount tinha o triplo da capacidade, cerca de 2 mil lugares. No caso da espetacular revista de negros, a caixa de palco precisava de altura para a troca de cenários, indispensável num show de variedades desse tipo.

Em agosto de 1963, a fim de dotar o Teatro Record de recursos semelhantes, seu palco sofreu uma grande reforma em que se elevou o ur-

Interior do Cine Teatro Paramount, em São Paulo, na década de 1950.

Arrendado pela TV Record, o Paramount passa a ser o Teatro Record Centro, segundo palco para seus programas musicais, a partir de 1967.

dimento, uma ideia pela qual o gerente Gaúcho, cujo passado era ligado ao teatro de revistas da Companhia Walter Pinto, sempre batalhara. Com o prolongamento para seis metros de altura, aumentaram as facilidades de troca de cenário, possibilitando a realização de produções teatrais mais complexas, o que de fato aconteceu.

Todavia, após o incêndio dos estúdios de Congonhas em julho de 1966, as atividades do Teatro ficaram prejudicadas, pois quase toda a programação do canal 7 foi transferida para lá. Os escritórios, salas de ensaio e guarda-roupa, instalados nos antigos apartamentos do prediozinho ao lado do Teatro, tiveram que ser espremidos durante o período de emergência. O camarote privativo da família Carvalho foi transformado num pequeno estúdio, a loja do térreo virou a central do videoteipe e o carro de reportagens ficou estacionado durante meses diante da entrada como sala de *switch*, ou direção de TV, de tudo que dali fosse gerado, da manhã à noite.

O Paramount poderia vir a calhar novamente para abrigar o III Festival da TV Record. Sua capacidade era bem maior que a do Teatro Record, o que provavelmente seria necessário em vista do sucesso do Festival anterior, podendo-se prever grande repercussão em vista da cobertura que a imprensa já lhe dava antes mesmo de seu início. A decisão se mostraria correta, à medida que novos programas, sobretudo musicais, fossem incorporados à programação do canal 7 em 1967, *Família Trapo*, *Pra ver a banda passar*, *Esta noite se improvisa* e outros mais, pois o Teatro Record não teria condições de suportar tamanha carga de atividades. Assim, a TV Record arrendou o Teatro Paramount por longo tempo, repartindo-se a programação com presença de público entre os dois locais: o Teatro Record Consolação e, com o triplo da capacidade, o Teatro Record Centro, nova denominação do Paramount.

Enquanto a Record se expandia, a TV Excelsior encolhia. Mas não podia dar bandeira. Era preciso fazer alguma coisa. Diante do avanço dos musicais do canal 7, Roberto Palmari convocou Moracy do Val, Luiz Vergueiro, Franco Paulino e Chico de Assis para criarem uma série de programas musicais. E assim nasceu, no final de 1966, o supershow *Ensaio geral*, aproveitando o título da música de Gil, um dos contratados para o numeroso elenco de 40 artistas, que incluía uma orquestra sob a regência de Radamés Gnattali, outra sob a batuta de Chiquinho de Morais, dois conjuntos, o Tamba Trio e o trio de Edson Machado, e mais uma cacetada de cantores, como Caetano Veloso, Geraldo Vandré, Sérgio Ricardo, Tuca, Sidney Miller, além de figuras de proa da Época de

Ouro, como Jacob do Bandolim, Ismael Silva, Cyro Monteiro e outros. Mas durou pouco essa festança. A TV Excelsior não tinha mesmo fôlego, os pagamentos começaram a atrasar e, após a concordância de todos os contratados numa reunião no Hotel Danúbio, Chico de Assis foi oferecer o programa à Record. Para sua surpresa, Paulinho de Carvalho já sabia dos atrasos, pois havia presenteado Cyro Monteiro com a quantia que a Excelsior lhe devia. Mas, devido a uma atitude hipócrita de Sérgio Bittencourt, filho de Jacob, o projeto de mudança de canal abortou. Na reunião seguinte, decisiva para se bater o martelo, ele conseguiu convencer o grupo de que a transferência seria uma traição à TV Excelsior. Nada feito. Em lugar de ir para o canal 7, o *Ensaio geral* foi para o brejo e o elenco ficou a ver navios. Exceto Sérgio, que havia assinado com a TV Record na véspera dessa segunda reunião.

Vandré já tinha abandonado o barco após o segundo programa da Excelsior e, por intervenção de Alberto Helena — que, desconfiado do temperamento de Paulinho, insistiu para que Marcos Lázaro o dobrasse —, foi contratado pela TV Record para comandar um novo programa, o *Disparada*, voltado para as raízes sertanejas da música brasileira e dirigido pelo cineasta Roberto Santos. Com a grana preta que passou a receber, teve cacife para patrocinar o grupo instrumental dos sonhos de Airto Moreira, com a ampliação do trio para quarteto, o Quarteto Novo. A entrada de Hermeto Paschoal acrescentava praticamente mais dois instrumentos, a flauta na formação mais leve e o piano numa formação mais encorpada. Nesta, Théo passava para o contrabaixo e Heraldo para a guitarra. Apesar dos timbres resultantes serem diferentes, o espírito de canção sertaneja predominava nas duas formações.

A ideia do Quarteto Novo começara a nascer no dia em que César Mariano, pianista do Sambalanço Trio, comunicou a seus dois companheiros, Airto e Cleiber, que iria deixar o conjunto para se casar com Marisa Gata Mansa. Decididos a continuar com o trio, os dois convidaram o pianista Hermeto Paschoal, que disse que aceitaria desde que se mudasse o nome do grupo. Surgiu assim o Sambrasa Trio, que gravou um disco. Quando Livio Rangan desejou formar um grupo instrumental para os shows da Rhodia, encomendou a tarefa a Geraldo Vandré, que por sua vez encarregou Airto de montá-lo. Com dois terços do Sambrasa Trio (ele e Hermeto) e mais Théo e Heraldo, o Quarteto Novo era exclusivo de Geraldo e ensaiava diariamente. Foi o grupo fixo do programa *Disparada*, gravado no Teatro Record Consolação a partir de meia-noite, avançando madrugada adentro e com presença de pequeno público que entrava de graça e podia ficar quanto tempo quisesse. Em vista disso, era esse o único musical da TV Record em que as tomadas não aprovadas deviam ser repetidas, o que prolongava as gravações até o raiar do dia, fator determinante para o seu cancelamento em junho de 1967, menos de três meses depois. O Quarteto Novo não teve condições de se manter e, assim, o grupo que, ao lado do Trio Surdina dos anos 50, é classificado como dos mais originais da música instrumental brasileira, deixou registrado apenas um disco com alguns dos belos momentos de sua breve existência.

O mês de junho marcaria também o adeus do *Fino*, na fase em que a produção estava entregue à dupla Miele & Bôscoli. O programa vinha capengando apesar dos esforços feitos para levantá-lo: mudou-se o horário de sua apresentação, trocou-se o prefixo para o tema "Imagem", de Luizinho Eça, gravou-se o volume 3 da série *Dois na bossa*, seguramente o menos inspirado, mas nada surtia efeito. O mesmo Paramount, onde Elis se consagrara dois anos antes, era agora o cenário de um martírio semanal para os que participavam de cada gravação. Estava no ar que a chama se extinguira. Melancolicamente, após dois anos e um mês de audições semanais, das quais restaram somente algumas fitas de áudio recuperadas em uma caixa de três CDs, *Elis Regina no fino da bossa*, em 19 de junho de 1967 foi gravado o último programa da série *O fino*, antes *O fino da bossa*, que mudou o conceito de programa musical na televisão brasileira, abriu espaço para compositores e composições, intérpretes e músicos, contribuindo decisivamente para a formação da invejável cultura musical de toda uma geração.

Espumando por dentro com a sensação de derrota, Elis atravessava uma fase braba. Dias antes, no show do dia 7 desse mês, no qual veteranos interpretavam o repertório de jovens e vice-versa, a baixinha entrou no palco logo após um aplaudido número de Roberto Carlos e, por sua própria conta, exagerou no que deveria ser um simples comunicado: "No dia 19, *O fino* será apresentado no Paramount com a presença de Vandré, Jair, Gil e outros. Será a nossa redenção. Vamos ver quem vai ficar, quem vai sair". Dos câmeras ao contrarregra, todo mundo na televisão ficou paralisado. Vandré sumiu do Teatro, apavorado. Depois de cantar, Elis ainda repicou na bucha: "Quem estiver do nosso lado, muito bem, quem não estiver que se cuide". A baixinha empunhava a bandeira de um motim que refletia a alta temperatura reinante entre os astros da música popular brasileira, uma nova frente que unia inimigos dispostos a vencer o iê-iê-iê.

Lennie Dale e
Geraldo Vandré
no programa
Ensaio geral,
da TV Excelsior.

Wilson Simonal, tendo atrás
o baixista Sabá (encoberto) e o
baterista Toninho Pinheiro, que
completavam o Som Três com
César Camargo Mariano, durante
o programa *Show em Si... monal*
da TV Record.

Gilberto Gil voltou do Recife dando conta de que "nossa música nunca esteve tão na fossa como agora". Roberto Carlos & Cia. iê-iê-iê não estavam nem aí. Erasmo declarava que "a brasa não está se apagando, quem quiser é só chegar perto e tenha cuidado para não se queimar". Os programas de mais sucesso da Record eram *Jovem Guarda*, dirigido pelo exigente Carlos Manga, e o jogo de memória musical *Esta noite se improvisa*, em seu segundo mês de sucesso, tendo como herói um Chico Buarque simpático, enciclopédico e rápido no gatilho e, como anti-herói, o compositor Carlos Imperial, que provocava a ira dos espectadores com suas intervenções planejadamente cafajestes. Os ingressos para as quintas-feiras no Teatro Record Consolação esgotavam-se semanalmente, Chico era alvo de pedidos de concorrentes para não mais participar, tal a sua superioridade. Mas como nem tudo são flores, seu programa com Nara Leão, *Pra ver a banda passar*, não deu certo e também saiu do ar.

A direção da Record tinha decidido tapar o sol poente do *Fino* com uma peneira, ou melhor, um programa de nome pomposo, aproveitando o chavão político da Frente Ampla entre Carlos Lacerda, Juscelino Kubitsheck e Jango: *Frente única — Noite da música popular brasileira*. Paulinho Machado de Carvalho convocara uma reunião com os principais contratados da emissora, Elis, Jair, Vandré, Simonal, Chico Buarque, Nara e Gil, que levou Caetano a tiracolo. Ficou decidido que alguns elementos do grupo se revezariam na apresentação do novo programa, uma tentativa escamoteada de reconduzir Elis aos índices de audiência que já tivera. Precedendo o início da nova série, a produção da Record montou um superelenco no especial da transição de *O fino*, que se extinguira no dia 19, para o *Noite da música popular*, que estrearia no mês seguinte. Transmitido ao vivo na segunda-feira, 26 de junho, seu sucesso pode ser avaliado pelo número de pessoas que não conseguiram ingressar no Teatro Record Centro e pelos dois minutos de aplausos na entrada de Elis Regina. Eram indícios que faziam renascer as esperanças no esquema musical originado em *O fino da bossa*. Os tempos, porém, haviam mudado: a série *Noite da música popular* ou *Frente única* não teve fôlego para sequer completar três meses. Por mais que se esforçasse, Elis atravessava uma fase de maré baixa.

Em compensação, Wilson Simonal subia como rojão, apurando seus predicados como *showman*, que lhe asseguraram a fase mais auspiciosa da carreira. No domingo, 25 de junho, comemorou o primeiro aniversário de seu *Show em Si... monal* com dois grandiosos espetáculos, um à

O Quarteto Novo, com Airto Moreira (bateria), Théo de Barros (baixo), Hermeto Pascoal (flauta) e Heraldo do Monte (atrás), ensaia com Geraldo Vandré para o programa *Disparada*, numa das salas do Teatro Record Consolação.

Wilson Simonal (ao piano), César Camargo Mariano, Toninho Pinheiro e Sabá, do Som Três, e os Metais com Champignon, ensaiam para o show de primeiro aniversário do *Show em Si...monal* no Teatro Record Centro, em 25/6/1967.

tarde, de graça, para a meninada, e outro à noite (gravado em álbum duplo) no qual, sozinho, diante de uma plateia de 2 mil pessoas, incluindo Elizeth e Nara num dos camarotes, fez um show arrebatador, com direito a imitações de Roberto Carlos, Hebe Camargo, Wanderléa e Frank Sinatra, esta na paródia caipira de "Somethin' Stupid" ("Rocinha estúpida") com o baixista Sabá imitando Nancy Sinatra. Com o grupo Som Três e os Metais com Champignon, Simonal fez os presentes delirarem cantando "Meu limão meu limoeiro" e recebeu uma ovação com todos de pé no "Tributo a Martin Luther King". Nessa noite, chorando de emoção e felicidade, ele teve uma prévia do que viveria no Maracanãzinho meses depois. Derramando charme, disseminando expressões como "Que tranquilidade!", em seu estilo alegre e descontraído, denominado "pilantragem" (a mesma roupagem dançante do cantor americano Chris Montez, que viria ao Brasil em julho desse ano), Simonal era um sucesso impressionante, embora frequentemente combatido pela crítica, que o julgava pedante, antipático, metido a besta, americanófilo e entreguista. Nessa noite, ficou evidente que, mesmo que fosse tudo isso, ele era o mais completo *showman* do Brasil.

Dois dias antes do derradeiro *O fino*, realizara-se na Terrazza Martini da avenida Paulista o coquetel de apresentação do III Festival da Música Popular Brasileira da TV Record, sob o comando de Solano Ribeiro, que continuava instalado no segundo andar do prediozinho da Record com sua nova equipe: o coordenador geral, Renato Corrêa de Castro, dois assistentes e o assessor de imprensa Milton Faria. As inscrições se encerrariam no dia 10 de agosto, e o escritório era frequentado pelos interessados e cantores, que circulavam nos programas da TV Record à procura das novidades.

Numa certa tarde de julho de 1967, Solano foi convidado pelo técnico de som para ouvir um novo disco na cabine do Teatro, levando consigo Caetano Veloso, que estava no escritório do Festival. Nessa tarde, ambos ouviram pela primeira vez um disco chamado *Sgt. Peppers Lonely Hearts Club Band*, que Zuza lhes mostrou. Era o disco dos Beatles que iria deflagrar uma nova atitude em Caetano e outros compositores. Quando os dois desceram, ainda sob a forte impressão do que tinham ouvido, Solano comentou:

— Você viu que aquele cara ainda bota LSD numa das músicas?

— Puxa vida, não tinha reparado.

Caetano Veloso não escondia um entusiasmo incomum pelo disco dos Beatles, chegando a traduzir todas as letras, verso por verso, semanas depois, quando mostrou o disco a Tom Zé no apartamento de Guilherme Araújo.

Gilberto Gil também ficara chapado com *Sgt. Peppers*. O disco dos Beatles provocou uma leitura diferente, a de que o rock não era uma coisa tão chula, tão descartável. Havia uma música inteligente naquilo que estava vindo de fora, talvez a solução para que sua música pudesse atingir o grande público, o que ele julgava não haver acontecido ainda. O iê-iê-iê podia ser banalzinho, como se dizia, mas na concepção de Gil e Caetano, aquele disco mostrava uma maneira de incorporá-lo à música popular brasileira que ambos vinham fazendo.

* * *

O noticiário de 18 de julho sobre o acidente em que morreu o General Castelo Branco eclipsou o destaque das matérias sobre um ato público, com ares cívicos, organizado na véspera para divulgar o terceiro programa da *Frente única*, que seria apresentado por Chico, Nara e Simonal. Antes, Jair e Elis haviam apresentado o primeiro e Vandré, o segundo, tendo como convidados Lennie Dale e Clementina de Jesus. Porém, tanto Chico como Simonal desistiram de participar da manifestação, indo direto para onde seria gravado o programa, o Teatro Record Centro, de onde observavam de uma janela o banzé que acontecia na Brigadeiro. Atrás de uma banda da Força Pública e da faixa "Frente Única — Música Popular Brasileira", o grupo formado por Elis Regina, Gilberto Gil, Jair Rodrigues, Edu Lobo, Geraldo Vandré, Zé Kéti e os componentes do MPB 4 liderava centenas de populares, que partiram do largo São Francisco agitando bandeirinhas brasileiras, caminhando em ruidosa passeata rumo ao Teatro da Brigadeiro Luís Antônio. Lá dentro, os fãs de Elis estenderam uma faixa para a "Rainha da Música Popular Brasileira" durante o espetáculo, que foi encerrado com os cantores, entre os quais Juca Chaves e Ataulfo Alves, cantando com o público o hino da Frente Única: "Moçada querida/ cantar é a pedida/ cantando a canção/ da pátria querida/ cantando o que é nosso/ com o coração".

À saída do Teatro, ainda havia policiais e aglomerações de manifestantes que não tinham conseguido entrar após a passeata, supostamente um protesto na tentativa de conscientização da invasão da música estrangeira, mas que acabou assumindo proporções insuspeitadas, sendo depois celebrizada exageradamente como a "Passeata contra as guitarras elétricas". Lá estava Elis, bradando pela necessidade de defender as canções brasileiras, que haviam alcançado um nível de qualidade muito superior

A passeata em 17 de julho de 1967, em São Paulo, montada para divulgar o terceiro programa da *Frente única*, que depois ficaria conhecida como a "passeata contra as guitarras elétricas". Geraldo Vandré empunha um microfone sobre a caminhonete da TV Record.

ao alienado e dançante iê-iê-iê, que, no Ibope da TV, sobrepujava-as a olhos vistos; Vandré, com seu incontido e sincero patriotismo emocional, vociferando em favor das raízes do regionalismo brasileiro que o levara a estabelecer um marco com "Disparada"; e Gilberto Gil vivendo um dilema: o conflito entre a causa de origem política, em que sua música se envolvia declaradamente, e o rompimento com o *establishment*, que se afigurava nas reflexões geradas pelo contato com a música estrangeira personificada pelos Beatles; entre a gratidão que tinha por Elis e o desejo de orientar sua obra na direção que ela combatia com todas as forças. A opressão que começou a viver aumentaria a ponto de se transformar num tormento durante o Festival que se aproximava. Ela pode ser percebida nas entrelinhas de um depoimento ao crítico do *JT* Dirceu Soares, antes da passeata: "Acho que há, em alguns, um certo medo de mostrar o que fazem... Chico tem produzido muito. Vandré, Veloso e eu também. Mas nós não damos conta de abastecer o mercado. Meu repertório esgotou-se completamente e só agora estou pensando em compor para apresentar alguma coisa no próximo Festival da Record". Gil estava decidido a seguir o caminho que o disco dos Beatles lhe descortinara, e, quando foi sua vez de comandar o quarto *Frente única*, dia 24, dirigido por Goulart de Andrade, houve uma tentativa de abrir o jogo de vez, ao ler textos que elogiavam Roberto Carlos e ao colocar Bethânia com uma guitarra elétrica trajando botas e minissaia. Mas tais atitudes, insufladas por Caetano e Torquato Neto, foram aplacadas a começar pela reação de indignação de Geraldo Vandré, extravasada numa entrevista que lhe custou o bilhete azul como contratado da TV Record.

Essa batalha da "verdadeira música popular brasileira" contra o iê-iê-iê, que culminou naquela passeata, cujo objetivo era no fundo a salvação do modelo do programa *O fino da bossa*, não impediu que os compositores que gravitavam em torno da Record — tornando-se gradativamente familiares ao público — se convencessem da oportunidade de cantar suas composições no próximo festival a fim de se projetarem definitivamente. E a receita para isso era seguir a trilha de Chico Buarque, então um cantor requisitadíssimo em shows pelo Brasil por conta de "A banda".

Para eles, que tinham participado ao menos em um dos quatro festivais até então realizados (os dois da Excelsior, o da Record e o I FIC), ficava cada vez mais claro que os intérpretes continuavam sendo os mais visados pelo público, embora correndo risco de serem vaiados. De maneira geral, valia o que era visto no palco e na TV; a música ainda era identificada por quem a cantasse. Era o "Arrastão" da Elis, a canção da Maysa, a música da Nana Caymmi: poucos sabiam quem eram os autores. A atividade de compositor era totalmente isolada, e os que não mostravam a cara continuavam ignorados pelo grande público. Além disso, sentiram na pele que seu ganho com direitos autorais era muito menor que os cachês de shows resultantes da exposição logo após um festival, embora bastasse estar entre as finalistas para se ter um aumento na renda através da venda de discos, direitos de autor e até do pequeno cachê que era pago nas entrevistas em rádio, o que seria inconcebível anos depois. Os festivais proporcionavam esses corolários. Foi então que vários compositores decidiram ir para o palco defender suas próprias músicas, em vez de indicarem um cantor, como acontecera no segundo festival. Afinal, a maioria deles — Vandré, Gil, Edu e mais recentemente Caetano — tinha discos gravados como cantores, alguns até vendendo muito bem. O raciocínio tinha lógica e a intenção era lícita.

Como se não bastasse, os compositores tinham uma devoção à sua música que compensava a falta de extensão vocal e os demais artifícios dos canários. Nos festivais anteriores, os intérpretes haviam entrado por baixo e saído por cima, na medida em que começaram como convidados dos compositores e terminaram atuando sobre os mesmos ao demandarem músicas de festival. Chegou-se ao ponto dos grandes cantores não aceitarem mais perder, considerando-se derrotados mesmo com o segundo lugar. Houve quem chegasse ao cúmulo de admitir que só participaria se tivesse garantia de ganhar.

* * *

Desde as 9 da manhã de 26 de julho, último dia das inscrições, que se encerrariam à meia-noite, a fachada do Teatro Record Consolação estava tomada por uma fila de rapazes e meninos, padres, freiras e tocadores de viola que serpenteava pelas escadas do prediozinho, se alongando pela calçada à frente do teatro. Naturalmente, os compositores conhecidos podiam subir direto ao escritório, entre eles Chico Buarque e Edu Lobo, que deixaram para se inscrever na tarde do último dia. Mais de 4 mil músicas foram recebidas para a disputa de 25 milhões de cruzeiros e do troféu Viola de Ouro para o primeiro colocado, 10 milhões para o segundo, 7 milhões para o terceiro, 5 milhões para o quarto e 3 milhões para o quinto. O melhor intérprete receberia a Viola de Prata.

Durante o mês de agosto, o time de selecionadores se reuniu no QG secreto do Festival, desta vez localizado na Lapa, na casa ao lado de uma igreja protestante, à rua Antônio Mariz, 145, onde morava o pai de um dos membros do grupo, o maestro Julio Medaglia. Municiados com caipirinhas e salgadinhos, ele e seus companheiros Sandino Hohagen, também maestro, os pianistas Amilton Godoy e César Mariano, o poeta Ferreira Gullar, Roberto Corte Real e, como sempre, Raul Duarte atravessaram aquelas tardes, não raro também as noites, ouvindo centenas de músicas inéditas. Conquanto as gravações e os gravadores ainda deixassem muito a desejar, prejudicando a reprodução, o nível das composições superava o do Festival anterior, com letras sobre assuntos diversos, como jangadeiros, que aparecia em 62 das músicas vindas de São Paulo. Da Bahia mesmo, terra de Caymmi, ninguém se lembrou do tema de "Arrastão".

Entre os compositores das 30 canções anunciadas no dia 6 de setembro, estavam a dupla vencedora do I FIC, Dori Caymmi e Nelsinho Motta (com "O cantador"), Luís Carlos Paraná (com "Maria, carnaval e cinzas"), Pixinguinha e Hermínio Bello de Carvalho ("Isso não se faz"), Johnny Alf ("Eu e a brisa"), Geraldo Vandré e Hilton Acioly (com "Ventania", que Vandré preferia intitular "De como um homem perdeu seu cavalo e continuou andando"), Chico Buarque ("Roda viva"), Edu Lobo ("Ponteio"), Gilberto Gil ("Domingo no parque"), novamente Gil em parceria com sua mulher Nana Caymmi ("Bom dia") e Sérgio Ricardo ("Beto bom de bola"). Entre os novatos, Renato Teixeira com "Dadá Maria", Toquinho e Vitor Martins com "Belinha", Sidney Miller ("A estrada e o violeiro"), o baiano Antônio Marques Pinto ("Festa no terreiro de Alaketu") e um certo Martinho José Ferreira, por vezes grafado Pereira, com "Menina moça". Este último era Martinho da Vila, ao passo que o baiano seria depois conhecido como Antônio Carlos, formando dupla com Jocafi. Foi quem mais atazanou a organização do Festival, discordando do sorteio para a ordem de apresentação, além de criticar Marcos Lázaro, por achar que também deveria ser contratado com a cantora Maria Creusa, sua namorada. Aliás, Marcos não contratou nenhum dos dois, nem antes nem depois do Festival. A imprensa, que abria um espaço incomparavelmente superior ao de qualquer festival anterior, divulgou no Dia da Independência as últimas seis concorrentes, entre elas "O combatente" (de Walter Santos e Tereza Souza) e "A moreninha" (de Tom Zé).

Durante o mês de setembro, os competidores afiavam suas armas, ajustando músicos e cantores e cuidando dos arranjos, que sabiam ser importantíssimos para ajudar a levantar uma canção. Declarou-se oficialmente que vários compositores iriam defender suas músicas, abrindo mão dos cantores da Record ou dos que se ofereciam para participar do Festival, que na verdade era um monumental programa de TV, equivalente aos *coast to coast* da televisão americana. No dia 13 de setembro, foram anunciados os intérpretes. Dez deles eram compositores: Edu Lobo, Sérgio Ricardo, Caetano Veloso, Demetrius, Erasmo Carlos, Sidney Miller, Adilson Godoy, Geraldo Vandré, Chico Buarque e Gilberto Gil. Com exceção de Chico, era a primeira vez que os demais pisavam o palco para defender suas músicas num festival. Entre os cantores, Roberto Carlos, Elis, Claudete Soares, Jair, o MPB 4, Ronnie Von, Wilson Simonal, Elza Soares, Sílvio César, Gal Costa, Márcia, Jamelão, Agnaldo Rayol, Maria Creusa e até Hebe Camargo estariam no Teatro Record Centro nas eliminatórias do III Festival.

Diante da crescente expectativa, as gravadoras pretendiam atingir marcas tão expressivas como as 220 mil cópias de "Disparada" com Jair ou as 125 mil de "A banda" com Nara Leão. Nesse mês de setembro, o produtor de discos da RGE em São Paulo, Manoel Barenbein, foi contratado pela Philips e sua primeira missão foi participar de uma reunião de produtores no Rio com o presidente da companhia, o ex-livreiro Alain Cohen Troussat, um visionário. Como José Scatena da RGE, Emilio Vitale da Copacabana ou Sebastião Bastos da Audio Fidelity, Alain via com clareza o futuro da música popular brasileira, tendo se deparado, ao chegar, com a espantosa quantidade de 160 artistas contratados, que pouco a pouco foi sendo reduzida. O senhor Troussat, antecessor de André Midani, iniciou a reunião com estas palavras:

— Senhores, estamos com 18 artistas, compositores ou cantores, com músicas classificadas no Festival da Record. Isso significa que temos metade do Festival aqui na Philips. Imaginem o poder desta companhia. As eliminatórias serão definidas nestes dias. Então, façam o seguinte: três LPs com as 36 músicas, cada disco com as 12 de cada eliminatória. Em vez de fazermos 18 compactos simples com nossos artistas, vamos fazer três LPs, cada um com as músicas de cada noite, usando outros artistas da nossa gravadora para as 18 músicas restantes.

Dessa maneira, Armando Pittigliani e seus produtores ficaram encarregados das gravações no Rio e Barenbein, de 23 das 36 músicas em São Paulo, onde morava a maioria dos artistas. Missão impossível para um estreante na companhia, mas não para o azougue Barenbein, que manobrava com a maior facilidade na área jovem e na bossa nova. Manoel partiu com força total. As gravações foram feitas no estúdio da RGE à rua Paula Souza, com concorrentes como Gil, Caetano, Jair, Elis, Márcia, e contratados como Gal Costa (cantando "Bom dia") e MPB 4 ("Roda viva"). No Rio, gravavam Nara e Sidney Miller, Edu e Marília, entre outros, completando assim as 36 faixas para os três discos que deveriam ser postos à venda no dia seguinte a cada eliminatória. Um plano inédito, capaz de fazer inveja aos produtores do Festival de San Remo. Além dessas gravações oficiais, cantores de outras gravadoras também gravavam previamente, e assim os compactos simples a 2,5 cruzeiros novos estariam igualmente à venda.

As matérias nos jornais aguçavam a expectativa na cidade ao tecer considerações sobre as chances de cada um. De maneira geral, a música de Gil era uma das mais cotadas, a de Edu era bem-falada, enquanto a de Caetano permanecia uma incógnita. Dizia-se que o grupo baiano estava muito forte e o empresário de Gil, Caetano e Bethânia, Guilherme Araújo, antecipava: os baianos vão abafar ao introduzir na música popular brasileira sons eletrônicos só conhecidos na música erudita.

No dia 24 de setembro, foi definida a formação dos grupos de 12 para cada eliminatória e, conforme o esperado, a cobertura da imprensa foi maciça. Jamais um evento na música popular brasileira tinha sido alvo de tamanho alvoroço. Desse dia em diante, os principais jornais de São Paulo estampavam diariamente matérias esmiuçando fofocas, arriscando palpites e analisando cada canção. A *Folha de S. Paulo* incumbiu para as suas análises o mais experiente jornalista do assunto, já que era o único a cobrir festivais desde o primeiro da Excelsior, Adones de Oliveira, auxiliado por Orlando Fassoni; a dupla da *Última Hora* era formada por Chico de Assis, brilhante nas avaliações e prognósticos, e o ágil repórter Silvio Di Nardo nos bastidores; o *Jornal da Tarde* destacou o saudoso Dirceu Soares para comentar, além dos repórteres Fernando Morais e José Maria de Aquino para cobrir detalhes, e até o *Estadão* abriu grande espaço, complementado pelas considerações do editor Nilo Scalzo. Pudera! A nata da música popular, de Pixinguinha ao novato Martinho da Vila, estava concorrendo. Era um verdadeiro Grande Prêmio, com 36 canções alinhando-se na fita de partida, pilotadas pela fina flor dos intérpretes brasileiros que, pela primeira vez, corriam lado a lado com compositores, defendendo sua obra. O III Festival da Record prometia, e a largada seria no sábado, 30 de setembro.

Na véspera, estreou em São Paulo a peça inédita *O rei da vela*, escrita 34 anos antes por Oswald de Andrade, e dirigida com grande estardalhaço por José Celso Martinez Corrêa. Nessa tarde, houve o primeiro ensaio das 12 músicas do dia seguinte, ao mesmo tempo em que a composição do júri foi definida e anunciada.

Os critérios para a escolha do corpo de jurados do Festival eram uma questão delicada, pois além da capacidade técnica reconhecida e da confiabilidade, havia um outro aspecto de vital importância, que nenhuma das matérias de jornal abordava. Por razões mais do que óbvias, como se verá. Antes da formação desse júri, Paulinho Machado de Carvalho já estava bastante preocupado com possíveis dificuldades junto à Censura, então chefiada por uma mulher, dona Judith. A fim de conseguir um trânsito mais eficiente, especialmente de músicas consideradas muito fortes, ele chegou até a empregar seu filho Sérgio na televisão que dirigia. Ainda assim houve problemas.

Para que pudessem ser liberadas, as letras das músicas eram enviadas para a apreciação da Polícia Federal, que, depois de estudá-las, convocava o próprio Paulinho para indicar o que deveria ser modificado. Por exemplo, os censores comentavam que certa frase tinha um duplo sentido e lhe pediam para tentar convencer o compositor a modificá-la, evitando um problema maior, como o que teria se precisassem tomar medidas contra a música. A Record procurava então mostrar ao compositor que a modificação poderia ser feita sem se deturpar a obra, como ocorreu com algumas músicas desse Festival. Alguns relutavam, mas acabavam aceitando diante do argumento de que a troca de uma ou duas palavras não iria deformar o conteúdo da letra. Às vezes, era o próprio Paulinho quem falava com o compositor, outras era Raul Duarte ou até mesmo um membro do comitê de seleção. Nas circunstâncias vigentes, esse era um procedimento normal para a direção da TV Record, a fim de se evitar o escândalo de uma música ser barrada. Sérgio Ricardo e Mário Lago foram dois que reagiram à ideia de mudar algum verso por sugestão da Censura, mas depois de uma reunião com Sérgio, líder dos compositores de esquerda, chegou-se a um consenso.

Eis por que a formação do grupo de jurados exigia um cuidado todo especial. Seus membros eram escolhidos de comum acordo entre a organização do Festival, representada por Solano Ribeiro, Raul Duarte e pelo próprio Paulinho Machado de Carvalho, buscando-se equilibrar as tendências de esquerdistas e direitistas, para que, num momento político tão perturbado como o que atravessava o Brasil, nenhum dos lados pudesse desfrutar de uma vantagem indevida através do júri. A divisão segundo tendências políticas existia abertamente no teatro: o TBC era ligado às linhas tradicionais no cinema, nos jornais, na televisão e na música, opostas às do Teatro de Arena ou do Opinião. Um júri da facção direitista certamente despertaria a oposição da imprensa, onde a maioria de esquerda poderia causar um rombo no Festival se o considerasse um jogo de cartas marcadas. Logo, se no grupo de especialistas em letra e música que fazia a seleção prévia contavam, além da intuição, o conhecimento musical e poético, no júri das eliminatórias era preciso manter o equilíbrio técnico e obter o equilíbrio político. Tratava-se de resolver uma equação com três variáveis: o conhecimento para a avaliação, a credibilidade junto à empresa e ao meio musical e a posição política. Este é um dos aspectos fundamentais que distinguiam os festivais desse período dos que seriam promovidos posteriormente.

Para o III Festival da Record, os jurados seriam: o comediante Chico Anísio, os maestros Julio Medaglia e Sandino Hohagen, Roberto Corte Real e Raul Duarte pelo canal 7, o poeta Ferreira Gullar e sua mulher Tereza Aragão, jornalista, Carlos Manga pela TV Rio (canal 13), o escritor e jornalista Roberto Freire, Carlos Vergueiro representando o jornal *O Estado de S. Paulo*, Salomão Schwartzman representando a revista *Manchete*, os críticos musicais Franco Paulino e Sérgio Cabral, Luís Guedes da revista *Cash Box* e Sebastião Bastos, indicado pela Associação Brasileira de Produtores de Discos.

* * *

No dia 30 de setembro, todos os ingressos para a primeira eliminatória haviam sido vendidos. Na plateia, as torcidas organizadas — pela primeira vez com líderes declarados — dominavam os 2 mil lugares do Teatro. O produtor Luiz Vergueiro comandava os torcedores de "Ponteio"; "Roda viva" era puxada por uma ex-namorada de Chico Buarque, Caetano Veloso (que não cantava nessa noite) e Pitty incentivavam Gil e Nana; Roberto Carlos era o ídolo da moçadinha da Jovem Guarda; havia uma turma do TUCA, outra da Arquitetura, mas o grupo mais organizado torcia abertamente por "O combatente", sob a liderança de Jacaré, amigo de Chico Buarque. Organizado demais, para o gosto de alguns. Dava até para desconfiar.

Enquanto nos bastidores, repletos de artistas, jornalistas, compositores e namoradas, o conhaque rolava à vontade para acalmar os mais nervosos, no palco, decorado com uma grande viola estilizada revestida de papel amarelo brilhante, a orquestra, postada ao fundo sob o comando do maestro Ciro Pereira, atacou o tema de abertura. Sônia Ribeiro e Blota Jr. apresentaram a seguir, pela primeira vez, o LP com as 12 músicas que seriam ouvidas, demonstrando o sucesso de uma das mais espetaculares cartadas de *marketing* da história do disco no Brasil. Conforme o plano de Alain Troussat, estava tudo gravado e o disco da Philips estaria à venda na segunda-feira. Faltavam dez minutos para as 22 horas quando a primeira concorrente foi anunciada: "O combatente", com o Quarteto Novo, Jair Rodrigues e o próprio Walter Santos ao violão. Após a interpretação vigorosa de Jair, lembrando "Disparada", com o respaldo da torcida de linha política definida, tinha-se a impressão de que esta seria uma das quatro finalistas. Em seguida, Gal Costa, de minissaia vermelha, e Sílvio César cantaram a marcha-rancho "Dadá Maria", acompanhados pelo conjunto de Luis Loy. O autor era o estreante Renato Teixeira, que naquele dia veio de Taubaté, onde morava, comprou um ingresso na bilheteria, assistiu à apresentação de "Dadá Maria" felicíssimo e voltou para sua cidade, recompensado por sua composição estar entre as finalistas. Anos depois, ele seria consagrado ao compor "Romaria".

Depois da engraçadinha "E fim", com a autora Sônia Rosa, viria um dos mais fortes concorrentes: foi só Blota anunciar Chico Buarque para que o público prorrompesse em aplausos. Ele entrou de *smoking*, calmo e feliz, depois do Som Três e do MPB 4, para cantar "Roda viva", que, conforme o plano de voo no brilhante arranjo de Magro, provocou intensos aplausos no momento certo: na última repetição do refrão, que começa lenta e vai apressando: "Roda mundo, roda gigante/ roda moinho, roda pião/ o tempo rodou num instante/ nas voltas do meu coração". Houve um intervalo providencial, que ajudou o público a se aquietar para receber a doce e singela canção "A moreninha" na voz de Djalma Dias. Era uma das primeiras composições de Tom Zé, que a inscrevera induzido por Gilberto Gil.

Uma apresentação irrepreensível do Festival foi a de "Ponteio", com Edu Lobo, o Quarteto Novo, o conjunto vocal Momento 4 (Maurício Maestro, Zé Rodrix, David Tygel e Ricardo Sá) e uma cantora linda, de fulgurante presença, cabelos curtos, num longo vestido tomara que caia, dourado e vermelho: Marília Medalha. A plateia vibrou tanto quanto os que já conheciam a música de Edu e Capinan, convencida de que "Ponteio" seria uma finalista peso-pesado. De fato, ela seria apontada como a melhor da noite por Dirceu Soares no *Jornal da Tarde*.

A música seguinte tivera uma receptividade inusitada antes da apresentação daquela noite. Durante a tarde, quando Ciro Pereira baixou as mãos para a orquestra atacar o arranjo do jovem José Briamonte, todos os que acompanhavam o ensaio ficaram num silêncio sepulcral, emo-

Apresentação de "Roda viva", com Chico Buarque, MPB 4 (com Magro, Ruy, Aquiles e Miltinho) e o Som Três, no III Festival da Record em 1967.

Marília Medalha e Edu Lobo agradecem os aplausos da plateia após a apresentação de "Ponteio".

cionados. Foi a primeira vez num ensaio de festival que uma canção foi aplaudida de pé pelos músicos, cantores e técnicos presentes. Era bem uma canção de músico, numa interpretação afetiva na voz grave de Márcia. À noite, quando, vestida de azul, ela terminou de cantar como sétima concorrente da primeira eliminatória, não houve nem aplausos nem vaias. A romântica composição de Johnny Alf não suscitou nenhum tipo de reação daquela plateia agitada, agora estática e incapaz de compreender. Tinham acabado de ouvir pela primeira vez uma das mais belas canções da Era dos Festivais, a obra-prima de Johnny Alf "Eu e a brisa", que ele compusera sob encomenda para um casamento de amigos. Seu destino imediato seria a desclassificação, lamentada intimamente até por Solano Ribeiro, mas com o tempo se tornou uma das músicas que Johnny nunca mais pôde deixar de cantar em qualquer show de sua vida.

O agito voltou em seguida com vaias na entrada de Demetrius, substituídas por aplausos ao final de sua marcha-rancho "Minha gente". Quando soube da desclassificação, ficou inconsolável, chorando sozinho no banheiro por mais de dez minutos. As duas seguintes não animaram o público, nem Claudete Soares em "Ela, felicidade", nem Wilson Simonal, trajando sandálias e uma blusa branca de gola rulê, com uma cruz de madeira pendente de um colar: "O milagre" não aconteceu. Em compensação, o ídolo Roberto Carlos fez seus fãs se levantarem para abafar as vaias dos que eram contra o iê-iê-iê, os representantes da linha dura que o julgavam alienado, quem sabe até a serviço dos militares. Acompanhado pelo conjunto carioca O Grupo, Roberto não se perturbou. Mesmo lendo a letra que não tinha tido tempo de decorar, cantou com classe e com o peculiar toque romântico que atingia em cheio seu público, dominando os descontentes. O samba "Maria, carnaval e cinzas", de Luís Carlos Paraná, foi dos mais aplaudidos e os jurados, com fones de ouvido e posicionados no poço da orquestra, perceberam. A última música da noite suscitou duas reações distintas: aplausos na apresentação e vaias quando foi anunciada como a quarta classificada da noite. Era "Bom dia", com Nana Caymmi acompanhada do parceiro Gilberto Gil ao violão e, por razões perfeitamente explicáveis, de um pequeno naipe de cordas. A explicação estava no octeto de cordas da segunda faixa do lado A do disco *Revolver*, dos Beatles: "Eleanor Rigby". Ao gravá-la, Paul McCartney havia sugerido ao produtor George Martin um arranjo no estilo de Vivaldi, mas na verdade ele foi baseado na trilha de Bernard Hermann para o filme de François Truffaut, *Fahrenheit 451*. "Bom dia"

  Zuza Homem de Mello

tirou o lugar de "O combatente" entre as classificadas, e assim Nana Caymmi teve que suportar mais uma sonora vaia em sua carreira de festival, além de praticamente não ser ouvida na reapresentação de sua música. Foi a primeira grande vaia nos festivais da Record. As outras três classificadas da noite foram "Ponteio", "Roda viva" e "Maria, carnaval e cinzas". Houve quem quisesse tirar satisfação dos jurados, mas nada aconteceu.

Nos dias que antecederam a segunda eliminatória, a torcida de "O combatente", liderada pelo Jacaré, apelido do sobrinho do deputado Cantídio Sampaio, se fez ouvir. Elaboraram um abaixo-assinado, foram à redação da *Última Hora*, fizeram passeata e protestaram. O grupo formava a torcida mais bem organizada do Festival, tinha uma ideologia política definida e participava ativamente, ao lado dos artistas do Teatro de Arena, do movimento contra os militares desde 1964. Reuniam-se em restaurantes ou bares paulistanos, como o Eduardo da rua Nestor Pestana ou o Sand Churra, da Galeria Metrópole, onde ouviam as músicas antes mesmo de serem inscritas nos festivais. Eram mais ou menos 30 jovens, na faixa dos 20 anos, entre eles Alípio Correia, Regina Guimarães, João Roberto Batata, Manoel Muniz de Souza, Carlos Zaidan e uma moça baixinha, nariguda e entrona, com uma propensão natural para a liderança e a tremenda capacidade de conseguir o que parecia impossível, Telé Cardim. Só para dar uma ideia, quando a peça *Skindô* estava no Teatro Record, ela conseguira enganar o porteiro Benedito fazendo-se de surda-muda e, num momento de vacilo, abrira a porta para sua turma entrar no peito. No Festival, Telé fez amizade com o porteiro Babalu e conseguiu entrar com seu bando novamente, para vaiar Roberto Carlos e torcer como fanáticos por "O combatente", cuja letra da amiga Tereza Souza tinha a ver com sua posição política: "Tem liberdade me esperando, eu vou/ tem esperança me acenando, eu vou/ tem verdade me levando, eu vou". Um tanto demagógica, como se vê, sobre uma melodia que destoava do resto da obra de Walter Santos, bossa-novista declarado. Situados no centro da plateia, eles levantavam as "adálias", cartolinas com dizeres de apoio à sua concorrente, chamando tanta atenção que criaram um clima antagônico, pois as demais torcidas desconfiaram de um esquema montado. Todo o esforço resultou em nada, porque a música de Walter e Tereza ficou mesmo de fora. Jair chegou a chorar, inconformado, e consta que a gravadora RCA, onde a música já estava gravada por Walter, havia comprado grande quantidade de entradas bem no meio do Teatro, um indício da outra grande batalha que se travava nos bastidores.

Desde segunda-feira, já estava nas lojas, ao preço de 8,50 cruzeiros novos e bem antes da RGE e da Odeon, o LP da Philips com as 12 músicas da primeira eliminatória.

Nessa mesma semana, Chico Buarque deixaria Blota Jr. e os demais concorrentes do *Esta noite se improvisa* surpresos pela velocidade com que apertou o botão quando ouviu que a expressão era "Não interessa". Incontinenti, pediu a Caçulinha o tom de dó maior, deu uma tragada, jogou fora o cigarro e atacou uma música inteira, com versos rimados, declarando o autor, o cantor e até o ano da gravação, 1952. Os concorrentes se entreolharam desconfiados e Blota perguntou: "Que nota você merece, Chico?". Puxando outro cigarro, pensou bem e respondeu: "Mereço menos seis. Eu fiz essa música agora mesmo". Foi uma gargalhada geral, seguida de uma ovação seguramente maior do que se ele tivesse lembrado de algum samba com "não interessa". Desde agosto, Chico Buarque, o maior ídolo do *Esta noite se improvisa*, tinha um rival respeitável, o qual, nessa noite, também ficou boquiaberto mas acabou ganhando o automóvel Gordini. Era Caetano Veloso, que se tornava mais conhecido a cada aparição na TV e ainda iria concorrer no Festival.

* * *

Ao som de marchinhas executadas por uma banda, o público entrou no Teatro Record Centro pouco antes das 21 horas de 6 de outubro, com a turma da linha esquerdista, que alguns bacanas desprezavam como um bando de arruaceiros, se atropelando na subida para o balcão e tomando posse de seus lugares. Mais do que na primeira noite, havia um agito diferente, e alguns grupos estavam muito mais interessados em torcer destampadamente por certas músicas do que em ouvir as concorrentes. Passava das 21h30. Ainda com alguns claros, a princípio a plateia não se empolgou com a primeira concorrente da noite: cantada pelo grupo vocal O Quarteto (Carlos Vianna, Paulino Corrêa, Waltinho Gozzo e Hermes dos Reis), a bossa nova romântica "Rua antiga", de Roberto Menescal, só foi aplaudida no final. O mesmo aconteceu com a segunda música, "Brinquedo": indiferença durante a apresentação e, ao final, palmas da torcida do TUCA dirigidas a Claudete Soares, que saiu do palco emocionada. Os aplausos esquentaram mesmo com a entrada de Simonal para defender "Belinha", de Toquinho (que tocava violão a seu lado) e Vitor Martins. O cantor foi aplaudido várias vezes durante a música, cujo refrão era cantado em coro, pois o editor Corisco, fazendo jus ao apelido, havia distribuído cópias da letra para o público. Houve até pedidos de bis para Simonal, que tinha sacrificado a marcha-rancho ao incrementá-la com muito "champignon", bem a seu estilo.

Palmas e vaias, gritos e bater de pés, flores e serpentinas eram as armas que a plateia ainda guardava para soltar quando fosse o momento. Mas não seria para a quarta concorrente, "Por causa de Maria", com Sílvio César e os seis cegos do grupo vocal Titulares do Ritmo. Até ali, nada tinha provocado fundamente as torcidas naquela segunda noite do Festival.

O público se manifestaria com entusiasmo na canção seguinte, "Domingo no parque", a mais esperada de todas. Dizia-se que Gil faria uma experiência misturando erudito com iê-iê-iê e popular. De fato, havia um pouco de cada, mas o que se viu naquela primeira apresentação é que ele injetara, antes de tudo, o ritmo da capoeira, para depois orientar Rogério Duprat, autor do célebre arranjo, no sentido de acrescentar contornos do erudito e do rock, como George Martin fizera no disco dos Beatles que o fascinava. Dessa maneira, soaria natural a aparente incoerência da participação de um berimbau — principal instrumento na capoeira — ao lado do som que caracterizava a nova proposta musical, o da guitarra elétrica, considerada um insulto pela torcida da linha esquerdista. O impressionante arranjo de Rogério Duprat permitiu que tamanho vácuo proveniente das diferentes genealogias musicais entre berimbau e guitarra pudesse desaparecer, fundindo-se ambos para se integrarem harmoniosamente com a orquestra. Gil, de cavanhaque bem aparado e com um blazer traspassado de botões metálicos, foi recebido com algumas vaias da galeria, e em resposta apenas olhou e sorriu. Diante de sua tranquilidade, certamente ninguém na plateia podia imaginar o que acontecera pouco antes.

Faltavam umas quatro horas para começar a segunda eliminatória quando Paulinho de Carvalho foi avisado:

— O Gilberto Gil não vem cantar.

— Como não vem cantar?

— Não, não vem.

Paulinho viu que o caso era sério e não pestanejou. Saiu do Teatro direto para o Hotel Danúbio, algumas quadras acima na Brigadeiro Luís Antônio, onde ele estava hospedado com Nana Caymmi, sua segunda mulher. Quando entrou no apartamento, Paulinho não acreditou no que viu: Gil estava de cama, envolto em cobertores, tremendo de frio. Parecia um bicho acuado. A situação dramática que vivia naqueles dias, aquele conflito que o remoía desde julho, chegara ao auge; e Gil entrara em pânico na hora de competir, amarelando como um jogador de futebol em dia de decisão. Estava sem condições de defender sua canção. Com a ajuda de Nana, deram-lhe um banho. Paulinho ajudou até a vestir suas meias. Caetano chegou a forçá-lo a apresentar-se e afinal conseguiram que ele prometesse que iria ao Teatro cantar.

Agora ele entrava no palco aparentemente à vontade, embora no máximo da tensão, constrangido e apavorado. Olhou e sorriu diante das tímidas vaias que se repetiram na entrada dos Mutantes, com Rita batendo pratos de percussão, Serginho e Arnaldo tocando guitarra e baixo elétricos à sua esquerda, e Dirceu "Xuxu" Medeiros no berimbau, à direita. Quando a orquestra atacou a grandiosa introdução de Rogério Duprat, a vibração tomou conta do público: "O rei da brincadeira, ê José/ o rei da confusão, ê João/ um trabalha na feira, ê José/ outro na construção, ê João...". Foi um susto. Ninguém abriu o bico para vaiar. Gil ganhou o público. Ao final, sentiu-se que "Ponteio" tinha mesmo uma rival de respeito.

Quando Blota Jr. anunciou o nome de Carlos Imperial, autor da marcha-rancho "Uma dúzia de rosas", houve uma vaia generalizada, que aumentou quando descobriram o autor vestindo *smoking* próximo a um camarote.

Preparado para mais vaias, o estreante em festivais Ronnie Von entrou de verde, sendo recebido com rosas amarelas de fãs. Mas a maioria assobiava e berrava estrepitosamente contra o iê-iê-iê e seus símbolos, guitarras e cantores. Nos camarins, o fragilizado Gil ficou inconformado com a manifestação contra Ronnie Von, chegando a cogitar abandonar o Festival, só se acalmando após a interferência de Nana e Dori. Depois da eliminatória, Imperial cunhou mais uma máxima para seu repertório de gozador que adorava passar por cafajeste: "Prefiro ser vaiado no meu Mercury Cougar a ser aplaudido dentro de um ônibus".

Por conta do iê-iê-iê, os simpáticos e competentes Golden Boys também foram apupados ao acompanharem Adilson Godoy no samba "Manhã de primavera", que antecedeu a estreante em festival De Kalafe, que mais parecia uma noiva com maquiagem da feiticeira do *Mágico de Oz*. Cantou "Cantiga de Jesuíno", de Capiba e Ariano Suassuna e... desapareceu nas terras astecas. Em compensação, Marília Medalha, uma das presenças femininas mais comentadas na primeira eliminatória, foi aplaudidíssima antes de começar a cantar com o grupo Momento Quatro o frevo "Diana pastora", mas com respeito à música, nada aconteceu.

Quando Elis entrou, por volta das 22h30, foi recebida com flores e serpentinas atiradas ao palco e com gritos de "Elis, Elis". Trajava um vestido branco acima dos joelhos, sem manga, e depois de cantar com afinação impecável "O cantador", com as modulações para cima e para baixo em "Ai, eu canto a dor/ de uma vida perdida sem amar", ficou radiante com a recepção. Extravasou depois: "Desta vez lavei a égua, meu público ainda existe".

"Sou violeiro caminhando só/ por uma estrada caminhando só/ Sou uma estrada procurando só/ levar o povo pra cidade só" eram os versos iniciais do extenso baião "A estrada e o violeiro", que Nara e o tímido Sidney Miller cantaram hesitantes para um público que se cansou dos seus 70 versos, despertando depois, com a entrada de Jair, recebido com gritos de "O combatente!" vindos da mesma torcida frustrada, aquela do balcão. Como se pudesse voltar atrás. As manifestações eram tão fortes que Blota interveio, dizendo: "Jair Rodrigues, assim, não pode cantar. E não sabemos se estes gritos são de desagravo ao cantor ou se são para prejudicar o Festival. Se não forem para atrapalhar a festa, façam silêncio". Só aí foi que ele cantou "Samba de Maria", de Francis Hime, um rosário de, acreditem, 29 Marias numa letra pouco inspirada de Vinicius, que não agradou.

As quatro classificadas foram anunciadas após um intervalo em que também se procedeu ao sorteio da ordem de apresentação para a terceira eliminatória. A primeira anunciada foi "Domingo no parque", que Gil e praticamente todos os jornalistas tinham certeza que entraria. Depois de reinterpretá-la, saiu chorando, emocionado com os aplausos. A segunda anunciada foi "O cantador", que deixou Elis pulando de felicidade, também recebida com aplausos imediatamente transformados em sonoras vaias para a classificação de "A estrada e o violeiro", uma música inteligentemente elaborada, mas que naquele momento era o exemplo típico de concorrente antifestival. Quando anunciaram "Samba de Maria", Jair, um dos mais queridos cantores da Record, teve que pagar o pato e aguentar vaias estrepitosas dirigidas ao júri. Ficou desorientado, tentou cantar em vão e, quando conseguiu, não foi ouvido. Elis não se conformou e entrou no palco decidida a apoiá-lo, sendo seguida por Gil, Nara, Dori e Nana. Ao sair, Jair declarou: "Estou como Pôncio Pilatos nesta história, não tenho nada com isto, a voz do povo é a voz de Deus". As cortinas se fecharam dando por encerrada mais uma etapa, mas um bando de torcedores não queria saber de nada, mostrando abertamente seu descontentamento e berrando repetidamente "Marmelada!". Não dava para acreditar, mas um dos mais revoltados queria jogar gasolina no fosso onde estavam os jurados. Nessa noite ficou absolutamente certo que aquele seria o Festival da Vaia. Benza Deus!

Parecia que Paulinho e Solano estavam adivinhando problemas quando montaram o júri. Três dias depois da última eliminatória, fazendo-se porta-voz do público, Chico de Assis escreveu quase uma página inteira na *Última Hora*, tecendo considerações e resumindo os problemas com as classificações: segundo autores, músicos e cantores, "A TV Record pressionou o júri a classificar as canções cantadas por Elis Regina e Jair Rodrigues [...] porque são contratados da Record [...] A TV Record está com o resultado no bolso do colete e o Festival está sendo *pro forma*", e os do júri "são paus-mandados da TV Record". Pintou sujeira.

Paulinho Machado de Carvalho replicou em entrevista ao *Estadão*: quem assim pensava devia perguntar a cada membro do júri, pois "dos 15 apenas três são ligados à TV Record. Todos eles são bem conhecidos e não têm interesse nenhum no Festival; são todos profissionais independentes". Aproveitou para lamentar as torcidas compradas por candidatos à Viola de Ouro e ressaltar que o grupo que classificara as 36 só tivera conhecimento dos nomes dos autores após o julgamento. No dia seguinte, Chico de Assis recuou, escrevendo: "Não pensei que a matéria pudesse ferir tanto as sensibilidades [...] no que diz respeito à apreciação do processo geral do Festival, não houve problema algum [...] meu comentário terminou com uma apreciação serena". E, entre elogios ao Festival, fez uma afirmação profética: "Nossa época será lembrada pelos que virão como nós lembramos da década de 30 a 40, Época de Ouro". Dois dias depois, os dois fumaram o cachimbo da paz numa foto da *Última Hora* e esclareceu-se o caso "O combatente", em que Tereza Souza se considerava prejudicada por ter sido a primeira música da noite. Os 15 jurados deram a nota intermediária de 0 a 40, ou seja, 20, totalizando 300 pontos. Daí em diante, as melhores ganhavam mais e as piores, menos. Na tabulação final, houve seis músicas com mais de 300 pontos, e as quatro melhores dentre elas entraram. As acusações caíram todas no vazio.

Durante a semana, a crítica se desfez em elogios para "Domingo no parque", dissecando a letra de Gil e prenunciando um novo caminho para a música brasileira, enquanto os comentários paralelos destacavam a procura pelo compacto de "Roda viva" com Chico e do LP da primeira eliminatória, por causa de "Ponteio" e da "música do Roberto". As reportagens contavam detalhes da carreira dos Mutantes na tentativa de aproximar o iê-iê-iê da música popular brasileira e entrevistavam a forte candidata a melhor intérprete, Marília Medalha, casada com o ator do Arena Isaías Almada. Na *Folha de S. Paulo*, Adones afirmou que o Festival era o atestado de óbito da bossa nova, que perdia o lugar para a Bahia e o Nordeste. A nova inspiração, segundo o empresário dos baianos Guilherme Araújo, era o som universal.

* * *

As entradas para a terceira eliminatória e para a final haviam se esgotado uma semana antes, e a organização do Festival estava pulando como sapo para conseguir lugares para as famílias do governador Abreu Sodré e do prefeito Faria Lima. Ninguém queria perder. Por iniciativa deste último, a premiação foi reforçada com mais alguns milhares de cruzeiros novos.

Nos bastidores do Teatro, cantores e compositores não cabiam em si de ansiedade e temor. Alguns estavam mesmo apavorados, sabendo que as vaias eram certas. A questão era adivinhar quem seria o mais vaiado da noite. Erasmo e Caetano eram os mais prováveis, mas Hebe e Agnaldo também eram fortes candidatos nessa ingrata disputa.

Não obstante, o espetáculo começou com fartos aplausos para Geraldo Vandré, recebido com flores e um cartaz pendente da geral: "Vandré, ainda confiamos no júri". Como um dos candidatos mais esperados, ele entrou lentamente, dramatizando sua condição de favorito, para cantar, com o Quarteto Novo, "Ventania", na qual o boiadeiro de "Disparada" largava o cavalo para virar chofer de caminhão. A música começava com uma buzina altissonante, foi aplaudida e ao final Geraldo retirou-se emocionado, quase chorando, ansioso por saber como se saíra. De jeito nenhum estava-se diante de uma obra do nível prometido. "Disparada II" poderia até se classificar, mas estava fora do páreo.

Simonal, vestido com uma túnica na linha militar, perdeu sua terceira chance com a mais fraca das três que defendeu, a marchinha/valsa "Balada do Vietnã". Tampouco Agnaldo Rayol se deu bem com o baião "Anda que te anda": foi vaiado antes mesmo de começar. Mais uma injustiça que os cantores criticavam nos corredores. Eles até aceitavam vaias após a música, mas, calma aí, antes de começar? Inadmissível. Bastava uma olhada pela plateia para entender: viam-se focos definidos de torcedores organizados, com serpentinas, cartazes explícitos e outros artefatos para serem desferidos ou empunhados, dependendo das circunstâncias: eram grupos já decididos a prestigiar ou derrubar. A vaia se institucionalizava e a ingenuidade das torcidas desaparecia.

Elis Regina defende "O cantador", com Dori Caymmi ao violão,
música pela qual ganharia o prêmio de melhor intérprete.

Geraldo Vandré defende sua "Ventania" com o Trio Marayá (Marconi, Behring
e Hilton Acioly) e o Quarteto Novo no III Festival da TV Record, em 1967.

Nesse clima quase aterrador, o grupo MPB 4 entrou alegre no palco para mais uma vez defender uma música em festival. Os fluminenses eram mais conhecidos em São Paulo, onde tinham vindo passar férias em julho de 1965. Dois anos antes, ao decidirem formar um grupo vocal, os rapazes de Niterói — Rui, formado em Advocacia, Miltinho e Magro, estudantes de Engenharia, e Aquiles, que fazia o segundo grau —, admiradores de Os Cariocas, tinham que encontrar um som diferente para a linha de canções de cunho social de seu repertório, propositadamente com pouca harmonização, herdadas de quando ainda se chamavam Quarteto do CPC. Chegando a São Paulo, Rui procurara Chico de Assis, que os apresentou a Chico Buarque no bar Cravo e Canela, daí nascendo uma grande amizade. Chico de Assis apresentou-lhes também o Quarteto em Cy e os aconselhou a formarem, juntos, um octeto, levando-os depois a Nilton Travesso, um dos produtores do *Fino da bossa*. Foram incluídos no programa e decidiram continuar a carreira em São Paulo. Fizeram um show no Le Club da avenida São Luiz e o produtor, Aloysio de Oliveira, convidou-os a gravar seu primeiro disco na Elenco. Após defenderem "Canção de não cantar" no II Festival da Record, foram contratados para fazer cinco programas por mês no canal 7. Os arranjos vocais sempre foram de Magro. Na distribuição de vozes, Rui é o tenor e os outros três são barítonos; Magro faz a segunda voz, Aquiles a terceira e Miltinho, a quarta.

Acompanhados pela fanfarra da orquestra regida por Ciro Pereira, os quatro conseguiram em instantes reverter a disposição belicosa da plateia, cantando o frevo "Gabriela" com a ajuda, é certo, do *happening* armado pela turma da FAU, a Faculdade de Arquitetura e Urbanismo da USP, onde o autor, Chico Maranhão, estudava. Agitando sombrinhas, sua torcida entusiasmada dançava e cantava "Só pra te ver Gabriela/ que eu vinha só pra te ver Gabriela/ só pra te ver Gabriela", contagiando a plateia do Teatro como num baile de carnaval do Recife. O MPB 4 estava na bica de emplacar mais uma para a final.

A quinta concorrente era um lindo samba do glorioso Pixinguinha, "Isso não se faz", com letra do poeta Hermínio Bello de Carvalho e cantado por Elza Soares, e a sexta, outro samba de partido-alto, esse de Martinho da Vila, com Jamelão, o Regional do Caçulinha e um grupo de pastoras, preconizando o modelo de composição que mais tarde consagraria o autor. Nenhuma das duas foi classificada. Martinho, um desconhecido em São Paulo, que trabalhava na Intendência do Ministério da Guerra, se hospedara na casa do radialista Walter Silva, voltando para o Rio sem conseguir nenhuma repercussão para seu "Menina moça", a não ser os elogios de Augusto de Campos à letra. Elza, por seu turno, após a desclassificação, foi comemorar com Garrincha e amigos o enterro do samba num apartamento do Hotel Normandie.

Sérgio Ricardo iria desencadear muita polêmica com o seu bem-intencionado lance de cruzar duas paixões do povo brasileiro, música popular e futebol. "Beto bom de bola" era um samba-choro sobre a história de um jogador claramente sobreposta à vida de Garrincha. Acompanhado pela orquestra, o Quarteto Novo e um coro de operários da Willys que também batucava, usou até apito de juiz na hora do "Gooooool", a fim de criar o clima adequado à narrativa. Foi recebido com simpatia mas, a exemplo de Vandré, o entusiasmo foi se desfazendo no decorrer das mudanças rítmicas e modulações, que mais dificultavam do que ajudavam a exposição da canção.

Maria Odete passou em brancas nuvens com a "Canção do cangaceiro", possivelmente a menos atraente da noite, enquanto Erasmo Carlos também teve que suportar uma biaba por conta dos inimigos do iê-iê-iê. Sua "Capoeirada" foi mal compreendida até pelos adolescentes da Jovem Guarda, que cismaram com aquele berimbau. No entanto, essa música, bom exemplar de um procedimento harmônico bastante frequente em sua obra, especialmente na inventiva melodia (primeira parte em modo menor concluída na segunda em maior), atraiu o afamado arranjador canadense Percy Faith a gravá-la com sua orquestra e coral em 1971 com o título de "Easy Days — Easy Nights", numa versão de Carl Sigman, o mesmo que também verteu "Manhã de carnaval" e "Et maintenant". Nada a ver com um iê-iê-iê.

A baiana Maria Creusa, que iniciava sua carreira no Sul, cantou com méritos o candomblé de seu namorado Antônio Carlos "Festa no terreiro de Alaketu", mas a música não passou no teste, apesar da difusão prévia exagerada. A grande vaia dessa noite foi para Hebe Camargo, ao interpretar a penúltima canção, "Volta amanhã", uma melodia previsível e sem consistência. Hebe teve que enfrentar aquela situação constrangedora — os assobios reboantes e os berros de "búúú" e de "Chega!" — durante todo o tempo em que cantou. Hirta e olhando para a frente, permaneceu com um sorriso no rosto até o final, as mãos para trás comprimindo uma medalhinha de Nossa Senhora Aparecida com tamanha força, que a amassou. Os que se sentiram ofendidos com as vaias incessantes durante a apresentação protestaram, e por muito pouco o pau não quebrou feio.

Em flagrante contraste, a última música foi a mais aplaudida da noite. Não no início, é verdade, pois quando os argentinos do conjunto de rock Beat Boys (Marcelo na bateria, Alexandre e Daniel nas guitarras, Toyu, com cabelos longos e barba lembrando Jesus Cristo, nos teclados, e Tony Osanah no pandeiro) estavam se posicionando, houve o princípio de uma forte vaia — para a qual, aliás, já estavam preparados, pois mesmo tocando a música mais frenética do mundo ficavam impassíveis como estátuas. Caetano tomou a dianteira e, antes que seu nome fosse anunciado, surgiu com um paletó xadrez marrom sobre um suéter alaranjado de gola rulê, e atacou: "Caminhando contra o vento/ sem lenço, sem documento/ no sol de quase dezembro/ eu vou...". A torcida contra guitarras elétricas teve que engolir e se render àquela canção surpreendente, que pela primeira vez era ouvida em público, derrubando um preconceito e encetando uma jornada de muitos anos.

"Alegria, alegria" fora imaginada como "um tema alegre de um cara andando na rua de uma cidade grande, vendo revistas coloridas, Copacabana, fotografia de Claudia Cardinale; uma música que estivesse habitada por um som muito atual, um som meio elétrico, meio *beat*, meio pop, atual", conforme o depoimento de Caetano registrado dois meses antes. A ideia surgira certo dia enquanto passeava pelas ruas de Copacabana. Ao retornar ao pequeno apartamento do Solar da Fossa, onde morava, foi trabalhando a composição até a madrugada. Fez a melodia toda e a primeira parte da letra. No dia seguinte, fez a segunda parte. A letra era inspirada no seu "Clever boy samba" — feito dois anos antes para um show na boate Anjo Azul e jamais gravado — e satirizava os alienados de Salvador: "Pela rua Chile eu desço/ sou belo rapaz/ cabelo na testa fecha muito mais [...] as brigittes vão passando [...] no Farol da Barra/ em falta de Copacabana...". Abandonando a sátira, Caetano substituiu as referências e nomes próprios — a Coca-Cola por exemplo funcionava como a Rolleiflex da bossa nova — e manteve a narrativa na primeira pessoa, pensando mais tarde em convidar o RC 7 de Roberto Carlos para acompanhá-lo no Festival. Atendendo a uma sugestão do empresário Guilherme Araújo, foi ouvir um conjunto que tocava na casa de shows O Beco, sentindo imediatamente que podia encaixar-se no que concebera. Com uma melodia sem grandes invenções melódicas ou harmônicas, como convém a uma marchinha, o maior atrativo residia na originalidade da letra, descrevendo a vadiagem sem destino, resumida nos "por que não?" do jovem alheio às convenções e sem muita responsabilidade, "sem lenço, sem documento/ nada no bolso ou nas mãos", que, rodeado de símbolos de seu tempo, goza de plena liberdade. Uma letra de empatia instantânea com a juventude que assistia ao Festival, fosse ela da linha esquerdista ou do iê-iê-iê, induzida a fruir da alegria desde o título. Caetano chegou a cair ao final de sua apresentação, consagrado pelos aplausos que vinham de todos os setores do Teatro, dos concorrentes postados nas coxias e dos jornalistas que cobriam o evento. Não foi um tombo. Originalmente, ele pretendia inscrever "Capitão Virgulino", parceria com Torquato Neto, mas mudou de ideia e apostou que se "Alegria, alegria" fizesse sucesso, cairia no palco.

Sua música só poderia ser, como foi, classificada. A primeira, sem grande surpresa, fora "Ventania", de Vandré, e logo depois Sônia Ribeiro anunciou "Gabriela". Na sua reapresentação, o entusiasmo foi tão contagiante que uma garota conseguiu subir ao palco para dançar o frevo com sombrinha.

Ao ser divulgada por Blota Jr. a terceira finalista, "Beto bom de bola", as vaias foram tantas que Sérgio Ricardo mal conseguiu cantar. A meninada do iê-iê-iê queria Erasmo em seu lugar, outros queriam a "Canção do cangaceiro". Uma dessas descontentes, Heloísa Melo, conseguiu seu intento arremessando dois ovos que estalaram na mesa de dois jurados, que, de preocupados, passaram a ter medo.

Por mais que a turma da linha dura torcesse, Sérgio, autor de "Esse mundo é meu" e "Zelão", não conseguia superar uma barreira de comunicabilidade entre ele e o público. Positivamente, era a música mais problemática das candidatas para a última etapa.

As 12 músicas da final estavam então escolhidas, as entradas esgotadas muito antes e, durante a semana que se seguiu, prognósticos, opiniões e comentários rolavam à vontade. As favoritas eram "Ponteio" e "Domingo no parque". A repórter Cidinha Campos, que apostava em "Ponteio", botava mais lenha na fogueira com as últimas dos bastidores. Sérgio Ricardo ficou na fossa e decidiu substituir o coral da Willys, prometendo um novo arranjo com Jorginho e seus ritmistas. Por sua vez, o coral da Willys culpou o técnico de som por não ter sido ouvido. Chico Buarque foi descansar em lugar ignorado, viajando com nome falso. Depois se soube que fora a Recife. Elis se preocupava com o casamento em dezembro e dizia-se que a bossa fora substituída pelo pop. Todavia, o assunto dominante resumia-se ao espectro de uma palavrinha que todos temiam: vaia.

* * *

Zuza Homem de Mello

Gilberto Gil ensaia "Domingo no parque", com a orquestra regida por Ciro Pereira (à esquerda, de costas), para a final do III Festival da Record em 21/10/1967. A música, com arranjo de Rogério Duprat, tinha ainda a participação dos Mutantes, com Rita Lee e os irmãos Arnaldo e Serginho Baptista.

Ensaio de "Alegria, alegria" com Caetano Veloso e os argentinos do grupo Beat Boys, na tarde da final do festival.

Chegou o sábado, dia 21 de outubro. Sob a marquise feericamente iluminada do Teatro Record Centro, centenas de jovens empolgados se aglomeravam para presenciar o espetáculo que seria um divisor de águas na música popular brasileira. A fauna ia de um extremo a outro, das cocotinhas filhinhas de papai, descoladas em seus penteados armados como um bolo à custa de muito laquê e até um recheio de Bom Bril, aos estudantes indignados, flamejando virulência e desejando participar da luta armada contra a ditadura. A loirinha que jogara ovos nos jurados foi barrada. Deu a volta, conseguiu passar pela porta de acesso ao balcão e já subia correndo quando foi alcançada por um dos fiscais. Foi retirada mas não se deu por vencida. Não é que quando começou o Festival, lá estava ela, bela e formosa, na frisa junto ao palco? Heloísa era amiga de Roberto Carlos. Outra proibida de entrar foi Telé, acusada de jogar biribinhas que espocavam no palco. Para despistar, a nova celebridade deu entrevistas durante a semana dizendo que iria ao Rio torcer por Milton no II FIC. Conversa fiada. No sábado, entrou disfarçada com uma saia comprida de cigana, um xale no ombro, a peruca emprestada de Nara Leão, uma bexiga inflada sob a blusa e óculos do jornalista Carlos Gilberto Alves. Conseguiu iludir o delegado Fleury, chefe da segurança, e o gerente Gaúcho, assistindo à final comportadamente, como convém a uma senhora grávida, na segunda frisa à direita.

O júri já tinha entrado no fosso da orquestra pela portinha de acesso sob o palco quando, às 21h40, foi dada a partida para a aguardada final do III Festival da TV Record. O casal Blota e Sônia era mais que tarimbado para a tarefa, que deveria ser árdua diante da agitação da plateia. Mal imaginava ele que aquela seria uma das noites mais difíceis de seu *métier*. Além de sua intensa militância política na Assembleia Legislativa, da qual já fora líder durante o governo de Adhemar de Barros, Blota Jr. (1920-1999) tinha uma atividade incessante no canal 7: substituíra Silveira Sampaio no seu programa de entrevistas, apresentava o *Alianças para o sucesso*, o *Esta noite se improvisa* e ainda, ao lado de sua mulher Sônia Ribeiro, o troféu Chico Viola e o prêmio Roquete Pinto. Com essa considerável carga de trabalho, foi designado para apresentar os festivais, que marcariam fortemente sua carreira de radialista. Era uma figura muito bem-aceita pelo público graças à sua elegância, fluência, capacidade de improvisar sobre pessoas ou fatos com adequação e um fabuloso nível de oratória. Alto e magro, com um sorriso cativante por detrás dos óculos, era o modelo perfeito em seu *smoking*. Sua mulher, Sônia Ribeiro, radioatriz cuja voz grave lhe permitiu fazer papéis de senhoras desde mocinha, era uma companheira perfeita na sua discrição ao lado do marido, trajando *soirées* das melhores grifes de São Paulo nos anos 60, como Dener, Clodovil, José Nunes e Ronaldo Esper. Os dois eram, assim, os portadores das grandes atrações que os frequentadores da Record adoravam, formando um casal glamouroso que impunha respeito. Apesar de terem que anunciar músicas vencedoras e, indiretamente, as perdedoras, não eram vaiados, conseguindo manter uma serenidade que se traduzia em confiança nas mensagens com que preparavam o público para os resultados.

A primeira canção apresentada, "Bom dia", foi intensamente vaiada, mas Nana não se deixou perturbar. Nem bem começou, alguém do balcão já gritou "Fora!". Ela cantou até o fim, pois tinha diploma conferido pelo FIC do Maracanãzinho. A segunda foi "A estrada e o violeiro". Nara entrou antes do compositor Sidney Miller, vestindo calças e colete preto sobre uma blusinha branca de gola alta e mangas compridas e bufantes. Levantando as duas mãos, como quem abençoa, com seu olhar tranquilizador, conseguiu dominar a inquietação do público e se fazer ouvir. Sua voz, por pequena que fosse, exercia um poder que muitos cantores tarimbados não alcançavam, e conseguiu chegar ao fim daquela longa canção, taxada de monótona, recebendo aplausos e até flores.

Também com flores foi recebido Caetano, que entrou no palco com a mesma roupa da eliminatória. O público já sabia a música inteira e cantou com ele, superando a barulheira que vinha do piso do balcão com a pulação da galera. Ao final, clamavam "Já ganhou!".

Apresentando uma das grandes favoritas, Gil e os Mutantes foram aplaudidos a seguir, enquanto, encostado e escondido, Rogério Duprat assistia de um canto às minúcias do seu arranjo.

* * *

"Domingo no parque" fora composta por Gil durante a noite seguinte à que assistira ao último programa O *fino*, em seu apartamento do Hotel Danúbio, enquanto Nana Caymmi dormia, após uma visita ao pintor Clóvis Graciano. Recordações da Bahia e das músicas de Caymmi, lembradas por tabela através de Clóvis, juntaram-se para que ele sentisse o ímpeto de compor uma canção narrando um crime num parque de diversões. A história envolvia um triângulo amoroso: o feirante José, o operário João e Juliana, cobiçada por ambos. Numa descrição de cenas em cortes rápidos, como em uma sequência cinematográfica, o estado psicológico de cada um é abordado em *flashbacks* até o momento em que

José, passeando no parque, avista Juliana com João. Aí, "Foi que ele viu". Há uma modulação reforçando o suspense. Como num movimento de câmera associado ao giro da roda-gigante, numa sucessão brilhantemente equilibrada entre letra e música, os versos "uma rosa e um sorvete na mão [...] o espinho da rosa feriu Zé", são arrematados por um inesperado acorde menor. O sorvete, a rosa, Juliana, a roda-gigante girando na mente, "a rosa/ é vermelha", o vermelho do sangue na mão de José brotando das facadas cravadas em Juliana e João. A última estrofe, lentamente evocativa, com um oboé lamuriante, descreve o que resta dos corpos inertes na patética cena final, como a de um *West Side Story* ou de uma ópera. Gil havia feito um filme numa canção.

Depois de inscrever "Domingo no parque", Gil foi ao Camja (Club dos Amigos do Jazz) para convidar o Quarteto Novo a acompanhá-lo ao lado da orquestração estilo George Martin já iniciada. O arranjador Rogério Duprat, dotado de uma visão abrangente da corrente pós-modernista da música erudita e desejoso de inseri-la na música popular, fora indicado a Gil por Julio Medaglia, o primeiro a trabalhar na orquestração, tendo se afastado depois para integrar o júri do Festival. Gil recorrera então a Airto Moreira, que, quando ouviu falar em Beatles, imediatamente rejeitou o convite. Diante do impasse, Gil voltou a falar com Rogério, uma vez que desejava unir à orquestra um conjunto mais enxuto, mais personalizado. Foi então que Duprat propôs Os Mutantes, que na época participavam do programa de Ronnie Von.

— São uns meninos modernos, tocam guitarra elétrica e têm essa coisa inglesa dos Beatles que você está querendo.

Na segunda semana de setembro, quando gravava "Bom dia", Gil se entusiasmou ao ver Os Mutantes no estúdio, confirmando que tinham uma proposta declaradamente de ruptura com a visão clássica.

Na gravação feita no estúdio da RGE, dois dias antes da primeira apresentação no Festival, Gil ouviu pela primeira vez "Domingo no parque" tal como seria conhecida, ambientada como música brasileira e, ainda assim, permitindo a colagem de um berimbau com guitarras elétricas, nem de longe um objeto não identificado para um baiano que acompanhava o Trio Elétrico Dodô e Osmar dos carnavais de Salvador. Gil gravou primeiro com a orquestra. Depois, tudo foi reduzido a dois canais para nova gravação com os Mutantes nos outros dois canais. O resultado deixou-o feliz e lisonjeado, lembrando-lhe as audições de música concreta e serial com o maestro Koellreutter na Bahia, que combinava o som do piano tratado com ruídos a locuções de rádio. Pela primeira vez, Gilberto Gil sentiu que aquele universo de música moderna fazia parte de sua própria música: a justaposição das vozes joviais do Mutantes à sua, dos instrumentos da orquestra ao vozerio e ao realejo do parquinho. A obra de Gil tomava uma nova direção.

* * *

Agora, terminava de cantá-la pela terceira vez, reforçando, diante daquela plateia favorável em delírio, sua condição de favorito.

O Teatro virou um baile de carnaval, com confete e serpentina, quando os guapos integrantes do MPB 4, vestidos de *smoking*, atacaram o frevo "Gabriela". Maria do Carmo, irmã de Chico Buarque, foi a primeira a abrir uma sombrinha, seguida por dezenas de outras e por guarda-chuvas pretos, animando a festa que antecedeu a sexta canção da noite, "O cantador". Elis, de vestido branco acima dos joelhos com gola alta, recebida com gritos de "Já ganhou!" e folhetos com a letra, assegurou com sua interpretação uma provável boa colocação.

Viria então a sétima música da final, com a qual Sérgio Ricardo mantinha esperanças de vencer, uma certa ilusão ante uma das mais fracas composições de sua bela obra. Antevendo a possibilidade de se repetirem as manifestações da eliminatória, Blota Jr. fez um pequeno nariz de cera, pediu atenção para o novo acompanhamento em "Beto bom de bola" e um voto de confiança na sua apresentação. Sorridente e confiante, Sérgio, com um pé sobre o banquinho, aguardava que o bulício do público se extinguisse e, diante da inquietação que existia, em vez de começar, tentou dialogar com a plateia: "Eu quero que vocês me ouçam um instante. Aqui na plateia há gente inteligente". Quem estava no fosso pressentiu uma reação desfavorável, concitando-o a cantar em vez de falar: "Canta! Canta!". Sérgio continuou: "Vocês podem vaiar. Depois deste festival a minha música vai chamar 'Beto bom de vaia'". A brincadeira surtiu um efeito desastroso. Em vez de se aquietar, a plateia se excitou; surgiram vaias assustadoras e grande parte do público ficou de pé como se ouvisse uma caçoada. Na coxia, o nervosismo aumentou, e todos o compeliam a cantar de uma vez. Sérgio ainda tentou convencer o público: "Atenção... um minutinho". Não conseguia ser entendido, as vaias ensurdecedoras encobriam com folga o som de sua voz. Apenas o seu microfone Philips, duro e apropriado para captar somente a voz do cantor, estava aberto e, ainda assim, ele mal era ouvido pelos alto-falantes. Finalmente, Sérgio começa. Levanta o braço direito e solta um longo "Aaaaaah!" antes de iniciar a canção: "Homem não chora por fim de glória [...] é, é, é ou não é/ Bebeto é bom de bola". Estavam abertos para o recinto do Teatro apenas o seu microfone, o do coro dos quatro cantores e os do Quarteto Novo. Mas aquela massa sonora vinda da plateia penetrava com mais intensidade de volume, superando a dos que cantavam e tocavam, ainda que a centímetros de distância. Não havia solução. Sérgio não conseguia ouvir nem Théo de Barros, que estava a uns três metros de distância. Desorientado, olha para os acompanhantes sem saber sequer em que ponto estavam. Ao entrar na terceira parte, "Beto vai chutando pedra/ cheio de amargura/ num terreno tão baldio/ quanto a vida é dura...", Sérgio diz: "Não consigo nem ouvir o som". Naquela época, não havia monitores. Canta mais um trecho, "e foi-se a glória/ foi-se a copa/ e a nação esqueceu-se do maior craque da história" e faz uma pausa, já bastante preocupado. As vaias se intensificam. Sérgio recomeça: "quando bate a nostalgia/ bate noite escura [...] onde outrora foi seu campo/ de uma aurora pura" e, finalmente, desiste de uma vez. Arranca o microfone do pedestal e proclama: "Vocês ganharam! Vocês ganharam! Mas isso é o Brasil não desenvolvido. Vocês são uns animais!". E repete a última frase. Caminha para a lateral, quando Blota se aproxima e toma-lhe o microfone. Sérgio resolve sair de vez, dá mais três passos, para e, visivelmente transtornado, ergue o violão e o arrebenta contra um pedestal. Em seguida impulsiona o braço direito para trás e, numa atitude inimaginável, arremessa o violão quebrado à plateia. No instante em que o violão voava sobre o poço da orquestra, naquele átimo, a sensação foi de que a televisão sairia do ar e o Festival seria suspenso. Os espectadores das primeiras filas erguem-se levantando os braços para se protegerem e o violão cai sobre alguém na terceira fila. Blota e Sérgio estavam brancos. Blota, que tentara evitar o gesto imprevisível, ajuda-o a sair pela lateral, voltando inquieto para verificar se alguém se feriu. Pergunta: "Está tudo bem aí? Aconteceu alguma coisa?". Ninguém ferido. Théo de Barros ficara tão apavorado que alguém da plateia mandasse o violão de volta que, furtivamente, se protegera atrás do piano.

No camarim, Elis e Vandré foram os primeiros a consolar Sérgio. "Estou mais calmo, já desabafei." Normalmente uma pessoa tranquila e educada, com uma postura política muito acentuada, ele fora violentado de tal forma que explodiu.

Na plateia, a estupefação era generalizada, ao mesmo tempo que a torcida esquerdista aplaudia. As luzes se acenderam. O balcão era uma balbúrdia, muita gente gritava deixando tensos os policiais da área. Um rapaz berrava: "Tem razão ele. A massa é histérica. Aplaude essas músi-

Sérgio Ricardo ensaia "Beto bom de bola" na tarde da final, em 21 de outubro de 1967, com grupo e arranjo diferentes da apresentação na eliminatória.

Na final, diante de uma ensurdecedora vaia que impediu sua apresentação, Sérgio Ricardo gritou: "Vocês ganharam!", e após quebrar seu violão, arremessou-o sobre a plateia.

cas *pop* e vaiam um compositor consagrado feito umas bestas". Um homem gritou: "Desrecalque coletivo! Estão loucos!". Outro dirigiu-se ao delegado Fleury: "O senhor deve prender esse homem imediatamente. Isso é uma afronta a uma plateia que gastou dinheiro". Fleury pediu-lhe que voltasse para seu lugar e, quando se sentou, ouviu do jovem vizinho: "O senhor é bem o representante da plateia: avalia as coisas pelo dinheiro e nunca pelo valor moral que elas realmente têm". Quase saiu uma briga.

O diretor da TV Record tinha que tomar uma providência rápida, ainda que os membros do júri fossem contrários a assumir uma posição. Na opinião de Paulinho Machado de Carvalho, houvera um desacato aos que pagaram a entrada. Quando disse que Sérgio seria desclassificado, pelo menos dois jurados, entre eles Ferreira Gullar, foram contra, alegando que o júri era soberano. O diretor rebateu afirmando ser assunto de disciplina, enquanto a atribuição do júri era na área técnica. Alguns concordaram, mas demorou para que se chegasse à solução: o cantor foi suspenso mas sua canção continuava disputando. Ferreira Gullar e outros esbravejaram, gesticulando contra a desclassificação. Quando Blota anunciou a decisão, o público aplaudiu, enquanto vários jurados e jornalistas foram contra. A maioria dos artistas solidarizou-se com Sérgio. Elis soltou essa: "Cada país tem o Sinatra que merece. O do Brasil é o Chacrinha".

Sérgio, revoltado porque não conseguira cantar sua música antes de ser julgado, saiu direto para o Hotel Normandie, acompanhado do pai, da mãe e esposa, que estavam com ele no camarim. Declarou que aquele público, representante da pequena burguesia brasileira decadente, com uma superfície aparente de civilização, não afetaria os que seguiam sua carreira. Do hotel, onde não conseguiu uma televisão para assistir ao final do programa, foi para a casa de uma tia.

Blota havia retornado para assumir o comando e anunciar a canção seguinte, "Ponteio". Enquanto aguardava sua vez, Edu comentou com Marília:

— Marília, só temos duas chances. Ou esse clima vai virar a favor da gente, ou permanece esse horror, ninguém vai prestar atenção na música e a gente vai se ferrar.

Marília entrou com o mesmo vestido da eliminatória, vermelho com alças douradas, e, enquanto cantava altiva o refrão, via o público cantando junto: "Quem me dera agora/ que eu tivesse a viola pra cantar". Chorou duas vezes, mas não parou de sorrir. Capinan assistia da coxia. A música, a figura de Marília ao lado do simpático Edu e o grande arranjo funcionaram mais uma vez: o público adorou, vibrou e ele saiu consagrado. Após a apresentação, tomou um copo d'água com açúcar e foi abraçar Marília.

— Quase não conseguia cantar, perdia a voz vendo o público reagir com palmas, cantando junto, foi uma emoção muito violenta. Como está o Sérgio Ricardo? O que aconteceu com ele poderia ter acontecido com qualquer um de nós.

Faltavam ainda quatro músicas. Vandré, tranquilo por achar que não iria ganhar, pouco se importava se houvesse vaias. Enquanto cantou "Ventania", foi vaiado sem parar do princípio ao fim por uns e aplaudido por outros com gritos de "Vandré! Vandré!". Chegou a parar mas, com esforço, continuou. Depois, nos bastidores, declarou sua admiração por Edu e por Chico Buarque, assinalando que ambos se mantinham autênticos.

Agora faltavam três. Roberto Carlos, ainda distante do Roberto cuja fama seria um fardo, cantou "Maria, carnaval e cinzas" com absoluta tranquilidade, mais *à la* João Gilberto que *à la* Festival, mesmo diante dos gritos de "Fora! Sai daí" daquela ala contra a Jovem Guarda. A penúltima seria "Roda viva". Chico foi recebido com o público em pé, cartazes, flores e mais carnaval. Nenhuma vaia, e ele, calmíssimo. Bem diferente da época de "A banda", quando os autores eram menos conhecidos. Naquele momento, porém, não sentia que mais uma vitória fosse mudar muito sua carreira. Nem estava muito ansioso em ganhar: o valor do prêmio não lhe subia à cabeça. Como havia um só microfone para ele e para o MPB 4, Chico postou-se no meio dos quatro e se afastava quando era a vez do grupo solar. Magro havia armado um arranjo excepcional para sua criação.

Chico Buarque de Hollanda começara a escrever a peça *Roda viva* inspirado na vida que vinha levando naqueles meses, cantando pelo Brasil todo com Toquinho e, quando o cachê conseguido por seu empresário Roberto Colossi permitisse, também com o MPB 4. A peça só teria duas canções, "Roda viva" e "Sem fantasia", com paródias de óperas e trechos de cançõezinhas. Durante o show *Meu refrão*, na boate Arpège do Rio, com Odete Lara e o MPB 4, Chico entregou uma fita cassete para Magro fazer o arranjo de sua nova composição, viajando depois para a Itália. Sem saber que seria usada numa peça, Magro criou uma introdução e deixou espaços para a voz solo, elaborando uma vocalização difícil, exaustivamente ensaiada. Quando Chico voltou, foi ouvir o resultado no Solar da Fossa, onde Magro vivia, emocionando-se especialmente com o trecho da pirâmide de vozes antes do quarto refrão. Em São Paulo, na casa de Simonal, foram completar com o Som Três a parte instrumental, na qual César aplicou no piano o arpejo sugerido pela pirâmide vocal, valorizando o trabalho de Magro. A introdução termina num acorde não resolvido para a entrada de Chico, que faz o primeiro solo com apoio vocal do quarteto, como uma cortina: "Tem dias que a gente se sente/ como quem partiu ou morreu", entregando para o grupo: "a gente quer ter voz ativa/ no nosso destino mandar", seguindo nessas alternâncias até o refrão, com Chico à frente, quando ocorre o arpejo do piano após o verso "o tempo rodou num instante". Na primeira repetição da estrofe, o grupo entra em uníssono: "A gente vai contra a corrente/ até não poder resistir", prosseguindo até as duas últimas frases, em acorde: "Mas eis que chega a roda viva/ e carrega a roseira pra lá", antes do refrão, repetido da mesma maneira. Na terceira estrofe, invertem-se as alternâncias da primeira e, na quarta, metade é de Chico e a segunda metade do grupo. Essa última estrofe termina com a pirâmide em *rallentando* e a *fermata* na última nota do verso "e carrega a saudade pra lá". Há uma pausa, o arpejo do piano, e o refrão é repetido quatro vezes num *affrettando* (acelerado), com contracantos entrelaçados, como se a roda girasse mais rápido a cada volta. O final era irresistivelmente contagiante, levando o público a cantar junto as quatro vezes, ajustando-se perfeitamente ao *affrettando*, e prorromper em aplausos ao final. Um dos mais perfeitos arranjos de toda a Era dos Festivais fez "Roda viva" levar ao delírio total até mesmo quem não torcia pela canção.

Quando Jair Rodrigues entrou para cantar, as vaias voltaram em tal volume que mal se ouvia a orquestra. No seu estilo de sambista, com a voz plena, estalando os dedos na marcação e gingando os ombros, acabou revertendo a hostilidade e sendo muito aplaudido no fim. Era a última concorrente.

As cortinas foram baixadas e houve um intervalo de meia hora, durante o qual Randal Juliano e Cidinha Campos entrevistaram Chico, Maranhão, Rui, Edu, Roberto Carlos, Caetano, Gil, Nara, Arnaldo e Nana Caymmi antes do pano se abrir para a divulgação dos premiados.

Elis Regina foi a melhor intérprete, e cantou sem ligar para as vaias. Sidney Miller ganhou o prêmio de melhor letra, cantando novamente com Nara antes do Teatro se transformar mais uma vez em salão de baile, puxado pelo frevo "Gabriela", a sexta colocada. Para o MPB 4, ficou claro que emplacariam duas músicas. A quinta canção foi "Maria, carnaval e cinzas", com Roberto Carlos pouco à vontade sob tantas vaias, provavelmente as únicas em sua carreira. A quarta classificada foi recebida sob uma gritaria generalizada de "Primeiro! Primeiro!". Era "Alegria, alegria", que Caetano cantou sorridente ao lado dos impassíveis argentinos do herético conjunto de rock Beat Boys. Ao final, não houve jeito: Caetano teve que bisar a música, tantos eram os pedidos. Ao ser anunciada a terceira colocada, a anárquica torcedora Telé Cardim não se conteve de tanta felicidade: levantou-se na frisa, arrancou a peruca e mostrou que não estava grávida coisíssima nenhuma, aplaudindo de pé a entrada de seu amigo e ídolo. Chico Buarque entrou feliz e sorridente e também bisou sua música com o MPB 4, atendendo aos gritos de "Mais um!". No meio daquela festa, ninguém imaginaria que "Roda viva" fosse entrar para a história associada à violência e agressividade dos grupos anticomunistas de direita, quando inserida na peça homônima montada por José Celso Martinez Corrêa. Aquela canção que as mocinhas cantavam em coro, apaixonadas, tinha uma letra fatalista, o que provavelmente nenhuma delas percebeu na alegria daquela noite inesquecível.

Antes de entrar mais uma vez, agora como segundo colocado, Gil foi beijado por Nana na coxia. Recebido com manifestações pró e contra, inclinou-se para o poço da orquestra, de onde um dos jurados transmitiu-lhe a resolução de atribuir a Rogério Duprat um prêmio especial, o de melhor arranjo. Rita Lee, com um coraçãozinho pintado na maçã esquerda do rosto, estava feliz ao lado dos irmãos Sérgio e Arnaldo, na derradeira apresentação de "Domingo no parque" no Festival. Os três iniciariam dali a caminhada auspiciosa dos Mutantes como o primeiro grande grupo de rock da música popular brasileira. Gil e Caetano recebiam naquela noite o incentivo para caminhar na direção que tinham tomado, a do som universal ou música *pop*, como ambos rotulavam o gênero que identificava suas composições e principalmente a forma como foram apresentadas.

Edu Lobo estava nervosíssimo aguardando o resultado. Quando foi anunciado o segundo lugar, Capinan correu ao seu encontro tremendo e falou baixinho: "Ganhamos!". Os dois se abraçaram com Marília, o Quarteto Novo e o Momento Quatro. Finalmente, Blota Jr. anunciou a primeira colocada: "Ponteio", com Edu Lobo, que assim conseguia vencer mais um festival, e novamente com uma canção de cunho sertanejo.

* * *

Edu havia voltado da Europa e não pretendia concorrer ao Festival quando Dori Caymmi lhe propôs fazer a letra para uma música que acabara de compor. Era "O cantador", que pretendia inscrever no Festival da Record. Embora não fosse letrista, Edu estava encantado com a música e ficou de pensar. Voltando para casa no seu Fusquinha e cantarolando a melodia do refrão de Dori (o mesmo trecho para o qual depois Nelson Motta faria a letra: "Ah, sou cantador/ canto a vida e a morte, canto o amor"), surgiu uma ideia de letra: "Ah, quem me dera agora/ que eu tivesse a viola pra cantar". Ao chegar em casa, ligou para Dori contando que já havia encontrado um refrão e iria trabalhar na música. Dois dias depois, foi Dori quem ligou, tentando se desculpar pela encrenca que arrumara: Nelsinho Motta, com quem já tinha feito outras músicas, também estava escrevendo uma letra, e ele, sem jeito, não sabia como resolver o caso. "Dori, esquece o assunto, faz a música com ele e tudo bem", respondeu Edu. Mas aquele refrão continuava a perturbá-lo, até que o desenvolveu e criou uma nova música, pedindo a Capinan uma letra três dias antes do encerramento das inscrições. No último momento, quando já sabia que Gil e Chico tinham duas músicas fortíssimas, entregou "Ponteio" para a competição.

Edu convidou o Quarteto Novo e o Momento Quatro e fez um arranjo coletivo no estilo das músicas de festival, que inclusive culminava num *affrettando*. Convidou também Marília Medalha. Aos 23 anos e natural de Niterói, ela o conhecera quando trabalhava na primeira montagem da peça *Arena conta Zumbi*, a convite de Guarnieri, pela qual recebeu um prêmio como revelação de atriz. Depois de participar do programa *Ensaio geral* na TV Excelsior, voltou ao Rio atendendo a um convite de Edu Lobo para o show no Zum Zum *Esses moços de letra e música*, com o Tamba Trio, onde cantava "De onde vens". Quando Edu lhe mostrou a música que fizera para o Festival, Marília ofereceu-se para cantar e foi convidada.

Os exaustivos ensaios de "Ponteio" foram realizados na sede do Club dos Amigos do Jazz (Camja), uma casa que existe até hoje na esquina da rua Estados Unidos com Haddock Lobo. A introdução criada pelo Quarteto Novo foi a que ficou conhecida, a mesma que mais tarde seria gravada por Paul Mauriat. O diretor Augusto Boal deu um acabamento visual na postura e movimentos de Marília, na posição dos grupos e mesmo de Edu, "encenando a canção", que foi impecavelmente apresentada na primeira eliminatória de 30 de setembro. Nessa noite, Edu sentiu que poderia ganhar o Festival.

Sua composição é dividida em três segmentos, A-A-B-C-C, sendo B ("Parado no meio do mundo...") menos um arremate à primeira parte,

A, do que um preparatório para o refrão, C ("Quem me dera agora..."),
o qual é muito bem explorado à medida que a música avança. A letra
de Capinan, de raiz sertaneja, tinha uma interação política bem ao gosto da plateia mais politizada, com alusões certeiras ao desejo de mudança:
"Certo dia que sei por inteiro/ eu espero, não vá demorar/ este dia estou
certo que vem/ digo logo o que vim pra buscar [...] vou ver o tempo mu-
dado/ e um novo lugar pra cantar". Era o bordão contra a ditadura militar, o mesmo que havia em "Arrastão" e em "Disparada" e que fazia
a plateia inflamar-se. Ao mesmo tempo, o arranjo, magnificamente elaborado, teria o destino de empolgar o mais indiferente dos ouvintes. Após
uma introdução de viola e violão com percussão e flauta, Edu e Marília
cantam em uníssono a canção completa, sendo que, na terceira vez do
refrão, Théo troca o violão pelo contrabaixo, dando mais peso ao acompanhamento. Na primeira repetição da música, com outra letra, a flauta de Hermeto faz um comentário que lembra uma banda de pífanos, ini-
ciando um crescendo com outros componentes: a entrada do grupo vocal no refrão, os "ponteio!" ecoando nas brechas e um longo "ponteá"
harmonizado que substitui a introdução. Na terceira repetição, a contagiante percussão de Airto é ainda mais ressaltada, o quarteto vocal faz
uma cama para o casal de solistas e entram palmas no refrão que, após
um "láá-la-iáá", é repetido modulado, com mais palmas e escalas eficazes bem nordestinas da viola de Heraldo. O ritmo de baião é acelerado até a culminante frase final, "Quem me dera agora/ eu tivesse a viola
pra cantar".

* * *

Quando terminaram de cantar a canção vencedora, a alegria era
geral. O público pedia bis, abraçavam-se Airto Moreira (que iniciava
"Ponteio" com sua vigorosa percussão), Hermeto (de cabelos curtinhos),
Zé Rodrix (sem bigode e de óculos), Ricardo Sá (que seria um dos 15
presos políticos trocados pelo embaixador Elbrick), David Tygell e um
tímido Maurício Maestro (estes dois, metade do futuro grupo vocal Boca
Livre). Na repetição, os demais concorrentes entraram no palco, Gil ergueu o braço de Marília, Elis beijou Caetano, Edu era ovacionado. O bis
funcionou como o grande desfecho de uma noite tão emocionante quanto
uma final de Copa do Mundo. O palco virou uma festa depois que o pano
desceu em definitivo. Edu, eufórico, procurava sua mãe, dona Carminha,
que veio ao seu encontro. Marília era abraçada pelo marido. Paulinho
Machado de Carvalho, para quem "Domingo no parque" iria ganhar, ao

Marília Medalha, Edu Lobo, o grupo vocal Momento 4 e o Quarteto Novo levam "Ponteio" ao primeiro lugar no III Festival da Record.

O apoteótico final do maior de todos os festivais, com cantores, músicos e compositores festejando a vitória de "Ponteio" no palco do Teatro Record Centro.

ser solicitado para uma entrevista pelo repórter da Jovem Pan Reali Jr., que ostentava um *summer jacket*, afirmou: "Do homem Sérgio Ricardo eu admitiria a atitude. Do profissional, não". Segundo Chico de Assis, na *Última Hora*, "não foi um violão que Sérgio arrebentou no Paramount. Foram mil canções que, aos pedaços, atirou sobre a plateia que o repudiava como se estivesse devolvendo em trapos o estandarte dela mesma, recebido durante tantos anos de trabalho [...] Uma lei do show diz que o artista deve sempre, e em qualquer situação, respeitar o público, mas não existe outra que diga que o público em qualquer situação deve respeitar o artista [...] enfim, se a gente tirar o Sérgio do fato, nada aconteceu de grande e de definitivo. A vaia será esquecida pelos jovens da plateia, seguirão cantando as músicas vencedoras. Sérgio é quem vai lembrar pela vida toda deste momento, que foi principalmente seu".

Alguns assistentes também se manifestaram sobre Sérgio Ricardo. "Ao invés da viola, deveria usar um fuzil. Seu gesto significa um protesto público contra o nosso subdesenvolvimento cultural, que a pequena burguesia que o vaiou nada fez para superar", declarou um espectador à saída. Outro: "O público o desrespeitou, está certo, mas ele deveria ter se controlado". Mais um: "Não boto a culpa nele. Somos todos gente humana". A pessoa atingida pelo violão ficou com um galo na cabeça: "Eu também acho que Sérgio acertou. Seu protesto e sua acusação foram um gesto de amor gerado pela incompreensão". Um estudante declarou: "Este público vaiou um homem corajoso e inteiro. É um homem que tem dedicado até aqui a sua arte ao povo".

Vários jurados foram ao apartamento onde Sérgio Ricardo estava hospedado. Muita discussão. Ferreira Gullar afirmou: "O júri não desclassificou a música, já que ela quase não foi apresentada". E continuava gesticulando, dizendo que a vaia era uma forma de participação válida e necessária, que extravasava uma energia reprimida. "A música popular é a grande manifestação do povo brasileiro." Sérgio dizia que quebrara o violão "inconscientemente" e depois saíra para tomar café no bar Comunidade, da praça Roosevelt, onde o balconista o abraçara, dizendo: "O senhor fez o que devia. Eu queria estar lá pra fazer a mesma coisa". E o convidou para um café de graça. Sérgio perguntou seu nome:

— Ricardo.

— Muito bem, xará, vamos tomar aquele café de graça.

* * *

À saída do teatro, já havia dois carros esperando Chico, o MPB 4 e os músicos do Som Três (César, Sabá e Toninho) para levá-los ao estúdio da RGE, na rua Paula Souza, onde gravariam o disco para ser lançado poucos dias depois. Acordaram o técnico, passaram umas duas vezes e gravaram.

Marília, Gil, Caetano, os Beat Boys e os Mutantes comemoraram na churrascaria Au Gran Chope, na rua Augusta, de um argentino amigo dos roqueiros. Marília saiu do teatro 45 minutos depois do término, muito cumprimentada. Caetano foi num Volks, Gil passou primeiro no Hotel Danúbio, antes de seguir com Nana. Também estavam na churrascaria Capinan, Toquinho, Gal, Solano, Guilherme Araújo e outros amigos. Quando Caetano entrou, ouviu um coro: "Por que não? Por que não?". Marília, com o marido Isaías Almada, foi recebida com o refrão "Quem me dera agora...". Os Mutantes tomavam Coca-Cola. Gil chegou com o mesmo chapéu de couro dos ensaios, foi aplaudido e abraçado. Falava muito, elogiou a música de Chico Buarque e disse que "Alegria, alegria" deveria ter sido a vencedora. Às 3 da matina Marília estava morrendo de sono, e ainda tinha que participar do *Jovem Guarda* de domingo. Edu chegou depois que ela saiu, mas ficou pouco. Tinha ido antes à festa de casamento da prima Maria Helena. Antes de amanhecer, Gil ainda cantou "Domingo no parque" e outras músicas suas. Todos cantaram com ele. Ainda tiveram fôlego para passar no Jogral, lotado, para cumprimentar Carlos Paraná. Foram dormir às 7 da manhã.

No sábado seguinte, o Teatro Record Consolação foi palco da entrega dos prêmios. Violas de Ouro e Prata, Sabiás de Ouro e Prata, e muita grana: Edu Lobo recebeu com Capinan o maior prêmio da América do Sul para uma canção, 37 mil cruzeiros novos (cerca de US$ 14 mil na época). Gil ganhou sozinho 16 mil, Chico, 10 mil, Caetano, 5 mil, Paraná, 3 mil, Chico Maranhão, 2 mil, Sidney Miller, 3 mil, Elis, uma Viola de Prata e Rogério Duprat, 1,5 mil cruzeiros novos.

Durante a semana, as lojas de discos do centro de São Paulo registravam um movimento à procura dos discos nos dois formatos da época. Os três LPs da Philips das 36 canções, com praticamente todos os intérpretes originais do Festival — Jair, Elis, Gil, Edu, Caetano, MPB 4, Nara e Sidney — eram muito procurados. Como Roberto era da CBS, o próprio Luís Carlos Paraná cantou, e muito bem, sua música no volume 1. Entre os compactos simples, os de Roberto Carlos, Caetano Veloso (Philips) e Chico Buarque (RGE) eram os mais pedidos. Outros cantores e, de maneira geral, todas as gravadoras se beneficiavam do *boom* de vendas dos discos de festivais, que passaram a ser tão importantes quanto o período carnavalesco nas décadas anteriores. Todavia, para certos compositores ficou claro que o espírito esportivo que existia antes foi afetado pela atuação das gravadoras.

Nesse Festival, a TV Record havia atingido o auge. Paulinho de Carvalho pressentia isso claramente. Jamais haveria outro igual. Se Elis Regina tinha sido o grande destaque no I Festival da Excelsior, estabelecendo a forma de se defender uma música em festival; se o sambista Jair Rodrigues imprimira uma marca de veracidade jamais ultrapassada, que fez de "Disparada" o marco inicial de uma nova era para a música regional brasileira, o Festival do Paramount, como ficou conhecido o III Festival da Record, revelou uma nova intérprete, Marília Medalha. Conquanto não fosse destaque no grupo da canção vencedora, graças a sua personalidade e a sua bela figura feminina, ela tornou-se o centro dos comentários. "Ponteio", por sua vez, sugeriu uma nova levada para o baião, diferente da de Luiz Gonzaga, que era mais cadenciada. Os instrumentistas brasileiros se afinaram com o novo padrão, que seria adotado em dezenas de temas compostos nos anos seguintes. Inegavelmente, porém, o que mais marcou as propostas musicais apresentadas no III Festival da Record foi a evolução dos dois artistas baianos: Gilberto Gil e Caetano Veloso. As letras de suas composições tinham coincidentemente a mesma forma de *slides*; os arranjos soavam como uma ruptura dos padrões estabelecidos, ainda que sobre ritmos essencialmente brasileiros (baião e marcha), dando ao resultado final o esboço de uma estética sintonizada com o que acontecia no mais efervescente período da década de 60.

O que o III Festival da TV Record também deixou claro foi a mudança de comportamento da plateia. Nos multifacetados programas musicais da Record, abertos a praticamente todos os gêneros e estilos, nascera, como um setor, o que na verdade poderia englobar tudo aquilo, a Música Popular Brasileira, o grande guarda-sol dos vários gêneros que acabou por se diferenciar da Jovem Guarda. Os festivais juntaram públicos diferentes, cada um com suas preferências específicas. Daí nasceram as torcidas, que, se antes limitavam-se a aplaudir suas canções prediletas, passaram a prejudicar as "inimigas", como uma torcida de futebol. Daí as vaias, protestos e perturbações que ficaram tão nítidas no ano de 1967. A plateia dos festivais, formada em sua maioria pela juventude estudantil, estava sintonizada com aquele movimento musical que falava da realidade social brasileira. Tão sintonizada que, ao menor sinal, era capaz de decodificar, nas letras e músicas, aquela realidade de insatisfação com a ditadura militar e com a impossibilidade de expressar suas ideias.

O festival abria uma tribuna. Da mesma maneira que "Carcará" não continha, originalmente, nenhuma alusão política, mas passou a ter quando Bethânia cantou-a no show Opinião, a plateia dos festivais dava a certas canções um conteúdo revolucionário. A partir daí, as músicas de festival passam a ter como bordão o protesto contra a ditadura militar. E mesmo quando não eram, a plateia tratava de convertê-las nesse protesto. E, quando não podiam ser convertidas, como foi o caso da canção de Hebe Camargo, a plateia não gostava. Derrubava.

Os compositores perceberam com bastante clareza esse tipo de reação e procuraram fazer músicas que contivessem essas mensagens. Entretanto, se fossem explícitas, a Censura poderia cortar. Era então preciso que a canção parecesse tão inocente a ponto da Censura não perceber, mas a plateia, sim. Daí nasceu um profundo diálogo entre o músico censurado e a plateia libertária. A plateia sabia o que o poeta não podia, mas queria dizer. E sabia decodificar.

Não custava esperar o ano de 1968 para ver o que viria.

7.
"MARGARIDA"
(II FIC/TV GLOBO, 1967)

Depois de defender o belo samba de Baden Powell, "Cidade vazia", no II Festival da TV Excelsior, Milton Nascimento ficou profundamente decepcionado com as demonstrações de torpeza, com as brigas e xingamentos que presenciou no dia da final. Na porfia, os competidores tentavam golpes baixos engolindo-se uns aos outros, uma cena que em nada lembrava o ambiente a que estavam acostumados os que viviam de música em Minas Gerais. Assustado e desiludido, Milton jurou nunca mais participar de festival, estando mesmo propenso a desistir da música, embora decidido a permanecer em São Paulo, já que retornar a Minas seria caminhar para trás. Morando inicialmente na Pensão do Boris, em Vila Mariana, e depois, quando as "conjumerências" (circunstâncias, no dialeto mineiro) obrigaram, num quartinho de outra pensão, à rua Marquês de Itu, 185, começou a cantar na noite, tocando violão e contrabaixo em barzinhos como o Sand Churra, a frequentar redutos musicais como o Redondo e a conhecer músicos como os irmãos Godoy e cantores como a alagoana Telma Soares. No entanto, o que fez de mais produtivo durante um ano e dois meses naquele quartinho foi compor sozinho sem maiores pretensões. Chegou a passar uma semana sem um tostão para comer; sentiu-se tão mal que voltou de ônibus para Três Pontas. De madrugada, tocou a campainha e despencou diante de seu pai, que mal o reconheceu ao abrir a porta. Recuperado, retornou a São Paulo para levar a mesma vida, cantar e mostrar suas músicas. Novamente em vão. Malgrado muitos gostassem, ninguém se animava a gravá-las. A exceção foi Elis Regina.

Milton a vira pela primeira vez em 1961, no Rio, quando foi com Pacífico Mascarenhas e Wagner Tiso para a reunião de lançamento do disco de uma cantora, Luisa, com arranjos de Moacyr Santos. No meio da cantoria, encorajado por Pacífico e tendo Wagner ao piano, Milton cantou uma composição sua, "Aconteceu". Pouca gente sabia quem era aquela cantora sentada no chão que divulgava seu disco de estreia. Milton reconheceu-a. À saída da festa, aproximou-se e começou a cantar "Dá sorte, fazer o que eu digo/ dá sorte, querer seu amor...", a primeira faixa do disco. Ela fez que não ouviu e disse meio envergonhada:

— Cala a boca. Esquece isso.

Elis e Milton não mais se viram por um bom tempo. Quatro anos depois, no ensaio para a final do II Festival da Excelsior em São Paulo, os dois voltaram a se encontrar. Milton tinha passado sua música e saía pelo corredor quando topou de frente com a cantora, então a mais badalada do Brasil. Tímido como era, preferiu não falar nada, abaixou o olhar ao se cruzarem, e teve que ouvir esta:

— Mineiro não tem educação, não? De manhã se fala bom dia, de tarde se diz boa tarde e de noite, boa noite.

— Bom, eu sei o quanto as pessoas te perturbam e não queria ser mais um.

— Isso não é desculpa, não. E outra coisa, quero que você vá à minha casa para mostrar umas músicas, principalmente aquela que você cantou no Rio, chamada "Aconteceu".

E cantarolou a música certinho. Milton quase caiu de costas. Elis ainda olhou-o dizendo com um ar *blasé*:

— Memória, meu caro.

No dia aprazado, Milton não cantou "Aconteceu", mostrou outras músicas, e assim é que a sua "Canção do sal" foi gravada no LP *Elis*, lançado em outubro de 1966. Foi uma das únicas boas lembranças de Milton em São Paulo. No dia em que se mudou para o Rio, via ao longe a cidade desaparecendo pela janela do ônibus, mas não se sentia aliviado como quem chega ao fim de um sofrimento. Nem raiva tinha. Apenas uma estranha sensação: a de ter vivido 20 anos naquela cidade. Estava fortalecido. Nada mais poderia separá-lo da música.

No Rio de Janeiro, a TV Globo avançava em busca de maior visibilidade junto aos cariocas. Walter Clark contava agora com o grande trunfo que tanto ambicionava em seu time, o experiente Boni, com quem tencionava formar uma dobradinha para replantar em bases sólidas a programação e o conceito de profissionalismo que haviam revolucionado a televisão brasileira na Excelsior.

* * *

José Bonifácio de Oliveira Sobrinho, nascido em Osasco, filho de um dentista que tocava violão nos Chorões de Presidente Altino, que também incluía os violonistas Garoto e Zé Carioca, conhecia bem a ideia de festival, pois fora o responsável pela admissão de Solano Ribeiro como coordenador de produção na TV Excelsior em 1965. Por isso e por sua maior intimidade com a música, teve argumentos para convencer Walter Clark, filho de um técnico em eletrônica, que a Globo deveria se ligar ao Festival Internacional da Canção, ainda que tivessem dificuldades em cobrir um investimento tão elevado. Para tanto, a solução foi lotear o grupo de patrocinadores, normalmente quatro ou cinco, em cem cotas que seriam beneficiadas com comerciais espalhados pelos seis programas, três da fase nacional e três da internacional. A venda foi uma batalha da área comercial, com José Otávio de Castro Neves e José Ulisses Arce, que, a cada nova cota, comemoravam com Boni e Walter acrescentando um nome no mapa aos pés da imagem de Santa Clara, padroeira da televisão, num corredor da Globo. A santa foi rebatizada de Santa Cota e Boni, encarregado da produção dos seis programas de televisão. O FIC permanecia uma promoção da Secretaria de Turismo do Estado, sob a direção executiva de Augusto Marzagão, e era tratado pela TV Globo como um organismo totalmente à parte, gozando de uma independência como nenhum outro programa ou evento. Essa independência foi fundamental na sua trajetória.

* * *

A divulgação das músicas concorrentes foi cercada de adiamentos e episódios confusos até que se chegasse a bom termo.

Antes de anunciar as 40 concorrentes que disputariam as duas preliminares, o secretário de Turismo da Guanabara, Carlos de Laet, comunicou que a comissão de seleção havia escolhido as músicas, mas que estas seriam submetidas à sua apreciação. Trocando em miúdos, abria-se uma brecha para que a escolha fosse aceita na íntegra ou em parte. Foi o bastante para gerar um clima de nervosismo entre os compositores que sentiram a possibilidade dessa interferência vir a prejudicar um parecer técnico. A data da divulgação foi adiada.

Correu um boato que o secretário estaria pretendendo incluir uma canção apresentada por Jandira Negrão de Lima, que era simplesmente filha do governador do estado. O diretor-executivo do festival, Augusto Marzagão, desmentiu essa hipótese, bem como a de que um dos membros da comissão teria boicotado uma música de Sérgio Bittencourt. No dia 5 de setembro, Carlos de Laet, finalmente, divulgou a lista das 40 concorrentes, 20 para cada eliminatória. Havia música de compositores conhecidos, como Vinicius, Dori, Marcos e Paulo Sérgio Valle, Capiba, Menescal, Pixinguinha, Bonfá, João Donato, Sérgio Mendes, Edu e Capinan, Chico Buarque, Vandré e Théo, Carolina Cardoso de Menezes, Radamés Gnattali e Alberto Ribeiro, Gil e Vera Brasil. Entre os desconhecidos, que ainda assinavam seus nomes completos, figuravam Antonio Mauricio Horta de Mello e seu parceiro Marcio Borges (ambos mineiros), Antonio Adolfo Mauriti Saboia, Paulo Tapajós Gomes Filho, Joyce Palhano de Jesus, Gutemberg Nery Guarabira Filho, Milton Nascimento e Fernando Rocha Brant.

Nenhuma Negrão de Lima, nenhum Bittencourt. No entanto, o secretário havia rejeitado três músicas da lista original: "Motivo", porque a autora se assinava apenas Sonia, e as duas outras, "Balanço do vento", de Talita Pinto da Fonseca e "Maria madrugada", dos irmãos Horta, porque não tinham qualidade. Era a opinião do senhor secretário que, invocando um artigo do regulamento, deliberara substituí-las pela de Carolina, "O amor é tudo pra mim", a de Vanelisa Zagni da Silva (nome de batismo da cantora Tuca), "Revolta", e a de Marilda Cavalcanti Horta "Teu sorriso". Como se vê, por capricho ou pela capacidade de julgamento do senhor Carlos de Laet, numa das mudanças saíram dois Horta mas entrou outra. Teoricamente a família Horta não podia reclamar.

Os membros da comissão é que se manifestaram: a música de Tuca estava numa lista de reserva, mas era a segunda. À sua frente havia uma de Tito Madi. Quanto às outras duas incluídas pelo secretário, tinham sido eliminadas por unanimidade entre eles.

Mas as alterações não pararam por aí. Cinco dias depois da divulgação da lista, ao sentir um mal-estar entre os compositores, o diretor Marzagão decidiu convocar uma reunião para trocarem ideias, aproveitando para admitir ainda que a música de Tito Madi poderia entrar no lugar de "Serenata do teleco-teco", que estava para ser retirada pelo autor, o baiano Gilberto Gil. Para resolver a questão, e um tanto desgastado, Carlos de Laet iria propor ao governador inchar o número de classificadas, de 40 para 60, criando mais oportunidades. E aproveitou para alfinetar um componente da comissão de seleção: "Só há um membro que quer me incompatibilizar com a opinião pública, é o cronista Ari Vasconcelos".

A ideia de aumento de vagas acabou vingando mesmo, pensou-se em 50, talvez 60, mas através de uma Comissão Executiva, que faria a escolha com total isenção e imparcialidade. O que não impediu que os mineiros prejudicados chiassem. Talita, que estudara piano com a célebre intérprete de Mozart Lili Kraus, Toninho Horta e Junia Horta, ambos estudantes de música, continuavam se sentindo injustiçados e prometiam impetrar mandado de segurança.

No dia 13 de setembro aconteceu a reunião com os compositores e a imprensa na sede do Festival, no Pavilhão Japonês do Parque do Flamengo, onde seriam divulgadas as concorrentes definitivas. Carlos de Laet abriu a coletiva com as seguintes palavras: "Sinto-me emocionado de estar num meio tão musicado [sic], que espero jamais desafine". A primeira surpresa para os jornalistas e concorrentes presentes foi a ampliação de 40 para 50 selecionadas. Seriam as participantes das duas semifinais, agendadas para o Ginásio do Maracanãzinho na quinta-feira, dia 19, e no sábado, 21 de outubro. A segunda e maior surpresa foi a constatação de que as três músicas, "Balanço do vento", "Maria madrugada" e "Motivo", originalmente classificadas pela comissão e injustamente excluídas pelo bel prazer do senhor secretário, continuavam fora da lista.

Roberto Menescal estranhou e perguntou à mesa:

— Há dois nomes na minha lista que não constam, Talita e Toninho Horta. Houve alguma mudança?

Carlos de Laet respondeu:

— É, nós mudamos três músicas porque achamos que não tinham qualidade suficiente para o festival.

— Mas depois de terem sido selecionadas?

— É, nós mudamos, achamos que não tinham qualidade, e entre as restantes escolhemos outras três.

— Mas fica muito estranho... Um grupo que foi escolhido por vocês, que trabalhou... e depois vem a Secretaria e se acha com um poder de decisão artística maior que a própria comissão de pessoas que lidam com música.

— Não, nós mudamos porque o Festival é da gente e a gente acha que pode mudar.

— Então eu também posso me retirar do Festival se não concordar com essa mudança. Quero deixar claro que não conheço nenhuma dessas pessoas, mas vou me retirar.

Menescal levantou-se e ameaçou sair quando o secretário interveio pedindo que o problema fosse discutido noutra ocasião. Os protestos continuaram e foi a vez de Dori Caymmi se manifestar:

— Estávamos preparados para que fossem concorrer 40 músicas, e agora aumentaram para 50. Além disso, qual o critério para a Secretaria substituir essas três músicas da lista da comissão de seleção?

O secretário voltou a se justificar, alegando que segundo o artigo 40 do regulamento ele poderia modificar quaisquer dos itens.

Nesse momento, um dos beneficiados pelas alterações feitas pela Secretaria, o cantor Tito Madi, surpreendentemente também protestou apresentando uma carta pela qual, "por uma questão de honra", desistia do Festival. Foi aplaudido pelos compositores. Como primeiro da lista "reserva" da comissão, sua composição foi incluída depois da desistência formal de Gilberto Gil, que alegava ter sua "Serenata do teleco-teco" sido inscrita à sua revelia.

Menescal, Dori, Nelson Motta, Gutemberg Guarabira, Macalé, Mário Telles e Arthur Verocai ameaçaram se retirar, deixando a imprensa alvoroçadíssima, quando Menescal disse: "Acho que a gente deve se reunir e conversar sobre isso".

A reunião dos compositores foi realizada no mesmo dia e por mais de três horas, na casa do letrista Mário Telles, em Copacabana. Eram 15 compositores, os já mencionados, Chico Buarque, Luís Bonfá e outros, que decidiram apresentar um documento ao secretário de Turismo Carlos de Laet expondo suas condições para continuar no Festival. Se não fossem atendidos, retirariam suas músicas, informariam sua decisão ao governador Negrão de Lima e ainda sugeririam o afastamento de Carlos de Laet. "O que nós queremos é que as decisões da comissão de seleção sejam respeitadas, ou então a coisa vira bagunça", declarou Roberto Menescal ao *Jornal da Tarde*.

A certa altura da reunião, houve um telefonema dos promotores do Festival propondo um encontro para o dia seguinte na própria Secretaria de Turismo. Ao aceitá-lo, os compositores sentiram que precisariam munir-se de mais informações sobre os novos concorrentes, para poder argumentar contra a substituição. Decidiram então contratar de imediato um detetive particular, fazendo uma vaquinha para remunerá-lo. Em menos tempo do que esperavam, foram surpreendidos com o resultado da investigação: dois dos novos escolhidos eram amigos pessoais do secretário de Turismo Carlos de Laet, um deles era seu vizinho de porta e o outro residia no mesmo edifício. Uma dessas pessoas era a pianista Carolina Cardoso de Menezes, que com certeza entrou inocentemente na nova lista.

Nessa mesma noite, Menescal recebeu um telefonema do secretário Carlos de Laet tentando dissuadi-lo da atitude anunciada, complementando: "Acho que não vai ficar legal para vocês compositores, porque isso não vai ficar assim, não é, Roberto? Você já tem uma posição conhecida como compositor, tem filhos, é uma responsabilidade muito grande vocês agirem assim, e pode acontecer alguma coisa". Roberto ficou louco de raiva, chegou a arrancar o telefone da parede diante do olhar atônito de sua mulher Yara. Menescal resolveu botar para quebrar.

No dia seguinte foi para a segunda reunião furioso, dizendo para um segurança logo na entrada: "Você, sai da minha frente, se tiver papo vai ser com o secretário de Turismo". A sala estava repleta de repórteres; o diretor da TV Globo, Boni, convidou Roberto para conversar com Carlos de Laet num recinto ao lado e perguntou como ia ficar a situação. "Não sei", respondeu olhando para o secretário. "Mas eu tenho uns dados aqui que acho bastante interessantes: das pessoas que entraram, uma é sua vizinha de porta e a outra mora no mesmo prédio." Boni, que não sabia de nada, recebeu aquilo como um soco; olhou para o secretário e disse:

— Bom, agora nós vamos dizer para eles que voltamos atrás, não é, senhor Secretário?

— Sim, mas... e como fica o caso dessas duas pessoas?

— Não sei, o senhor vai dizer para eles que não foram classificados e pronto.

Em seguida, diante da imprensa, o secretário afirmou que os escolhidos pela comissão estavam nas semifinais. Dessa forma, "Maria madrugada", de Toninho e Junia Horta, "Balanço do vento", de Talita Pinto Fonseca, e "Motivo", de Sonia Rosa, iriam concorrer. Não havia nenhuma canção de Tito Madi, nem de Gilberto Gil, nem de Carolina no II FIC. Carolina solicitou a retirada de sua música. Ficaram vinte e três canções para cada eliminatória. Marzagão estava feliz com o fim das divergências.

O que mais chamava a atenção na lista de 46 canções é que três delas eram de um mesmo compositor, o desconhecido cantor de boates que morava em São Paulo, Milton Nascimento. Ficou tão contente com essa classificação que declarou: "Vou morar no Rio de Janeiro. Lá tudo dá samba".

O Rio de Janeiro vivia um clima de festa com a chegada das delegações de artistas dos 31 países concorrentes para se hospedaram no hotel Copacabana Palace, para onde haviam sido transferidos os escritórios do FIC. A importância do evento podia ser avaliada pelo lançamento de um selo, alvoroçando os filatelistas, ou pelo interesse despertado nos que desejavam tirar uma lasquinha. O Conselho de Defesa dos Direitos Autorais, integrado por Humberto Teixeira e David Nasser entre outros, impetrou uma ação na Justiça para cobrança de direitos das novas composições, que nem editadas tinham sido. Não só foi rechaçada pelo secretário Carlos de Laet, com o argumento que o Festival não visava lucro e

Augusto Marzagão, o organizador do Festival Internacional da Canção,
e o jovem Milton Nascimento, que classificou três músicas de sua autoria para
o II FIC de 1967: "Travessia", "Morro velho" e "Maria, minha fé".

nem as músicas seriam exploradas, como não obteve o menor apoio dos compositores concorrentes.

À medida que os convidados, cantores e personalidades da música iam chegando do exterior, mais e mais o Rio de Janeiro se agitava. Se entre os intérpretes concorrentes não havia nomes consideravelmente expressivos, o mesmo não se pode dizer dos convidados. A lista era de fazer inveja a quaisquer daquelas que, precedendo os carnavais do Rio, tinham o poder de excitar *playboys* cariocas ou paulistas e "mocinhas de fino trato" disponíveis para um romance rápido e rasteiro. A delegação francesa para o II FIC era formada pelo editor de música Eddie Barclay, o cantor de "Ma vie" Alain Barrière, os autores de "Um homem, uma mulher", Francis Lai e Pierre Barouh, Paul Misraki, autor de "Vous qui passez sans me voir", e o empresário do Olympia, Bruno Coquatrix. Da Argentina veio o famoso compositor Marianito Mores, autor de "Adiós pampa mía" e "Uno"; da Bélgica, o extraordinário cantor Jacques Brel; da Itália, os cantores Nico Fidenco e Jimmy Fontana; do Chile, o rei do bolero, Lucho Gatica; do Peru, a cantora Yma Sumac. Para variar, a delegação americana era simplesmente arrasadora. Vieram astros e estrelas, Kim Novak, o ator Robert Wagner, e a estonteante Jill St. John, que iria se casar com o cantor Jack Jones, também no Rio. Mais cantores e cantoras: Patty Austin, Dionne Warwick e Andy Williams. Entre maestros e arranjadores, ninguém menos que: o maestro David Rose, compositor de "Holiday For Strings", o respeitado maestro Percy Faith, Herb Alpert, líder da Tijuana Brass, o produtor Creed Taylor e um trio que dispensa adjetivos, Quincy Jones, Nelson Riddle e Henri Mancini. Não era tudo: mais importantes que *starlets* e, por incrível que pareça, sem muito assédio por parte da imprensa, eram os compositores, cujas fisionomias não eram lá muito conhecidas. Estavam no Rio representantes da fina flor do American Song, o polonês de origem, Bronislaw Kaper, autor de "Hi-Lili, Hi-Lo" e "Invitation", Sammy Cahn, letrista de "Please Be Kind", "Second Time Around", "Three Coins In The Fountain", "Time After Time" entre dezenas de outras, Johnny Mercer, um dos maiores letristas americanos em centenas de canções como "Fools Rush In", "One For My Baby", "Moon River", Jimmy Van Heusen, autor de "Call Me Irresponsible", "Imagination", "Second Time Around", Allan Bergman, letrista de "Nice'n' Easy" e "You Don't Bring Me Flowers" e, por fim, Johnny Mandel, autor de "The Shadow Of Your Smile", que, ao lado dos já citados maestros e arranjadores, compunham um time de All Stars da música popular. Nunca mais se reuniu um convescote de compositores americanos desse porte na piscina do Copa, dando sopa para fotos e entrevistas. Só mesmo o talento e cavalheirismo de Marzagão para realizar tal façanha.

* * *

O ginásio do Maracanãzinho foi consideravelmente melhorado para receber os artistas brasileiros, 170 estrangeiros, um público calculado entre 15 a 20 mil pessoas, cerca de 300 jornalistas brasileiros e do exterior e a equipe da TV Globo, a emissora que arcou com os quase US$ 50 mil para a montagem do som que, esperava-se, pudesse resolver os comentados problemas do ano anterior. Entre as melhorias do ginásio, que estava meio largado, os camarins foram pintados e a área externa iluminada com lâmpadas de mercúrio.

Sob o comando do engenheiro Herbert Fiuza, a sonorização interna teria, em vez de cornetas, 40 caixas de som, 15 amplificadores Mustang de 50 watts, dos quais dois para o júri. Os defletores, localizados sob um teto falso, seriam rebaixados ao máximo para diminuir o rebatimento e haveria tapetes nas áreas vazias — apesar de todas essas providências, caso o Maracanãzinho não lotasse, talvez não fosse possível eliminar o eco. O decorador Julio Sena ajudaria a corrigir a acústica com a colocação de toldos em vermelho e branco no anel superior. O cenário que projetou tinha lances de audácia: um imenso painel de plástico branco, iluminado por trás, com a imagem do galo no meio, servia de fundo para o palco em três planos de piso branco. No meio do grande semicírculo principal, sobre um disco elevado, postavam-se os cantores; à esquerda, os apresentadores Hilton Gomes e Ilka Soares; e à direita, os eventuais vocalistas complementares, o coro, que anos depois seria chamado no Brasil de *backing vocal*. Em frente ao palco, num plano inferior, duas passarelas circulares descendentes, rodeando a orquestra, e, num tablado redondo, o maestro, voltado para a orquestra e os cantores. Entre as costas do maestro e o público, a comprida mesa dos jurados e, atrás destes, as 1.400 cadeiras de pista para os convidados especiais. Quem pagava era a TV Globo, vencedora da concorrência para transmitir com exclusividade para o Rio, São Paulo e Belo Horizonte simultaneamente. Os lugares mais baratos eram nas arquibancadas, a três cruzeiros novos equivalentes a US$ 1 aproximadamente, ao passo que os mais caros eram os camarotes, a US$ 30. A TV Globo ainda dava um apoio aos inscritos, oferecendo um pequeno estúdio para os candidatos gravarem as suas canções.

O novo palco do FIC no Maracanãzinho que, com um
grande investimento da TV Globo, foi inteiramente reformado
para a realização da segunda versão do festival, em 1967.

O alto investimento, que representava 60% dos custos totais, tinha fundamento, pois esperava-se que o Festival firmasse a audiência da TV Globo, dando-lhe ainda uma personalidade identificada com a população carioca. Além das novelas, a Globo tinha o "talk show" de Glaucio Gil, que apoiava muito o teatro em suas entrevistas com atores. O programa teve um desfecho trágico e imprevisível: Glaucio Gil morreu no estúdio durante uma entrevista. Caiu frente à câmera, o programa foi interrompido e colocaram no ar o antigo logotipo da emissora. Logo depois foi anunciada sua morte. Com isso a Globo ficou capenga no horário. A ideia era que o Festival desse uma alavancada na emissora.

Depois de muito empenho, as cotas de patrocínio foram todas vendidas antes do início do grande evento, garantindo pelo menos o retorno do investimento. A Globo assumiu os encargos dos prêmios, de mais de 200 passagens internacionais e nacionais, dos cenários, do sistema de som, da orquestra e de parte dos custos da organização.

* * *

O júri anunciado a 16 de outubro teria 17 integrantes, dois de São Paulo, um da Bahia, um de Minas e os demais do Rio, sendo que 11 deles eram jornalistas. Sob a presidência do maestro Isaac Karabtchevsky, era composto por Elizeth Cardoso, Ricardo Cravo Albin, diretor do MIS, o humorista Ziraldo, que trabalhava na revista *Visão* e desenhara o galo símbolo do festival, o poeta Paulo Mendes Campos, o embaixador Donatello Grieco e os jornalistas João Marschner, de *O Estado de S. Paulo*, Adones de Oliveira, da *Folha de S. Paulo*, Fernando Hupsel Oliveira, de *A Tarde* de Salvador, Rômulo Tavares Paes, de *O Estado de Minas*, Justino Martins, diretor da revista *Manchete*, Carlos Lemos, crítico do *Jornal do Brasil*, Carlos Menezes, editor de *O Globo*, Mauro Ivan, crítico do *Correio da Manhã*, Hélio Tys, de *O Dia*, Laura Dantas Pinto Guimarães, do *Diário de Notícias*, e Antonio Carlos Lopes, dos Diários Associados. Vários deles tiveram de recorrer à Casa Rollas para alugar os *smokings* que deveriam trajar quando estivessem ouvindo as músicas — e a audição, desta vez, seria feita através de fones com regulagem de volume. Houve algumas vozes dissonantes quanto à competência de um júri, ao que tudo indicava, mais habilmente jornalístico que idealmente musical.

* * *

Zuza Homem de Mello

Após dois ensaios, na véspera e na própria quinta-feira, 19 de outubro, entrou no ar o II Festival Internacional da Canção pela TV Globo, aberto pela grande orquestra de 75 músicos sob a batuta de Erlon Chaves, que se revezaria com Mário Tavares e Astor Silva. Foi executado o Hino do Festival, a Rapsódia Brasileira de Paul Misraki e um *potpourri* com três músicas do ano anterior, "Saveiros" era uma delas. Os apresentadores anunciaram os convidados estrangeiros, os participantes do júri nacional e deram início ao desfile de 23 canções com um concorrente surpreendente: Pixinguinha, uma legenda na música brasileira, e já com 70 anos. Seu parceiro, Hermínio Bello de Carvalho, havia feito a letra de "Fala baixinho", que seria cantada por Ademilde Fonseca, uma *expert* em choro cantado. O terceiro concorrente foi recebido com uma ovação que foi minguando à medida que a música avançava. Os aplausos eram para Geraldo Vandré e não para "De serra, de terra e de mar".

A seguir, duas músicas do estreante Milton Nascimento: "Maria, minha fé", levada no estilo suave do cantor Agostinho dos Santos, e "Travessia", com o próprio compositor. Aos 24 anos, Milton era considerado a grande revelação antes mesmo de começar o Festival. Não era para menos, um estreante com três músicas classificadas era caso raro. Como não tinha dinheiro para o *smoking*, que supunha ser obrigatório, comprou-o fiado dando como garantia suas três composições. Nervoso como todos os concorrentes, conseguiu se controlar com o incentivo dos aplausos a Agostinho dos Santos, um cantor paulista muito querido no Rio. Se gostaram de uma, deveriam gostar da outra, pensou antes de aparecer. O artista saía de uma boca de cena e percorria uns 20 metros até chegar diante do microfone onde deveria cantar. Tinha a visão da orquestra embaixo e de costas. Nesse percurso já se podia sentir o comportamento do público do Maracanãzinho. Quando Milton surgiu, o público se sentiu atraído por sua presença, antes mesmo que ele começasse a cantar. Tinha uma força que ia além da música, a auréola de um santo, o astral de um artista predestinado à idolatria. Atacou no violão os acordes, que seriam tantas e tantas vezes repetidos depois. O público começou a aplaudi-lo na oitava nota da música, depois de "Quando você foi embora", como se ele tivesse terminado. No primeiro refrão, os aplausos voltaram, mais intensos, após o verso "Solto a voz nas estradas", e outra vez ainda no mesmo ponto ao ser repetido. O final do arranjo original, de Eumir Deodato, era com um prolongado "vóóóz" sem a sequência "nas estradas". Foi uma consagração. Cantando uma toada, avessa ao padrão de música de festival ou àquela animação característica dos cariocas, Milton Nascimento praticamente se incluiu, antes mesmo de terminar a apresentação, entre os mais fortes concorrentes, uma revelação de compositor e de cantor. Como só de quando em quando surge no mundo. Sua foto tocando violão foi para a primeira página de O *Globo* no dia seguinte. Vinha de Três Pontas, Minas Gerais, e acreditava que a melhor das suas três músicas era "Morro velho".

A sexta música, "Canção de esperar você", foi interpretada pela irmã do autor Fernando Leporace. Gracinha justificou plenamente seu prenome, sendo aplaudida até por Pixinguinha, um dos que ficaram encantados com aquela moreninha de cabelos curtos e vestido prateado, discreta nos doces meneios de corpo, segura na interpretação e sem a preocupação de bajular a plateia ou os jurados. Conquistou ambos e o coração de Sérgio Mendes, com quem se casou.

A oitava música, "Carolina", fora resultado de uma barganha entre o autor Chico Buarque e Walter Clark. Certo dia, no famoso bar do Leblon, Álvaro's, Walter propôs a troca — se Chico colocasse uma música no Festival, seria perdoado da multa por descumprimento do contrato com o programa da Globo *Shell em show maior*. Como Chico queria se livrar daquele abacaxi, resolveu fazer a música, inscreveu-a, mas não tomou muito conhecimento. Foi quando Rui, do MPB 4, procurou-o: o Quarteto em Cy tinha se separado e Cynara, que era sua mulher, precisava de uma força ao formar dupla com a irmã Cybele. As duas se lançaram muito bem cantando "Carolina", foram aplaudidas duas vezes antes de terminar a primeira apresentação, embora a letra pedisse uma interpretação masculina.

Da nona até a décima terceira competidora, não houve nenhum destaque. A décima quarta apresentada, "São os do Norte que vêm", um baião-exaltação muito sem graça, de Capiba e Ariano Suassuna, cantado pelo pernambucano Claudionor Germano, ídolo nos carnavais do Recife, agitou o ginásio sedento de alegria com a clássica desdobrada festivalesca ao final. Foi preciso mais quatro músicas até que o público voltasse a se manifestar animadamente. Entraram no palco os oito componentes do grupo Manifesto, liderados pelo autor de "Margarida", o baiano Gutemberg Guarabira, com a orquestra regida por Oscar Castro Neves. Uma canção fácil de aprender, pois tinha um refrão de cantiga de roda que o público pegou na hora: "E apareceu a Margarida, olê, olê, olá/ e apareceu a Margarida, olê, seus cavaleiros". Margarida trazia de volta a alegria que estava faltando. Depois dessa vitoriosa apresentação, Gutemberg achou que poderia ganhar o Festival.

Mais quatro concorrentes e o público se retirou com suas preferências declaradas por "Margarida", "Travessia" e "Carolina" — embora o júri só fosse decidir as classificadas após ter ouvido as 23 da segunda eliminatória. Entre os críticos, Juvenal Portella, do *Jornal do Brasil*, também se entusiasmou com "Margarida" e "Carolina", mas escreveu que, além dessas duas, havia pouco a se aproveitar. "Assistimos a um festival de bocejo", confidenciou o secretário de Turismo Carlos de Laet a um assessor.

Os dois dias entre as eliminatórias não eram suficientes para que as melhores músicas pudessem ser devidamente divulgadas nas emissoras de rádio — um veículo importante, que o Festival da Record sabia aproveitar muito bem.

* * *

No mesmo dia da final do Festival da TV Record, a TV Globo transmitiu a segunda eliminatória do III FIC. Os espectadores tinham dessa maneira, à sua disposição, duas diferentes programações da nova música popular. Uma, com os artistas em vertiginosa ascensão, Chico Buarque, Caetano Veloso, Gilberto Gil, Edu Lobo, Elis Regina, Jair Rodrigues, o MPB 4 e Geraldo Vandré; a outra, sem nenhum grande nome, mas uma grande revelação: Milton Nascimento. Assim se deu a briga pela audiência na televisão no sábado, dia 21 de outubro de 1967. Dessa vez havia mais público e maior animação para receber o primeiro da noite, novamente Milton, com sua terceira canção, "Morro velho", num arranjo do fã declarado, Eumir Deodato.

"Morro velho" emocionava quem já ouvia Milton desde São Paulo, onde a música fora composta. No primeiro semestre de 1967, o empresário Guilherme Araújo me ligou convidando para um almoço com Elis e o noivo, Ronaldo Bôscoli, em seu apartamento na rua São Carlos do Pinhal, no mesmo edifício onde eu morava. Antes de ser servido, chegou um amigo dela, que iria, a seu pedido, nos mostrar suas músicas. Durante o almoço ficou calado, só observando. Depois da sobremesa, aquele rapaz muito tímido, tristonho, com um ar sofrido mas um sorriso franco e aberto que se iluminava com o sol de inverno entrando pelas vidraças enormes, cantou "Travessia", "Canção do sal" e, depois, "Morro velho". Quando terminou, Guilherme, Ronaldo, Elis e eu ficamos olhando uns para os outros como se tivéssemos ouvido um ser de outro planeta. Nossos olhos encheram-se de lágrimas que tentamos disfarçar. Sua tristeza se desvaneceu por um tempo.

Outro momento emocionante de Milton em São Paulo teve seu co-

Gutemberg Guarabira e o grupo Manifesto, com Gracinha e Lucinha,
ensaiam "Margarida", a preferida do público carioca.

Na final do II FIC, Fernando Brant observa Milton Nascimento cantar
"Travessia", uma das mais marcantes composições da dupla.

meço certa noite quando ele substituía o cantor de um barzinho. Às tantas percebeu que alguém se sentara a seu lado. Depois de tocar várias músicas, ouviu-o dizer:

— Bicho! Quem é você?

Milton nunca tinha ouvido essa expressão. Era Agostinho dos Santos, que ele tanto admirava.

— Você compõe também? Toca uma música sua.

Milton cantou "Morro velho". A música pegou-o desprevenido. Agostinho resolveu apadrinhar Milton, levando-o a todos os lugares, apresentando-o a seus conhecidos, até o dia em que lhe deu uma notícia:

— Bicho, vai ter um festival no Rio de Janeiro que é internacional, vem gente do mundo inteiro. Vamos botar uma música lá.

— Agostinho, não vou, não.

— Como não vai?

— Não, depois daquele festival da Excelsior, fiquei muito triste e não vou mais botar música em festival, quase que eu acabo com a música.

Insistindo e ouvindo negativas, Agostinho chegou depois com outra novidade à pensão onde Milton morava:

— Vou gravar um disco! Arrumei um produtor, falei de suas músicas e ele pediu para você gravar três que ele vai tirar uma para o disco.

— Gravar três para você tirar uma?

Dias depois, na casa de um amigo do cantor, Milton gravou três músicas para o disco de Agostinho. Algumas semanas mais tarde, estava no Teatro Record, quando foi cumprimentado várias vezes sem saber o que se passava. Elis veio abraçá-lo num pulo, exclamando eufórica:

— Eu sabia!

— Sabia o quê?

— Você tem música no festival do Rio!

— Eu não botei música no festival do Rio.

— Então tem outro Milton Nascimento.

Milton ficou desconcertado, sem acreditar. Ouviu uma risada por trás. Era Agostinho dos Santos, que armara tudo sem que ele desconfiasse de nada.

— E não adianta dizer que não, porque o homem do festival está vindo para te conhecer.

As três músicas tinham entrado e, no Rio, os selecionadores queriam saber quem era o compositor paulista. Em São Paulo, Marzagão ouviu Milton pela primeira vez num bar da Galeria Metrópole, comunicando logo que ele precisava ir ao Rio.

— Não é por nada não, mas eu não tenho dinheiro nem para ir de um lado da Lapa para o outro lado.

— Não tem problema, eu pago a sua passagem, dou um dinheiro e reservo um hotel até você conseguir se arranjar.

Milton tomou um ônibus e se mudou para o Rio. Chegou ao escritório do Festival com a mala e o violão.

— O senhor deseja falar com quem?

— Eu queria falar com o sr. Marzagão.

— Ele está numa reunião. E hoje vai ser um dia meio pesado, você pode voltar amanhã?

— Posso. Agora, eu queria deixar um recado. Diz para ele que o Milton Nascimento chegou e está no hotel, como ele mandou.

A moça se levantou num pulo, como a Olívia Palito quando quer ver o Popeye. Foi um corre-corre, a porta se abriu, saíram os que estavam na reunião, Eumir Deodato, Geni Marcondes, Guerra Peixe, todos curiosos para conhecer Milton, examinando-o como uma espécie rara. Na sequência foi convidado a cantar suas músicas; em "Morro velho", alguns choraram, outros bateram palmas pedindo mais "Morro velho". Várias vezes.

No Rio, Eumir apresentava Milton a todo mundo. Levou-o a sua casa anotando acorde por acorde de "Morro velho" e "Travessia" para a elaboração dos arranjos. Milton, que mostrava as posições de seus dedos em cada um deles, perguntou:

— Eumir, quem vai cantar essas músicas?

O outro olhou-o vagamente, sem responder.

— Eu queria que a Elis cantasse uma delas, mas a Record não deixa. Me dá uma ideia aí.

— Eu estou trabalhando com você hoje e já comecei a fazer os arranjos. E vou embora amanhã para os Estados Unidos. E não é para voltar. Se você quiser que eu faça algum arranjo, você é que vai cantar. Senão eu paro agora.

— Meu Deus do céu! Não vou enfrentar 20 mil pessoas no Maracanãzinho, não tenho coragem pra isso.

— Não, você tem que cantar. Vou fazer os arranjos para você cantar.

Milton teve que cantar. No ensaio de "Morro velho", o maestro Erlon Chaves e vários músicos choraram. Eumir deu um novo colorido à narrativa. Era outra longa toada, desta vez contando a história de dois meninos de fazenda, o filho do dono e seu companheiro, um garoto da colônia com quem brincava.

Na segunda eliminatória, Milton entrou sozinho novamente com seu violão, apoiou-se num banquinho e cantou sua segunda música no Festival. A amizade era o tema da lenta canção apresentada para milhares de pessoas, que aplaudiram mais uma vez a voz que parecia vir do Éden. Foi a melhor coisa daquela noite.

Aplaudindo e vaiando moderadamente, a plateia foi ouvindo mais 22 canções entremeadas de números dos cantores estrangeiros, tendo se agitado mais com "Fuga e antifuga", do maestro Edino Krieger e Vinicius de Moraes, com o Quarteto 004 e As Meninas. Foi, assim, uma noite morna, que não entusiasmou os ingleses, nem Eddie Barclay, nem os jurados, que tinham a missão de destacar 20 finalistas. Saíram 11 do primeiro dia e nove do segundo para a final nacional no dia seguinte. Guarabira, Milton e a dupla de baianos Alcivando Luz e Carlos Coqueijo emplacaram duas cada um entre as 20. Também passavam para a etapa seguinte músicas de Vandré, Luís Bonfá, Edu Lobo, Francis Hime, Dori Caymmi, Luís Eça e Chico Buarque, que mal acreditou que sua música fora classificada.

* * *

A alegria do público carioca impressionou vivamente os convidados, que não imaginavam ver tanta animação num festival de música. No Maracanãzinho, a torcida de "Margarida" desfraldou uma faixa com enormes margaridas de papelão, consciente de que iria enfrentar o organizado grupo de "Fuga e antifuga". Além dessas duas, "O sim pelo não", de Alcivando Luz e Carlos Coqueijo, "Travessia" e "Carolina", com a presença de Chico Buarque como convidado especial, eram as mais fortes concorrentes. Entre os cantores, o público tinha declarada simpatia por Gracinha Leporace e Milton Nascimento, o que poderia influenciar a decisão do corpo de jurados que, entre as 20, deveria premiar dez, sendo que a primeira, como no ano anterior, seria a representante brasileira no confronto com as internacionais.

Mais de 15 mil pessoas se agitavam no domingo, sem saber o sufoco que os técnicos da TV Globo tinham enfrentado horas antes, quando houve falta de energia. Para chegar a tempo, o caminhão com o gerador solicitado teve de atravessar o túnel Rebouças ainda em construção.

Dois compositores foram massacrados com vaias impiedosas: Edu Lobo, com o "Canto da despedida" (em parceria com Capinan), interpretada pela catarinense Neide Mariarrosa, e Geraldo Vandré, que, com o trio Marayá, cantou quase ao final, pois chegara atrasado. Em compensação, "Margarida" foi consagrada. Hilton Gomes anunciou que o simpático Gutemberg Guarabira estava rouco, mas assim mesmo defenderia sua música, uma comunicação que, teoricamente, beneficiava-o com um *handicap* de tolerância. "Margarida" contava ainda com a participação de Gracinha, naquela altura, o xodó da moçada. Não deu outra: foi de longe a música mais aplaudida, o povo todo cantou feliz e nem mesmo a grande novidade desse festival, que era Milton Nascimento, conseguiu convencer o júri.

O resultado foi anunciado depois da meia-noite. Milton foi o melhor intérprete e abiscoitou o sétimo lugar com "Morro velho". Os pais de Bituca, Josino e Lilia, Fernando Brant e família, Márcio Borges, amigos de Três Pontas, novos amigos, como Gonzaguinha, todos tinham vindo torcer por ele. Chico bicou mais uma grana naqueles dias, com os 2 mil pelo terceiro lugar de "Carolina", e Milton ainda ficou com o segundo lugar com sua "Travessia". Enquanto cantava, já como vice-campeão, via na plateia um assistente gesticulando e protestando em altos brados: "Marmelada! Marmelada!". Era Augusto Marzagão, diretor do FIC. Na Globo, Boni também achava que Milton deveria ter ganho e todos lamentaram a decisão do júri, ainda que reconhecessem muita alegria no grupo que cantou "Margarida".

Apesar do favoritismo declarado da plateia, houve vaia quando Hilton Gomes anunciou o primeiro lugar. Os que torciam pelas outras músicas não gostaram e naturalmente vaiaram Gutemberg que, no entanto, estava preparado. Enquanto a segunda e a terceira músicas eram reapresentadas, Gut correu pelo meio da orquestra e pediu ao cellista Márcio para tocar um mi bemol, memorizou a nota e, quando subiu ao palco, entrou na tonalidade certa, apesar de não conseguir ouvir nada da orquestra. Quando o regente Oscar Castro Neves deu a saída, ele atacou na cabeça. Depois de uns oito compassos, todo mundo aplaudia "Margarida".

* * *

No Rio de Janeiro, o baiano criado em Bom Jesus da Lapa, Gutemberg Guarabira, que havia participado, a convite de Sérgio Cabral, do show de inauguração do Teatro Casa Grande com Sidney Miller e Luís Carlos Sá, frequentava o bar do Careca da rua Gustavo Sampaio, no Leme. Foi onde conheceu o grupo Manifesto, com Gracinha e seu irmão Fernando Leporace, Lucinha (que depois formaria, com Luli, a dupla Luli e Lucina), Guto Graça Mello, Amauri Tristão, José Renato, Junaldo, Ma-

Gutemberg Guarabira comemora a vitória de "Margarida" com Gracinha
Leporace, que se tornou uma das sensações do festival.

riozinho Rocha e Augusto Pinheiro. Entrou para o grupo quando foram contratados para fazer um programa na TV Continental e um disco na Philips a convite do arranjador Oscar Castro Neves. Gut foi forçado pelos companheiros a inscrever no II Festival da Canção sua música "Margarida", que já fazia parte do repertório do grupo e estava ensaiada para o disco. Nasceu de uma brincadeira entre ele e Sidney Miller, que o desafiou a compor uma música baseada em alguma canção folclórica, como "Boi da cara preta", de Dorival Caymmi. Sidney Miller fez "Marré-decy" e Gut fez "Margarida", cuja letra falava de uma decepção amorosa nos seus 16 anos. A origem do refrão era uma canção de roda francesa, "Seche tes larmes, Marie" (Enxugue tuas lágrimas, Maria), que já havia sido utilizada, em 1964, na marchinha de carnaval "Marcha do remador" por Antônio Almeida e Oldemar Magalhães, cantada por Emilinha Borba. Como pouco antes do FIC o grupo Manifesto estava esfacelado, Gutemberg pediu a vários cantores para interpretá-la, inclusive a Agnaldo Timóteo, mas ninguém se interessou. Não teve outra alternativa, reuniu seus amigos do Manifesto para defender a música com ele. A fita para sua inscrição foi feita no estúdio que a Globo oferecia aos candidatos, onde também foram gravadas as de outros componentes do grupo — "Canção de esperar você", de Fernando Leporace, cantada por Gracinha, "Desencontro", de Amauri Tristão e Mário Telles, cantada por Gracinha em dupla com Mário, e "Marinheiro olê", também de Gut, que seria defendida por Agostinho dos Santos com arranjo de Guerra Peixe.

Vitoriosa na parte nacional, "Margarida" foi mais uma vez ouvida no Maracanãzinho nos dias 28, quando concorreu, na segunda eliminatória internacional, com mais 30 canções estrangeiras, e 29 de outubro, pois estava classificada entre as 20 finalistas. Ficou em terceiro lugar na decisão do júri que, presidido por Henri Mancini, premiou a canção italiana "Per una donna", de Marcello di Martino e E. Perreta, com o cantor Jimmy Fontana, estrondosamente vaiada quando foi anunciada vencedora. O público queria a brasileira "Margarida". Kim Novak também, e deu um beijo em Guarabira. Foi uma confusão dos diabos no palco, muita gente entrou, não se conseguia ouvir a voz do locutor Hilton Gomes. Ao sair do ginásio, o carro que conduzia Henri Mancini foi atacado por populares aos socos e pontapés, o que poderia prejudicar os convidados internacionais do FIC do ano seguinte. Na imprensa criticou-se a exagerada distribuição de convites.

Na premiação da fase nacional, no intervalo da segunda eliminatória internacional, quem acabou levando uma bela vaia foi o diretor da TV

Milton Nascimento, a grande revelação e artista mais premiado
do festival, e Vinicius de Moraes, quarto lugar com "Fuga e antifuga",
se abraçam em 22 de outubro de 1967.

Chico Buarque, terceiro colocado com "Carolina", Gutemberg Guarabira
e Milton Nascimento, após a final nacional do II FIC em 1967.

Globo, Walter Clark, quando entregou o Galo de Ouro ao vitorioso. Gutemberg Guarabira foi comemorar com seus amigos do Manifesto no bar do Careca. Ganhou um bom dinheiro, 25 mil cruzeiros novos, sendo 5 mil para dividir com o grupo Manifesto. Era muito dinheiro para quem vivia numa pindaíba de fazer gosto. Dava para comprar um apartamento. Depositou tudo no banco e ia gastando; à medida que o maço de notas no bolso diminuía, passava pelo banco e sacava outro tanto para aproveitar a vida que nunca tinha levado, convidando seus amigos duros, como o João Medeiros Filho, para o Fiorentina, onde mandava colocar o uísque predileto na frente de cada um, queijo fino para o Luiz Carlos Sá e pagava a conta com gosto.

Entre os demais premiados, o maestro Gaya recebeu um Galo de Prata pelos melhores arranjos, escolhidos pelo presidente do júri Karabtchevsky. Com o segundo e sétimo lugares entre os compositores, além de melhor intérprete, o grande premiado foi mesmo Milton Nascimento.

* * *

Milton fez "Morro velho" e "Travessia", em São Paulo, no mesmo dia. A letra de "Morro velho" foi inspirada numa das visitas à fazenda da avó de Wagner Tiso, à beira de uma estrada de ferro, onde moravam o filho do dono e o filho do colono chamado Aniceto Niceto. Pela forma de tratamento ao tema da amizade, que seria retomado em outras canções suas, poderia ter sido trilha do filme *Menino de engenho*.

Para a outra composição desse dia, inicialmente chamada "O vendedor de sonhos", Milton escreveu uma letra que costumava cantar no barzinho Sand Churra em São Paulo, e começava assim: "Quem quer comprar meus sonhos?". Não estava contente com essa ideia, tampouco sentia que Márcio Borges, seu parceiro mais constante na época, pudesse fazer a letra definitiva. Resolveu entregar a missão a outro amigo, Fernando Brant, que nem era letrista. Foi de ônibus para Belo Horizonte e pediu para Fernando fazer a letra.

— Você está louco? Eu nunca mexi com letra. Eu gosto de música, mas não sei mexer com isso.

Milton não desistiu. Até que um dia Fernando se propôs a escrever a letra, usando como tema o rompimento de um namoro, e ficou aguardando a vinda de Milton a Belo Horizonte para mostrar-lhe o resultado. Nesse dia, foi ao quarto da irmã, apanhou seu violão, e foram ambos para uma salinha cantar "Travessia" pela primeira vez. De repente, a luz se acendeu: era Maria Celia, a irmã de Fernando, dona do violão e uma

A torcida para "Margarida", que havia vencido a fase nacional e era
a concorrente brasileira na final internacional do II FIC de 1967.

Entrega dos prêmios da fase internacional do II FIC: Henri Mancini, presidente
do júri (à esquerda), Kim Novak, Quincy Jones (com o troféu na mão)
e Gutemberg Guarabira (à direita), o terceiro colocado da fase com "Margarida".

das moças mais bonitas da cidade. Tinha ouvido tudo e, entusiasmada, pediu que Milton autografasse seu violão.

— Não, que é isso? Vai estragar seu violão.

— Com essa música vocês vão ganhar o festival.

Foi o primeiro autógrafo que Milton deu na vida.

Formada basicamente por três segmentos, sendo um deles um curto interlúdio instrumental entre os outros dois (primeira parte e refrão), eventualmente também usado como introdução, era a melodia da letra descartada em "O vendedor de sonhos". A primeira parte desenvolve-se em frases descendentes, a maioria em busca das notas mais graves, que Fernando habilmente fez casar com o rompimento amoroso: "Quando você foi embora/ fez-se noite em meu viver...". O refrão, mais esperançoso, segue um caminho oposto, de frases buscando as notas agudas, exceto a última, a única com uma melodia descendente combinando com o verso final, "Vou querer me matar". No entanto, essa conclusão trágica esconde um sonho, significando exatamente o oposto, um alento para a vida, de tal modo disfarçado que a intenção da música é de fato positiva, para cima, como indicam os versos na repetição da primeira parte: "Eu não quero mais a morte/ tenho muito que viver/ vou querer amar de novo..." sobre frases melódicas ascendentes.

"Travessia" teve uma carreira brilhante no Brasil e no exterior, onde foi gravada com o título de "Bridges", na versão de Gene Lees, por Joe Williams, Sarah Vaughan entre tantos. Elis e Leny Andrade também gravaram, houve versões instrumentais como a de Luís Eça, o arranjador da gravação em estúdio, com Milton, para a defunta marca Codil, em seu primeiro LP brasileiro. A contracapa desse disco contém textos de Edu Lobo, Paulo Sérgio Valle, Geni Marcondes e Ziraldo.

* * *

As carreiras discográficas das duas primeiras canções do II FIC seguiram caminhos opostos. A Philips apostava todas as fichas na música de Edu Lobo, o que tinha dado certo com "Ponteio", uma das 36 faixas dos três LPs do Festival da Record. Mas, no Rio, "Margarida" pegou todo mundo de surpresa, inclusive a Philips, que não se empenhou muito com a vencedora. Por isso, embora "Margarida" já estivesse gravada para o LP do grupo Manifesto, só quatro meses depois do Festival é que o disco foi lançado. Gutemberg reclamou com a gravadora, foi colocado na geladeira, seu contrato não foi rescindido e, quando expirou, não foi renovado, alijando-o do cenário do disco no período de maior entusiasmo, logo após a vitória. Um ano e meio depois, ninguém mais se lembrava dele e nenhuma gravadora quis contratá-lo. Seu rumo artístico iria se solidificar no trio Sá, Rodrix e Guarabira, e sua atuação no FIC iria ser retomada, embora em condições muito diferentes.

Enquanto isso, "Travessia" tornou-se rapidamente internacional. Um dos convidados ao FIC, o produtor Creed Taylor, retornou aos Estados Unidos com um contrato assinado por Milton para três discos. Milton viajou no ano seguinte, gravou dez músicas — inclusive "Travessia", cantada em inglês e português — para o LP *Courage*, com arranjos de Eumir Deodato, participou de festivais de Jazz e fez shows no México. Sua carreira em discos no Brasil demoraria a se desenvolver, e muito foi devido à confiança que nele depositavam os persistentes diretores da Odeon, Adail Lessa e Milton Miranda. Era tratado como um dos astros da companhia, gravava o que quisesse e como quisesse, mas somente em 1975, após ter gravado cinco álbuns, é que atingiu a vendagem de discos esperada pela gravadora. Até então, era tido como um artista de composições muito complicadas e as gravadoras não costumam ter tanta paciência nesses casos. Os lucros fabulosos custaram mas chegaram em quantidades jamais sonhadas a partir do álbum *Minas*, cujo título era, ao mesmo tempo, o estado onde Milton havia se criado e o anagrama com as primeiras sílabas de seu nome e sobrenome. Foi um menino, um de seus inúmeros afilhados, que descobriu a coincidência.

Foram lançados dois LPs oficiais do Festival, ambos com capas praticamente idênticas, o desenho do galo de Ziraldo, símbolo do FIC. A empresa Codil lançou um LP com gravações ao vivo no lado A, incluindo as duas músicas com Milton e a com Agostinho dos Santos, também diretor artístico do disco. O lado B, gravado no estúdio da Rio Som, tinha "Margarida" e "Carolina" cantadas por Maricene Costa.

O outro LP oficial do II Festival Internacional da Canção Popular, com 11 faixas, era da Philips, que lançou mão de seu *cast* em gravações de estúdio: a vencedora "Margarida", com Guarabira e o grupo Manifesto já contratados, "Carolina", com Nara Leão, e "Travessia", com Elis Regina, de longe o que havia de melhor nesse disco. Não tinha "Morro velho" mas, em compensação, Gracinha Leporace cantava em quatro faixas, sendo também dela a única foto na contracapa. A Philips praticava um *lobby* escancarado em Gracinha.

* * *

Nem todos os ilustres convidados perceberam que estavam presenciando o surgimento de uma das grandes estrelas da música brasileira. Milton Nascimento era o que de fato havia de novo no Festival. O contraste entre as músicas e plateias do II FIC e do III Festival da Record era imenso. Dizia-se até que compositores como Chico, Edu, Dori, Gil, Vandré e outros reservavam suas melhores músicas para o Festival da Record. É bem possível, pois é o que costumavam afirmar.

Se algum daqueles compositores, maestros e arranjadores, a fina flor da música americana reunida no festivo conclave do Rio, tomasse a ponte aérea para São Paulo, ficaria abismado com o que veria no Teatro Record. Pensaria estar em outro país. Talvez nem entendesse o que acontecia, mas seguramente ficaria muito mais próximo do estado de ebulição que iria mandar para os ares a tampa que sufocava os pensamentos da juventude no mundo.

Em termos de música de festival, São Paulo e Rio estavam, naqueles dias de outubro de 1967, centenas de quilômetros mais distantes uma da outra do que os quase 500 que separavam as duas cidades. Com suas vaias e aplausos, ovos podres e serpentinas, agressões e cumprimentos, a juventude de São Paulo embarcara de corpo e alma na música de seu tempo. A expressão sonora do inconformismo, da verbalização do inconsciente, da política inserida na arte e até da antropofágica redescoberta de valores nacionais, plataforma do Tropicalismo, estava no Festival da TV Record. Até então, o grandioso FIC era um festival, pode-se dizer, turístico e bem-comportado.

Ao atribuir o primeiro lugar a "Margarida", certamente os componentes do júri levaram em conta o eco que ainda perdurava em sua memória da gigantesca vaia que o resultado do ano anterior tinha provocado. Dando a vitória a uma música em todos os aspectos inferior a "Travessia", o júri saiu-se bem perante a opinião dos assistentes que lotavam o ginásio, mas deixou de premiar a maior revelação dos dois FICs e, sem que pudesse saber, de todos os que iriam se realizar. Anos mais tarde, o II FIC não ficou conhecido como o festival de "Margarida", mas o festival de "Travessia". Não iria demorar muito tempo para que o Brasil e o mundo soubessem que um novo artista se incorporava ao elenco dos grandes compositores dos anos 60, os criadores da Era dos Festivais. Ao lado de Edu Lobo, Geraldo Vandré, Chico Buarque, Caetano Veloso, Gilberto Gil e outros que ainda viriam, como Paulinho da Viola, brilhava mais um: Milton Nascimento.

8.
"LAPINHA"
(I BIENAL DO SAMBA DA TV RECORD, 1968)

Tão logo se encerrou o III Festival da TV Record, um grupo de estudantes movimentou-se para organizar uma tentativa de repescagem com as músicas que tinham ficado de fora das três eliminatórias. Houve uma reunião entre a direção da TV Record e dois líderes do movimento, Amaro Moraes e Silva e Paulo Campos Filho, a fim de que o mesmo Teatro Record Centro, ex-Paramount, pudesse ser cedido para a realização desse inusitado Festival de Excluídos. Com renda a ser revertida para a Associação de Amparo à Criança Defeituosa, o subfestival abriria espaço para músicas do nível de "Frevo rasgado", de Gilberto Gil, sua segunda composição inscrita, que ficara de fora. Certamente haveria outras, defendeu Renato Corrêa de Castro, coordenador do Festival de verdade, em apoio à iniciativa. O diretor da Record Paulinho Machado de Carvalho não concordava. Esse tal de Festival dos Recusados, ou da Bronca, como declarou, seria um desrespeito ao grupo que selecionara as 36 concorrentes. Mas ele acabou se dando por vencido.

Foi marcada uma reunião para se decidir como seria feita a seleção, o nome oficial do certame e se o público também poderia votar. O prêmio já estava definido: seria o troféu Roberto Splendore, que o próprio doaria. "Roberto *who*?", perguntará o leitor. O compositor da velha guarda Roberto Splendore, um ilustre desconhecido.

De todo modo, a Record acabou cedendo o Teatro para a realização do festival alternativo dos perdedores no dia 6 de novembro, que foi ao ar como um programa de televisão. Nada digno de nota aconteceu, apenas se confirmou que os especialistas da seleção era que estavam certos.

Contudo, uma das ideias que já estava germinando no III Festival começou a ganhar força: a de se introduzir o voto popular, com uma premiação independente. Ela seria posta em prática no IV Festival da Record, de 1968, atendendo à pretensão de alguns compositores que discordavam de sua obra ser julgada por um grupo de jurados.

Outro desdobramento, também do III Festival de 1967, foi fruto da política que a direção da TV Record adotava de se relacionar diretamente com elementos da crônica do Rio, a fim de neutralizar a barreira que vários cariocas levantavam contra São Paulo. Figuras da noite carioca como Sérgio Porto (o Stanislaw Ponte Preta), Lúcio Rangel e Sérgio Cabral tinham ótimo trânsito no canal 7 e, em seus frequentes contatos, argumentavam que o tipo de música apresentado nos festivais forçava a empolgação e não era exatamente a música brasileira de todo dia. Salvo uma ou outra exceção, o samba tinha ficado fora do Festival. E quando entrava, como já acontecera, era sempre nas colocações inferiores. Proliferou então a ideia de se produzir um outro modelo de festival, do qual participaria apenas o ritmo brasileiro por excelência, o samba. Seria um certame realizado de dois em dois anos, uma Bienal do Samba, que, além do mais, poderia abrandar a retração — que já se delineava — dos cantores de nome em participar de um quarto festival nos moldes até então adotados. Por um motivo muito forte e compreensível: o medo das vaias. Num festival de samba, esse receio não se justificaria e, mesmo que não atingisse popularidade tão elevada, o evento poderia obter grande repercussão em termos artísticos, talvez a ponto de reverter a sensação, que Paulinho Machado de Carvalho começava a ter, de que o modelo até então seguido estivesse se esgotando.

Logicamente, Solano Ribeiro assumiu o comando do evento que se convencionou denominar I Bienal do Samba. Os jornalistas cariocas, que tanto lamentavam a ausência do samba no Festival, ficaram exultantes com a boa-nova. Sérgio Porto tomou a dianteira em sua coluna no *Jornal do Brasil* participando que "a TV Recorde [*sic*] resolveu organizar um festival de música diferente, onde os participantes, ao invés de se inscreverem, são convidados por uma comissão de 15 membros que vem se encontrando semanalmente nos escritórios da emissora, lá em São Paulo". Sérgio já participara de uma das reuniões, lamentava não estar presente às outras duas, mas os 36 compositores escolhidos por honra ao mérito já estavam praticamente definidos pelo grupo integrado por ele, Lúcio Rangel, Mário Cabral, Guerra Peixe, Ricardo Cravo Albin, Ilmar Carvalho, Sérgio Cabral, Ari Vasconcelos, Mauro Ivan, Alberto Helena Jr., Dirceu Soares, Franco Paulino, Adones de Oliveira, Raul Duarte e Chico de Assis. Portanto, nove cariocas e seis paulistas. Os jurados elegeram, por unanimidade, Lúcio Rangel como presidente, o que valeria inclusive durante o Festival. Cada um dos 36 compositores deveria apresentar um samba inédito para a nova modalidade de concurso. Abram alas, que o samba vem aí!

Inicialmente, foram relacionados 120 nomes, alguns sem condição, como Sílvio Caldas, compositor esporádico, outros já mortos, como Geraldo Pereira. Segundo Sérgio Porto, melhor assim do que pecar pela ausência. A escolha privilegiava, sempre que possível, os autores mais antigos, os da velha guarda, que embora vivos não estavam em atividade tão intensa no mercado: Donga, Synval Silva, Bide e Walfrido Silva, João da Baiana, Pixinguinha, João de Barro, Pedro Caetano e Claudionor Cruz, Ismael Silva, Ataulfo Alves, Cartola, Nelson Cavaquinho, Nássara, Herivelto Martins, Lupicínio Rodrigues, Adoniran e Vanzolini. Entre os mais novos, foram convidados Baden, Zé Kéti, Marcos Valle, Chico Buarque, Tom Jobim, Paulinho da Viola, Sidney Miller, Billy Blanco, Edu Lobo e Elton Medeiros. Alguns membros da comissão torciam o nariz para compositores como Marcos e Sidney, mas enfim, o samba pedia e ia ter passagem. Na votação, Tom Jobim, Ataulfo Alves, Chico Buarque e Ismael Silva foram escolhidos por unanimidade. O último escolhido foi Jair do Cavaquinho e, embora convidados, Carlos Lyra e Caymmi não concorreram.

Convites feitos, os sambas começaram a chegar. "Mulher, patrão e cachaça", por Adoniran Barbosa, "Senhor do mundo", por Jair do Cavaquinho, e "Samba do suicídio", um samba de breque de Paulo Vanzolini, foram os primeiros entregues para a disputa do troféu de ouro, representando uma roda de samba, e de 20 mil cruzeiros novos, além de prêmios em dinheiro até o sexto colocado.

As eliminatórias, seguindo a teoria testada e comprovada de Solano, teriam uma semana de intervalo. Foi sendo montado o elenco de intérpretes, no qual também se abria espaço para cantores de escol, como Jorge Goulart e Helena de Lima, mais que calejados para participar de qualquer competição. De fato, não eram eles que competiam, e sim os sacudidos coroas, que rebuscaram em seus baús de relíquias alguma música não gravada e portanto inédita. Entre eles, contavam-se o autor do primeiro samba gravado, o Donga de "Pelo telefone" (1917), e o baterista Walfrido Silva, parceiro de Noel em "Vai haver barulho no chatô", para citar os da primeira noite.

Foi no sábado, 11 de maio de 1968. O palco do Teatro Record, para honrar a obra dos ilustres sambistas, estava decorado a caráter, com três enormes pandeiros ao fundo, e, como nos espetáculos de gala, a apresentação ficava a cargo dos elegantes Blota Jr. e Sônia Ribeiro. Às 10 da noite, com a casa cheia, estava no ar a I Bienal do Samba, pelo canal 7, e a primeira música seria cantada por Elis Regina. O sorteio da véspera determinara que a sobremesa fosse servida antes da sopa: com um vestido de riscas horizontais, acompanhada pelos quase desconhecidos Originais do Samba, ela atacou, em cima da cuíca, pandeiro, violão e cavaquinho: "Quando eu morrer me enterrem na Lapinha/ calça culote, paletó almofadinha...". O refrão de Lapinha era tiro e queda: conquistou a plateia em dois tempos. Ao final da apresentação da primeira concorrente, já havia uma candidata à vitória.

Depois dela, surgiu no palco a mais recordiana intérprete da emissora, a notável Isaurinha Garcia, único páreo para Aracy de Almeida na área do desbocamento, cantando uma composição do grande Ismael Silva, coluna mestra do samba brasileiro. Chamava-se "Ingratidão". Seguiu-se outro sambista de São Paulo, Germano Mathias, assíduo frequentador das bocas e malocas, onde colhia as gírias que enfiava pelo meio de seu palavreado sincopado, e que se esmerava batucando numa latinha de graxa de sapato. Defendeu "Sandália da mulata", de Donga e Walfrido.

Na Bienal, aconteceu o cruzamento entre o passado e o futuro. Após o samba de Donga, pisava o palco a mais recente promessa da música brasileira, Milton Nascimento, defendendo um samba pouco significativo dos irmãos Valle, "Tião, braço forte", nem de longe equiparável a "Viola enluarada", que ele cantava com Marcos. Outro compositor que se tornara uma personalidade do samba, inclusive em outros festivais, foi o quinto da noite, Zé Kéti. Com seu inseparável chapeuzinho e um paletó justo, cantou com o coral Bach e a orquestra dirigida por Ciro Pereira um bonito samba, "Foi ela", fazendo grande sucesso.

A sexta concorrente, defendida pelos Demônios da Garoa, era "Mulher, patrão e cachaça", mais um produto inspirado no cenário do programa de rádio produzido por Oswaldo Molles, *Histórias das malocas*, no qual o personagem Charutinho era vivido pelo autor Adoniran Barbosa, presente na plateia. Depois do samba, foi intimado a subir ao palco para dividir os aplausos com os Demônios.

Chico Buarque foi o nono, defendendo seu samba "Bom tempo" com Toquinho ao violão e a orquestra regida por Gaya. O público gostou, principalmente da segunda parte amaxixada, "No compasso do samba eu disfarço o cansaço/ Joana debaixo do braço/ carregadinha de amor/ (breque) Vou que vou".

O cantor seguinte arrasou. Noite Ilustrada foi magistral, carregando para a classificação o animado samba, no velho estilo, "Marina", de Synval Silva, ex-motorista de Carmen Miranda e autor de "Adeus batucada". Noite mostrou ser um dos mais fabulosos intérpretes do samba brasileiro, o que continuaria sendo até muito depois dos 80 anos, um caso raro.

O décimo segundo samba dessa noite era de outra promessa na música brasileira, Paulinho da Viola. Quem o defendeu foi o cantor mais assediado nos festivais, Jair Rodrigues, que para apresentá-lo estreou um paletó e um par de sapatos pretos de verniz ainda apertados. Diante do microfone, antes de começar, a dor nos pés era tanta que pediu a Caçulinha, que o acompanhava, para aguardar e não teve dúvida: tirou os sapatos e cantou "Coisas do mundo, minha nega", descalço. Um conhecido radialista comentou depois que Jair havia prejudicado o concorrente, mas seu empresário, Corumba, não admitiu a acusação e foi ao estúdio defender seu contratado. Felizmente, não chegou ao extremo de puxar a peixeira que levava nas costas.

Um dos mais comentados acontecimentos da noite foi o intervalo antes da reapresentação das quatro classificadas, quando Aracy de Almeida mostrou sua categoria na homenagem prestada a Noel Rosa. Cantou três clássicos, "X do problema", "Feitiço da vila" e "Com que roupa", e os aplausos foram tantos que a exótica figura, em vestido azul com gola de pedrarias, teve que voltar três vezes para sapecar mais Noel, para gáudio da distinta plateia. A simples presença de Aracy já era um acontecimento — como se dizia na época da polaina, "do balacobaco".

O júri não contava com a presença de um dos artífices do Festival, Sérgio Porto, que tivera um edema pulmonar. O critério seguido pelos que lá estavam não era o de atribuir notas às concorrentes e sim o de indicar quatro músicas cada um, classificando-se as quatro mais votadas, sem uma ordenação.

Após o show de bola de Aracy, Blota e Sônia voltaram para anunciar as quatro classificadas. Não deu outra: "Lapinha", de Baden e do estreante Paulo César Pinheiro, e "Bom tempo", de Chico, continuavam no páreo. Noite Ilustrada emplacou o samba de Synval e Zé Kéti fez tanto sucesso na reapresentação da quarta classificada, "Foi ela", que teve de bisar. Desgraçadamente, foi ela que despertou a primeira celeuma na Bienal: dizia-se que já havia sido cantada num filme, não sendo portanto inédita, como exigia o regulamento. O assunto seria esmiuçado depois, prometeu Solano Ribeiro.

Quando o público se deu conta de que "Mulher, patrão e cachaça" não estava classificada, entrou de sola, vaiando solenemente os senhores jurados. À saída do Teatro, ouvia-se o povo cantar o refrão de "Lapinha" e trechos de "Bom tempo", que assim pintavam como as duas mais fortes concorrentes. Nem todos perceberam que um estupendo samba de Paulinho da Viola, "Coisas do mundo, minha nega", estava teoricamen-

O sapato apertava demais: Jair Rodrigues defende "Coisas do mundo, minha nega", de Paulinho da Viola, na primeira eliminatória da Bienal do Samba de 1968.

Vestindo um modelo de Dener, Aracy de Almeida foi aclamada pela plateia ao cantar sambas de Noel Rosa em um show especial no intervalo da primeira eliminatória da Bienal.

te fora da final. Teoricamente. Seus versos finais resumiam uma moral digna de uma fábula de La Fontaine: "As coisas estão no mundo/ só que eu preciso aprender".

O homenageado da etapa seguinte foi o pianista e compositor Sinhô, o maior nome do samba nos anos 20, aliás o "Rei do Samba", como ele mesmo se proclamava, à maneira do pianista e compositor de New Orleans Jelly Roll Morton — que talvez nem conhecesse — assim como ele mulato, esguio, pernóstico, desconfiado, festeiro e talentoso, "The King of Jazz". Após a apresentação dos 12 sambas concorrentes, os maxixes de sua lavra "Gosto que me enrosco", "Jura" e outros foram cantados por um de seus grandes admiradores, Chico Buarque.

Antes mesmo dessa segunda eliminatória, aconteceram algumas trocas de intérpretes na Bienal. Miltinho desistiu de cantar "Canção do peregrino", de Denis Brean, que ficou com Jorge Goulart; Jair também fez *forfait* no "Samba arrasta multidão" de Luiz Reis, defendido então por Antônio Borba, um cantor do elenco carnavalesco da Record. Um dos sambas dessa segunda noite teve de ser transferido para a última eliminatória por motivo justo: seu autor participava, no Rio de Janeiro, de um concerto em homenagem aos seus 70 anos. Era Pixinguinha.

Com relação às 11 músicas restantes, a tarefa dos jurados foi mais tranquila, pois havia duas evidências incontestes: o samba de Cartola "Tive sim", defendido pelo craque Cyro Monteiro, e "Quando a polícia chegar", de outra eminência da velha guarda, João da Baiana, defendido pela nova velha estrela da música negra brasileira, Clementina de Jesus. O quadro das classificadas se completou com as músicas de dois autores jovens, "Quem dera", de Sidney Miller com o MPB 4, e "Luandaluar", com Marília Medalha, de Sérgio Ricardo, que nem apareceu no Teatro, traumatizado com o episódio das vaias. Ficaram fora da final três compositores de respeito: Ataulfo Alves, Bide e Braguinha.

* * *

Antes da terceira eliminatória, Zé Kéti recebeu a notícia: "Foi ela" estava desclassificada, conforme a decisão dos jurados depois de ouvirem as músicas de *Rio, Zona Norte*, filme de 1957 dirigido por Nelson Pereira dos Santos, e constatarem que parte do samba estava de fato na trilha. Houve contestações, pois, não tendo sido gravada, podia ser considerada inédita. Mas o fato é que sua vaga foi preenchida com o samba de Paulinho da Viola "Coisas do mundo, minha nega", cantado por Jair Rodrigues.

Com 13 sambas, a eliminatória do sábado, 25 de maio, foi a mais animada das três, a despeito da qualidade das concorrentes, consideradas as mais fracas.

Entre os desapontos, figuravam o samba de Paulo Vanzolini, o de Nelson Cavaquinho, o de Monsueto, o de Lupicínio Rodrigues e o de Herivelto Martins. Nada menos que cinco veteranos do primeiro time, cujos baús não deviam estar lá muito bem sortidos. Entraram os de Edu Lobo ("Rainha porta-bandeira"), Billy Blanco ("Canto chorado"), Pixinguinha ("Protesto meu amor") e Elton Medeiros ("Pressentimento"), num surpreendente consenso entre júri e público. Consenso que, por outro lado, provavelmente teria ido pelos ares caso "Canto chorado" não entrasse. Motivo: Jair Rodrigues, que tinha a manha de saber levar uma música para a final, independente do mérito da composição. O grande samba dessa noite foi cantado por Marília Medalha, num vestido de gola e punhos brancos: "Pressentimento", de Elton Medeiros e Hermínio Bello de Carvalho.

O homenageado da última eliminatória foi Ary Barroso, na voz do cantor mais querido pelos artistas da TV Record e possivelmente por toda a classe musical brasileira, Cyro Monteiro. Além do samba de Elton e Hermínio, foi o que de melhor aconteceu no último sábado de maio.

* * *

O ex-Paramount viveu uma inesquecível noite de samba em 1º de junho de 1968, data da final da I Bienal do Samba da TV Record. Com lotação esgotada uma semana antes, o festival promoveu mais um encontro da velha guarda e do promissor sangue novo do samba. Não faltavam também grandes cantores. Com as cortinas fechadas, o palco do Teatro Record Centro ainda estava tranquilo, em contraste com a barulhenta plateia, que se dividia em duas torcidas dominantes, a de Elis e a de Jair. Independentemente das músicas que interpretassem, era por eles que o público clamava antes, durante e depois: "Elis!, Elis!" de um lado, "Jair!, Jair!" de outro.

Às 22 horas, entra no ar, pela TV Record, a final da I Bienal do Samba. Após a clássica apresentação de Sônia e Blota, destacando que os vencedores seriam conhecidos naquela noite, é anunciada a primeira concorrente, "Marina", mais uma vez cantada esplendidamente por Noite Ilustrada. Em seguida, o público recebe Marília Medalha com a simpatia que vinha conquistando desde "Ponteio". Sua interpretação não foi tão feliz, mas ficou claro que "Luandaluar" era muito superior à malfadada "Beto bom de bola", restabelecendo as boas maneiras entre Sérgio Ricardo e o público, e ainda dando margem a que os estudantes de esquerda tirassem um sarro ao substituírem o verso "Abaixo a desventura" por "Abaixo a ditadura".

Quando soubera que seu samba havia sido classificado, Paulinho da Viola superou o pavor daquelas plateias inflamadas e decidiu vir a São Paulo. Assistiu à final timidamente, atrás de uma coluna da plateia, com uma boina que o protegia do frio e da remota possibilidade de ser reconhecido. Para sua surpresa, quando a música foi anunciada, um grupinho levantou uma faixa, "Coisas do mundo, minha nega", que, soube depois, era obra das irmãs de Chico Buarque, torcendo por sua música. Era apenas uma faixa no meio da plateia, mas sobravam brados vindos de todos os cantos para Jair, intérprete do samba do jovem compositor portelense: "Hoje eu vim minha nega/ como eu venho quando posso/ na boca a mesma palavra/ ao peito o mesmo remorso...".

De fato Deus, nesse caso zelando pelo samba, escreve certo por linhas tortas, pois "Coisas do mundo, minha nega" entrara no vácuo de outro belo samba, "Foi ela", mas se ficasse fora da final teria sido uma injustiça imperdoável. A letra é o relato de um personagem que chega à sua casa contando à mulher por onde passou, e foi inspirada num episódio que aconteceu no Morro do Salgueiro: um jovem teria sido assassinado pelo pai da namorada, contrário ao namoro, e Paulinho, ao passar pelo local do velório, viu alguns meninos brincando com o cadáver. Ficou tão chocado que nem dormiu nessa noite, recontando suas impressões em versos que fez depois: "Por fim eu achei um corpo, nega/ iluminado ao redor/ disseram que foi bobagem/ um queria ser melhor...". Mais tarde mostrou a três amigos, numa mesa do bar Cervantes, em Copacabana, a longa letra, ainda sem melodia. Concordaram que estava mesmo muito grande, mas um deles, Paulo Pontes, elogiou-a, dizendo que era muito boa. Animado, cortou vários trechos para chegar às três estrofes mais justas e quatro refrões diferentes, exceto pelo primeiro verso: "Hoje eu vim, minha nega". Dotado de harmonia bem simples, sendo a melodia das estrofes desenvolvida a partir da penúltima frase do refrão, o samba ganhou o caráter de uma narrativa. A pureza de forma da composição valoriza cada um dos três dramas diferentes das estrofes, a contrastar com o sentimento de afeição e devaneio dos refrões. "É, dos meus sambas, o que eu mais gosto", confessaria depois o elegante Paulinho da Viola, já autor de uma obra fecunda, marcada por vários dos mais belos e duradouros sambas da música popular.

A música seguinte era uma das francas favoritas. Tão logo anunciada por Blota Jr., uma faixa foi estendida: "Baden fez Lapinha. Lapinha fez Bienal. Elis brilha neste festival". Do lado esquerdo da plateia, uma trupe de quase 50 pessoas também levanta sua faixa: "Caravana da Rádio Independência do Paraná, presente na I Bienal do Samba". Nesse clima de entusiasmo contagiante, "Lapinha" foi defendida por dois craques que se entendiam às mil maravilhas: Elis cantando e Baden ao violão, com os Originais do Samba reforçados pela rebolante cantora Sabrina e o excelente cavaquinho do Regional do Caçulinha, Xixa, que atacava a clássica introdução, dando legitimidade ao samba.

Depois de apresentada na primeira eliminatória, comentara-se na imprensa que "Lapinha" possuía trechos de certo refrão folclórico da Bahia. Chico de Assis, em sua coluna da *Última Hora*, publicou os tais "Cantos de Besouro", compostos de vários refrões de cantos de capoeira: "Ê, quando eu morrê/ oi, me enterre na Lapinha/ chapéu de Panamá, paletó almofadinha". O outro era "Quero um berimbau tocando na porta do cemitério/ quero uma fita amarela/ gravada com o nome dela". Finalmente, mais um trecho: "E zum zum zum: Besouro" (três vezes).

Estabelecida a segunda celeuma da Bienal, um elemento da Academia de Capoeira Ilha da Maré, da Bahia, também confirmou a suspeita por meio de carta publicada na imprensa, mas nem ele nem ninguém disse uma palavra acerca de Noel Rosa, autor do samba da "fita amarela gravada com o nome dela". Não é nada impossível que, nos anos 30, Noel tivesse frequentado um dos redutos de samba do Rio de Janeiro e se encantado com o que entoavam aquelas baianas de Santo Amaro da Purificação, os versos do Besouro por exemplo.

Baden defendeu-se irritado contra a denúncia de plágio, porque nunca escondera ter se utilizado do refrão popular que valorizava o legendário capoeirista do Cordão de Ouro. Antes da final, o quiproquó já era coisa do passado e, como se via naquele momento, "Lapinha" fora adotada por uma parte considerável da plateia, que cantava o refrão e seguia perfeitamente a tempo no trecho final, com o andamento acelerado em "zum zum zum, cordão de ouro". Depois, bradava a plenos pulmões: "Já ganhou! Já ganhou!". Elis deu o recado e saiu do palco.

Cyro Monteiro, intérprete da quinta concorrente, ficou surpreso com as vaias injustas, mas não se intimidou. "Tive sim" não tinha a animação que o público desejava e seria ainda mais vaiada com a classificação em quinto lugar, a ponto de abater o traquejado sambista, para muitos o maior cantor de sambas da história. Aquela era uma das mais belas músicas da Bienal. Semanas antes, a pedido de Flávio Porto — o "Fifuca", irmão de Sérgio Porto que morava em São Paulo —, o jornalista Arley Pereira fora ao Rio de Janeiro para convidar Cartola, de quem era amigo pessoal, a participar da Bienal. Numa tarde, foi ao Buraco Quente, no Morro da Mangueira, onde ouviu o mestre cantar três sambas inéditos para que escolhesse um. Preferiu o que dedicara a sua mulher Zica, no qual abria seu coração, referindo-se a Donária, amor do passado por quem chegara a largar a música, deixando de tocar violão por uns seis anos: "Tive sim, outro grande amor antes do teu [...] mas compará-lo ao teu amor seria o fim/ e vou calar, pois não pretendo amor, te magoar". Esse samba magistral, com o qual Cartola ganharia o prêmio de 2 mil cruzeiros novos pelo quinto lugar — o segundo maior de sua vida até então —, foi vaiado na Bienal.

Jair voltou para defender sua segunda música, "Canto chorado", de Billy Blanco. A cuíca gemia com o contrabaixo até ele começar lentamente, com os braços abertos: "O que dá pra rir, dá pra chorar...". Depois entrava no samba, secundado por um sexteto de flautas no arranjo de Erlon Chaves. Uma parte da torcida que mais vibrava viera nos ônibus arrendados pela SBACEM, a sociedade arrecadadora de direitos autorais à qual o autor pertencia. Alguém soube da vinda dessa claque e passou a ligar intermitentemente para o quarto de hotel onde Billy se hospedava, dizendo com voz pausada: "O que dá pra rir, dá pra chorar!", e desligava em seguida, deixando Billy enfurecido e desconfiado de um certo concorrente. O fato é que nessa apresentação havia assistentes declarando que o samba poderia vencer, arrebatados pelo refrão e iludidos com o apelo da competente interpretação de Jair.

Se a novata Neide Mariarrosa não impressionou, apesar de sua voz de contralto, a simples presença de Clementina de Jesus foi suficiente para levantar os ânimos, mas nem "Protesto meu amor" nem "Quando a polícia chegar" sensibilizaram suficientemente os jurados e o público. Pixinguinha e João da Baiana despediam-se da Bienal. Tampouco agradou o samba-quase-canção de Edu Lobo "Rainha, porta-bandeira", feito de encomenda para a voz grave de Márcia, mas longe do que o público desejava. Alguém chegou a gritar "Queremos samba!". Edu foi aplaudido, mas igualmente vaiado, em dose jamais experimentada antes.

A décima concorrente disputava a vitória desde o primeiro dia. O povo delirou novamente à entrada de Chico Buarque e cantou com ele a segunda parte, acompanhando o ritmo bem marcado com palmas e batendo os pés. Nenhum veterano tinha sabido aproveitar o ancestral do

O grande intérprete Cyro Monteiro enfrenta as vaias
ao defender "Tive sim", samba de Cartola.

Jair Rodrigues e Os Originais do Samba interpretam "Canto chorado",
samba de Billy Blanco, na I Bienal do Samba.

samba como o jovem Chico Buarque ao compor "Bom tempo" no Rio de Janeiro. A referência ao maxixe foi uma brincadeira que deu o maior pedal, com versos bem-humorados e de esperança, numa época em que a cara amarrada era a tônica. Quando terminou, o clássico "Já ganhou!" simplesmente confirmava o que se dizia: era o grande rival de "Lapinha".

Havia tanta sede por músicas ou meros refrões "de empolgação" nos festivais, que grande parte do público não se deu conta de estar diante de um samba magistral quando Marília Medalha entrou, de blusa escura com mangas compridas e saia estampada, para cantar "Pressentimento".

Ex-trombonista de gafieira, administrador público por formação e principalmente um compositor de primeira linha, Elton Medeiros era um dos frequentadores do apartamento de Hermínio Bello de Carvalho, onde, sem compromisso algum com hora ou assunto, cantores, músicos, artistas plásticos e intelectuais conversavam amenidades, discutiam sobre música, cantavam e tocavam. Num desses encontros, Hermínio, que além de letrista arranhava um violão, propusera uma ideia musical para uma composição em parceria, tendo como molde o desenho de "Feio não é bonito", de Carlos Lyra. Em sua casa, Elton retocou a estrutura inicial, construindo uma melodia com introdução, primeira e segunda partes, para que Hermínio escrevesse a letra. Sem se dar conta, ele foi criando versos sem rima, deixando-se levar pela musicalidade intrínseca da poesia, abordando a sensação que precede a chegada de um novo amor: "Ai, ardido peito/ quem irá entender o teu segredo [...] vem meu novo amor/ vou deixar a casa aberta [...] tudo faz pressentimento/ que este é o tempo ansiado/ de se ter felicidade". Sem saber que título dar ao samba, Elton mostrou-o a Toninho Ventura (sogro do violonista Rafael Rabelo, já falecido), que matou a charada na hora:

— O título está mordendo vocês: é "Pressentimento" — disse ele.

O samba foi enviado para atender ao convite da Bienal. Elton veio a São Paulo para encontrar-se com Carlos Castilho, que escreveu o lindo arranjo, fazendo questão que Elton também estivesse no palco tocando tamborim. As frases do samba alternam-se com perfeição entre o modo maior e o menor, uma das marcas do estilo de Elton. A primeira parte começa em lá maior e acaba em lá menor, passando para a relativa, dó maior, na segunda, que também retorna a dó menor. Ao lado da orquestra dirigida por Ciro Pereira, com Castilho ao violão e Elton Medeiros no tamborim emprestado de Lelei, dos Originais do Samba, Marília Medalha defendeu o melhor samba da Bienal, depois gravado por ela própria e, nos anos seguintes, por Elizeth Cardoso, Elza Soares, Alaíde

Costa, Zezé Gonzaga, Roberto Silva, MPB 4, Quarteto em Cy e muitos outros, além dos dois autores individualmente.

O último samba da final foi "Quem dera", de Sidney Miller, outro compositor da ala jovem, para a qual jornalistas apegados à tradição, como Sérgio Porto, torciam o nariz. Foi defendido pelos mais que tarimbados componentes do MPB 4, mas ali encerrou sua carreira.

Os jurados retiraram-se para decidir sobre os vencedores, enquanto o *foyer* do Teatro se tornava a arena das discussões, ao mesmo tempo em que o saudoso Oswaldo Sargentelli, figura de proa do samba, realizava entrevistas para a televisão com os concorrentes.

Numa salinha apertada e enfumaçada, os componentes do júri entregaram seus votos e a contagem começou a ser feita. As mais votadas eram "Lapinha" e "Bom tempo" e, à medida que se somava, ambas se destacavam. Após o voto do último jurado, uma surpresa: numericamente, dera empate entre Chico e Baden. Havia a necessidade de nova votação para se determinar o vencedor. Amigo de ambos, Franco Paulino ficou num impasse. Admirava Chico por não se curvar a fazer música modelada para festival, e também era apaixonado por "Lapinha", que considerava o mais criativo dos afrossambas, uma forma exemplar de homenagear a cultura baiana sem apelar para clichês. Ao mesmo tempo, sentia-se incomodado com a atitude de Elis Regina, que fora cabalar seu voto no Hotel Danúbio, onde estava hospedado. Logicamente, não levou isso em conta, mas escolheu Baden. E confabulou com Alberto Helena:

— Helena, não tem nem o que pensar, vamos ficar com o crioulo. Entre um branco e um crioulo, temos que votar no crioulo.

Foi aí que os dois votaram em "Lapinha", que ganhou por quatro votos de diferença.

Sônia e Blota foram apresentando os premiados a partir do sexto colocado, "Coisas do mundo, minha nega". O samba de Paulinho não foi muito bem recebido, mas o pior aconteceu quando Cyro Monteiro reapresentou "Tive sim". Teve que enfrentar a maior vaia da noite, o que fez com grande classe. Blota convidou o maestro Erlon Chaves para entregar o prêmio à quarta colocada, "Canto chorado", a tal que contava com a torcida extra da SBACEM. "Essa é a primeira!", brada alguém no fundo do Teatro, enquanto uma serpentina cai aos pés de Jair, adorado pela plateia. Jair se supera, a ponto de provocar um bis. Parece inacreditável, mas a reapresentação de "Pressentimento", terceira colocada, foi feita sob intensas vaias, poucos aplausos e quase nenhuma possibilidade de ouvir Marília ao longo de toda a música. Aplausos mesmo, só ao final.

Elis Regina, a intérprete de "Lapinha", canção de Baden Powell e Paulo César Pinheiro vitoriosa na I Bienal do Samba da TV Record.

O resultado das duas primeiras colocadas encantou a maioria. Chico, com paletó de *smoking* sobre uma blusa de gola rulê, cantou sob brados de entusiasmo, e Elis, num vestido de listas tricolores horizontais, foi recebida com flores. Dedicou o prêmio a quem mais sinceramente se manifestara favorável à vitória de Baden, Edu Lobo, e foi acompanhada por um coro consagrador no refrão: "Quando eu morrer, me enterrem na Lapinha...". Baden estava iluminado tocando com os Originais do Samba e o garoto de 19 anos, autor da letra, foi chamado ao palco. O tímido Paulo César Pinheiro estava que não cabia em si de felicidade.

Paulo César fora apresentado a Baden no bairro de São Cristovão, por seu primo, também violonista e amigo do músico, João de Aquino, com quem criou suas primeiras letras. Tinha 16 anos e ficou muito assustado quando Baden, que tinha como parceiro fixo o grande poeta Vinicius de Moraes, convidou-o para fazer uma letra. A música era "Lapinha", cujo refrão Baden conhecera no Rio através das meninas do Quarteto em Cy.

Durante os meses em que morara na Bahia, Baden tinha assimilado toques e cânticos que lhe permitiram incorporar à sua forma de tocar violão a sonoridade vigorosa do berimbau, mudando o curso da história do violão brasileiro. Nas suas andanças, era ciceroneado por Canjiquinha, frequentava terreiros e candomblés — do que resultaram os famosos afrossambas em parceria com Vinicius —, e conheceu detalhes sobre Besouro, o Cordão de Ouro, mitológico personagem dos anos 30, tido como o maior capoeirista de todos os tempos. Nascido em Santo Amaro da Purificação, Besouro tinha o corpo fechado, lutava capoeira — o que era proibido — e, quando avisado de que corria perigo, fugia pelo mar em seu saveiro. Traído por uma mulher, foi morto pela polícia. As histórias de Besouro chegaram a ser abordadas por Jorge Amado em um capítulo do livro *Mar morto*. Além de capoeirista, Besouro era pescador, embarcadiço, violonista e compositor, creditando-se a ele mesmo alguns versos de sambas de roda a seu respeito. Um deles era aquele que Baden cantou para o jovem Paulo César Pinheiro: "Quando eu morrer, me enterrem na Lapinha/ calça culote, paletó almofadinha", princípio da primeira parceria entre os dois. Baden arrematou a primeira parte compondo uma melodia tocante, típica de sua inconfundível linha melódica, com a naturalidade que tanto prezava, e o jovem Paulinho César Pinheiro fez a letra: "Vai no lamento, vai contar/ toda a tristeza de viver/ Ai, a verdade sempre dói/ e às vezes traz um não a nada...", atendo-se ao clima baiano em que Besouro vivia.

Quando foi convidado para a Bienal, Baden quis inscrever "Lapinha", composta três anos antes com o letrista totalmente desconhecido, contrariando a expectativa do festival, que esperava uma letra de Vinicius. Baden bateu o pé, insistindo que, se não fosse daquela maneira, ficaria fora do festival. Não houve jeito, a música foi aceita e destinada a Elis Regina.

Agora, no palco do Teatro Record, os três festejavam a vitória na I Bienal, bisando o samba com a participação dos demais concorrentes, como Cyro Monteiro, que cantou ao lado de Elis.

Os vencedores foram comemorar no Jogral, juntando-se todos numa festa com a presença da nata do samba. Paulinho da Viola também festejou seu sexto lugar até o dia clarear. Quando chegou ao Hotel Normandie, resolveu tomar café antes de dormir. Ao entrar no salão, já havia duas pessoas numa mesa: Cyro Monteiro e sua mulher, Lu. "Cyro tomando cerveja de manhã cedo?", pensou Paulinho, incrédulo. Ele estava chorando. Paulinho aproximou-se e sentou, enquanto Lu tentava consolá-lo:

— Ô, Cyro, quem está na chuva tem que se molhar! Esquece isso.

Cyro voltou-se para Paulinho, inconformado:

— Olha, eu nunca tinha sido vaiado na minha vida. E hoje eu fui vaiado cantando um samba do Cartola!

Paulinho também procurou animá-lo, explicando que plateia de festival era assim mesmo, eram grupos que torciam por umas músicas e vaiavam as outras. Na sua pureza, Cyro não conseguia entender, estava arrasado.

No dia 8 de junho, Baden recebeu o prêmio de 20 mil cruzeiros e o troféu Roda de Samba (feito em ouro sobre uma base de cristal) das mãos de Elis Regina, e Cyro Monteiro entregou o cheque de 2 mil a Cartola. A nota triste da festa no Teatro Record Centro foi a homenagem a Wilson Batista, que, estando doente, não pudera participar da Bienal, e viria a falecer menos de um mês depois.

Dias mais tarde, Paulo César Pinheiro ouviria a primeira gravação de uma música sua, na voz da fada Elis Regina, que mais uma vez tocava com seu condão um futuro grande nome da música brasileira. "Lapinha" seria gravada por Elis em compacto, por Baden no volume 2 da série *Le Monde musicale de Baden Powell* e por Paulo César Pinheiro. Também gravaram "Lapinha" Sérgio Mendes e o Brasil 66, Elza Soares, Wilson Miranda, Pedrinho Rodrigues, Os Três Morais, Os Cantores da Lapinha, o organista André Penazzi, o gaitista Fred Williams e o acordeonista italiano estabelecido no Brasil Uccio Gaeta.

O LP oficial com as 12 finalistas da Bienal foi lançado pela Philips e contou com vários dos intérpretes originais: Elis, MPB 4, Marília Medalha, Jair Rodrigues e Márcia.

* * *

Entre os seis contemplados da I Bienal do Samba, havia três sambas excepcionais: "Tive sim", "Coisas do mundo, minha nega" e "Pressentimento", uma das pérolas do gênero. Bastariam esses três para a I Bienal do Samba ter cumprido o seu papel histórico. Os senhores jurados contemplaram as músicas com que a plateia mais se identificava, seduzida por refrões de apelo imediato, enquanto os três sambas ficaram nas posições inferiores. Por outro lado, o inexorável júri do tempo trataria de incorporá-los à galeria dos mais belos sambas brasileiros. Aliás, não seria preciso muito tempo para tal reconhecimento: no sábado seguinte à final, o *Jornal do Brasil* realizou uma enquete do tipo que era feito nos desfiles de carnaval, na qual alguns especialistas teciam comentários e davam notas às premiadas. A maior média foi para "Pressentimento", com 9,6, tendo recebido cinco notas 10, atribuídas por Sérgio Porto (que morreria em 29 de setembro), Almir Muniz, Eli Halfoun, Franco Paulino e Moises Fuks. Apenas um deles não deu 10: Nelson Motta deu 8. "Lapinha" foi a segunda, com média 9.

Outro episódio que merece ser contado é o da grande ausência na I Bienal do Samba. Entre os compositores da nova geração convidados originalmente, Tom Jobim fora, como se viu, uma das quatro unanimidades, não se furtando a enviar uma composição, por sinal uma das últimas de sua fase bossa nova. Inscrita como "Onda", a música havia sido composta em Los Angeles, no período em que estava envolvido numa gravação com Frank Sinatra, e gravada em versão instrumental nos Estados Unidos, no LP que tem uma girafa na capa vermelha. Desolado com as versões dos americanos para as letras de suas músicas, o próprio Tom decidiu escrever uma letra em inglês para "Onda", intitulando-a "Wave", e também pediu a seu novo parceiro, Chico Buarque, que já tinha transformado "Zingaro" em "Retrato em branco e preto", uma letra em português. Chico quebrou a cabeça, tentou várias vezes, mas não conseguia ultrapassar o primeiro verso, "Vou te contar". Após inúmeras cobranças, Tom, desanimado, resolveu escrever ele mesmo os versos de "Onda", que depois enviou para a Bienal. Roberto Carlos era o escalado para defendê-la, mas no dia da primeira eliminatória, 12 de maio, ele desembarcava em Nova York com Nice, sua primeira esposa, em viagem de lua de mel, de onde seguiu para Las Vegas, sem tempo de se preparar para defender a música. Não entrou na primeira eliminatória, em que estava escalado, nem na terceira, para a qual foi transferido, e assim ficou fora da Bienal. A história não morreu aí. Roberto também perdeu a chance de ser o primeiro cantor a gravar a música, que poderia figurar entre seus mais consistentes sucessos. O privilégio acabou ficando com o quarteto vocal 004, liderado por Eduardo Ataíde, com Luiz Carlos, o Bombinha, e os irmãos Luiz Roberto e Luiz Felipe. Com o título "Vou te contar", e o próprio Tom incorporado às quatro vozes, abria o lado B do primeiro e único disco do quarteto, *Retrato em branco e preto*, lançado em junho de 1968 pela marca Codil. O lançamento desse disco foi comemorado no show *Discomunal*, realizado em agosto de 1968 no Teatro Toneleros, em Copacabana, com um elenco que incluía Millôr Fernandes (apresentador), Eumir Deodato, Hepteto (*sic*) de Paulo Moura, Baden Powell, Márcia, Chico Buarque e Tom Jobim. Com um time desses, o espetáculo tinha que ser registrado, o que acabou acontecendo num disco do Museu da Imagem e do Som (nº 0007), no qual a música aparece mais uma vez em duas faixas: como "Wave", em versão instrumental com o hepteto e, no lado B, cantada em português pelo grupo, tendo Tom ao piano e o novo título "Vou te contar". Roberto Carlos jamais gravou "Onda".

Este é mais um caso antológico nos fortuitos caminhos da história das canções: o de uma música que, alijada do festival por um motivo banal, ainda assim incorporou-se aos clássicos da música brasileira e consagrou--se como uma das mais belas páginas da obra de Antônio Carlos Jobim.

A nobre intenção do grupo que, sentindo a ausência de sambas nos festivais anteriores, desejou resgatar o gênero por excelência da música brasileira, ao homenagear grandes vultos do passado com a I Bienal do Samba, esbarrava porém num dos principais, senão no principal elemento de uma competição de canções: o desafio, a abertura para o novo. Não é à toa que o festival promovido pela Globo em 1975 seria chamado Abertura. As composições dos antigos sambistas convidados eram, naturalmente, apegadas à tradição, destituídas desse excitante elemento tão próprio às competições: o imprevisível.

Alguns não queriam concorrer. As músicas da turma da velha guarda não poderiam ter o apelo de uma época que não era a sua. As dos jovens tinham, e por isso eram competitivas. Mas havia uma exceção entre os veteranos: Cartola. A segunda fase da obra de Cartola pertencia ao período de seu renascimento como compositor, embora já tivesse passado dos 60 anos. Para ele, que possivelmente se julgava condenado ao ostracismo, a gravação do primeiro disco de sua vida — um reconhecimento sublime para um músico e poeta com seu talento — agiu como um elixir de juventude em sua veia de compositor. Cartola passou a produzir como um jovem, um jovem sexagenário: era o Mestre Cartola no auge da atividade artística. Não é portanto sem razão que tenha sido ele o único dos veteranos a ficar entre os seis primeiros — Billy Blanco, Paulo César Pinheiro, Baden Powell, Chico Buarque, Hermínio Bello de Carvalho e Elton Medeiros — todos pertencentes à ala moça do samba.

9.
"SABIÁ"
(III FIC/TV GLOBO, 1968)

O que se assistiu em 1968 foi espantoso. Sonhando com um novo comportamento no mundo, os jovens se rebelaram contra o sistema capitalista que, ao longo da história, tinha se mostrado incapaz de evitar destruições e guerras odiosas, como a do Vietnã. A ideologia desses jovens tinha, numa ponta, a teoria marxista e, na outra, a ideia romantizada — e, de certo modo, contraditória — segundo a qual o sistema só cederia pela violência. No Brasil, essa violência seria desferida contra o inimigo mais ostensivo, o regime militar, já que a ditadura era o mais próximo representante desse sistema.

Os acontecimentos se precipitam numa sequência avassaladora. Nesse sentido, parecia haver sintonia entre as capitais brasileiras, Rio e São Paulo principalmente, e as europeias, Paris em especial. As ruas transformam-se em praças de guerra, há confrontos entre tropas de choque e estudantes, há cargas de cavalaria, ocupação das universidades, embates sangrentos, tumultos, mortes, depredações e atentados terroristas; entram em cena armas pesadas, carros blindados, os tatus e brucutus da polícia estão nas ruas, estudantes munem-se de cassetetes, paus e pedras, coquetéis molotov, ácido, bombas, terroristas arremessam granadas ou atiram com metralhadoras; instaura-se a insegurança, o perigo corre solto, há mais mortes; surgem líderes estudantis como Vladimir Palmeira, Luiz Travassos, José Dirceu e José Arantes, no Brasil, e Daniel Cohn-Bendit em Paris; os estudantes franceses se insurgem contra o governo, os estudantes brasileiros também se insurgem contra o governo. No Rio, no dia 26 de junho, artistas, intelectuais e o clero realizam a Passeata dos Cem Mil, com participação de Chico Buarque, Gil, Caetano e Milton. Em julho, o Comando de Caça aos Comunistas invade os camarins do Teatro Ruth Escobar, em São Paulo, leva os atores de *Roda viva* para a rua, espanca-os e depreda o Teatro.

Alheio ao que acontecia nas ruas, o gordão Renato Corrêa de Castro, ex-assistente de Solano Ribeiro, reunia-se com Roberto Freire, Geraldo Casé, Francisco de Assis e os maestros Erlon Chaves e Rogério Duprat para selecionarem 24 músicas entre as 1.008 recebidas e destinadas à fase paulista do III FIC, programada para meados de setembro. Era uma das novidades da terceira edição do festival nesse ano: São Paulo teria direito a seis das vagas planejadas para as semifinais nacionais, Minas teria duas, Bahia, Pernambuco e Rio Grande do Sul teriam uma cada e o Rio, as 28 restantes para o total de 40 canções, que, a exemplo do ano anterior, concorreriam ao Galo de Ouro no Maracanãzinho no final de setembro.

Essa fase paulista seria no TUCA, o Teatro da Universidade Católica, no bairro de Perdizes, com 1.100 lugares que seriam vendidos a cinco cruzeiros novos cada. Compunha-se de duas disputas para eleger 12 músicas que, por sua vez, concorreriam numa final paulista às ditas seis vagas, premiadas, cada uma, com 5 mil cruzeiros novos.

A outra novidade seria a montagem do júri carioca. Aquela ideia do FIC anterior, não sei quantos jornalistas de vários estados e praticamente ninguém da música, foi muito criticada, principalmente pela docilidade com que os 17 componentes se deixaram levar pelo entusiasmo do público por "Margarida", permitindo que Milton Nascimento ficasse em segundo. Foi uma bobeada não premiar um compositor que não surge no mundo a três por dois. Seria então constituído um corpo de jurados mais ligado à área da música, e até a opinião de quem fora concorrente seria ouvida.

Pelas duas providências, ficava claro que a TV Globo tomava mais pé no Festival. Ao expandi-lo a outras praças de sua rede, não se limitava à área de ação de sua própria emissora carioca, o Rio de Janeiro, onde dividia a organização com a Secretaria de Turismo da Guanabara. E mais: abria uma frente em São Paulo, em que a TV Record dominava. Visando a consolidação da emissora em território paulista, Walter Clark chegou a deslocar José Otávio de Castro Neves para coordenar o departamento de vendas e interferir na programação local.

No Brasil e no mundo os conflitos avançam, a liberdade vai sendo arrochada: no final de agosto, a Checoslováquia é invadida pelas tropas comunistas da União Soviética; simultaneamente, há nova passeata em São Paulo com 500 estudantes detidos. No dia seguinte, 29 de agosto, a Universidade de Brasília é invadida por soldados e agentes do DOPS; estudantes são feridos. A atitude violenta gera um veemente protesto do deputado Márcio Moreira Alves na Câmara Federal: no dia 2 de setembro, ele propõe que se boicotem as comemorações da Independência em repúdio às Forças Armadas. Sendo a música popular um meio privilegiado de representação da consciência política estudantil e da sensibilidade artística do país, não poderia ignorar as tensões político-sociais do momento. Os festivais seriam o ambiente ideal.

Entre as 24 músicas selecionadas para a fase paulista do FIC, algumas tinham tudo a ver com o que ocorria. Basta ver os títulos: "É proibido proibir" (Caetano Veloso), "Canção do amor armado" (Sérgio Ricardo), "Questão de ordem" (Gilberto Gil), "América, América" (César Roldão Vieira) e "Para não dizer que não falei de flores" (Geraldo Vandré). Até em músicas com títulos despretensiosos, como "Flor e pedra" (Carlos Castilho e Vitor Martins), na qual um sujeito alienado, vendo a juventude protestar com pedras e bombas, decide ter a mesma conduta, o tema vinha à tona. Sob a ótica estritamente musical, nenhuma delas era uma grande canção, mas um ou outro verso poderia instigar a estudantada, mormente numa atmosfera carregada como a daqueles dias. Se "América, América" não era tão acintosamente provocadora, a música de Vandré era um prato cheio, ia sem peias ao assunto que fazia ranger os dentes dos censores. Geraldo carregou nas tintas: "Há soldados armados amados ou não/ quase todos perdidos de armas na mão/ nos quartéis lhes ensinam antigas canções/ quase todos perdidos de armas na mão...". Renatão ficou apavorado por ter que arcar sozinho com a responsabilidade e, temendo que uma música dessas pudesse ser classificada e chegar às eliminatórias cariocas, recorreu a seus superiores, Boni e Walter Clark. Ambos decidiram correr o risco, achavam que a música não seria classificada, e Vandré foi escalado para a segunda semifinal da fase paulista, em 14 de setembro. No mínimo, era de se esperar brabas manifestações. Ainda assim, Renatão tentou mitigar os mais desconfiados ao declarar que não esperava vaias, pois, no momento em que a agressividade era um sintoma tão evidente no mundo, a música seria uma forma de relaxar. Doce ilusão. A tensão era sentida até nas partículas de ar de uma brisa refrescante. Tudo colaborava para o circo pegar fogo.

Para Rogério Duprat, que se afigurava como o papa das orquestrações em música de festival, não havia mais soluções de harmonia e melodia, devia-se partir em busca de acordes dissonantes e de sons não musicais, ruídos e blocos sonoros, do tipo da zoeira que seria utilizada em "Caminhante noturno" dos Mutantes. O arranjador passava a ter importância equivalente à do próprio compositor. Foi o que se presenciou e ouviu no ensaio de 11 de setembro, véspera da primeira eliminatória.

* * *

Com transmissão direta pelo canal 5, apresentação da atriz Norma Blum e do locutor Oliveira Neto, que imitava com perfeição a voz do narrador de jornais cinematográficos da Metro, Ramos Calhelha, e a participação de Nelson Motta e Glória Menezes nas entrevistas, seria dado o pontapé inicial de mais um Festival Internacional da Canção com a primeira noite da fase paulista. Havia gente sentada até no chão, ansiosa para ver a comentada roupa de plástico de Caetano. O júri incluía os jornalistas Chico de Assis e Paulo Cotrim, Nara Leão, o poeta Paulo Bonfim, o maestro Lirio Panicalli, o cineasta Maurice Capovilla e José Otávio de Castro Neves, da TV Globo. Foram, como de praxe, os primeiros anunciados.

Jorge Ben não teve recepção muito entusiástica para sua "Congada". Por outro lado, antes dos Mutantes entrarem, já eram erguidos os primeiros cartazes: "Tropicalismo é crítica", "Tropicalismo é liberdade". Sua música foi a primeira a excitar a moçada, que aplaudiu o visual de Rita, Arnaldo e Sérgio em suas roupas de urso.

Introduzida por clarinadas lembrando uma caçada com latidos de cachorro, a harmonização vocal de "Caminhante noturno" era nitidamente baseada nos acordes de quartas e quintas dos Beatles, maneirismo vocal em moda. O arranjo de Rogério Duprat, um antropofágico nato, capacitado, despudorado e coerente, tinha intervenções orquestrais calcadas nos recentes discos dos Beatles: a abertura, como no final de "Good Morning"; o dueto de trompetes ao passar para o *rallentando*, como em "Magical Mistery Tour"; ruídos, contrabaixo e guitarra, mudanças rítmicas e um final semiapoteótico. O que faltava era uma melodia como as de Paul McCartney.

Gal Costa também se apresentou no modelo "estilo festival": um vestido azul, estrelinhas prateadas no cabelo; só faltava uma varinha para parecer uma fada, "mas uma fada cafona", fez questão de salientar. A música que defendeu, de Roberto e Erasmo Carlos, "Gabriela mais bela", agradou menos que a cantora.

O público aplaudiu intensamente um novato em festival, o ator Rolando Boldrin (que mais tarde ficaria conhecido como intérprete de músicas sertanejas), num samba tradicional, "Onde anda Iolanda", bem como, de Toquinho e Paulo Vanzolini, "Na boca da noite", defendida pelo conjunto vocal Canto 4 e a cantora paulista Ivete, que desapareceu do circuito poucos anos depois. Esta composição, a única parceria dos dois, seria gravada com certa assiduidade e inspiraria o título de um programa da Rádio Eldorado, *Boca da noite*.

Quem roubou a noite foi Caetano Veloso com a montagem atrevida de sua composição "É proibido proibir", inspirada na frase que, pichada numa parede de Paris, foi vista em reportagem da revista *Manchete*: "Il est interdit d'interdire". Por insistência de Guilherme Araújo, atraído pelo *jeux des mots* que tão bem se prestava a uma denúncia contra as primeiras ações praticadas pela Censura brasileira, precedendo o arrocho que estava por vir, Caetano fez uma letra tola mas nada ingênua, com alusões a cenas que estavam na ordem do dia: "Eles estão nos esperando/ os automóveis ardem em chamas/ derrubar as prateleiras/ as estantes, as estátuas, as vidraças/ louças, livros sim...". Ao final, declamava versos de Fernando Pessoa sobre o rei português Dom Sebastião. Ao lado dos Mutantes, agora vestidos em plástico rosa e alaranjado, foi recebido com aplausos e saudações de "Caetano! Caetano!". Com sua cabeleira à Jimi Hendrix, vestia um traje tipo "cheguei", proveniente da butique Ao Dromedário Elegante, de Regina Boni: uma camisa de plástico verde, um colete prateado, colares de fios elétricos e correntes metálicas com dentes de animais pendurados: a própria antibeleza. Uma mixórdia de sons eletrônicos, ruídos, pratadas, escalas ao piano, suspiros e guitarras antecediam uma canção pueril, cujos atrativos eram o escracho por meio do arranjo, o exotismo da apresentação e o *happening* que Caetano resolveu incluir, sem participar a ninguém sua decisão. Quase ao final, entra em cena uma excêntrica figura loura de roupas estranhas, o americano John Dandurand, a quem Caetano cede o microfone para as frases ininteligíveis e os berros desconexos que passa a proferir, atingindo em cheio o objetivo pretendido, o de cutucar ainda mais escandalosamente a plateia. Esses elementos foram os agentes provocadores de uma reação adversa e totalmente oposta à de sua entrada. Sendo uma das seis classificadas, "É proibido proibir" foi reapresentada após o intervalo sob vaias, tomates podres e gritos de "Bicha!" dirigidos ao gringo. Nervoso e mal conseguindo se ouvir, Caetano foi consolado com os abraços de amigos ao sair do palco.

O público é que não se conformou com tamanha anarquia, vaiou um artista que aplaudira minutos antes e era tido como ídolo da juventude mais esclarecida. Temeroso da multidão, Caetano saiu escoltado por dois policiais enquanto Guilherme Araújo fazia um comentário premonitório: "Onde está a juventude brasileira?".

As outras classificadas foram "Canto do amor armado", "Quadro" (Carlos Viana e José Márcio), "Caminhante noturno", "Na boca da noite" e "Onde anda Iolanda".

Na segunda semifinal paulista, a concorrente "Questão de ordem", de Gilberto Gil, que fora acompanhado pelos Beat Boys e, novamente, o *hippie* americano John Dandurand tocando uma calota, foi eliminada. O público, já meio cabreiro com o Tropicalismo anárquico de Caetano, duplicou a represália manifestada antes e o júri embarcou na rejeição à estranha forma musical concebida por Gil, que vivia o momento de sua máxima paixão pelo guitarrista Jimi Hendrix. Tendo composto uma canção convencional em termos de harmonia e melodia, em ritmo de marchinha, e que provavelmente não despertaria controvérsias, Gil resolveu desconstruí-la aproximando a interpretação dos maneirismos vocais de Hendrix, trocando a poesia cantada por um canto esdrúxulo, seguido de gemidos, ganidos e cacofonias. Sua provocação àquela facção da juventude nacionalista engajada na resistência à ditadura, mas conservadora em termos estéticos, foi recebida com o troco previsto: vaias contra aquele "vendido à música estrangeira e entreguista". Nem alguns de seus admiradores entenderam onde ele queria chegar. Gilberto Gil ficou fora do Festival, quebrando a dupla dos gêmeos da Tropicália, expressão já consagrada naquela altura. Entre as seis que passaram para a disputa da final paulista na noite seguinte, estavam "Oxalá", de um Théo de Barros desvinculado de Vandré, "Dança da rosa", de Chico Maranhão, um dos que mais se identificava com a plateia, a panfletária "América, América", de César Roldão Vieira, e a temerosa "Pra não dizer que não falei de flores", alcunhada "Caminhando", de Geraldo Vandré. Enquanto a maioria dos autores cuidava de incrementar as performances com todos os elementos possíveis para causar impacto, Vandré resolveu seguir caminho oposto. Apresentou-se sozinho, com seu violão rudimentar, numa canção também rudimentar, cuja letra poderia ser o cerne de um roteiro cinematográfico contra as Forças Armadas. O refrão era de colher para o povo cantar junto: "Vem, vamos embora/ que esperar não é saber/ quem sabe faz a hora/ não espera acontecer". A previsão de Boni de que a música não iria longe começava a perigar.

Vinte e quatro horas depois, domingo, 15 de setembro, aconteceria no TUCA a final paulista do III FIC. Uma noite para a história.

A primeira grande vaia foi para os Mutantes, logo à entrada de Sérgio e Arnaldo, fantasiados com becas de formandos, e Rita, de noiva.

Depois, quando Vandré foi defender "Caminhando", ocorreu um tumulto. Alguém ergueu uma faixa de duas faces idealizada pelo artista plástico Edinízio Ribeiro Primo: de um lado, um violão com uma caveira de boi e, do outro, a frase que separava as duas facções na plateia: "Folclore é reação". Havia uma clara divisão entre o público e os grupos se pegaram feio, obrigando a polícia a intervir.

Os estudantes do TUCA, considerados os mais politizados entre os frequentadores de festivais, não se conformavam que Caetano e Gil não assumissem uma atitude clara de reação ao militarismo e ainda demonstrassem no palco uma certa falta de virilidade que não se coadunava com quem fosse contra a ditadura. A postura máscula de Vandré, um dos ídolos dessa facção, era o oposto. A outra parte do público era dos tropicalistas, tanto simpatizantes, como Augusto de Campos e Décio Pignatari, quanto artífices, como Gal Costa e Torquato Neto, em visível situação de inferioridade numérica e de ânimos bem menos exaltados.

Caetano chegou ao TUCA quando os Mutantes terminavam seu número, após ter vivido horas de grande excitação resumidas na frase dita à entrada: "O que me interessa é desclassificar as coisas". A performance de "É Proibido Proibir" ofuscou de tal maneira o que aconteceu dali em diante, que seria lançado um disco compacto tendo no lado A a gravação normal de estúdio e no lado B, sob o título "Ambiente de Festival", a música que não aconteceu. As vaias começaram quando seu nome foi anunciado. Despediu-se de sua mulher Dedé com um beijo e entrou no palco.

Com as mesmas vestimentas de plástico, Caetano Veloso incrementa sua performance com movimentos de quadris simbolizando um ato sexual, que mais exaltam os ânimos, prontos para atingir o paroxismo. Vaiando estridentemente, uma parte da plateia dá as costas para o artista; os Mutantes, que o acompanham, reagem na mesma moeda, virando-se de costas para o público. Às vaias, sucedem gritos e xingamentos cada vez mais pesados. Caetano fica perturbadíssimo defrontando-se com o ódio estampado em alguns assistentes e, em lugar de cantar, inicia um discurso totalmente diferente do que tinha preparado nos estúdios da RGE, a homenagem à atriz Cacilda Becker, perseguida pela Censura e dispensada dos teleteatros da TV Bandeirantes sob a alegação de que sua atuação era subversiva: "Mas é isso que é a juventude que diz que quer tomar o poder? Vocês têm coragem da aplaudir, este ano, uma música, um tipo de música que vocês não teriam coragem da aplaudir no ano passado!... Quem teve essa coragem de assumir essa estrutura e fazê-la explodir foi Gilberto Gil e fui eu. Não foi ninguém, foi Gilberto Gil e fui eu!".

Dividida em duas facções, a plateia do TUCA, em São Paulo, se manifestava
com cartazes e vaias na final da fase paulista do III FIC.

A participação performática do norte-americano Johnny Dandurand
foi a surpresa de Caetano Veloso em "É proibido proibir",
a polêmica música classificada para a final paulista do III FIC.

A zoeira é tanta que poucos entendem o que ele diz, começam a chover tomates, bolas de papel, ovos, copos de plástico, bananas, Gil entra no palco, fica sorrindo e abraçando Caetano, que prossegue, parecendo fora de si: "Vocês estão por fora! Vocês não dão para entender. Mas que juventude é essa?! Vocês jamais conterão ninguém. Vocês são iguais sabem a quem? São iguais sabem a quem? Tem som no microfone? Vocês são iguais sabem a quem? Àqueles que foram na *Roda viva* e espancaram os atores! Vocês não diferem em nada deles, vocês não diferem em nada. E por falar nisso, viva Cacilda Becker!...".

Agora um pedaço de madeira do cenário arremessado atinge a canela de Gil, que não se dá conta, morde um tomate e o devolve. A turba urra tal qual feras famintas, Caetano vitupera como um possuído, a situação é de total descontrole no palco e na plateia. Prolifera um embate irado como nunca se imaginou pudesse acontecer em algum teatro ou programa de TV; misturam-se, numa zorra total, o som das guitarras, a gritaria ensurdecedora e a irreconhecível voz de Caetano: "O problema é o seguinte: vocês estão querendo policiar a música brasileira! [...] Mas eu e o Gil já abrimos o caminho, o que é que vocês querem? Eu vim aqui para acabar com isso. Eu quero dizer ao júri: me desclassifique [...] Gilberto Gil está comigo para acabarmos com o Festival e com toda a imbecilidade que reina no Brasil [...] Ninguém nunca me ouviu falar assim. Entendeu? Eu só queria dizer isso, *baby*... se vocês, em política, forem como são em estética, estamos feitos! Me desclassifiquem junto com o Gil! Junto com ele, tá entendendo? E quanto a vocês... O júri é muito simpático, mas é incompetente. Deus está solto!". E volta a cantar sem ligar a mínima para o que está fazendo, sem se importar com a melodia ou se está fora do tom, provoca ainda mais o júri com as palavras finais e encerra depois de mais de quatro minutos: "Chega!". Sai abraçado com Gil e os Mutantes.

Um grande constrangimento reina nos bastidores. Caetano é cumprimentado pelos baianos e baianas, por Lennie Dale e Guilherme Araújo. Gil declara: "Não tenho raiva deles, não, eles estão embotados pela burrice que uma coisa chamada Partido Comunista resolveu pôr nas cabeças deles". Caetano nem aguarda o resultado, recebe um abraço de Marcos Lázaro e, desinteressado pelo que possa suceder no Festival, sai para seu apartamento na avenida São Luiz.

"Por que eles não são de esquerda como nós?", pensava a classe estudantil supostamente mais politizada. "Se fossem, assumiriam as dores do povo brasileiro, fariam um protesto contra a situação, não ficariam a badalar a música importada." Ainda que amassem os baianos, como amavam Chico e Vandré, havia uma diferença fundamental: para a juventude daquele momento, o talento em si não era suficiente, era preciso ter talento acompanhado de uma posição política, como Chico e Vandré demonstravam em suas músicas. Gil e Caetano não assumiam.

Os jurados Sérgio Cabral, Chico de Assis, Paulo Cotrim, Maurice Capovilla, Boni e José Otávio Castro Neves, classificaram seis músicas para as duas eliminatórias do Rio: "Caminhando" (Geraldo Vandré), "Oxalá" (Théo de Barros), "América, América" (César Roldão Vieira), "Dança da rosa" (Chico Maranhão), "Canção do amor armado" (Sérgio Ricardo) e, surpreendentemente, "É proibido proibir". Caetano iria? Ainda nos bastidores, havia declarado que nunca mais participaria de um festival.

No Rio de Janeiro, o III FIC estava sediado no Hotel Savoy, em Copacabana, provocando tamanho entra e sai que as ruas Xavier da Silveira e Miguel Lemos foram interditadas para facilitar o estacionamento. Augusto Marzagão, que ocupava uma sala no segundo andar, ficou deveras preocupado com o escandaloso Caetano, submetendo sua participação a uma condição: ele poderia cantar com a mesma roupa de São Paulo, mas o tal alemão (*sic*) não poderia de maneira alguma pisar o palco de um festival para manobras sensacionalistas. Caetano ficou de ir ao Rio para tomar a decisão de participar ou não, deixando no ar uma expectativa que aumentava quanto mais próxima estava a data da primeira eliminatória.

No Maracanãzinho os serviços de montagem de um palco mais fechado, para que os cantores pudessem ouvir melhor a orquestra, prosseguiam normalmente desde 8 de setembro. Tinha 30 metros de largura por 12 de profundidade; o disco onde ficaria o cantor estava a 2,60 metros do piso, o coro, à esquerda, e o piano, à direita. De cada lado saía uma rampa de 10 metros descendente rodeando a orquestra a ser regida por Gaya, Panicalli e Rogério Duprat. Decorado em azul e branco, com o símbolo Galo de Ouro, o fundo do palco tinha colunas iluminadas em cores.

O corpo de jurados pretendido no início sofreu várias mudanças e, afinal, sua formação definitiva teve como presidente o diplomata Donatello Grieco e como integrantes Ari Vasconcelos, Paulo Mendes Campos, a carnavalesca Eneida, os maestros Carioca, Isaac Karabtchevsky e Alceu Bochino, o cronista Eli Halfoun, Billy Blanco, Bibi Ferreira, o desenhista Ziraldo, Justino Martins, diretor da revista *Manchete*, o jornalista paulista Nilo Scalzo, Ricardo Cravo Albin, diretor do MIS, e Carlos Lemos, do *Jornal do Brasil*. Ao lado dos jurados ficaria o sr. Christian

Mark comandando o placar eletrônico que poderia ser acompanhado pelos presentes, uma novidade nesse FIC.

Uma semana antes da primeira eliminatória, foi anunciado que, devido ao sucesso do FIC paulista, seriam incluídas na fase nacional uma música paranaense e mais duas músicas de São Paulo, "Caminhante noturno" e "Na boca da noite". Houve protestos de Roberto Menescal, que prometeu retirar sua música "Salmo", mas voltou atrás. São Paulo ficou então com oito concorrentes; Minas teria duas, "Corpo e alma" (Augusta Maria Tavares) e "Festa do povo" (Jota D'Ângelo); "Vera Cruz", de Milton Nascimento e Márcio Borges, ficou de fora; a Bahia teria uma, "Maria é só você" (Carlos Coqueijo e Alcivando Luz); Pernambuco, uma, "Por causa de um amor" (Capiba); o Rio Grande do Sul, "Tempo de partir" (Sérgio Knapp); e o Paraná, "Roteiro" (Lapis e Paulo Vitola). As demais, definidas desde o final de agosto, eram do Rio. As cariocas mais comentadas pela imprensa eram "Andança", "Sabiá", "Salmo", "Meu sonho antigo", "Maré morta" e "Dia de vitória"; pouco se falava de "O sonho", do estreante Egberto Gismonti. Por fim, Caetano Veloso decidiu não participar do FIC, declarando ao *Jornal da Tarde* que estava mais interessado na preparação de seu novo disco e na música inscrita para o Festival da Record, "Divino, maravilhoso".

A fase internacional também se agitava, a despeito de algumas dificuldades para o diretor Augusto Marzagão. Vários convidados estrangeiros não se mostraram propensos a assistir ao FIC no Rio temendo vaias como as do ano anterior. A cantora Ella Fitzgerald, convidada para presidir o júri, foi a primeira a se manifestar temerosa, levando em conta as notícias que ouvira de Mancini, Nelson Riddle e Quincy Jones. Marzagão garantia que o público seria comportado e não vaiaria os artistas, rebatendo a matéria de um jornalista alemão que meteu o pau no Festival anterior, tachando-o de bagunçado e dizendo que o público não tinha educação.

A lista de convidados do exterior que efetivamente vieram ao Rio incluía os cantores Paul Anka, Pino Donaggio, Kyu Sakamoto, Françoise Hardy, Jimmy Cliff, Dinah Shore, Cidalia Meirelles, o letrista Sammy Kahn e o compositor David Rose (que retornaram ao Rio), Ray Evans e Jay Livingston (autores de "Mona Lisa"), Harry Warren (autor de imensa obra, da qual se podem citar "I Only Have Eyes For You", "Lullaby Of Broadway, "There Will Never Be Another You" e "The More I See You"), os regentes franceses Frank Pourcel e Paul Mauriat e o americano Don Costa.

Vinte e três composições concorreram na primeira eliminatória, realizada quinta-feira, 26 de setembro, mas apenas 5 mil pessoas compareceram ao Maracanãzinho.

Os apresentadores Hilton Gomes e Ilka Soares anunciaram a primeira canção, "Meu sonho antigo", de Sérgio Bittencourt, com Taiguara, na linha modinha fora de época, com uma levada de maxixe na segunda parte.

Das concorrentes inscritas pelo Rio, duas agradaram mais: "Dia da Vitória", a sétima apresentada, com uma letra tipo "desperta, povo!", foi indevidamente comparada a "Viola enluarada", também de Marcos Valle, que a defendeu. A outra foi "Andança", a décima segunda concorrente, uma toada com canto e contracanto entre as vozes masculinas e afinadas dos Golden Boys e a feminina de Beth Carvalho, então uma garota de 22 anos que abandonara seu curso de Psicologia para se dedicar à música.

* * *

"Andança" era de autoria de três estudantes de Arquitetura, Danilo Caymmi, Edmundo Souto e Paulinho Tapajós, que já eram amigos no Colégio Andrews e tornaram-se frequentadores das festinhas semanais de música sob o comando da festeira-mor Beth Carvalho, namorada de Edmundo. Assim, nasceram canções e parcerias desse grupo, que foi aumentando, participando de festivais universitários, até formar o movimento Música Nossa, com as adesões de Arthur Verocai, Luiz Claudio Ramos, Antônio Adolfo, Joyce, Menescal, Edu Lobo, a cantora Lucia Helena, às vezes grafada Lucelena, que seria a Lucina da dupla Luli e Lucina. Gonzaguinha e Ivan Lins também participaram mais tarde do Música Nossa.

Ainda como amadores, vários deles fizeram parte de uma caravana carioca que foi a Porto Alegre participar de um festival universitário em 1968. A trinca de estudantes de Arquitetura obteve o segundo lugar com "Canto pra dizer-te adeus", cantada por Iracema Werneck, perdendo para "Jogo de viola", cuja letra, do gaúcho João Alberto, impressionou fortemente Paulinho Tapajós. No retorno do Sul, Edmundo, que não havia viajado, foi recebê-los no aeroporto e enquanto Paulinho foi para sua casa em Botafogo, ele rumou com Danilo para a casa de Beth. Nesse dia, "Andança" começou a nascer.

Edmundo mostrava-lhes uma melodia que estava compondo quando Danilo decidiu improvisar uns contracantos na flauta que se incorporaram ao que seria uma segunda parte. Ficaram tão animados que resolveram gravar uma fita para Paulinho fazer a letra e este, aproveitando os cantos e contracantos, resolveu criar um diálogo entre uma voz masculina, a da melodia de Edmundo, e a feminina da flauta de Danilo. Era uma letra romântica de um andarilho em sua caminhada para o amor: "Vim, tanta areia andei/ da lua cheia eu sei/ uma saudade imensa/ [...] Olha a lua mansa a se derramar/ *Me leva amor*/ ao luar descansa meu caminhar/ *amor*/ seu olhar em festa se fez feliz/ *me leva amor*/ lembrando a seresta que um dia eu fiz/ *por onde for quero ser seu par...*". Como nessa ocasião Paulinho estivesse lendo Guimarães Rosa, teve vontade de também usar alguma palavra diferente, propondo como título "Andança", que tinha certo sabor de neologismo.

Logicamente, Beth faria a voz feminina, e a ideia de convidar os Golden Boys, de quem os três eram fãs, foi para quebrar a impressão generalizada de que o pessoal do iê-iê-iê não cantava direito. Os quatro rapazes ficaram receosos de serem mal-recebidos, mas acharam o máximo cantar num festival, tido como domínio dos universitários. O público adorou a combinação das cinco vozes e recebeu com entusiasmo a toada moderna no arranjo de Gaya com a participação do Som Três no acompanhamento.

O letrista Mário Telles, irmão da cantora Silvinha Telles, que resolveu ele mesmo interpretar sua composição com Menescal, "Salmo", foi vaiado. Teria ela melhor recepção com um intérprete mais tarimbado, como sugeriu o diretor da Philips André Midani? O fato é que nenhum dos jurados a incluiu entre as melhores. O mesmo aconteceu com a radical "Maré morta", de Edu Lobo e Ruy Guerra, cantada por Eduardo Conde num elaborado arranjo de Chiquinho de Morais. "Na boca da noite", essa sim, foi bem aplaudida, mas a grande surpresa da primeira eliminatória foi a última canção, "Caminhante noturno", com Os Mutantes. Houve um princípio de vaia para o trio, vestido espalhafatosamente como já era hábito em São Paulo. Rita tocava pratos e castanholas e acionava um gravador portátil de onde uma voz dizia "É proibido proibir". Rogério Duprat regeu a orquestra. A apresentação foi elogiadíssima, mas a decisão do júri seria divulgada só no domingo, após ouvirem as 19 músicas programadas para a segunda eliminatória. Dezenove porque a vigésima havia sido retirada por Caetano, que se tornara alvo de entrevistas, concedidas até na praia.

Palco do Maracanãzinho para o III FIC de 1968, com a orquestra,
as passarelas descendentes e o grupo de jurados em seu posto.

Em seus trajes extravagantes, Os Mutantes defendem no
Maracanãzinho "Caminhante noturno", incluindo o som de um
gravador portátil de onde se ouvia "É proibido proibir".

Pelé com seus companheiros do Santos e o doutor Christian Barnard estavam entre os assistentes mais destacados na plateia, maior e mais animada, do Maracanãzinho para conhecer no sábado, 28 de setembro, as músicas restantes candidatas às 20 vagas da final nacional. "Sabiá" foi a primeira, bem aplaudida e bem apresentada por Cynara e Cybele, sugeridas como intérpretes a Tom Jobim por Chico Buarque, entusiasmado com a performance da "dupla pé-quente" de "Carolina". Chico fez a letra e viajou para a Europa, enquanto o consagrado Tom Jobim, que fez questão de acompanhar o ensaio, estava presente, fazendo seu *début* no FIC e concorrendo pela segunda vez num festival, já que "Vou te contar" tinha ficado na saudade.

A quarta música da noite, que causou impacto igual ao de São Paulo, era "Pra não dizer que não falei de flores", uma canção de campo ou um rasqueado, conforme a definição do autor e intérprete Geraldo Vandré, que repetiu a dose do TUCA dispensando acompanhamento de orquestra. Nesse ano ele apresentava na TV Bandeirantes o *Canto geral*, cujo título foi trocado para *Canto permitido*. A mudança se deveu aos cortes que a Censura fez no primeiro programa da série, no início de maio, em que um filme de 15 minutos sobre a crise do mundo foi interpretado pelos censores como subversivo. O novo título do programa, que era gravado às segundas-feiras no Teatro Bandeirantes (ex-Cine Arlequim), foi proposto por Vandré para ressaltar a posição da Censura. O primeiro contato dos cariocas com a canção e a interpretação agressiva, que os paulistas já conheciam, foi sensacional. A música foi delirantemente aplaudida, deixando Vandré tão emocionado que chegou a passar mal nos bastidores.

Outros intérpretes, tarimbados em festival como Tuca e Maria Odete, ou estreantes como Eliana Pittman e Morgana, a fada loura, não chegaram a comover nem a plateia nem os jurados, ao passo que o veteraníssimo Silvio Caldas foi o destaque da noite ao cantar a valsa "Rainha do sobrado", décima quinta concorrente, do garoto de 17 anos Eduardo Souto Neto. Os ouvidos mais atentos não deixaram passar em brancas nuvens a composição de outro jovem, Egberto Gismonti, apresentada em décimo lugar. Com o grupo vocal Os Três Morais, de afinação impecável, Egberto defendeu "O sonho", que também não impressionou o júri. Eram os passos iniciais de um dos maiores músicos brasileiros que, já nos ensaios, podia-se notar, apresentava uma composição inteligente e originalíssima com sua linha melódica de intervalos de meios tons.

Os cariocas também adoraram a interpretação de César Roldão Vieira para "América, América", a décima sétima concorrente, após o que nada mais mereceu destaque na véspera da final nacional do III FIC.

* * *

Nesse mesmo sábado, em São Paulo, a torcedora símbolo dos festivais, Telé Cardim, foi ao escritório de Marcos Lázaro a fim de conseguir um ingresso para a final. Enquanto aguardava na antessala, durante a ausência do recepcionista, ouviu uma conversa telefônica de Marcos, que disse a seu irmão José Lázaro assim que desligou: "Os militares não querem que a música de Vandré ganhe o Festival. Temos que falar com a organização do FIC porque, se ele ganhar, vão tomar uma atitude de sérias consequências".

Telé gelou. Impressionadíssima, desistiu do ingresso decidida a procurar seu amigo Geraldo Vandré, que nem estava mais no apartamento da alameda Barros, tinha ido para o Rio com seu empresário Borges. Telé não tinha um minuto a perder, foi direto para o aeroporto tentar embarcar sem passagem. Depois de horas sem nada conseguir, e observando as aeromoças vestidas com seus sóbrios *tailleurs* azuis-marinhos, voltou para casa e, no dia seguinte, retornou com uma malinha e vestida com um conjunto azul de saia e blusa, como autêntica aeromoça. Sorrateiramente, conseguiu misturar-se com um grupo de passageiros, entrando com tranquilidade num avião da ponte aérea. Pouco antes da decolagem, a aeromoça dirigiu-se a ela após contar os passageiros:

— Desculpe, mas não me lembro de você entregar seu bilhete.

— Não dei mesmo.

— Você pode me dar agora?

— Olha, eu entrei no avião, não tenho passagem, porque preciso ir ao Rio avisar o Geraldo Vandré que se ele ganhar o Festival vai sair de lá preso pelos militares.

A aeromoça arregalou os olhos, com receio de um sequestro, mas o avião já decolava. Logo depois, voltou, ouvindo de Telé:

— Agora não tem mais jeito, o avião está no ar, só se você me jogar para fora. Olha, não tenho passagem, não sou sequestradora e preciso ir para o Rio avisar o Vandré que ele não vai ganhar o Festival.

Aturdida, a comissária chamou o comandante Araújo, que morreria no trágico acidente aéreo de 1973, próximo ao aeroporto de Orly, em Paris, onde também desapareceram o cantor Agostinho dos Santos e o arranjador Carlos Piper. Sentando-se a seu lado, ouviu a mesma história:

Zuza Homem de Mello

— Comandante, não me leve a mal, me perdoe, mas eu preciso avisar o Vandré que ele não vai ganhar o Festival e é bem capaz de sair preso do Maracanã.

— Tá legal. Eu não vou fazer nada se você garantir que me põe dentro do Maracanãzinho.

— OK, eu ponho.

Disse por fim, como se ainda fosse mais fácil conseguir o segundo ingresso.

Do aeroporto Santos Dumont, Telé foi com o próprio comandante em seu Buick para o escritório do FIC, onde conseguiu agitar jornalistas e meio mundo dizendo para quem quisesse ouvir que Vandré seria impedido de ganhar o Festival pelos militares da ditadura. Walter Clark veio ao corredor saber do que se tratava e estava ouvindo a história de Telé quando foi chamado ao telefone. Era o ajudante de ordens do general Sizeno Sarmento para avisá-lo que nem "Caminhando" nem "América, América", ambas com certificado da Polícia Federal, poderiam ganhar o Festival. Walter argumentou que não poderia impedir o júri de votar livremente, mas as ordens eram taxativas: "Problema seu. As músicas não podem ganhar", respondeu o oficial.

Walter confabulou com Augusto Marzagão e decidiram não tomar providência alguma a fim de não criar um caso de repercussão imprevisível. Deixaram o assunto ao sabor do acaso.

Telé saiu ventando, com o comandante Araújo, para o ginásio do Maracanãzinho, onde se realizava o ensaio. Com a maior cara de pau, dizendo ser irmã de Geraldo Vandré, que vinha lhe trazer uma bolsinha já aguardada, que o senhor a seu lado era o empresário do cantor e que seus documentos estavam lá dentro com o "irmão", conseguiu entrar no Maracanãzinho com o comandante Araújo a tiracolo. Deu de cara com Vandré, apresentou-lhe o comandante, disse que viera de carona para avisá-lo de algo muito grave:

— Vandré, eu vim para te contar uma história: você não vai ganhar o Festival.

— Como é que você sabe disso?

— Porque eu ouvi isso na sala do Marcos Lázaro.

— É, aquele gringo está com bronca minha porque não é meu empresário.

— Não é nada disso.

Geraldo ficou irritado, afastou-se de Telé e nem aceitou a sugestão um tanto maluca de declarar em público que sua música não poderia ganhar. Com os tomates de uma caixinha de lanche que ganhou, Telé tinha sua munição favorita para ser arremessada no momento adequado. Ela e o comandante iriam assistir à final.

A atitude de Vandré não revelava sua grande apreensão. Os repórteres da *Manchete* João Luiz Albuquerque e Renato Sérgio estavam no hotel de Copacabana, onde os concorrentes de São Paulo se hospedavam, quando, após o almoço, Vandré se aproximou dizendo que estava com medo de ser preso, pedindo para ir ao Maracanãzinho no carro da *Manchete*. Ambos concordaram porque imaginaram que teriam uma grande história para escrever. Vandré foi com os dois, além do motorista e um fotógrafo, mas todos achavam que era uma certa paranoia de Vandré. O carro entrou normalmente, Vandré ensaiou normalmente, nada aconteceu na tarde de domingo. À noite é que o caldeirão iria ferver.

O ginásio estava abarrotado. Walter Clark chegou sob o peso de sua arriscada decisão. A exemplo da Record, a TV Globo também mantinha um esquema para aplainar os problemas com a Censura, através dos "assessores militares" Edgardo Manoel Ericsen e o coronel Paiva Chaves. O relacionamento com os órgãos de comunicação havia mudado bastante desde abril de 1964.

* * *

Voltemos a essa época. O governo do regime militar teve ciclos descontínuos. O primeiro foi de março de 1964 a dezembro de 1968, quando foi decretado o AI-5, um marco sombrio na história política brasileira. Nesse período, que coincide com a realização dos principais festivais, houve fases de compressão e descompressão do regime.

Logo após o início do regime militar, em abril de 1964, há um primeiro endurecimento — uma primeira inflexão — sob a forma das cassações que incidem sobre políticos e líderes sindicais. Apesar de ser um momento duro, as áreas de educação e cultura, vale dizer as formas de manifestações artísticas, não são impactadas por essa medida de repressão denominada Ato Institucional. A medida, que reforça o Poder Executivo e diminui a área de ação do Congresso, não vem acompanhada de um número cardinal, o que leva à conclusão que, ao menos nesse primeiro momento, aparentemente não existia o projeto de outros atos institucionais. Era assim, o Ato Institucional do Regime Militar, cuja vigência foi limitada até 31 de janeiro de 1966, quando se encerraria o mandato do general Castelo Branco, já que a perspectiva da ala dos castelistas era a de que tal regime se esgotaria. Em relação à repressão, é um período de relaxamento que dura até as eleições estaduais de outubro de 1965, cujos resultados, que consagram, em boa parte, as oposições ao regime militar, são considerados inaceitáveis pela linha dura, coexistente com o grupo castelista nas Forças Armadas. É então baixado o Ato Institucional número 2, abreviado como AI-2, a partir do qual inicia-se a numeração dos atos institucionais.

O AI-2 é extremamente duro, extingue os partidos políticos e determina que as eleições para presidente da República sejam indiretas, deixando muito clara uma mudança decisiva nas regras do jogo político. A interpretação desse AI-2 é que a linha dura estava ganhando força dentro do governo, embora o presidente Castelo Branco não tenha perdido o controle, mantendo considerável poder. Assim, essa segunda inflexão não significa um enfraquecimento do presidente, mas um enfrentamento das duas linhas, a dura e a dos castelistas.

Como se vê, não obstante a Era dos Festivais tenha começado num contexto de regime militar, a sociedade civil, e mesmo os setores culturais, não haviam sido atingidos fortemente. A partir de outubro de 1965 é que se sente um avanço do poder repressivo do regime militar sobre a sociedade, pois, ao AI-2, segue-se o AI-3, em fevereiro de 1966. Quando o Congresso é fechado, em outubro de 1966, eclodem as primeiras manifestações estudantis, coincidentemente às vésperas do II Festival da TV Record. É a mobilização de estudantes universitários e secundaristas ao se articularem com as áreas culturais de música, teatro e cinema de uma forma geral. Os setores artísticos e estudantis convivem com formas de manifestação e de rejeição ao regime militar.

Uma nova inflexão se dá com a derrota do grupo castelista e a chegada de Costa e Silva, da linha dura, ao poder, iniciando-se outra etapa que vai da data da posse, em março de 1967, e atravessa quase todo o ano de 1968. Paradoxalmente, durante o período inicial de seu governo, voltam a ter vigência, embora por curto tempo, as práticas constitucionais, há uma interlocução do presidente com o Congresso, uma movimentação parlamentar. Esse período, que não é dos mais duros, é o da face contestatória e da grande mobilização da sociedade, que vai para as ruas. O verbo contestar entra na ordem do dia enfeixando novas e grandes manifestações populares, estudantis e artísticas, é o momento das passeatas, é o período dos maiores festivais da Era dos Festivais. Não é uma época de repressão nem de sociedade vigiada, como se pode deduzir pela conhecida frase, proferida na Passeata dos Cem Mil (em meados de 1968), segundo a qual a ditadura seria derrubada com um cuspe.

Havia, portanto, uma percepção, compartilhada por setores políticos, artísticos e estudantis, de subestima ao poder repressivo da ditadura militar. Exatamente porque nesse momento esse poder não estava integralmente acionado, embora existisse e fosse operante. E era operante através da Censura que agia sobre as letras das canções dos festivais.

* * *

A plateia do Maracanãzinho em 1968 devia estar imaginando que, pelo fato de letras como as de Geraldo Vandré e César Roldão Vieira serem cantadas livremente, a Censura estava amolecendo e a juventude cada vez mais perto do poder, tendo como arma um simples violão. Na apresentação das 20 músicas concorrentes dessa noite, duas canções foram acompanhadas por um coro de milhares de pessoas. Uma era a romântica "Andança", e a outra, "Pra não sizer que não falei de flores" ("Caminhando"), que, pelos motivos acima, era a franca favorita. Quando "Sabiá" foi cantada sob aplausos por Cynara e Cybele, vestidas de marrom cintilante dos pés à cabeça, no arranjo vocal de Tom Jobim (o arranjo instrumental era de Eumir Deodato e a orquestra, regida por Mário Tavares), duas jornalistas soltaram sabiás de verdade, que voavam sobre o público. Na plateia muitos também cantavam "Vou voltar/ sei que ainda vou voltar/ para o meu lugar/ foi lá e é ainda lá/ que eu hei de ouvir cantar/ uma sabiá".

Fato é que a apresentação das finalistas ficaria completamente ofuscada a partir do momento em que as dez primeiras colocadas fossem proclamadas. Tendo ouvido as 20 finalistas, cada jurado ordenou suas dez canções preferidas com as respectivas colocações, da primeira à décima, atribuindo-lhes pontuação decrescente de 10 a 1. Antes de totalizar os pontos, Walter Clark estava apavorado com a possibilidade de que o resultado desse a vitória a Vandré. A seu lado, o compositor Luiz Antonio (parceiro de Jota Jr. em "Lata d'água") ia somando, dispensando o computador da Globo, que teve uma pane e só servia para impressionar a massa ignara — uma calculadora elementar era mais que suficiente para uma simples operação de adição. Quando se chegou ao total final, Walter sentiu um alívio: "Caminhando" tinha 106 pontos e "Sabiá", 109, sendo, portanto, a vencedora. Iniciava-se agora a fase mais dramática daquela noite, anunciar e reapresentar as dez canções mais votadas. Infelizmente, "O sonho", de Egberto Gismonti, não era uma delas. Felizmente, na plateia havia uma cantora que não embarcou nessa mancada dos jurados. Depois de ouvir Egberto, pensou consigo mesma: "Essa não escapa", e gravou "O sonho" no seu disco seguinte. Era ela mesma, quem estão imaginando, Elis Regina.

Como o computador falhava, o apresentador Hilton Gomes foi obrigado a anunciar o resultado que não aparecia na tela. Os protestos começaram a se avolumar na apresentação da sexta colocada, "Caminhante noturno", pois a torcida dos Mutantes não se conformava com a mísera colocação.

Depois dela vieram a quinta e a quarta: "Dia de vitória" com Marcos Valle e "Passacalha" com o Quarteto 004. Uma vaia estrondosa estourou quando foi anunciada a terceira colocada, "Andança"; Beth e os Golden Boys mal conseguiam cantar e não eram ouvidos. Paulinho Tapajós estava na plateia ao lado de Elis, que se mostrava empolgada com a canção mas não sabia ser ele o autor. Estava doido para se identificar e sugerir-lhe que gravasse "Andança", o que seria uma glória. A gravação acabou acontecendo, os dois se conheceram depois e "Andança" está no disco *Como e porque* em companhia de "O sonho" e "Vera Cruz", ou seja, duas concorrentes do III FIC e uma eliminada na fase mineira.

O nome de Vandré era clamado em peso. Quando Hilton Gomes anuncia o segundo lugar, "Pra não dizer que não falei de flores", o público deduz que "Sabiá" seria a vencedora. Fica todo mundo de pé para vaiar a decisão. Vandré surge, caminha sob vaias para o microfone mas, antes de cantar, tenta contemporizar: "Olha, sabe o que eu acho? Eu acho uma coisa só: Antônio Carlos Jobim e Chico Buarque de Hollanda merecem o nosso respeito". Totalmente inútil. As vaias redobram. Se havia alguma dúvida quanto à vitoriosa, deixa de haver. A multidão se comporta como uma gigantesca legião de mosqueteiros, no ponto de contra-atacar cegamente à primeira estocada. Sem querer, Vandré dá a pontada: "A nossa função é fazer canções. A função de julgar, nesse instante, é do júri que ali está". Foi a conta. As vaias vêm com fúria inusitada. "Por favor, por favor... Tem mais uma coisa só. Pra vocês que continuam pensando que me apoiam vaiando..." A multidão responde ensandecida:

— É marmelada, é marmelada, é marmelada...

— Gente, gente, por favor...

— É marmelada, é marmelada...

Vandré solta a frase que se celebrizou:

— Olha, tem uma coisa só, a vida não se resume em festivais.

As vaias diminuem quando ele ataca ao violão os dois acordes iniciais, os únicos de toda a música.

— Laiá-ra-la-lá...

Após a proclamação da vitória de "Sabiá", Geraldo Vandré pede calma à plateia antes de cantar "Pra não dizer que não falei de flores" na final nacional do III FIC de 1968.

Geraldo Vandré canta "Pra não dizer que não falei de flores" só com o violão e o Maracanãzinho em peso, num coro de milhares de vozes contra o regime militar.

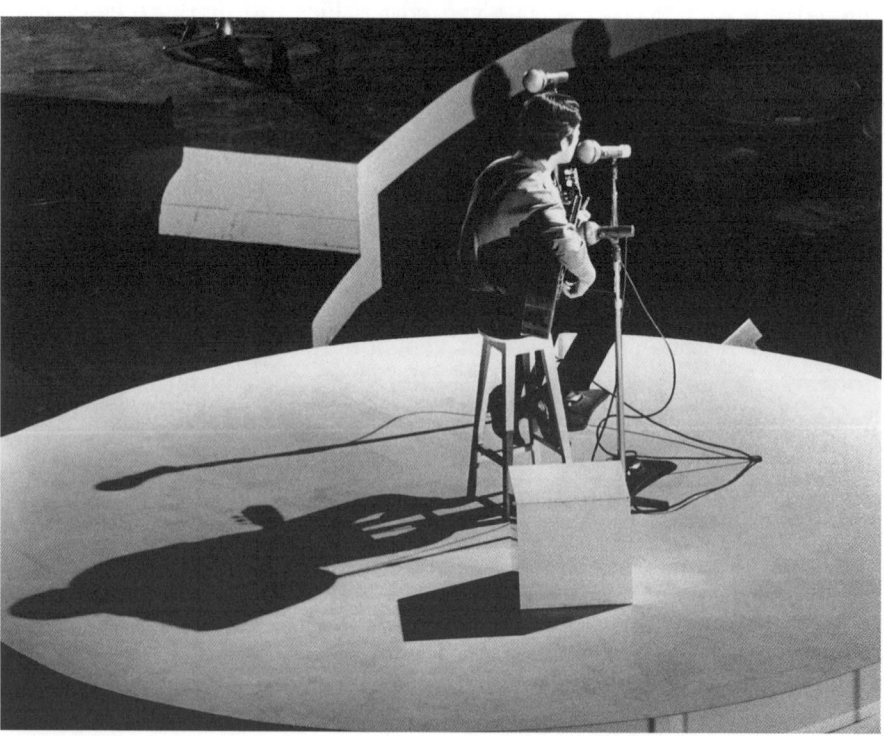

Só param quando ele inicia, com a segurança de um vencedor, a letra da canção, revelando na voz um leve toque de empolgação: "Caminhando e cantando...". Vandré é acompanhado por um monumental coro de mais de 20 mil vozes que se abrem com a intensidade de quem estava proclamando a própria alforria: "Vem vamos embora que esperar não é saber...". Entregam-se àquela catarse com a violência de quem dispara versos com sua mais verossímil arma para combater a ditadura militar, o canto.

Com uma estrutura musical muito simples, descendo do modo menor para o maior um tom abaixo e subindo novamente numa repetição constante desse movimento de ida e vinda, herança da influência moura que se arraigou nas toadas pelo interior do Brasil, sendo oriunda dos modos eólico e mixolídio, "Pra não dizer que não falei de flores" obedecia à conduta do compositor, resumida na frase do depoimento que me fora dado 12 dias antes, em seu apartamento da alameda Barros. Geraldo dissera que "em canção popular a música deve ser uma funcionária despudorada do texto".

Vandré termina de cantar. O público aplaude mas volta a vaiar incontinente, já sabendo quem viria. Hilton Gomes se prepara para a ingrata missão de anunciar a vencedora; sua voz nem é ouvida com a vaia ensurdecedora que, dirigida à decisão dos jurados, atinge diretamente Cynara e Cybele, prontas para cantar "Sabiá", e Tom Jobim, que entra no palco impelido. A torcedora Telé arremessa os tomates guardados, que acabaram caindo no representante da rainha Elizabeth e em Bibi Ferreira. Imediatamente dois seguranças tamanho armário correm em sua direção e agarram a pequena Telé erguendo-a como uma pluma. Nesse momento, Boni, que viu a cena, intercede dizendo: "É porra-louca, ela é porra-louca, deixa que ela é louca". Telé é liberada.

A vaia estrondosa não para, Vandré também entra no palco e fica ao lado das duas baianas que cantam "Sabiá" sem ouvir nada. Entram vaiadas, cantam vaiadas, não ouvem a orquestra, o maestro não ouve as duas, as lágrimas escorrem. Foi uma vaia retumbante, prolongada, maciça, quase raivosa, de deixar aquele moço de *smoking* se sentindo o cocô do cavalo do bandido. Era Antônio Carlos Jobim, o maior compositor brasileiro, aturdido, quieto como quem pede desculpas por ter composto mais uma melodia destinada a ser um clássico da música de seu país. Foi um pesadelo. "O dia mais negro de sua vida", recordou o filho, Paulinho Jobim, anos depois.

Ao sair do palco, muito sem graça, ainda disse a João Luiz Albuquerque: "Pensei que fosse cair, porque me obrigaram a vir de *smoking*,

As irmãs Cynara e Cybele enfrentam as vaias do Maracanãzinho
ao cantar "Sabiá", que havia sido anunciada como a vencedora
da fase nacional do III FIC. Mesmo decepcionado com o resultado,
Geraldo Vandré subiu ao palco para tentar acalmar o público.

estou com um sapato de verniz novo e quase escorrego na rampa. Se eu escorrego, a vaia ainda seria maior". Durante todo o tempo ele se lembrava de Chico Buarque, que estava na Itália.

* * *

Foi a primeira vez que Tom participou de um FIC. A composição fora iniciada menos de três meses antes na casa do pianista Bené Nunes, em homenagem à cantora Maria Lúcia Godoi, com o título de "Gávea". "É uma toada que segue a linha da modinha de Villa-Lobos", definiu Tom. Se seria cantada pelo povo, ele não sabia, mas garantia que era popular e bem brasileira. Tom inscreveu a música para se safar do incômodo convite de participar do júri, mas não alimentava a menor expectativa de ganhar. Fez até uma aposta com Vinicius, documentada: se a canção vencesse, o poeta ganharia uma caixa de uísque Johnnie Walker Black Label; se perdesse, Tom é quem ganharia.

Uma vez definidas as duas intérpretes, por sugestão de Chico, como foi visto, houve vários ensaios comandados por Tom Jobim. O pai das quatro baianinhas do Quarteto em Cy, que gostava de pesquisar o significado de nomes próprios, dera a suas filhas nomes ligados a divindades e plantas começando com a sílaba Ci, mas Cynara e Cybele adotaram o "y".

Tom ensaiou as meninas em sua casa na rua Codajás, no Leblon. Cantava cada voz, não queria fazer um arranjo que soasse sofisticado, queria uma "Sabiá villalobiana", com duas vozes paralelas e muito simples. Quando novos sons vinham à sua cabeça, ele incluía uma notinha, combinando em contrapontos e interpenetrações vocais que davam a impressão do simples ser sofisticado. Na versão original, Cybele fazia a primeira voz, Cynara, a segunda.

Na época não se falou de "Sabiá" como uma canção de exílio e sim de esperança, embora houvesse a chamada de voltar. Voltar para onde? Chico dizia que era uma canção lírica, não era uma canção política. Sua intenção era mostrar a saudade em exagero, o saudosismo alucinado. "A intenção é levar a saudade ao 'Chega de saudade', porque ela já esta ficando boba de tão repetida", diria ele ao retornar da Itália.

Já em 1587 o historiador Gabriel Soares de Sousa escreveu ao rei de Portugal e da Espanha, D. Felipe II, que havia no Brasil uma ave de origem indígena com plumagem parda que cantava suavemente. Chamava-se sabiá. O passarinho estaria presente na poesia de Gonçalves Dias "Canção do exílio", escrita em Coimbra, Portugal, em julho de 1843: "Minha terra tem palmeiras/ onde canta o sabiá...". Na música popular, o sabiá seria o título de uma polca de Chiquinha Gonzaga, "Sabiá da mata". E tema escolhido por outros autores: Sinhô, na letra do maxixe "Sabiá", em 1928; Milton de Oliveira, em "Sabiá-laranjeira", de 1937; Mário Vieira (parceiro de Hervê Cordovil), em "Sabiá na gaiola", de 1950; Zé Dantas (parceiro de Luiz Gonzaga), em "Sabiá", de 1951, são alguns exemplos. Em 1968, Tom estava preocupado porque os versos de Chico Buarque se referiam a uma sabiá e não a um sabiá como em todas as letras anteriores. No nordeste e eventualmente no Rio, entre os avicultores, o nome do pássaro é feminino, dizendo-se "a sabiá".

Na sua simplicidade aparente, "Sabiá" é uma música bastante elaborada, como tudo que Tom Jobim produziu. O motivo melódico principia no tom de ré maior, mas, no compasso 17, o mesmo motivo é harmonizado na relativa, em si menor (no verso "Que eu hei de ouvir"), retornando após oito compassos ao tom maior. A sequência harmônica mais atraente é iniciada no meio do verso "Talvez possa espantar", com um movimento descendente de meio em meio tom — fá, mi, mi bemol, ré, dó sustenido e dó — durante o verso "As noites que eu não queria", até a preparação para reconduzir ao tom original através da dominante, lá, na frase "E anunciar o dia". Desta vez, o motivo inicial se abre de ré para fá maior ("Não vai ser em vão/ que fiz tantos planos"), seguindo-se dez compassos finais com a repetição de dois acordes, sol menor e ré menor. A música termina num ré ("esquecer"), a tônica da tonalidade inicial, mas harmonizada com um acorde de ré menor, que é o relativo da tonalidade dessa parte final, fá maior, e também propício para uma eventual repetição, bastando passar de ré menor para ré maior. Uma primorosa criação de Tom Jobim, o mestre da harmonia.

* * *

Assim que saiu do palco, cumprimentado por todos e abraçado por Dori Caymmi, Tom foi encaminhado ao estacionamento por um segurança da Globo. Seguiu sozinho em seu Fusquinha pelo túnel Rebouças, não acreditando que tivesse ganho, vendo passar as placas de limite de velocidade sem raciocinar. No túnel, chegou a chorar, dizendo em voz alta: "Que loucura!". Foi para seu refúgio, a casa do amigo Raimundo Wanderley, no Leblon, tirando os sapatos assim que se sentou. Abriram umas Brahmas enquanto ele repetia abanando a cabeça: "Que loucura!". Na sequência, foi para a festa que o aguardava na sua casa da rua Codajás.

Lá estavam alguns jornalistas, os jurados Paulo Mendes Campos e Ziraldo, o cronista Rubem Braga. Foram feitas tentativas de ligação internacional para Chico Buarque, o que na época exigia muito tempo. Quando as duas baianinhas estavam posando para uma foto na escadinha da casa de Tom Jobim, o telefone toca e alguém quer falar com Fernando Sabino. Ao desligar, com uma expressão de completa tristeza, Fernando disse para todos: "Acho que a festa acabou, porque o Sérgio Porto acaba de morrer". Acabou mesmo, todo mundo foi embora.

Após a final, Vandré saiu do ginásio num Ford Galaxie, oferecendo carona para Bibi Ferreira, enquanto Telé foi no "Buicão" com o comandante Araújo para o Hotel Plaza, onde se hospedavam vários compositores. Geraldo chegou tão perturbado que se recusou a ouvir a história de Telé. Quem se interessou foi o empresário Borges, que ficou a par dos detalhes.

Chico Buarque, que estava em Veneza, recebeu um telegrama e tentou fazer uma ligação para Roberto Colossi, seu empresário. Quando conseguiu completar a ligação, ouviu de Colossi:

— Tenho duas notícias, uma boa e uma ruim. A boa é que "Sabiá" venceu a parte nacional. A ruim é que teve uma vaia, uma vaia terrível, o Maracanãzinho em peso vaiou "Sabiá". As meninas Cynara e Cybele foram vaiadas, Tom foi vaiado. Logo depois, Chico enviou um telegrama para Cynara e Cybele: "Eu sabiah, eu sabiah, eu sabiah. Obrigado. Abraços, Chico".

Naquela semana, nas festas com as delegações estrangeiras, Vandré foi o brasileiro que mais fez sucesso. No sábado, véspera da final internacional, assinou no bar do Hotel Savoy um contrato para a edição de suas músicas na Europa e iniciou contatos para um show no Teatro Toneleros. Corriam boatos de que seria preso, acusado de promover agitações no setor de imprensa do Maracanãzinho.

Quando Tom conseguiu falar com Chico, convenceu-o a voltar, dizendo que não entraria no palco da parte internacional sem ele. Chico antecipou sua volta, chegou na manhã do domingo e foi direto para a casa de Tom Jobim. Almoçaram feijoada e foram ao Maracanãzinho para a final internacional. No dia 6 de outubro, "Sabiá", Cynara e Cybele, Tom e Chico Buarque seriam consagrados no mesmo local, arrebatando o primeiro lugar na final internacional do III FIC por decisão de um júri presidido pelo compositor americano Harry Warren.

Na segunda-feira houve uma festa no Clube Monte Líbano onde os quatro primeiros colocados da fase nacional também receberam seus prêmios. Vandré, de calça vermelha e camisa de seda branca, foi o mais aplaudido quando as canções foram interpretadas. O compacto de sua

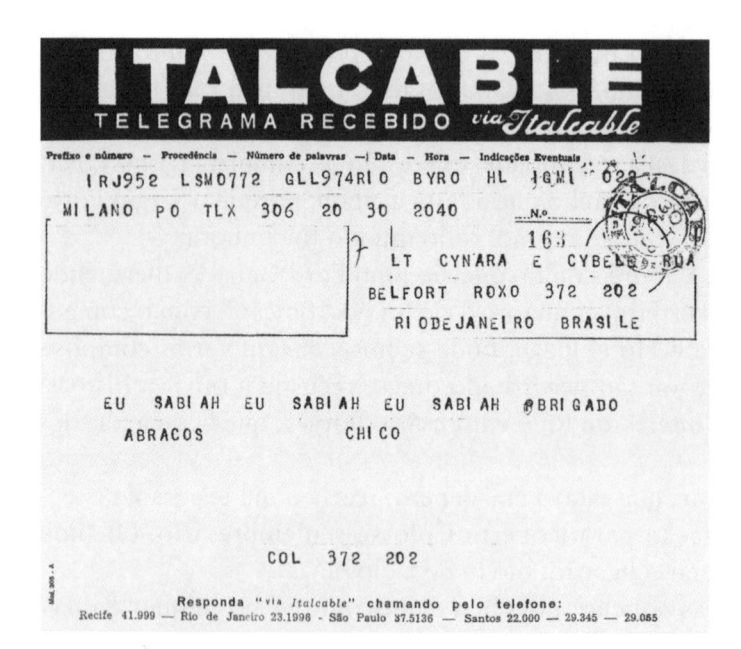

ITALCABLE
TELEGRAMA RECEBIDO *via Italcable*

Prefixo e número — Procedência — Número de palavras — Data — Hora — Indicações Eventuais

IRJ952 LSM0772 GLL974RIO BYRO HL 16M1 02

MILANO PO TLX 306 20 30 2040   N.º

163

LT CYNARA E CYBELE RUA
BELFORT ROXO 372 202
RIODEJANEIRO BRASILE

EU SABIAH EU SABIAH EU SABIAH OBRIGADO
ABRACOS   CHICO

COL 372 202

Responda "*via Italcable*" chamando pelo telefone:
Recife 41.999 — Rio de Janeiro 23.1996 - São Paulo 37.5136 — Santos 22.000 — 29.345 — 29.055

No dia seguinte à vitória no Maracanãzinho, Cynara e Cybele recebem da Itália um telegrama de Chico Buarque, autor da letra de "Sabiá".

Antônio Carlos Jobim, Cybele, Cynara e Chico Buarque (que havia
voltado da Itália a pedido de Tom) na final internacional do III FIC, em 6/10/1968,
quando "Sabiá", agora sob aplausos, é novamente vitoriosa.

canção era bastante vendido nas lojas, mas a polícia do estado da Guanabara resolveu apreender os que ainda restavam. A chefe da Censura estadual, dona Marina Ferreira, declarou não existir ordem alguma para apreender os discos com a música de Vandré, sendo portanto ilegal qualquer ação nesse sentido.

Contudo, o secretário de Segurança da Guanabara, general Luís de França Oliveira, considerou "altamente subversiva a letra de 'Pra não dizer que não falei de flores'..., atentatória à soberania do País, um achincalhe às Forças Armadas e não deveria nem mesmo ser inscrita. Que isso sirva de advertência aos organizadores de festivais, para que não aceitem composições dessa natureza, que são exemplo de declarada subversão". Uma semana depois, assessores do ministro Gama e Silva desmentiram que a canção tivesse sido proibida.

Em compensação, a Marinha, que já havia forçado a Censura para brecar a música "Tamandaré", de Chico Buarque, considerada ofensiva a seu patrono, decidiu responder a Vandré duas semanas mais tarde com uma manifestação de protesto. No dia 23 de outubro veio a degola: a música de Vandré era proibida pelo governo de ser executada em rádios e locais públicos em todo território nacional. O cerco se fechava à sua volta a despeito de sua música ser muito cantada nas reuniões em casas particulares.

Muito cantada foi também "Andança". Com o tempo, tornou-se a coqueluche das festinhas cariocas, com moças e rapazes, divididos em dois grupos, cantando as partes vocais dos Golden Boys e de Beth Carvalho. Tornou-se também um clássico no repertório de Beth, mesmo depois que ela se consagrou como uma das mais dedicadas e bem-sucedidas intérpretes de samba. Mais tarde, "Andança" incorporou-se ao repertório predileto de jovens nos acampamentos, chegando a ser o hino da torcida jovem do Fluminense, contrariando frontalmente a previsão do crítico do *Jornal do Brasil* Juvenal Portela na frase final de sua análise sobre o III FIC: "Em resumo: ninguém vai cantar as músicas deste Festival, pois elas não vão durar por muito tempo".

Por ter sido proibida por quase 20 anos, "Caminhando" ou "Pra não dizer que não falei de flores" ou ainda "Sexta coluna", o subtítulo que foi esquecido, teve uma trajetória em discos relativamente restrita frente à importância que adquiriu como um verdadeiro hino da oposição à ditadura militar. Millôr Fernandes tratou-a como a "Marselhesa" brasileira, era cantada nas cerimônias de protesto merecendo apreciações de autores eruditos e de militares, provocando "uma eloquente síntese das contradições dialéticas", conforme Tárik de Souza. Segundo ele, "a esquerda desdenhava a música, achando-a catártica e desmobilizadora, enquanto a direita representada por militares, dissecava ponto a ponto a composição, pedindo a prisão de Vandré pelos jornais por excesso de eficiência mobilizatória". Foi gravada duas vezes por Vandré, uma ao vivo, no Maracanãzinho, e outra em estúdio, com dois violões numa levada de guarânia paraguaia, por Luiz Gonzaga, num compacto recolhido pela Censura, e pela cantora Simone anos mais tarde.

"Andança" foi muito gravada. Há versões instrumentais como as de Luís Eça, Walter Wanderley, Os Velhinhos Transviados e a orquestra alemã de James Last. Entre as cantadas estão a de Beth, Maria Bethânia, Elis Regina, Cynara e Cybele, O Quarteto, Joyce e o Momento 4, Golden Boys, Danilo Caymmi, Zé Paulo (como axê music) e Paulinho Tapajós, que, à propósito, foi contratado como produtor da gravadora Philips.

A gravação de "Sabiá" com Cynara e Cybele saiu em compacto e no seu LP da gravadora CBS com arranjo de Dori Caymmi, produção de Hélcio Milito e considerável participação de Chico Buarque na seleção de repertório. Após o FIC, as duas cantariam "Sentinela" ao lado de Milton Nascimento no IV Festival da Record, enquanto Chico preparava-se para defender "Benvinda" no mesmo Festival. Apesar do grande destaque que tiveram na imprensa, do assédio para outras apresentações, ficaram em dúvida se valeria a pena continuar disputando festivais. Convidadas por Vandré, tomaram parte no programa da TV Bandeirantes no qual cantaram "Sabiá" mais de uma vez. Um ano depois, Cynara venceu o I Festival de Juiz de Fora cantando "Casaco marrom" (Renato Corrêa, Gutemberg Guarabira e Danilo Caymmi), mas a cantora Evinha antecipou-se e gravou a música, ficando com os louros da vitória de outrem. Cynara gravou "Casaco marrom" no seu LP individual, *Pronta para consumo*, com produção de Sidney Miller.

"Sabiá" foi gravada também pelo MPB 4, por Clara Nunes, Nara Leão, Chico Buarque e a homenageada com o tema, Maria Lúcia Godoi. Elis Regina incluiu "Sabiá" em seu show *Saudade do Brasil*. Tom Jobim gravou-a pela primeira vez em 1970 no LP *Stone Flower* em arranjo de Eumir Deodato. Dez anos depois, regravou-a, cantando em inglês, no álbum duplo *Terra Brasilis* em arranjo do alemão Claus Ogerman que se inicia com uma flauta imitando o canto da sabiá, provavelmente por sugestão de Tom. Em 1987, gravou-a pela terceira vez, cantando em português e acompanhado pela Nova Banda noutro álbum duplo, para a Sabiá Produções.

Zuza Homem de Mello

* * *

O III Festival Internacional da Canção marcou a primeira e última participação de Tom Jobim como compositor num FIC. O time de estrelas dos festivais ficou ainda mais desfalcado quando Elis Regina, que fora jurada na fase internacional, declarou ao *Jornal da Tarde* que não renovaria seu contrato com a Record caso houvesse uma cláusula que a obrigasse a defender uma música. Sua carreira na Era dos Festivais se encerrava com duas vitórias. Também fizeram suas despedidas de palcos dos festivais Gilberto Gil e Caetano Veloso. Suas relações com o poder militar iriam se agravar substancialmente. Geraldo Vandré ainda participou do IV Festival da Record, mas seus passos seguintes foram dramáticos.

Após a decretação do AI-5, em 13 de dezembro, Vandré passou a ser procurado pelos setores mais radicais da repressão militar. Enquanto a diretora do *Correio da Manhã*, Niomar Moniz Sodré Bittencourt, que o conhecera pessoalmente através do jornalista Arthur Poerner, lhe deu grande apoio, sua música "Caminhando" foi encarada nos bolsões do setor repressivo com um desafio à ordem pública. Vandré sentiu necessidade de se ocultar. Inicialmente, se albergou com a atriz Marisa Urban, sua musa nessa época; depois abrigou-se no apartamento da viúva do escritor Guimarães Rosa, dona Aracy de Carvalho Guimarães Rosa, na rua Francisco Otaviano, junto ao Forte de Copacabana, de onde podia-se ver, pelas frestas das persianas, os soldados de plantão circulando em suas rondas.

Tão intensa a procura por Vandré, que em determinado momento começou-se a tratar de sua saída clandestina do País, uma vez que a caçada impedia que saísse legalmente. Nesse refúgio, no início de 1969, Vandré foi maquiado, incluindo uma rinsagem para envelhecê-lo, a fim de ser fotografado para um passaporte falso. O passaporte foi conseguido com um delegado da polícia e a saída foi marcada para o carnaval de 1969.

Às vésperas de sua evasão, com tudo organizado, Geraldo começou a argumentar que não queria mais sair do Brasil, preferindo asilar-se na Embaixada Americana. Talvez iludido com a extraordinária repercussão internacional de sua música, dizia que desejava ir para os Estados Unidos e de lá voltar para o Brasil, com o apoio democrático. Arthur Poerner, que participava da operação, convenceu-o que seria impossível, pois os Estados Unidos não eram signatários da convenção de Montevidéu, que garantia asilo político. Sua intenção era um sonho, o asilo nos Estados Unidos era inviável e assim ele foi convencido a seguir o caminho tão penosamente construído para sua saída do país.

No carnaval de 1969, Geraldo Vandré entrou num automóvel com dona Aracy, seu filho e o delegado de polícia. Devidamente envelhecido no disfarce e com passaporte falso, atravessou a fronteira com o Paraguai, de onde foi para o Chile. Escapuliu sem nunca ter sido preso.

Após uma longa estadia no exterior, incluindo Paris, onde se sentia infeliz por não se adaptar à vida de exilado, retornou ao Brasil com a ajuda de um coronel do exército que articulou sua volta. Fez então um pronunciamento renegando qualquer ligação com os adversários da ditadura militar.

No início dos anos 1990, houve um jantar no apartamento da atriz e cantora Vanja Orico na avenida Rui Barbosa, no Rio de Janeiro. Vandré foi solicitado a cantar suas novas composições. Não se fez de rogado. Com o violão, cantou uma bonita canção que lembrava o estilo do Movimento Armorial, remetendo à Idade Média, distante da realidade brasileira. Ao ser perguntado pelo título, respondeu: "Fabiana". Por certo dedicada a uma namorada, deduziram. Não, respondeu Vandré: "É uma homenagem à FAB". É a sigla da Força Aérea Brasileira.

Geraldo Vandré nunca mais foi o mesmo.

10.
"SÃO, SÃO PAULO MEU AMOR"
(IV FESTIVAL DA TV RECORD, 1968)

Mil novecentos e sessenta e oito não parou aí. Depois da I Bienal e do III FIC, veio o IV Festival da Record.

Aquele "som universal", como diziam Gil e Caetano no III Festival da Record referindo-se à maneira como foram expostas "Alegria, alegria" e "Domingo no parque" (denominação essa que não passava de um rascunho de conceito), ganhou em 1968 uma razão social com a potência de um luminoso auriverde decorado com pencas de bananas e folhas de palmeira em Picadilly Circus: TROPICÁLIA. Para tanto, à estridência da guitarra e à adoção do pop foram acrescentados a comunicação em massa, a abertura para o cafona, o auditório do vale-tudo e as vestes espalhafatosas. Eram elementos da geratriz de uma estética: a estética tropicalista.

Três são os discos essenciais para se entender a sonoridade da Tropicália, como também haviam sido três os discos iniciais de João Gilberto na Odeon, fundamentais para se entender a bossa nova. No primeiro destes, a nova expressão aparece oficialmente no texto da contracapa e na letra de "Desafinado". No primeiro LP individual de Caetano Veloso, lançado em janeiro de 1968, pela primeira vez a palavra Tropicália é usada em música, aparecendo no título de uma das canções, sem que fizesse parte da letra.

O neologismo fora inventado pelo artista plástico de vanguarda Hélio Oiticica, substantivando o adjetivo "tropical", a fim de denominar a instalação que construiu para a exposição *Nova Objetividade Brasileira*, no Museu de Arte Moderna do Rio de Janeiro, em 1967, para a qual escreveu também um texto justificando o tal movimento. Hélio desconstruía o mito de paraíso tropical *contrapondo situações contraditórias* nas duas estruturas penetráveis de que sua obra se compunha.

Quando ouviu o próprio Caetano cantar uma nova música, ainda sem título, o futuro produtor de cinema Luís Carlos Barreto acreditou existir uma ligação entre ela e a instalação de Hélio e sugeriu chamá-la também de "Tropicália". Hesitante a princípio, pois gostava mais de "Mistura fina", Caetano acabou adotando-o para a canção, cuja letra *contrapunha situações contraditórias* e que, por ser sua favorita, foi a faixa de abertura do disco. A música fora composta logo após ele ter assistido à peça *O rei da vela*, de Oswald de Andrade, dirigida inovadoramente por José Celso Martinez Corrêa, revelando a relação que lhe parecia existir naquele momento entre o teatro brasileiro, o Cinema Novo — representado por *Terra em transe*, de Glauber Rocha — e o programa do Chacrinha: só restava a música para fechar o circuito sob o ponto de vista estético e comportamental. A letra de sua nova canção sedimentava o que se iniciara em "Alegria, alegria".

Execrados pela poesia acadêmica, os poetas concretistas Décio Pignatari, Haroldo e Augusto de Campos haviam se aproximado de Caetano e Gil, enxergando uma ligação direta da poesia concreta com suas letras. A extrema vanguarda da poesia brasileira, da qual faziam parte, estava ligada à cultura popular, e os três tornaram-se arautos, avalistas e eventualmente cúmplices influentes da faceta poética tropicalista.

Na parte musical do disco de Caetano, ou melhor, na função de orquestrador, mas exercendo papel mais abrangente como mentor intelectual, atuou o maestro Julio Medaglia, que por seu turno incorporou para a mesma função dois companheiros do movimento de vanguarda Música Nova: Damiano Cozzella e Sandino Hohagen. A convite de Caetano, Julio escreveu o arranjo de "Tropicália".

Assim como Rogério Duprat, Julio vinha de uma formação musical erudita, tendo estudado na Alemanha à mesma época que Frank Zappa e, por conseguinte, adquirira uma visão prática dos processos culturais, por vezes mais clara que a dos próprios artistas populares, na sua intuição e espontaneidade. Na realidade, nos anos 60 a área erudita também passava por uma reviravolta: a música dodecafônica dos anos 50 estava sendo bombardeada pela música construtivista. O compositor John Cage e outros da vanguarda pós-guerra explodiam o sistema com irrupções como a que se assistiu no Festival de Darmstadt, na Alemanha: Cage chegou num avião da Força Aérea Americana com um dos grandes pianistas dos Estados Unidos, David Tudor, e diante da ansiedade de Boulez, Stockhausen, Luigi Nono, Maderna, começou a jogar bolinhas nas teclas do piano, circulando à sua volta e tirando fotografias. Sem tocar. A ideia era mesmo colocar uma bomba naquele sistema tão bem organizado e estratificado, dinamitar o terreno para um novo plantio. A experiência de arrebentar sistemas foi trazida para o Brasil, onde havia cabeças brilhantes que intuíam como fazer uma revolução numa música popular tão bem constituída como era a brasileira.

Em 1954, o reitor da Universidade Federal da Bahia, Edgard Santos, convidou o professor Hans Joachim Koellreuter para lecionar, surgindo daí os Seminários Livres de Música que fizeram de Salvador um centro de experimentação e especulação de importância capital na formação de uma geração inteira de músicos. O professor Koellreuter, o mais importante, avançado e influente educador musical do Brasil na segunda metade do século XX, levou para Salvador o que havia de mais recente na música de vanguarda e eletrônica, como Boulez e Stockhausen, que, ao lado do corpo docente da UFBA propiciaram aos músicos baianos, em suas palestras e aulas, informações ainda mais atualizadas que as disponíveis no Rio ou São Paulo. Gil, Caetano, Tom Zé e os baianos ligados à música se beneficiaram, uns mais outros menos, dessas valiosas oportunidades.

Assim, com um respaldo invulgar para os padrões de música popular brasileira, tanto na forma poética quanto nos contornos instrumentais, acrescido do pop via sangue novo dos Beat Boys e Mutantes, foram gravados os três primeiros discos do Tropicalismo. O primeiro deles era o álbum solo de Caetano Veloso, cujo produtor era o mesmo arguto Manoel Barenbein, àquela altura perfeitamente enfronhado nas músicas de festival e principalmente nas propostas estéticas dos dois baianos, nas quais poderia combinar os gêneros musicais que mais o atraíam, a bossa nova e o rock. Em sua função, sentiu que realizava o acalentado sonho de dar um sabor internacional à música brasileira. Em São Paulo, onde viviam os poetas concretistas, os maestros pós-modernizadores da música erudita, os dois grupos pop e os criadores baianos, Barenbein era o produtor do momento, trabalhando também no disco de Gil e no coletivo com o grupo tropicalista.

Barenbein encontrou campo propício para as tiradas gravadas casualmente e mantidas de propósito, uma das marcas do estilo dos discos tropicalistas. O disco de Caetano começa com uma delas: foi por mero acaso que o baterista Dirceu parodiou sobre o Descobrimento do Brasil, um dos motivos da ampla e diversificada seara tropicalista. É como se inicia "Tropicália", a canção que abriga o estilo fragmentário e alegórico, empregando colagens de citações literárias, ironias e paródias sobre valores que identificam as letras das canções tropicalistas. Sob o ponto de vista formal, há nela frases com mais sílabas do que poderiam caber em determinados compassos, mas que nem por isso são cambiadas. Pelo contrário, são enunciadas atropeladamente para que caibam. No mesmo disco, Caetano imita Orlando Silva no choro "Onde andarás", enxerta o ritmo caribenho pasteurizando a música latina em "Soy loco por ti América", faz uma continuação dos simbolismos de "Alegria, alegria" em "Superbacana", descose a tonalidade em "Clara" e ainda escreve um texto desconexo na contracapa.

O segundo disco da trilogia é o de Gil, que, como o de Caetano, tinha no título o nome do autor. Debochado desde a capa, com suas fotos vestindo fardão acadêmico e em farda militar de gala, encerra também acasos registrados e alusões literárias. Com a participação de Rogério Duprat e dos Mutantes, o sentido tropicalista tem início na segunda faixa, pois a primeira é o esplêndido "Frevo rasgado" que Gil inscrevera no III Festival da Record mas que não ficou entre as 36 finalistas. É um disco menos cosmopolita, com uma paisagem mais interiorana, destacando-se na estética tropicalista a penitente e irônica "Marginália II", em cuja letra se destaca o refrão "Aqui é o fim do mundo", de um grande cérebro do grupo, Torquato Neto; a embolada "Pega a voga, cabeludo", com empolgante levada de Gil, Mutantes e o baterista Dirceu; e "Luzia Luluza", que remete às baladas dos Beatles.

Para o disco coletivo, que deveria representar àquela altura dos acontecimentos o que já era considerado um movimento, decidiu-se que Gil, Caetano, Mutantes, Gal Costa, Tom Zé e Nara Leão teriam duas faixas cada um. "Por que Nara?", poderão estranhar. Nara entrou porque era uma vanguardeira nata, tendo participado ativamente da transição da bossa nova para a música de protesto; tinha opinião, fora madrinha do resgate de compositores do morro e do Nordeste e já vinha manipulando uma série de desconstruções em relação a cânones convencionais — perspectiva que o Tropicalismo levava às últimas consequências. Era natural que quisesse aderir ao Tropicalismo.

A gravação das duas músicas de Gil estava programada para começar num domingo, antes de uma viagem para a Bahia, mas não aconteceu. Manoel Barenbein aguardou de manhã no estúdio e nada de Gil. Estava dormindo. Na véspera, a alta esfera tropicalista tinha se reunido no apartamento de Caetano e, após o jantar, nascera um novo conceito do disco. Em vez de duas faixas para cada um, as músicas seriam eventualmente ligadas uma com a outra, como no *Sgt. Pepper's* dos Beatles, possibilitando a inserção de cenas e fragmentos não musicais no contexto. Ou até mesmo alheios.

Realizou-se, então, em maio de 1968, o disco *Tropicália ou Panis et Circencis* (sic), destinado a figurar entre os dez discos fundamentais da música popular brasileira. Em sua extensa e profunda análise, Celso

Favaretto resume seu conteúdo com toda propriedade: "Suma tropicalista, este disco integra e atualiza o projeto estético e o exercício de linguagem tropicalistas. Os diversos procedimentos e efeitos da mistura aí comparecem — carnavalização, festa, alegoria do Brasil, crítica da musicalidade brasileira, crítica social, cafonice — compondo um ritual de devoração".

O disco é um exemplo de obra coletiva feita com prazer, com o intuito de "descaracterização do certinho que fazia parte do Tropicalismo", segundo Barenbein. Mais de 30 anos depois, *Tropicália* soa como um momento de efervescência dos que dele participaram direta ou indiretamente, percebendo-se a convicção que tinham no que propunham e a plenitude na qual se sentiam, como criadores e intérpretes. O disco é repleto de detalhes e mensagens sutis, para ser ouvido de cabo a rabo, como o dos Beatles, ainda que algumas faixas tenham se destacado individualmente: o hit "Baby", primeiro da carreira de Gal Costa, "Batmacumba" e "Geleia geral", música-síntese dos cânones do movimento nos versos do mais teórico dos tropicalistas, Torquato Neto, que, ao lado de José Carlos Capinan, forma a dupla de letristas que atuou indiretamente no disco, colaborando para a nova linguagem que se instaurou na música brasileira em 1968.

O lançamento desses três discos no mercado gerou tamanha intensidade de críticas e manifestações, que o Tropicalismo foi o acontecimento musical mais debatido e provocante nos meses que antecederam o IV Festival da TV Record. Ainda mais: Caetano e Gil se desligaram dessa emissora em março e no mês seguinte assinaram com a Rhodia, associando suas propostas musicais ao lançamento dos novos padrões de tecido, propositadamente denominados Tropicália e difundidos, por exemplo, nos camisolões ostentados por Gal e Gil na foto da capa do disco coletivo. A coleção seria promovida no show Momento 68, estrelado por Gil, Caetano, Eliana Pittman, Raul Cortez e Walmor Chagas, com direção musical de Régis Duprat e coreografia de Lennie Dale. A mais nova edição do conhecido esquema de "música e moda", ou "show e desfile", de Livio Rangan deveria percorrer o Brasil e atingir o exterior, repetindo-se o processo que vinha se atrelando às novidades dos festivais desde 1965. Contudo, o auê que já se formava em torno de um produto de consumo desagradou alguns defensores do Tropicalismo, como Hélio Oiticica, o jornalista Nelson Motta e até o letrista Torquato Neto.

O acordo com a Rhodia vinculava ainda um programa na TV Globo, que, tantas vezes adiado e rebatizado, acabou sendo rompido, bem como as relações com Livio Rangan, depois que Gil e Caetano afinal chegaram à conclusão de estarem sendo usados. Foi o que possibilitou ao empresário Guilherme Araújo amarrar um novo contrato, mas com a TV Tupi, num programa dirigido por Fernando Faro e produzido por Antônio Abujamra. Desta vez sem adiamentos, ele foi ao ar pela primeira vez menos de um mês após o show que Caetano, Gil e os Mutantes realizaram por nove dias (de 4 a 13 de outubro) na boate Sucata, do Rio de Janeiro. Esse espetáculo, que gerou opiniões contraditórias, incidentes e acusações levianas e determinou o arrocho dos militares aos dois baianos (além do fechamento da boate), foi interrompido quando Caetano se recusou a atender a imposição de um delegado que tentou oficialmente impedi-lo de continuar com os discursos que vinha fazendo. Em seguida, Gil e Caetano retornaram a São Paulo para apresentar seu primeiro programa na TV Tupi, em 28 de outubro. O título era *Divino, maravilhoso*, o mesmo da canção inscrita por Gil e Caetano no IV Festival da TV Record, que começaria duas semanas depois.

* * *

Mais uma vez, repetiu-se o processo de escolha das 36 semifinalistas, a partir de mais de mil músicas inscritas, submetidas à triagem a cargo de Augusto de Campos, Julio Medaglia, Raul Duarte e Amilton Godoy, que se reuniram no mesmo quarto dos fundos da casa do pai do maestro, na Lapa. Repetiu-se a oferta de prêmios em dinheiro, num total de 100 mil cruzeiros novos, e de troféus: Violas de Ouro, de Prata e de Bronze para os autores das três primeiras, Sabiá de Ouro para o melhor intérprete. Repetiu-se ainda o coquetel de apresentação das 36 concorrente na Terrazza Martini do Conjunto Nacional, no dia 24 de setembro. Desse ponto em diante, as mudanças foram consideráveis. Como decorrência do "Festival dos Excluídos" de 1967, a TV Record decidiu atender ao apelo dos compositores que não concordavam em submeter sua obra ao julgamento de um único júri e criou um julgamento paralelo ao oficial na forma de um júri popular. Haveria assim duas premiações distintas, a oficial e a popular, esta anunciada no cartaz do Festival, onde se lia: "Você também é juiz".

Não poderia haver melhor maneira de complicar a votação para satisfazer aquilo que o autor do plano e líder de um grupo de compositores, Sérgio Ricardo, taxou de "socialização do Festival". Em sua proposta, o julgamento seria realizado através de dois corpos de jurados. O de "qualidade" ou de "gabarito" seria formado por duas equipes de sete pes-

Caetano Veloso e Gilberto Gil no programa *Divino, maravilhoso*, no auditório da TV Tupi, no bairro do Sumaré em São Paulo.

Cartaz do IV Festival da Record, de 1968: o público é convidado a votar nas músicas concorrentes através de cupons.

soas cada, uma postada no Teatro Record Centro, e outra acompanhando pela televisão na TV Rio. Este era o júri "oficial", com 14 membros. O outro seria o júri "popular", com 14 equipes de sete membros cada: sete no interior, nomeadas por autoridades locais, e sete na capital, distribuídas em clubes escolhidos por sua posição socioeconômica. Esse emaranhado envolvendo 98 jurados populares, equipes de apoio e uma central telefônica para receber as votações poderia conduzir, eventualmente, a resultados diferentes dos do júri oficial em cada uma das colocações finais. As cidades escolhidas foram Santos, Campinas, Ribeirão Preto, Guaratinguetá, Bauru, Araraquara e a região do ABC com sede em Santo André. Os clubes eram Corinthians, Palmeiras, Monte Líbano, Sírio Libanês, Paulistano, Hebraica, Pinheiros e Círculo Israelita; e os sócios escolhidos votariam por telefone. E tem mais: o público também poderia votar com os cupons encontrados na revista *Intervalo*. No plano original de Sérgio, o total dos prêmios deveria ser dividido equitativamente entre os sete primeiros colocados, caso contrário os compositores retirariam suas músicas. E durma-se com um barulho desses!

Paulinho Machado de Carvalho estava disposto a aceitar as reivindicações, desde que dois terços dos compositores participantes assinassem o memorando. O intrincado esquema acabou vingando e não foi à toa que provocou a seguinte declaração do diretor da emissora no coquetel da Terrazza Martini: "Talvez seja o último Festival da Record; há um desgaste muito grande neste tipo de promoção". Além disso, para evitar possíveis reclamações, os três discos com as 36 selecionadas seriam lançados logo após a primeira eliminatória.

Os problemas continuavam: desgostosos com as vaias do ano anterior, grandes nomes do *cast* da emissora como Hebe Camargo, Agnaldo Rayol e Ronnie Von (e nas entrelinhas adicione-se Elis Regina) não mais defenderiam músicas, dando lugar a uma nova geração de intérpretes. Dela fazia parte a baiana de 22 anos que via seu primeiro sucesso estourar nas paradas, Gal Costa, rotulada musa do Tropicalismo, cantando "Baby". Nos dias que antecederam o Festival, ela estava à cata de uma vestimenta adequada para o novo tipo de competição que, extraoficialmente, passava a ter peso nos festivais: o do visual dos intérpretes. Gal estaria descalça e com uma bengala antiga, vestiria uma túnica indiana vermelha bordada com espelhos, um porta-níqueis de couro na cintura e muitos colares de miçangas. Suas duas companheiras de palco, as cantoras Ivete e Arlete, vestiriam um vestido de rendão transparente, tudo criado e confeccionado por Regina Boni.

Dez dias antes da primeira eliminatória, algumas músicas ainda não haviam sido liberadas pela Censura Federal: "Dia de graça" (Sérgio Ricardo), "O general e o muro" (Adilson Godoy), "São, São Paulo meu amor" (Tom Zé) e "Dom Quixote" (Rita Lee Jones). Letras que "ferem a moral e agridem a política do governo federal e as Forças Armadas", diziam os censores. "General no título, não pode", acrescentavam. Sérgio teve que ir a Brasília para explicar ao coronel Aloysio Muhlethaler de Souza, chefe do Serviço de Censura da Polícia Federal, o que significavam seus versos. Depois de ouvi-los, achou que não tinham nada demais e liberou a música. Sérgio já tinha estado também com o ministro Gama e Silva, que não vira na letra nenhuma agressão às Forças Armadas.

Rita Lee teve que enfrentar dona Judith de Castro Lima, chefe da Censura Federal em São Paulo, que desconfiou da frase "Armadura e espada a rifar". Sem alegar um motivo plausível, achou que era uma crítica ao Exército brasileiro. Rita alegou:

— Não é não. A armadura e a espada são de Dom Quixote mesmo.

Não adiantou, dona Judith não aceitou a argumentação. Alguém teve a ideia de substituir "espada" por "lança". Dona Judith concordou, pois afinal lança era uma arma ultrapassada.

O diálogo que aconteceu entre dona Judith e Tom Zé é um primor do burlesco. A censora cismou com o verso que mencionava "uma bomba por quinzena".

— Mas por que, dona Judith? Isso acontece mesmo — defendeu-se Tom Zé.

— Acontece, meu filho, mas fatos como esses só a imprensa pode comunicar ao público.

E o coronel Aloysio achou que a frase "em Brasília é veraneio" podia dar a ideia de que ninguém faz nada em Brasília.

Sem dizer nada, Tom Zé fez outros versos na frente da censora. Substituiu "Em Brasília é veraneio/ no Rio é banho de mar/ o país todo de férias/ São Paulo é só trabalhar" por "Pelo Norte é veraneio/ no Rio é banho de mar/ todo mundo está de férias/ São Paulo é só trabalhar".

E como não encontrava uma palavra para substituir "bomba", perguntou:

— E o outro verso? Como é que eu vou fazer, dona Judith?

Dona Judith teve um lampejo.

— Você pode aproveitar a inflação de festivais e falar disso.

— Ótimo, dona Judith. Assim está genial: em vez de "uma bomba por quinzena" fica "um festival por quinzena".

"São, São Paulo meu amor" foi liberada.

O festival começou em 13 de novembro, com o primeiro de dois espetáculos tão inusitados quanto estéreis: as apresentações das 36 músicas divididas em lotes de 18, um nessa noite e o outro na seguinte. Mas nenhuma delas se constituía em eliminatória. Não valia nada, era uma prévia para se conhecerem as concorrentes. Assim, não haveria vaias, pensaram todos.

Para bagunçar mais o coreto, logo na primeira dessas apresentações, surgiu um novo problema: Vandré brigou com o Trio Marayá e, como seu parceiro em "Bonita" era um dos três, Hilton Acioly, exigiu que a música fosse apresentada duas vezes, uma com o trio e outra com ele, abrindo um perigoso precedente. Solano e Paulinho concordaram. Já imaginaram se a moda pegasse?

"Foi mais um festival de fantasias que de canções", resumiu um dos presentes ao Teatro Record Centro nessa primeira noite. Sônia Ribeiro anunciou que Sérgio Ricardo iria cantar sem violão, não havendo, portanto, perigo para o público. Cantou acompanhado pelo Modern Tropical Quintet mas enfrentou outro problema: na última hora, a Censura voltou atrás e vetou o verso final, impedindo-o de cantar toda a estrofe. Nesse trecho, o público gritou "Censura! Censura!", enquanto ele ficava mudo e de cabeça abaixada. Como não valiam nada, foram perfeitamente inúteis os aplausos para Edu e Marília Medalha em "Memórias de Marta Saré", ou algumas vaias para Roberto Carlos em "Madrasta", de Renato Teixeira e Beto Ruschel.

No dia seguinte, repetiu-se a lenga-lenga com as 18 canções restantes. Aplausos para uns, muxoxos para outros, indiferença para a maioria e tão pouca gente na plateia que as portas do Teatro foram abertas para quem quisesse assistir. Os destaques da noite foram os já corriqueiros aplausos para Chico Buarque na sua "Benvinda", a boa receptividade a Martinho José Ferreira, autor e intérprete de "Casa de bamba", acompanhado por ritmistas, passistas e os Originais do Samba, e a surpreendente performance de Gal Costa, com uma cabeleira avantajada, cantando com os olhos esgazeados e afinação impecável "Divino, maravilhoso", de Gil e Caetano.

Também foram elogiadas "Sentinela" (Milton Nascimento e Fernando Brant) e "Sei lá Mangueira" (Paulinho da Viola e Hermínio Bello de Carvalho), mas quem mais se aproveitou do desfile de concorrentes foi o produtor Manoel Barenbein, responsável direto pela sofisticação imprimida ao disco de Jair Rodrigues do ano anterior, um fracasso em vendas.

A canção "Bonita" foi apresentada duas vezes na primeira eliminatória do IV Festival da Record, em novembro de 1968: na sua última apresentação em um festival, Geraldo Vandré cantou-a sozinho, e depois foi a vez do Trio Marayá.

Sem ligar a mínima para as vaias, Roberto Carlos participa pela última vez num festival com a canção "A madrasta", de Beto Ruschel (ao violão) e Renato Teixeira.

Ao ver Martinho, estreante como intérprete em festival, ensaiar "Casa de bamba", sacou que ali estava a chave do sucesso para o próximo disco de Jair. Nem esperou a performance da noite: no mesmo dia conseguiu autorização do autor e uma semana depois Jair entrava em estúdio para gravar a música que recompôs sua carreira de sambista no LP *Jair de todos os sambas*. "Casa de bamba" seria também uma das músicas a projetar no ano seguinte seu autor, Martinho José Ferreira, com o nome artístico de Martinho da Vila. Ao valorizar o samba de partido-alto, constituiu o início de uma estupenda obra que difundiria solidamente a cultura negra brasileira, justificando a brilhante carreira que desenvolveu.

Uma grande novidade dessa noite foi o Theremin tocado por Rita Lee em "2001", um instrumento eletrônico, criado em 1924 pelo russo que lhe deu o nome, marcante na trilha de Miklos Rosza nas cenas mais arrepiantes do filme *Spellbound* (*Quando fala o coração*, dirigido por Hitchcock). Esse instrumento opera com dois osciladores e é tocado aproximando ou afastando dele as mãos, uma para alterar as frequências e a outra para o volume, produzindo um gemido tenebroso. Em sua versão caseira, foi manufaturado pelo craque na construção de instrumentos eletrônicos Cláudio César Dias Baptista, o mais velho dos irmãos Sérgio e Arnaldo.

* * *

Para julgar as 12 concorrentes da primeira eliminatória, na segunda-feira, 18 de novembro, os jurados se instalaram no poço da orquestra, de onde assistiam aos concorrentes como se estivessem na ambicionada "fila do gargarejo" — como se chamava na época do teatro rebolado a posição de quem ficava muito próximo do palco, como a gargarejar, e com a possibilidade de uma visão panorâmica de certas intimidades das vedetes. Quem chegou primeiro foi o pianista João Carlos Martins, depois o jornalista Paulo Cotrim, o esquentado maestro Gabriel Migliori, Julio Medaglia, o compositor Cláudio Santoro, Carlinhos Oliveira (do *Jornal do Brasil*), Roberto Freire e, por fim, o elegante Raul Duarte.

Em outro ponto de São Paulo, no Parque São Jorge, enquanto Bragantino e Ponte Preta se enfrentavam no gramado, outros sete jurados, entre eles o jogador de basquete Wlamir Marques e sua mulher Cecília, assistiam, num aparelho instalado na secretaria do clube, à mesma eliminatória, para atribuir notas de 1 a 10 a cada concorrente. Os sete ficaram muito felizes, porque um júri formado só de alvinegros deveria confirmar que o Corinthians é a voz do povo.

Martinho da Vila já começava a aparecer, e conquistou a plateia
do IV Festival da Record com o partido alto "Casa de bamba",
acompanhado dos Originais do Samba e do regional de Caçulinha.

O júri oficial do festival da Record de 1968, formado por Julio Medaglia,
Carlinhos Oliveira, Raul Duarte, Sérgio Cabral, Paulo Cotrim, Gabriel Migliori,
Roberto Freire (encoberto), João Carlos Martins e Claudio Santoro.

No Teatro Record Centro, nem brigas entre as torcidas, quase nenhum cartaz e pouco entusiasmo pelos cantores, entre os quais estavam Roberto Carlos e Vandré. Numa noite morna como aquela, uma vaiazinha até que cairia bem, devem ter pensado alguns à saída do Teatro. Mas teriam que aguardar uma semana para nova oportunidade. O júri popular elegeu a canção "A grande ausente" (Francis Hime e Paulo César Pinheiro) como a melhor, além da toada "Bonita", "Descampado verde" (Chico Maranhão) e "Madrasta". A primeira e a última, ambas bem equilibradas entre letra e música, também estavam na lista do júri oficial, além de "Dia da graça" e da tendente jeca "2001" (Tom Zé e Rita Lee), que teve a maior votação, embora tenha sido a última no júri popular. A letra que Tom Zé fizera antes do carnaval de 1968, com o título "Astronauta libertado", incitara Caetano a esforçar-se uma noite inteira tentando musicá-la, mas sem sucesso. Tom Zé não se sentia satisfeito com o resultado de seu trabalho, até que Rita fez uma melodia caipira, criou o novo título, baseado no filme de Stanley Kubrick e, contrariando a vontade de Tom Zé, inscreveu-a no Festival.

Pela televisão, o maior destaque foi a gafe de um repórter de uma das cidades do interior, que reclamou no ar de um engano cometido no resultado divulgado pela Central de Operações em São Paulo. No dia seguinte, a comissão organizadora fez publicar um comunicado reconhecendo o erro ao recontar os pontos do júri popular. Em vista disso, "Rosa da gente" (Dori Caymmi e Nelson Motta) entrou no lugar de "Madrasta", que no entanto se mantinha entre as classificadas do júri oficial. A socialização do Festival podia também surtir efeitos embaraçosos.

* * *

"O que aconteceu com as vaias?" Não dá para acreditar, mas diante desse título na *Última Hora* de 24 de novembro, véspera da segunda eliminatória, a impressão que se tem é de que, à síndrome da vaia, sucedeu-se a síndrome da falta de vaia, que deixou atônita a direção do Festival. Para alívio de todos, o entusiasmo — *et pour cause*, a vaia — voltou a campear quando as músicas foram apresentadas. A vibração fez o público despertar da pasmaceira em que havia mergulhado nos espetáculos anteriores, comentaria o jornalista mais rodado em festivais, Adones de Oliveira, na *Folha de S. Paulo*, traduzindo a opinião geral. Já se ouviam vaias antes de Blota Jr. e Sônia Ribeiro entrarem no palco. Mas palmas, só para a segunda concorrente. A plateia não se conteve, aplaudindo de pé e sambando à vontade diante da entusiástica interpretação de Elza Soares (secundada pelo conjunto de Caçulinha, Raul de Souza ao trombone e quatro ritmistas) da composição de Hermínio Bello de Carvalho e Paulinho da Viola "Sei lá Mangueira".

Paulinho não tinha a menor intenção de participar do Festival de 1968, depois de ter concorrido em 1966 e ficado fora em 1967. Chegou até a declarar publicamente que estava desligado dos festivais. Um belo dia, chegou de surpresa à casa de Hermínio Bello de Carvalho, então às voltas com a preparação de seu segundo musical, desta vez sobre a escola de samba da Mangueira. O título era *Fala, Mangueira* e, em seus planos, o elenco teria Cartola, Carlos Cachaça, Clementina e outros bambas. Hermínio mostrou as letras que já tinha aprontado, pedindo que Paulinho desse uma olhada, e saiu da sala.

Ao ler a quarta letra, num lampejo de inspiração, Paulinho compôs imediatamente a melodia inteira. Quando Hermínio voltou, ouviu:

— Hermínio, essa letra aqui já tem música.

— Como?

— É, já tem música, acabei de fazer.

— Ôpa, então vamos registrar isso, não vamos deixar perder.

Hermínio deu-lhe um violão e Paulinho gravou em poucos minutos, de cabo a rabo e sem mudar nada, a melodia que acabara de criar. Depois, despediu-se e foi para casa. Semanas mais tarde, Hermínio lhe telefona, dizendo com a maior alegria:

— Paulinho, a nossa música foi classificada!

— Classificada? Qual música?

— O "Sei lá Mangueira".

Paulinho quase teve um chilique:

— Hermínio, você está louco? Eu sou da Portela, rapaz, eu sou compositor da Portela! Imagina eu aparecer num festival cantando um samba da Mangueira! Eu sou da ala de compositores da Portela, fiz samba-enredo em 66, já fui presidente da ala... Ninguém vai entender isso, Hermínio!

Decepcionado, pois imaginava dar uma grande notícia a Paulinho, Hermínio respondeu do outro lado: "Não, isso é bobagem", sem se dar conta de que, enquanto seu coração era mangueirense, o de Paulinho era portelense.

Preocupado, Paulinho fez de tudo para retirar a música do Festival. Veio a São Paulo falar com Solano, pediu-lhe para excluir o samba pois senão teria sérios problemas na Escola, mas não foi atendido. Desapontado, nem acompanhou o Festival. Quando soube do sucesso de "Sei lá Mangueira", sua preocupação triplicou. Como um portelense poderia justificar ter feito um samba com estes versos: "Sei lá, não sei/ sei lá, não sei não/ a Mangueira é tão grande/ que nem cabe explicação"? A situação era insólita: um compositor preocupado com o sucesso de sua música.

A quarta concorrente da noite foi "Memórias de Marta Saré", de Edu Lobo e Gianfrancesco Guarnieri. Era uma canção impressionista, harmonizada com acordes de tons inteiros num arranjo cuidadosamente elaborado por Edu, empregando sax tenor, oboé, fagote, flauta e quarteto de cordas, na contramão do modelo de festival, motivo pelo qual ambos foram até desaconselhados a inscrevê-la. Fazia parte de uma peça escrita por Guarnieri, a ser estrelada por Fernanda Montenegro, que, conquanto não fosse um musical, admitia algumas canções. A música foi muito bem recebida, para o que certamente pesou a interpretação da dupla vencedora do Festival de 1967, Edu e Marília Medalha, ambos ensaiadíssimos e dessa vez com uma postura dramática, como convinha ao seu conteúdo poético. O atraente refrão "Pra dentro, Marta Saré", que intensificava o ar de mistério da composição, foi bobamente considerado plágio de "Adeus, Maria Fulô", de Humberto Teixeira e Sivuca, uma objeção típica de quem não sabe avaliar a estrutura de uma canção, isto é, sua harmonia.

As quatro seguintes foram recebidas sem muito entusiasmo e só a nona concorrente é que mexeu com o público: "Divino, maravilhoso", em defesa da qual o grupo de seguidores do Tropicalismo chamado "Cafonália" ostentava várias faixas. Gal entrou depois do início da música e, andando sem parar, ultrapassou o poço e foi cantar na passarela atrás dos jurados e perto do público, que imediatamente aderiu ao contagiante refrão "É preciso estar atento e forte/ não temos tempo de temer a morte".

Aquela baianinha meiga e tímida, apelidada "João Gilberto de saias", havia se transformado numa figura espantosa, com uma cabeleira *black power*, roupas berrantes e atitudes agressivas: parecia um bicho quando gritava "Uaaau!" antes do refrão, encolhendo-se como que atingida por um *upper-cut* no estômago.

Seguindo as pegadas dos baianos, Gal Costa também viera morar em São Paulo, inicialmente numa *kitchenette* na avenida São João e depois no apartamento de Guilherme Araújo, na São Luiz, no mesmo edifício onde também moravam Gil e Caetano. Frequentadora assídua de seus apartamentos, aí ouviu os discos de Jimi Hendrix e Janis Joplin, por quem se apaixonou. Sendo tão radical que só admitia até então João Gilberto e seus súditos, passou a admirar o Tropicalismo e deixou-se influenciar pelo jeito rasgado de Joplin cantar "Summertime", quando foi convida-

"Memórias de Marta Saré", em mais uma apresentação impecável
de Marília Medalha e Edu Lobo, acabaria levando o prêmio de melhor arranjo
e seria segunda colocada tanto no júri oficial quanto no popular.

"Uáááu, é preciso estar atento e forte, não temos tempo de temer a morte":
Gal Costa, antes uma menina tímida, cantou "Divino, maravilhoso"
para uma plateia aturdida com sua performance agressiva.

da a defender "Divino, maravilhoso", nascida de uma exclamação frequente de Guilherme. Combinou com Gil, autor do arranjo, que cantaria de modo totalmente diferente, rompendo com o que tinha sido e passando a seguir a estética tropicalista, buscando uma maneira extrovertida de se comunicar. Quando cantou pela primeira vez, Caetano, que ainda não havia presenciado nenhum ensaio, levou um susto: não imaginava que Gal fosse capaz de cantar assim.

Ela vestia calças, uma túnica colorida bordada com espelhos e usava um colar de várias voltas. A primeira reação do público foi um misto de aplausos e vaias. Na passarela, inclinou-se para uma mulher que vaiava com todas as forças, apontou o dedo para o seu rosto e continuou cantando com tal empenho que aos poucos a mulher foi parando de vaiar. Gal arriscava sacrificar sua carreira anterior ao assumir a postura tropicalista, retomando, em outro grau, a ruptura do *Opinião* e levando adiante a luta contra o regime. Como não saudava as esquerdas ou o comunismo, agredia o sistema através da atitude, não apenas do texto.

Acompanhada pelo conjunto Los Bichos (Beat Boys) e com vocal das irmãs Ivete e Arlete nos "tchu tchu ru", Gal foi aplaudidíssima e saiu sob gritos de "Já ganhou!".

Sintomaticamente, enquanto Gal, ao lado de Elza Soares, foi a mais aplaudida da noite, o mais vaiado foi Jorge Ben, ao fazer o gesto do poder negro com o braço erguido e o punho cerrado, após defender "Queremos guerra".

No júri oficial, que contou também com a participação de Sérgio Cabral, por pouco "Divino, maravilhoso" não entrou. Foram selecionadas "Memórias de Marta Saré", a mais votada, "Terra virgem" (Adilson Godoy e Saulo Nunes), defendida por Márcia, e "Sei lá Mangueira", que quase gerou um carnaval quando foi bisada.

O júri popular escolheu "Marta Saré", também a mais votada, "Terra virgem", a penosa "Diálogo" (Marcos Valle e Milton Nascimento) com os autores e o bachiano "Choro do amor vivido" (Eduardo Gudin e Walter de Carvalho) com os Três Morais. Por conta da inclusão destas duas últimas, ambas representantes, na gíria dos produtores de segunda, da "música difícil", o veredicto do júri popular mereceu mais vaias. Na comparação dos resultados, além de duas superposições, pode-se fazer uma surpreendente constatação: ao desprezar o samba de Paulinho da Viola, o júri popular agia como se esperava que agisse o oficial, que por sua vez se comportava como o popular ao classificá-lo.

* * *

Para quem reclamava da falta de vaias duas semanas antes, a terceira eliminatória foi um banquete. O confronto que vinha se definindo entre a corrente tradicional, via samba, e a revolucionária, via Tropicalismo, esquentou para valer, chegando às vias de fato com sopapos trocados na entrada do Teatro e palavrões impublicáveis vociferados no seu interior. A casa estava lotada por um público jovem, disposto a fazer uso de sua arma mais devastadora: vaiar tudo o que fosse possível, músicas, cantores, atitudes, visuais, jurados, bem-comportados e rebeldes.

Após o sorteio para a ordem de apresentação, desfilaram, a partir das 22h35, as 12 últimas concorrentes ao IV Festival da Record.

A assistência se manifestou ruidosamente a partir da quarta concorrente, o samba de partido-alto "Casa de bamba", com Martinho José Ferreira vestido de prateado dos pés à cabeça, os Originais do Samba e o conjunto de Caçulinha. Seu estilo "ogunhé-ogunhé" conquistou as duas torcidas rivais, embora o gênero seja representativo da ala tradicional. O futuro ídolo Martinho da Vila (Isabel) ingressaria na etapa decisiva de sua carreira a partir desse Festival.

À entrada de Tom Zé, fez-se silêncio. Acompanhado dos integrantes do Canto 4 (em vistosas fantasias representando habitantes de São Paulo de diferentes épocas) e do conjunto de iê-iê-iê Os Brasões (armados de uma bateria eletrônica), é recebido com entusiasmo digno de um futuro vencedor. A plateia sente-se homenageada com "São, São Paulo meu amor", derrama-se em aplausos e fica de pé no trecho "Porém com todo defeito, te carrego no meu peito". Sob apelos de "Mais um! Mais um!" e "Já ganhou!", aquele baiano tímido, o mais original dos tropicalistas, sai após uma ovação como jamais havia recebido. "Foi lindo, meu filho, foi lindo", declara ao descer do palco.

Após vaias intensas para "Sem mais Luanda" (Joyce e José Rodrigues), vem a sétima concorrente, precedida de nova manifestação ruidosa, porém favorável: "Benvinda", com o ídolo Chico Buarque e os rapazes do MPB 4 de gravatas e paletós brancos, apoiados pelo violão de Toquinho, em arranjo vocal de Magro e orquestração do maestro Gaya. Com salientes brincos de argolas, Marieta Severo, mulher de Chico, visivelmente nervosa, analisa a reação da plateia, agita-se na poltrona, levanta-se e finalmente aplaude, colaborando para suplantar as vaias e até xingamentos procedentes dos torcedores tropicalistas: "Superado! Você está velho!". Chico não liga a mínima. Ainda que não se alinhe entre as suas mais inspiradas composições, "Benvinda" contém uma das marcas da sua obra: a capacidade de emocionar fortemente a plateia, especialmente no final: "Benvinda, benvinda, benvinda no meu coração".

Após mais duas competidoras, houve novo agito na plateia com a entrada dos Mutantes, surpreendendo ao trajar *smoking* e máscaras de borracha um tanto sinistras. "Dom Quixote" é pura gozação, da retumbante marcha de filme épico no início — arranjo de Rogério Duprat — ao fim, com a frase da introdução de "Disparada". Muito vaiada. Bastante aplaudida. Após a maior vaia da noite, endereçada a "Cantiga" (Caetano Zamma e C. Queiroz Telles), com O Quarteto, vem a última concorrente: Cynara, Cybele e Milton Nascimento numa canção excepcional, típica dos procedimentos harmônicos e das intrincadas quebras rítmicas de Milton, e que o tempo ajudaria a consagrar — "Sentinela".

As manifestações do público ficaram ainda mais fortes na proclamação dos resultados de cada conjunto de jurados. Desta vez, ambos concordaram em três músicas: "Benvinda", "São, São Paulo meu amor" e "Sentinela". O júri popular optou ainda por "A Família" (Ary Toledo e Chico Anísio), com Jair Rodrigues e os Golden Boys, e o especial, pela vaiadíssima "Cantiga". Significa dizer que os Mutantes ficaram de fora, apesar dos votos da ala declaradamente tropicalista entre os jurados que lá estavam. Muito embora "2001" já estivesse escalada para a final, o alto comando do Tropicalismo, incluindo Gilberto Gil, que se postara numa frisa, reclamou bastante da desclassificação de "Dom Quixote". Choravam de barriga cheia: a maior ovação na repetição das classificadas foi para Tom Zé, que nessa altura formava com Gal Costa a dupla de cantores favoritos do Festival. De uma forma ou de outra, era provável que na final desse um baiano tropicalista na cabeça. Alguém atrás de Marieta chegou a gritar "Viva Tom Zé! Abaixo Chico!", forçando um antagonismo. Tom Zé era o mais festejado entre os escolhidos. Estavam definidas, assim, as 18 músicas para a final, agendada para a segunda-feira seguinte, 9 de dezembro.

* * *

Em termos de televisão, o formato de cada etapa dos festivais dos anos 60 seria inconcebível para os dias atuais. Após a apresentação das concorrentes, 12 em geral, as músicas selecionadas pelo júri eram reapresentadas na íntegra, momento em que as vaias dos descontentes costumavam ser assustadoras. Com a novidade das duas classes de jurados no IV Festival, a reapresentação era por conseguinte duplicada, mesmo

Apresentada por Cynara, Cybele e Milton Nascimento
(acompanhados de Egberto Gismonti), a música "Sentinela" teria longa
carreira, mas não contagiou a plateia do IV Festival da Record.

Jair Rodrigues, novamente entre os classificados, defendeu com os
Golden Boys "A família", de Ary Toledo e Chico Anísio.

que uma música fosse selecionada por ambos os blocos, o que já vinha acontecendo nas eliminatórias. De sorte que Tom Zé, por exemplo, cantou "São, São Paulo meu amor" três vezes na terceira eliminatória. Como naquela final seriam ouvidas 18 concorrentes, mais seis premiadas pelo júri popular e seis pelo júri oficial, seriam 30 músicas na íntegra, sendo diversas delas repetidas. Dá para imaginar essa mesma situação numa TV Globo no século XXI?

Para remediar a questão, decidiu-se na última hora antecipar o início da final das 22h30 para as 21h30. Para os componentes do júri especial, porém, seria ainda mais cedo. Desde as 13 horas eles estavam reunidos numa sala da TV Record, ouvindo e reouvindo várias vezes as fitas das concorrentes, fazendo avaliações e manifestando seus pontos de vista. Essa prática salutar criada por Solano Ribeiro permitia uma interessante troca de opiniões, de tal modo que jurados indecisos ou irredutíveis (caso do maestro Gabriel Migliori) poderiam se munir de novos elementos para votar à noite.

Os 100 mil cruzeiros novos seriam distribuídos aos seis primeiros escolhidos por cada um dos dois júris, especial e popular, ganhando em dobro quem se classificasse nos dois. Também haveria troféus de 18 centímetros de altura em ouro e prata, a Viola de Ouro e a Viola de Prata, para os vencedores de cada categoria. Assim começou a final do IV Festival da Record. Casa abarrotada e barulhenta, porteiros nervosos, familiares dos compositores presentes, torcidas, muita fantasia, confete e serpentina, e Telé, a torcedora-mor, de reco-reco na mão.

Iniciada a final com o choro de Gudin, seguiu-se-lhe "Bonita", a tal que deveria ser apresentada duas vezes. Mas Vandré não apareceu. Ou melhor, chegou atrasado, foi impedido de cantar e irritou-se à beça, sem imaginar que aquela teria sido sua última oportunidade de cantar na Era dos Festivais. O Trio Marayá defendeu-a com dignidade. Seguiram-se mais quatro concorrentes sem nenhum destaque especial, até que Blota Jr. anunciou a sétima, "São, São Paulo meu amor". Quase todo mundo ficou de pé, alguns subiram nas cadeiras pulando e gritando, uns vaiavam, outros xingavam os que vaiavam, era um pandemônio. Apenas um ser naquela malta de desvairados mantinha-se imperturbável: o próprio Tom Zé. Vestia uma camisa estampada, colete, diversos colares e trazia uma bengala sobre a qual se apoiara, agachado na coxia em seus exercícios de concentração antes de entrar no palco. Sabia que estava vivendo um dos maiores momentos de sua vida. Ficava de olhos fechados e, quando os abria, também se abria num sorriso de felicidade.

* * *

Aconselhado por Caetano Veloso a tentar a música popular em São Paulo, o magricela Tom Zé instalara-se em janeiro de 1968, aos 33 anos, numa pensão da rua Conselheiro Brotero, entregando-se à tarefa que já tinha tentado em sua cidade natal, Irará, no sertão da Bahia, antes de estudar e atuar na Escola de Música da Bahia: compor canções populares. No feriado de 21 de abril, uma manhã fria, desceu a Brotero, virou à direita na alameda Barros, e se deparou com a manchete do *Notícias Populares* numa banca de jornais: "Prostitutas invadiram o centro da cidade". Ficou tão espantado com a audácia do título que voltou para a pensão levando o jornal e decidido a fazer uma música sobre São Paulo, enfocando a contradição dos que falavam mal de São Paulo mas continuavam morando na cidade. Por isso, o refrão seria "São, São Paulo, quanta dor/ São, São Paulo, meu amor". Tom Zé havia sido aconselhado a não fazer música sobre São Paulo para festival porque, diziam-lhe, os paulistas eram bairristas, amavam sua cidade e não iriam suportar brincadeiras de um baiano. Quando a música estava quase pronta, foi à casa de Augusto Boal, que o dirigira no *Arena conta Bahia*, mostrou-a e recebeu vastos elogios. Músicas sobre São Paulo costumavam louvar a terra boa da garoa, suas barracas de flores, a cidade que amanhecia trabalhando; nenhuma a descrevia tão crua a ponto de envergonhar seus habitantes, nenhuma abordava de forma tão contundente a neurose dos paulistanos, sua relação de amor e ódio com a cidade.

Tom Zé decidiu inscrevê-la no Festival em vez de "Glória" e, para sua surpresa, foi classificado. Na performance, ele entoava concentradamente o recitativo ("São oito milhões de habitantes..."), tentando ouvir a orquestra para não cantar em tom mais alto. No final do recitativo, abria um sorriso franco que desvendava a contradição: "porém com todo defeito, te carrego no meu peito". A mesma contradição, chave do tema que o inspirou, não era porém cantada pelo público. Em lugar do refrão original, o povo repetia "São, São Paulo meu amor". Tom Zé fechava os olhos e, sem cantar o refrão com medo de destoar do vocal do Canto 4, apenas dublava, parecendo gozar o prazer de ouvir sua música na boca do povo paulista.

Depois dele, aclamado à saída, foram apresentadas mais duas músicas, "Terra virgem" e "Sentinela", para as quais o público não deu muita pelota. Não foi o que pensaram desta última alguns jurados, vários músicos e a cantora Beth Carvalho, intérprete de "Rosa da gente": "'Senti-

O mais original dos tropicalistas, Tom Zé apresenta "São, São Paulo meu amor" com o Canto 4 e Os Brasões na final do festival da Record de 1968.

A plateia do Teatro Record Centro e a torcida pela composição de Tom Zé.

nela' vai seguir o mesmo caminho de 'Eu e a brisa'", disse ela com segurança. Quem viveu, viu. Sua melodia tem um cunho religioso e a letra descreve os sentimentos de um personagem diante dos ensinamentos que restam após a morte de um sábio conselheiro, inspirado no seu Francisco, um negro alto que servia café no Juizado de Menores, onde Fernando trabalhava. Além de designar uma cachoeira próxima a Diamantina e de sugerir o ato de velar, "sentinela" também significa velório. Donde a atmosfera ritualística preservada na canção.

A farra recomeçou quando Blota anunciou o compositor e cantor da décima canção. "Lindo! Lindo!", gritavam as meninas para Chico Buarque, agora com uma camisa polo e um berrante cardigã listado, entre Aquiles e Miltinho do MPB 4, com quem dividia um microfone, enquanto Magro e Rui usavam o outro. Mas Chico não era unanimidade: alguns o tachavam de superado, inconsciente e alienado. Mais uma vez deu o recado e saiu tranquilo.

Em seguida entrou Taiguara para defender "A grande ausente". Começou a cantar sob vaias estrepitosas mas, numa prova de sua ascendência, conseguiu dominar aquela rebeldia. Interrompeu-se no meio e disse: "Escute, minha gente, não consigo ouvir a orquestra. Silêncio, porque aqui tem gente que quer ouvir a música". Houve um suspense e ele reiniciou a canção, terminando sob aplausos. Marília Medalha cantou "Marta Saré" com a classe de uma grande atriz. Num elegante vestido com gola em V, sorriso e olhar cativantes, levantava o braço no refrão, ao lado de Edu, com a tranquila discrição de quem sabia o que era vencer um festival.

A seguir, Os Mutantes, em mais uma aguardada surpresa visual — Rita com uma roupa de plástico transparente e uma enorme coroa na cabeça, e os irmãos Batista com capas também de plástico — apresentaram "2001". O Quarteto mantendo a sina de "Cantiga", a mais vaiada da noite; Elza Soares, de vestido rosa com mangas largas e sapatos prateados, para se consagrar no samba; e Sérgio Ricardo, um dos mais aplaudidos da noite, em nada lembrando a cena do Festival anterior, foram os intérpretes seguintes.

Depois de novas vaias dirigidas a Roberto Carlos, que dava, talvez sem o saber, seu *au revoir* definitivo aos festivais, chegou finalmente a vez de Gal Costa em mais uma festejada performance de "Divino, maravilhoso". Após uma entrada triunfal, com toda a plateia de pé, cantou indo novamente ao encontro do público, realçada pelos espelhos bordados em sua túnica colorida, e saiu sob gritos de "Já ganhou!".

Quem esperava um longo intervalo teve que voltar correndo para o interior do Teatro Record Centro. Já passava de meia-noite quando Blota Jr. e Sônia Ribeiro anunciaram no palco os vencedores na categoria melhor interpretação; enquanto Kalil Filho, no estúdio de Congonhas, à frente de uma lousa repleta de números representando as votações do interior e dos clubes, proclamava os vitoriosos pelo júri popular. Em ordem inversa, a sexta foi "A grande ausente", com 1.404 votos; "São, São Paulo meu amor" teve 1.457, ficando em quinto; "Bonita", com 1.477, em quarto; "A Família", com 1.544, em terceiro; "Memórias de Marta Saré" em segundo com 1.697; e "Benvinda" em primeiro, com 1.778 votos. No júri especial, porém, o vencedor do popular, Chico Buarque, ficou em sexto, Sérgio Ricardo ("Dia da graça") em quinto, Tom Zé e Rita ("2001") em quarto, Gil e Caetano ("Divino, maravilhoso") em terceiro e Edu e Guarnieri ("Marta Saré") em segundo. O júri especial decidiu na última hora endossar a votação popular, atribuindo o segundo lugar a "Memórias de Marta Saré" e, pelo que se comentou à boca pequena, empurrando "Divino, maravilhoso" para terceiro. Na reapresentação das ganhadoras, Gal foi intimada a bisar, entrando em definitivo para o primeiro time das cantoras brasileiras. As notas que os jurados torcedores do Tropicalismo atribuíram a "Sentinela" foram determinantes para jogar Milton Nascimento para escanteio.

Depois de "Marta Saré", quase toda a plateia já sabia o nome do vencedor. Quieto o tempo todo na coxia, Tom Zé somente se convenceu de que deveria reapresentar sua música quando ouviu Sônia Ribeiro declarar pausadamente: "Primeira colocada pelo júri especial... 'São, São Paulo meu amor', de Tom Zé. Arranjo de Damiano Cozzella com participação de Flávio Teixeira, Roni Júlio e Os Brasões. Interpretação do Canto 4 e Tom Zé". Tratado pelo povo e pela imprensa como o verdadeiro vencedor — já que numa competição pode haver empate mas não faz sentido admitir *a priori* dois ganhadores através de julgamentos independentes previstos em regulamento, como determinaram as regras impostas pelo modelo de festival socializado — Tom Zé sorriu feliz e voltou à cena, sorvendo cada gole da vitória. Na Bahia, sua irmã, que ouvia o Festival pelo rádio, ficou tão emocionada quando ouviu o resultado, que o aparelho caiu-lhe das mãos, espatifando-se no solo. No Teatro Record Centro, o povo cantava em pé, surgiram balões e serpentinas, num novo delírio do qual participaram, no palco, todos os concorrentes, abraçando-se e regozijando-se com sua vitória — e, na plateia, mais de 2 mil pessoas cantando em coro "São, São Paulo meu amor".

Já famoso, Chico Buarque, ao lado do MPB 4 e de Toquinho ao violão, interpreta "Benvinda", vencedora do júri popular no IV Festival da Record.

A explosiva interpretação de Gal Costa para "Divino, maravilhoso", com Arlete, Ivete e os Beat Boys, acabou levando a música de Gil e Caetano ao terceiro lugar do júri oficial do festival.

Era 1h40 de terça-feira quando a cortina do Teatro Record Centro baixou de vez. Tom Zé e Gal eram os mais festejados; Chico e Edu davam autógrafos; todos eram fotografados e se abraçavam. Começaram a tratar da retirada, os mais espertos em automóveis que já os esperavam na Brigadeiro Luís Antônio. O público adorou a vitória de Tom Zé, que à saída do Teatro era festejado com foguetes e carros buzinando, nos estertores de mais uma festa da música popular.

* * *

O Blow Up, onde Maria Bethânia se apresentava, foi o destino de Edu Lobo, que comemorou mais uma vitória bebendo uísque Chivas Regal e comendo picadinho com banana, exultante com o prêmio de melhor arranjo e elogiando "Sentinela", de Milton Nascimento.

A vitória também foi festejada no restaurante Patachou, na rua Augusta. Tom Zé queria ir dormir mas Guilherme Araújo o convenceu a aderir às comemorações. Gal Costa, Toquinho e Marcos Valle foram cumprimentados por Solano Ribeiro e o jurado Carlinhos Oliveira. Tomando Coca-Cola, Tom Zé ainda não acreditava que havia vencido, sua maior preocupação era retomar o show *São Paulo meu amor* no Ponto de Encontro da Galeria Metrópole. Depois, foi para a casa de seu amigo baiano Waldemar Waldez comemorar outro prêmio da noite, o de melhor letra para "2001". No dia seguinte, Guilherme Araújo transferiu Tom Zé para um *flat* na praça da República.

Em 16 de dezembro foram entregues no Teatro Record Centro os prêmios aos vencedores. Julio Medaglia entregou o de Tom Zé. O Festival gerou intensas discussões na imprensa, em artigos de Nilo Scalzo, José Maria dos Santos, Alberto Helena Jr., Chico de Assis, Adones de Oliveira, Sérgio Cabral e Tinhorão, este em prol do samba, destacando Martinho e Paulinho da Viola.

Apesar de não estar entre as seis primeiras do júri popular nem do júri oficial, "Sei lá Mangueira" fez um sucesso incrível, criando um clima pesado para Paulinho da Viola na Portela. Em condições normais, o presidente da escola, seu Natal, que não tinha papas na língua, teria dito: "Como é que é, você fez samba para a Mangueira? Por que não faz para a Portela?". Mas nem ele nem ninguém disse nada. Todos o respeitaram, o que contudo o levou a sentir-se mal, sem saber o que dele pensavam, ainda que a letra fosse de um mangueirense, Hermínio. Como ia frequentemente à Mangueira, onde ele e o também portelense Zé Kéti tinham muitos amigos, ouviu dias depois algumas senhoras da ala das pastoras

Ao final do festival, todos os concorrentes cantam com Tom Zé
a música vencedora, "São, São Paulo meu amor".

Tom Zé recebe do casal de apresentadores Sônia Ribeiro e Blota Jr.
o prêmio Viola de Ouro, em dezembro de 1968.

comentar: "Ele fez aquele samba falando da nossa escola porque sabe que se falasse da dele não ia acontecer nada". Paulinho fingiu que não ouviu. Mas tempos depois, compôs "Foi um rio que passou em minha vida", dedicado à Portela.

* * *

O musical de Hermínio não vingou, mas ele aplicou sua ideia num disco histórico, *Fala, Mangueira*, de 1968, em que Odete Amaral cantou o samba de Paulinho da Viola. Elza Soares foi quem fez sucesso com "Sei lá Mangueira", mais tarde gravada também por Elizeth Cardoso e Clementina de Jesus: mas nunca por Paulinho. Em 1969, Milton lançou "Sentinela", com orquestração de Luís Eça, no disco *Milton Nascimento*, pela Odeon, regravando-o com Nana Caymmi e um coral de monges beneditinos em 1980. A intenção de gravar com religiosos não vingara em 1968 porque Frei Betto e outros dominicanos já enfrentavam problemas políticos. Além dele, Cynara e Cybele, o MPB 4 e Beth Carvalho interpretaram "Sentinela" em disco. Chico Buarque não gravou "Benvinda", que foi lançada pelo MPB 4 em LP da Elenco de em 1969. Gal Costa gravou "Divino, maravilhoso" no LP *Gal Costa*; os Mutantes lançaram "Dom Quixote" e "2001" no LP *Mutantes* também em 1969, e Tom Zé incluiu "São, São Paulo" no seu primeiro disco, pela gravadora Rozenblit.

Todas essas músicas, bem como as demais finalistas, faziam parte dos três volumes dos discos do Festival que já estavam nas lojas desde meados de novembro, com os intérpretes do *cast* da marca Philips.

* * *

Se por um lado o IV Festival da TV Record conferiu um *upgrade* de coadjuvante para destaque no cenário principal da música brasileira a Tom Zé, Gal Costa, Martinho da Vila e Mutantes, incluindo Rita Lee, marcou a maior debandada, forçada ou não, de compositores e cantores da Era dos Festivais. Cada qual com seu motivo.

Provavelmente enfastiado com as vaias e certamente atribulado com sua carreira, Roberto Carlos dispensou mais essa atividade. Chico Buarque decidiu o mesmo, só que foi obrigado a dizer "tchau". Dias antes do Natal de 1968, teve a inédita surpresa de acordar com a polícia em seu apartamento. Foi levado para um interrogatório no Ministério do Exército e liberado na mesma tarde, mas necessitou de uma autorização para a viagem à França, já programada, onde se apresentaria no Midem. Partiu no dia 3 de janeiro de 1969 e, diante das notícias que recebia do Brasil, achou mais prudente permanecer na Itália, onde ficou até março de 1970. Jair Rodrigues, que dificilmente enjeitava um desafio, talvez arriscasse mais um festival, mas o fato é que não compareceu a nenhum outro. Elis já tinha tomado sua decisão ao término do III FIC e estava em plena temporada na Europa. Decepcionado com as duas notas zero a "Sentinela", que depois ficou sabendo terem sido dadas de propósito, Milton Nascimento viajou de ônibus para o Rio no dia seguinte à final com seu parceiro Fernando Brant. Refez-se do abatimento com uma viagem para os Estados Unidos, mas os festivais desapareceram de seu horizonte mineiro. Edu Lobo também se apresentou no Midem, voltou ao Brasil e em abril foi estudar orquestração em Los Angeles, onde ficou dois anos. Marília Medalha iria compor com Toquinho e Vinicius de Moraes um grupo de shows e discos de êxito, mas posteriormente comeu o pão que o diabo amassou quando seu marido Isaías Almada foi preso por motivos políticos. Com tantos elogios e aplausos, Sérgio Ricardo sentiu-se plenamente redimido da "violada no auditório", além de ter cumprido a missão de encabeçar mudanças igualitárias no Festival. Os que também davam mostras de dizer *bye-bye* mas tiveram que trilhar caminhos pedregosos foram Vandré, Caetano e Gil. As carreiras dos três foram ceifadas após a decretação do AI-5, em 13 de dezembro, quatro dias após a final do IV Festival da TV Record.

Após ocasionais tentativas em espetáculos um tanto peculiares nos anos 70, Vandré saiu da cena musical. Transfigurou-se num personagem do evasivo advogado Geraldo Pedrosa de Araújo Dias, de vida rotineira ao que tudo indica, que, quando instado a falar do artista Vandré, ficava mudo. Geraldo Vandré é, com Théo de Barros, autor da campeã das campeãs da Era dos Festivais. Quando Jair Rodrigues a canta, a despeito do número de vezes que repete em seus shows, "Disparada" ainda arrepia os pelos, toca fundo o coração e sacode o sentimento cívico da assistência. As músicas de Vandré quase não são regravadas em virtude de suas negativas peremptórias em conceder a liberação. Essa obra, contida em apenas cinco álbuns LP (*Geraldo Vandré*, de 1964, *Hora de lutar*, de 65, *Cinco anos de canção*, de 66, *Canto geral*, de 68, e *Das terras do Benvirá*, de 73), mostra a grande riqueza da música regional, que o Brasil não conhecia bem, e que ele vislumbrou em seus sonhos.

A classe média fardada, que é moralista, encarava Chico, Vandré e Sérgio Ricardo como um militar vê um inimigo, enquanto os baianos, Gil e Caetano, representavam um desacato, não coincidindo com a imagem por ela desejada como exemplo para o povo brasileiro. Com seu preconceito enraizado, vendo homens vestidos de mulher — houve até comentários de que Caetano era meio mulher e Bethânia meio homem —, suspeitando que eles estivessem drogados, os militares de classe média não suportaram o que passaram a considerar uma ofensa, uma atitude abjeta, passaram a ter nojo dos baianos. Exigiam sobriedade e uma atitude digna, de homens comportados como homens. Gil e Caetano não brigavam contra o poder nem assumiam uma posição política. Viviam um período de paranoia com seu programa *Divino, maravilhoso* na TV Tupi, numa escalada de provocações que atingiam os militares da classe média pela via moral. No programa do Natal de 1968 Caetano apontou um revólver de brinquedo para si próprio, fingindo dar tiros. Ambos foram presos em seus apartamentos da avenida São Luiz em 27 de dezembro, levados para o Rio, onde ficaram encarcerados por dois meses, separadamente, de cabeça raspada, inicialmente na Tijuca e depois na Vila Militar, bairro de Deodoro.

Tom Zé apresentou os derradeiros dois programas *Divino, maravilhoso* pela TV Tupi. O momento de maior glória do Tropicalismo nos festivais deu-se dias antes do ato de sua extrema-unção. Segundo Carlos Calado, autor do livro *Tropicália*, como Caetano e Gil já vinham anunciando a dissolução do movimento, sua prisão e a extinção do programa representam o enterro oficial do movimento tropicalista.

Do Rio, Gil e Caetano foram remetidos para a Bahia, onde viveram cinco meses confinados, de março a julho. Como estavam impedidos de qualquer aparição pública, a gravadora Philips providenciou um adiantamento sobre dois discos que seriam iniciados lá mesmo, com produção de Manoel Berembein. Foram gravados só a voz e o violão na Bahia e o restante posteriormente, no Rio e em São Paulo, com arranjos de Rogério Duprat, invertendo-se o processo de se cobrir as bases com a voz na última etapa de uma gravação. Caetano gravou o disco com capa branca começando com "Irene" ("Eu não sou daqui/ eu não tenho nada/ quero ver Irene rir"), e Gil, o que continha sua despedida do Brasil, o samba "Aquele abraço" ("Pra você que me esqueceu, aquele abraço/ Alô, Rio de Janeiro, aquele abraço/ todo povo brasileiro, aquele abraço"). Os discos foram lançados e os dois baianos, em seguida, banidos, viajando rumo à Inglaterra em 27 de julho. Provavelmente, foi aí que a classe estudantil, supostamente politizada, compreendeu sua posição política.

O ano de 1968, que foi o ano com mais festivais, que foi o da fadiga dos festivais, da Tropicália, do AI-5, não foi um ano qualquer. Em 1968 a Era do Festivais entrava na curva descendente da parábola.

       Zuza Homem de Mello

11.
"CANTIGA POR LUCIANA"
(IV FIC/TV GLOBO, 1969)

A ditadura militar consolidou-se na reunião do Conselho de Segurança Nacional presidida pelo presidente Costa e Silva no Palácio das Laranjeiras do Rio de Janeiro no dia 13 de dezembro de 1968, que antecedeu a edição do Ato Institucional número 5, o AI-5. Após a sua divulgação pelo locutor oficial da Agência Nacional Alberto Curi, irmão do cantor Ivon Curi e do narrador de futebol Jorge Curi, através da rede nacional de rádio e televisão, estavam abertas as portas para fechar o Congresso por tempo indeterminado. O ato permitia, entre seus 12 artigos, que se proibisse ao cidadão o exercício de sua profissão, que se confiscassem seus bens e, pelo artigo 10, ficava suspensa a garantia de *habeas corpus* nos casos de crimes políticos contra a segurança nacional. O regime militar assumiu então sua face mais dura e repressiva, com aparelhos de segurança ganhando um poder gigantesco e uma autonomia de ação consideravelmente superior a outros aparatos do governo. As ações que se seguiram, adotando a tortura e acobertando sumiços, sufocaram guerrilhas, assaltos, sequestros e atos terroristas, censuraram a imprensa, rádio e televisão, esmagaram as formas de protestos políticos de estudantes universitários e secundaristas nas ruas, derrubaram manifestações artísticas com prisões e a injunção ao exílio. Tudo sob o amparo legal do AI-5.

De sorte que a baixa considerável sofrida pela equipe principal da música popular facultou a entrada em campo, para suprir o desfalque generalizado de craques nos festivais, de todos os reservas e juvenis que vinham tendo oportunidades à beça na avalanche de certames em 1968. Além dos dois da TV Record e do FIC, realizaram-se nesse ano o I Festival Universitário da Guanabara pela TV Tupi do Rio, o I Festival Universitário de Música Popular em Porto Alegre, o II Festival Fluminense da Canção em Niterói, o I Festival de Juiz de Fora, o Brasil Canta no Rio pela TV Excelsior, o II Festival Estudantil no Teatro João Caetano, o II Festival Estudantil Petropolitano de Música Popular e outros mais. Festival tinha virado moda. Se fossem convocados os participantes de todos os festivais de 1968, dava para lotar boa parte do Maracanãzinho. Joyce, Luiz Carlos Sá, César Costa Filho, Ronaldo Monteiro de Souza, Antônio Adolfo, Tibério Gaspar, Arthur Verocai, Egberto Gismonti, Alceu Valença, Aldir Blanc, Sílvio da Silva Jr., Macalé, Guilherme Dias Gomes, Guto Graça Mello, Ruy Mauriti, Eduardo Lages eram algumas das promessas para o primeiro time da música brasileira que se inscreveram no IV Festival Internacional da Canção antes do último dia do prazo, 31 de maio de 1969. O FIC foi assentado para o final de setembro.

* * *

Havia meses que se procurava corrigir falhas dos três festivais anteriores, é verdade que algumas delas consideradas admissíveis num evento de tal porte. Mas havia limite. O som dos FIC era o alvo das maiores frustrações. O drama podia ser resumido em uma palavra que aterrorizava músicos e cantores: Maracanãzinho. Era preciso investir para solucionar o problema, ou pelo menos atenuar o temor dos artistas e abafar a fama que prejudicava cada vez mais o FIC. Nessa edição, a TV Globo, encarregada da área técnica, não poupou esforços para tentar solucionar a encrenca. Para equiparar-se a eventos dessa natureza no exterior, foi adquirido um equipamento da marca Amplicord Westfalia que incluía nova mesa de mixagem, alto-falantes e caixas acústicas, duas das quais seriam instaladas no palco, atrás do intérprete, para evitar o eco com três segundos de retardamento. Foi contratado um bambambã na matéria, o alemão Gunther Steinke, e, para diminuir a dispersão sonora, o piso onde ficava a orquestra foi forrado de lã acústica. Com tais medidas, o coordenador técnico da TV Globo, Orestes Polvoreli, prometia surpreender agradavelmente o público e os participantes. O cenário também foi aperfeiçoado: as rampas foram revestidas de borracha sintética para que ninguém temesse escorregar.

Conforme o projeto do cenarista Mário Monteiro, os intérpretes surgiam no palco por uma abertura circular ao fundo, atravessando uma passarela para chegar ao praticável cilíndrico com cinco metros de diâmetro, onde cantariam. Foram montados dois palanques em forma de lírio para alojar as câmaras da televisão alemã Saarländischer Rundfunk de Saarbrücken. É que, pela primeira vez, se gravaria um videoteipe que seria então transformado no programa de três horas a ser transmitido pela Eurovisão na noite de 1º de janeiro de 1970. Com um detalhe de capital importância: a transmissão seria em cores. Por esse motivo, além de câmeras adequadas e uma equipe de 12 pessoas, a iluminação foi aumentada para 26 mil watts e reforçada com 24 lâmpadas tipo *photoflood*. A imagem do Brasil no exterior seria clara e colorida, inteiramente diferente da escuridão e do negrume existentes nos porões e masmorras onde se torturavam presos políticos, conforme notícias propagadas por certos órgãos de imprensa de outros países.

A TV Globo tinha ainda a seu cargo a segurança, a orquestra, arranjos, ensaios e a produção de cada programa de televisão. De outra parte, como cavalheiresco anfitrião que era, o diretor Augusto Marzagão, além de conseguir verba da Secretaria de Turismo, organizar o júri, cuidar dos prêmios e troféus, obter passagens aéreas gratuitas, deveria garantir a presença de convidados estrangeiros que vinham pelos seus belos olhos. Para eles foram reservados os melhores apartamentos do Hotel Glória, onde os escritórios do FIC estavam instalados desde 13 de setembro, e montada uma esmerada programação social: jantares, coquetéis, recepções e festas no Iate Club, no Club Sirio, no Club Caiçaras, no Club Federal, no Canecão, espetáculo na boate Sucata, feijoada e vatapá com show de passistas, passeios de lancha e pela floresta da Tijuca, reuniões, drinks à volta da piscina, baile de gala na Hípica, enfim, uma sequência para ninguém botar defeito e deixar os gringos com língua de fora e água na boca. De quebra, o Festival, naturalmente.

Com tantos atrativos e mordomias, foi uma surpresa desagradável a chegada das comunicações de desistências justo em cima da abertura do FIC. Jane Fonda, Roger Vadim, a cantora Nancy Wilson, o compositor Burt Bacharach, o regente Frank Pourcel, todos anunciados, mandaram dizer que estavam comprometidos. O ator James Mason, o cantor Jack Jones, e o beatle George Harrison teriam invocado a necessidade de um seguro de vida por causa do clima de terror e insegurança em que vivia o país após o sequestro do embaixador americano Charles Burke Elbrick. Dizia-se que artistas brasileiros na Europa boicotavam o Festival afirmando que no Brasil não havia condições políticas para sua realização. Marzagão desmentiu tudo, justificou que o cancelamento era em função de contratos de última hora, ou também em função do corte nas mordomias exageradas dos anos anteriores, como mais de uma passagem por convidado. Telefonemas e telegramas foram trocados, a temperatura se elevou, a imprensa criticou e, na véspera da primeira eliminatória, foi oficialmente comunicado que dez convidados não viriam mais. Cada qual por um motivo.

Um dia antes, Marzagão presidira a reunião dos jurados que escolhera; ali foram tomadas algumas decisões. Nas duas eliminatórias não

O palco do III FIC com os palanques redondos nas laterais, onde ficaram as câmeras para a transmissão em cores para a Europa. Os artistas chegavam ao praticável central saindo de uma abertura circular.

Os apresentadores de quase todos os FIC, Hilton Gomes e Ilka Soares, no palco do Maracanãzinho.

haveria notas, apenas votos de sim ou não para cada canção, apurando-se assim as 20 finalistas. Na final é que seriam atribuídas notas de 1 a 10 para decidir os dez primeiros colocados. Os 15 jurados eram os compositores Marcos Vasconcelos, Durval Ferreira, Luiz Reis e João de Barro, os músicos César Camargo Mariano, Turíbio Santos e Cussy de Almeida, o empresário Ricardo Amaral, os cantores Marlene e Wilson Simonal, os escritores Pedro Bloch e José Mauro Vasconcelos, o radialista Big Boy (Milton Alvarenga Duarte) e os críticos Carlos Dantas, Júlio Hungria e Carlos Menezes.

Das 41 classificadas, seis músicas vinham da eliminatória realizada no TUCA de São Paulo em 30 de julho, entre elas, "Ando meio desligado" (Os Mutantes), "Madrugada, carnaval e chuva" (Martinho da Vila) e "Charles anjo 45" (Jorge Ben). Havia também músicas da Bahia, Minas, Paraná, Rio Grande do Sul e Pernambuco. "Beijo sideral", "Cantiga por Luciana", "Juliana" e "Mercador de serpentes" eram as cariocas mais enfocadas pelos jornais do Rio, resultantes de 1.970 inscritas, bem menos que as 5.508 do III FIC.

Ninguém imaginava, comentava ou ousava fazer música com mensagem política. A nova onda era comunicação. E a maior autoridade no assunto não era Abelardo Barbosa, o Chacrinha, um dos ícones do defunto Tropicalismo e autor da frase "Quem não comunica, se trumbica". O rei da comunicação chamava-se Wilson Simonal de Castro, o Simona, que, desfrutando de um prestígio jamais atingido — tanto que foi convidado para presidir o júri do Festival, isto é só interferir para dar o voto de Minerva em caso de empate —, era assediado para entrevistas a fim de emitir seu ponto de vista sobre a matéria. Semanas antes do FIC, Simonal havia participado do espetáculo de despedida de Sérgio Mendes após temporada na Sucata. O "farewell to Brazil" de Sérgio Mendes e seu conjunto Brasil Sessenta... (e alguma coisa) foi no Maracanãzinho, onde Simona "deixou cair", reduzindo a pó de traque o pianista *habitué* das listas na *Cash Box*. Sucedendo a Sérgio e acompanhado pelo Som Três (César Mariano ao piano, Sabá ao baixo e Toninho Pinheiro à bateria) e pelo Metais com Champinhon (Maurílio, trompete, Juarez Araújo, sax-tenor, e Aurino, sax-barítono), ele comandou com o olhar, o balanço do corpo e as pontas dos dedos a multidão que se esbaldou cantando alegremente os sucessos de sua fase pilantragem, "Sá Marina", "Meu limão meu limoeiro", "Mamãe passou açúcar em mim", "País tropical" e "Tá chegando a hora". O banho foi tão escandaloso que não mais conseguiram localizar o artista principal para o *grand finale*. Sérgio Mendes havia sumido do Maracanãzinho. Simona passou a ser o *talk of the town*, e, consequentemente, mais que habilitado para deitar sua sabedoria sobre comunicação nas duas etapas do FIC, nacional e internacional.

* * *

Com transmissão direta para São Paulo, Belo Horizonte, Salvador e Porto Alegre, foi para o ar às 21 horas da quinta-feira, 25 de setembro, pela TV Globo, a quarta edição do Festival Internacional da Canção no ginásio do Maracanãzinho. Após a abertura da orquestra regida pelo maestro Lirio Panicalli — com trechos de *O guarani*, de Carlos Gomes, e músicas brasileiras, entre as quais, surpreendentemente, o samba "Aquele Abraço", de Gilberto Gil, exilado em Londres —, entra o casal Hilton Gomes e Ilka Soares para apresentar os membros do júri que desciam a rampa sob assobios e palmas, incluindo Simonal, o mais ovacionado, de *smoking* e um lenço estampado amarrado na cabeça. O violonista Turíbio Santos não estava entre os 15 jurados. Faltou.

O mais assediado convidado internacional era o compositor Jimmy Webb (autor de "Up Up And Away"); ele estava na primeira fila das cadeiras numeradas em frente ao palco, que, destinadas aos artistas estrangeiros, em sua maioria desconhecidos pelo público, tinha apenas metade da lotação ocupada. Para ingressar no ginásio, as pessoas tinham passado por uma severa vigilância, não sendo permitidos embrulhos, instrumentos musicais, tomates e ovos. Antes da primeira canção, surgiu no palco um grande painel com o galo, símbolo do festival, e os títulos das 21 canções que seriam ouvidas, avaliadas pelo júri e também votadas pelo público, que passava, portanto, a desfrutar da oportunidade de eleger a música mais popular.

Além de compositores novos, havia alguns cantores pouco conhecidos, como Eduardo Conde, e vários grupos: o Vox Populi, com sete figuras, sendo algumas remanescentes do Manifesto, o Grupo Mineiro, de Juiz de Fora, os conjuntos gaúchos Liverpool Sound e Os Cleans, os paulistas O Bando e Os Brasões e os cariocas O Grupo, Os Argonautas e A Brazuca. Era tanta gente nova que parecia um festival universitário.

A chegada desses grupos, que já vinha sendo incrementada em festivais anteriores, consagrava a intenção de apresentar canções concorrentes com uma forma final mais bem-acabada e menos dependentes dos ensaios oficiais, abrindo também espaço para a extravagância visual e a coreografia. Estes dois elementos eram dessa maneira incorporados definitivamente à produção de uma canção de festival. De contrapeso, a chegada dos grupos criava inúmeras manobras para os técnicos de som, obrigados a recompor parte da microfonação a cada música.

O desfile das 21 concorrentes foi entremeado de minishows internacionais com cantores de quem ninguém tinha ouvido falar, um suíço, uma australiana e uma norueguesa. Músicas mais aplaudidas nessa noite: "Madrugada, carnaval e chuva", de Martinho da Vila, "Cantiga por Luciana", de Edmundo Souto e Paulinho Tapajós, "Visão geral", de César Costa Filho, Ruy Mauriti e Ronaldo M. de Souza, e a *bluesy* "Juliana", de Antônio Adolfo e Tibério Gaspar.

Compondo desde que se conheceram numa das reuniões na casa de Beth Carvalho, Antônio e Tibério começaram a se projetar através de Simonal. Apostaram que uma de suas primeiras composições parecia de encomenda a seu estilo e viajaram a São Paulo para lhe oferecer a toada moderna "Sá Marina". A música emplacou naquela mesma noite no *Show em Si... monal*, foi logo gravada no lado B de um compacto e converteu-se rapidamente em número obrigatório de seus shows, portanto um sucesso antes mesmo do Festival. Tibério era professor de matemática, Antônio Adolfo tinha sido pianista de Elis Regina durante a turnê europeia no início de 1969 e assim que retornou ao Brasil compôs ao violão outra melodia no estilo de "Sá Marina", igualmente bem construída e gostosa de cantar. Era a "Juliana", cuja letra de Tibério conta de forma quase inocente o primeiro amor de uma garota: "Num fim de tarde meio de dezembro/ inda me lembro e posso até contar/ o sol caía dentro do horizonte/ e Juliana viu amor chegar [...] e Juliana então se fez mulher". Como nenhum dos dois cantava, montaram A Brazuca com duas cantoras, Bimba e Julie, para defender a música no FIC. O instrumental consistia em Antônio Adolfo tocando um Fender Rhodes, o único piano elétrico existente no Brasil na época, Vitor Manga à bateria, Luizão Maia ao baixo e Luís Cláudio à guitarra.

* * *

Apesar da mudança de posição das caixas acústicas, o som do Maracanãzinho na segunda eliminatória, realizada no sábado, continuou na mesma: péssimo. É certo que havia bem mais público para aplaudir o Hino Nacional (nova e significativa abertura), além da primeira e da segunda música, "Serra acima" (Sílvio da Silva Jr. e Aldir Blanc) e "Avemaria dos retirantes" (Alcivando Luz e Carlos Coqueijo), esta defendida por Maysa, uma das mais queridas cantoras da história do FIC. Poucos se atreviam a vaiá-la.

A terceira era "Charles anjo 45", com o autor, Jorge Ben, e o infernal Trio Mocotó (Nereu, Fritz e Joãozinho Paraíba), significa dizer, samba em alta temperatura. Por trás daquela letra crua e ácida sobre o Robin Hood dos oprimidos, sem métrica ou rima de espécie alguma, marcas inconfundíveis do autor que praticamente a declamava, estava uma precursora do gênero que só aconteceria muitos anos mais tarde, o rap. A temática transgressora, premonitória sobre a situação dos morros cariocas, por incrível que pareça não foi interceptada pela Censura: "Ôba, ôba, ôba Charles/ como é que é my friend Charles [...] um homem de verdade com muita coragem/ só porque um dia Charles marcou bobeira/ e foi tirar, sem querer, férias numa colônia penal [...] nosso Charles vai voltar [...] vai ter batucada [...] uísque com cerveja e outras milongas mais". O personagem era real: seu amigo Charles Antonio Sodré, do Rio Comprido, tinha ponto de bicho, boca de fumo, uma pistola 45, foi preso e condenado, segundo Jorge declarou a Tárik de Souza para a *Veja*. Alguém na gravadora Philips inscrevera a música numa fita gravada por Caetano Veloso, sem o conhecimento do autor. A apresentação no FIC, cuja metade final era uma sensacional batucada com apito, pandeiro, cuíca e atabaque, foi calorosamente aplaudida por uns, intensamente vaiada por outros e duramente criticada na imprensa. "Charles anjo 45" seria um sucesso pouco tempo depois.

A quarta concorrente foi ainda mais vaiada, "Gotham City" (Jards Macalé e José Carlos Capinan), um *happening* alusivo ao homem-morcego, defendida agressivamente por Macalé, num camisolão branco, gritando como um louco "Cuidado! Há um morcego na porta principal!", e Os Brasões, de peito descoberto, pintados de urucum, com uma rede metálica pendendo na testa. Esta letra de Capinan, sim, confundiu a Censura, que a liberou desconfiada mas sem perceber a metáfora sobre o regime militar através da cidade imaginária de Batman, herói das páginas do gibi, então fora de moda, mas leitura assídua na adolescência do baiano José Carlos: "...meu amor não dorme/ meu amor não sonha/ não se fala mais de amor em Gotham City/ só serei livre se sair de Gotham City/ agora vivo o que vivo em Gotham City/ mas vou fugir com meu amor de Gotham City/ a saída é a porta principal". "Afinal, o que Capinan queria dizer com aquilo?", devem ter pensado intrigados os censores. Se tivessem substituído Gotham City por Brasil, teriam matado a charada. No Maracanãzinho, os policiais se entreolhavam vendo a gritaria de parte da plateia, que aderia ao *happening*.

Outras duas músicas de destaque nessa noite foram "Beijo sideral", dos irmãos Marcos e Paulo Sérgio Valle, e a esotérica "O mercador de serpentes", de Egberto Gismonti, num arranjo elaborado com orquestra e coral. Foi uma apresentação conturbada, com problemas sonoros seguidos de uma pane de mais de meia hora nos geradores de energia, a ponto de parte do público e até os convidados estrangeiros terem se retirado antes das últimas músicas.

* * *

Nesse fim de semana, as rusgas entre as duas entidades que produziam o FIC começaram a despontar. O diretor Augusto Marzagão, respondendo pela Secretaria de Turismo da Guanabara, criticava a participação de tantos conjuntos "amadores" cujas aparelhagens desequilibravam o som do Maracanãzinho, uma das responsabilidades da TV Globo. Esta tomava decisões contrárias às suas ordens. Começava uma guerrinha que iria vazar na imprensa durante a semana da fase internacional.

Mas o resultado da final nacional do IV FIC, no domingo, após o desfile das 20 selecionadas para um público que lotava o ginásio, não poderia ter sido mais pacificador, agradando em cheio a gregos e troianos. A vencedora ganhou na votação do júri por unanimidade, na eleição popular com 3.037 votos (no total de 9.838), na opinião favorável dos estrangeiros, do ressentido diretor do FIC Augusto Marzagão, dos dinâmicos diretores da Globo Boni e Walter Clark, e dos conformados concorrentes derrotados. Desculpem, nem todos. Dori Caymmi estava possesso achando que a maioria dos jurados não teve coragem de contrariar o voto popular.

Antes mesmo do resultado final ser conhecido, a valsa "Cantiga por Luciana" já caíra em definitivo no agrado da maioria. Com um arranjo de valsa lenta do acordeonista e maestro Orlando Silveira, fora defendida por Evinha, a simpática garota de 18 anos e voz melíflua, que começara pouco antes uma carreira própria ao se separar de seus irmãos Mário e Regina, com quem formava o Trio Esperança, de considerável sucesso na Jovem Guarda, especialmente com "Filme triste", "Meu bem Lollipop", "Festa do Bolinha" e "Gasparzinho". Com texto de apresentação de Simonal, Evinha havia gravado seu primeiro LP, *Evinha 2001*, quatro meses antes do Festival.

Quando o resultado foi proclamado, pouco depois da meia-noite e meia de domingo, foi uma choradeira generalizada. Evinha, vestindo um palazzo-pijama azul com um cinto dourado, seus três irmãos do grupo Golden Boys, os compositores e até o presidente do júri, Wilson Simonal, choraram emocionados. Na plateia, uma moça soluçava sem parar ao lado do colunista Carlinhos Oliveira. Era Vânia, irmã de Beth Carvalho, cuja filha recém-nascida fora a inspiradora da canção.

No início de maio daquele ano, Edmundo Souto, namorado de Beth Carvalho, telefonou a seu parceiro Paulinho Tapajós contando que tinha feito uma valsa em homenagem ao futuro filho de Vânia, grávida de quatro meses embora proibida por seu médico de ter filhos. Seria Ricardo, se fosse menino, ou Luciana, por causa da música de Vinicius e Tom de 1958, se fosse menina. Paulinho gravou a melodia por telefone, foi tomar banho e, no chuveiro, já tinha parte da letra pronta: "Luciana, Luciana/ sorriso de menina dos olhos do mar". Nesse dia houve uma reunião na casa de Beth, que festejava seu aniversário, e, na cozinha, Edmundo e Paulinho terminaram a música, deixando um papel com a letra escrita sob o prato de Vânia. Foi a primeira choradeira. Dias mais tarde, Paulinho e Edmundo mostravam a música a Renato Corrêa, enquanto sua irmã Evinha ouvia da cozinha e rapidamente a aprendeu, começando a cantá-la com perfeição. "A intérprete tinha que ser ela", pensaram, e a música foi inscrita e classificada enquanto Paulinho e Edmundo faziam uma longa turnê pela Grécia, Itália e França. No dia 30 de julho, Vânia deu à luz uma menina que Paulinho e Edmundo foram conhecer no aeroporto do Galeão quando Vânia foi receber o segundo, que voltava da Europa. Apresentou-lhes o bebê, Luciana.

No domingo da final nacional, Edmundo e Paulinho receberam os dois primeiros Galos de Prata com a família Corrêa em festa. A emoção foi geral, o nome Luciana virou hábito nos cartórios, inclusive quando nasceu a filha de Walter Clark e Ilka Soares.

* * *

Antônio Adolfo e Tibério Gaspar ficaram com o segundo lugar da fase nacional com "Juliana", enquanto Evinha, que também recebeu o prêmio de cantora revelação, prosseguiria na segunda parte do festival. Após a final, ela tinha ido à casa dos pais, em Copacabana, seguindo depois para o apartamento de Gutemberg Guarabira, onde festejou até 6 da manhã, mas às 11h30 de segunda-feira já estava de volta ao Hotel Glória, pois precisava se preparar para a fase internacional.

Na sexta-feira, os atritos na cúpula do FIC ficaram ainda mais evidentes. Marzagão desmentiu seu pedido de demissão da véspera mas, sentindo-se desmoralizado, manifestou seu aborrecimento. Os shows de Agostinho dos Santos e Rosemary, marcados para a eliminatória inter-

Beth Carvalho e os Golden Boys sobem ao palco do Maracanãzinho
para saudar Evinha (à direita), que levou "Cantiga por Luciana"
ao primeiro lugar da fase nacional do IV FIC.

O grupo A Brazuca, que levou "Juliana" ao segundo lugar nacional, era integrado
por Luizão Maia, Vitor Manga, Bimba, Antônio Adolfo, Julie e Luiz Cláudio.

nacional de quinta-feira, foram transferidos "por falta de tempo para os ensaios", segundo Boni, diretor da Globo. Marzagão queixava-se ainda da distribuição de convites, que favorecia a televisão e desprezava os artistas brasileiros, e da retirada de cadeiras destinadas à imprensa para atender convidados da ADEG. A guerrinha foi para os jornais.

Na final internacional do domingo seguinte, 5 de outubro, logicamente a plateia deveria torcer pela música brasileira, "Cantiga por Luciana", ovacionada quatro dias antes pelo público que agitava bandeiras do Brasil e lenços brancos. Não foi o que aconteceu. A simpatia e a performance do cantor inglês Malcolm Roberts cantando "Love Is All" havia conquistado os cariocas e agora o páreo era diferente. Quando foi anunciada a vitória de "Cantiga por Luciana", a segunda de uma canção brasileira na fase internacional do FIC, já que "Sabiá" fora a primeira um ano antes, o xodó por Evinha foi pro brejo. Malcolm Roberts era o dono da bola. Após Hilton Gomes ter anunciado "Em primeiro lugar, Brasil", a consagrada Evinha era agora vaiada estrepitosamente, sem entender por quê, ao lado de Paulinho e Edmundo. Incoerentemente, a maioria do público havia preferido "Cantiga por Luciana", que venceu na votação popular por 4.895 votos contra 3.959 dados à música inglesa. A canção foi vaiada até por quem havia votado nela.

Nessa noite, Wilson Simonal, também presidente do júri internacional, realizou outro show histórico. Antes do resultado ser anunciado, o cantor francês Antoine, que se promovia dizendo-se torcedor do Flamengo, cantou trechos de "Aquele abraço", mas o povo queria mesmo era Simonal. Com toda tranquilidade, levantou-se de seu lugar entre os jurados, com uma fita verde e amarela amarrada na testa, e, como quem diz "Deixa comigo", fez o maior show acontecido no Maracanãzinho. "No gogó!", comandava ele, e as 20 mil pessoas em peso cantavam afinadas, no ritmo balançado, em pianíssimo ou fortíssimo, delirando sob seu completo domínio, numa performance coletiva como dificilmente algum maestro conseguiria. "Meu limão/ meu limoeiro, meu pé, meu pé de jacarandá/ uma vez o-tindô lê-lê/ o-lê-lê/ outra vez o-tindô lá-lá" era a versão "pilantragem" que remodelou para sempre a velha canção dos anos 1930 aproveitada do folclore. Ao final, "Cidade maravilhosa" foi bisada. Quem estava no Maracanãzinho nunca mais esquecerá esse show — que ele iria apresentar na Europa com idêntico resultado, levando até alemães de Düsseldorf e Munique a cantarem com ele as músicas da pilantragem. Em português.

De todas as músicas internacionais, ganhadoras ou não dos sete FIC,

"Cantiga por Luciana", saudada na fase nacional, acabou sendo
vaiada ao vencer a fase internacional do IV FIC: os cariocas preferiam
a música "Love Is All", interpretada por Malcolm Roberts.

apenas "Love Is All" tornou-se relativamente conhecida. Ainda assim, o tenor inglês Malcolm Roberts foi uma paixão que pereceu tão rapidamente como nasceu.

Os prêmios do FIC foram entregues no Teatro Municipal em noite de gala no dia 6 de outubro. Os autores e a intérprete de "Cantiga por Luciana" levaram para casa dois Galos de Prata, dois Galos de Ouro, 30 mil cruzeiros novos pela parte nacional (aproximadamente US$ 8,5 mil) e mais 15.330 cruzeiros novos (aproximadamente US$ 4,2 mil) pela parte internacional. Nenhuma outra canção foi tão premiada na história dos FIC. A insubsistente contestação de um possível plágio de "Cinderela" de Adelino Moreira, gravada por Ângela Maria, não foi avante.

* * *

"Juliana" foi a música que impulsionou o grupo A Brazuca para um show na boate Sucata e, na sequência, seu primeiro LP, na Odeon, reforçado por um compacto bastante executado. Foi ainda cantada por Claudete Soares e tocada por Luís Eça em versão instrumental.

"Charles anjo 45" iniciou uma trajetória de sucesso logo após o Festival na versão em estúdio de Jorge Ben, sendo depois gravada por Caetano Veloso e, mais tarde, por Gal Costa, Sandra de Sá e Os Paralamas do Sucesso.

"Gotham City" foi revivida por dois grupos totalmente diferentes: os roqueiros do Camisa de Vênus nos anos 1980 e os vocalistas do Boca Livre no disco *Dançando pelas sombras*, em 1992, passando a ser uma das mais solicitadas nos seus shows. Macalé lançou seu primeiro LP em 1972, mas "Gotham City" não estava no repertório.

"Cantiga por Luciana" é a música com maior número de gravações do IV FIC. Após a de Evinha na Odeon, a mais conhecida, vieram discos com Regininha (sua irmã), Golden Boys (três irmãos e um amigo), os veteranos Carlos Galhardo e Francisco Petrônio, as versões instrumentais de Luís Eça, Dom Salvador, Lirio Panicalli e da orquestra alemã de James Last. Foi também gravada por dois estrangeiros presentes ao Festival no Rio, Henri Mancini e o próprio Malcolm Roberts. Paulinho Tapajós também gravou a canção num CD, com Fagner.

Entre os discos oficiais do Festival, foi lançado um álbum duplo do IV FIC produzido por Armando Pittigliani, contendo 18 faixas, ao vivo ou em estúdio, com artistas do elenco da gravadora, a Philips, e outros sem contrato. Ao mesmo tempo, foi lançado o LP da Odeon, *IV Festival Internacional da Canção*, com dez faixas, entre quais, as duas primeiras colocadas da fase nacional com seus intérpretes originais, Evinha e Antônio Adolfo e a Brazuca.

Por sua vez, Evinha virou Eva, continuou fazendo sucesso no Brasil e, anos depois, realizou um desejo que alimentava desde aquela época, viver no exterior. Após excursionar com o francês Paul Mauriat em 1977 pela França e China, casou-se com o pianista da orquestra Gerard Gambus e foi morar na França. Nos anos 1990 as três irmãs Eva, Marisa e Regina reconstituíram o Trio Esperança para shows e discos a capela, lançando na França o CD *A capela do Brasil*.

* * *

O IV FIC encerrava-se sem nenhuma música que tivesse dado trabalho à Censura. Praticamente, canções românticas ou dançantes. "Seis espetáculos, nenhum incidente, o mais tranquilo de todos os festivais", estampava *O Globo*. A eficiência da varredura nos bastidores, camarins, cadeiras de pista, arquibancadas, palco e local do júri, efetuada pelo esquema de segurança com dezenas de policiais da PM, agentes do DOPS e da Polícia Federal, estava comprovada.

Àquela altura, numa violação à Constituição, o país era governado temporariamente por uma junta de três ministros militares em substituição ao vice-presidente civil Pedro Aleixo, que deveria ter assumido automaticamente após o derrame de Costa e Silva.

O *grand finale* do sexto e último ato do FIC, duas eliminatórias e uma final em cada fase, poderia perfeitamente ser uma montagem de colher para a linha dura do governo militar. O pano de fundo do palco seria muito mal iluminado e, de qualquer ponto da plateia, não se veria claramente cenas de aplicação de torturas e até de execuções, frente à escalada da esquerda radical. O que se via num primeiro plano era profusamente iluminado por *spots* coloridos: o povo a retirar-se do Maracanãzinho cantarolando e assobiando "Love Is All", ainda embasbacado com o monumental show de Wilson Simonal, que deixara de queixo caído até os gringos *experts* na matéria. Aquela cena feliz, em ritmo de Brasil Grande, precisava ser exportada.

Em 28 de março de 1969, o Teatro Record é consumido pelas chamas, deixando na memória da cidade de São Paulo espetáculos musicais históricos e inesquecíveis, assistidos durante mais de dez anos.

12.
"SINAL FECHADO"
(V FESTIVAL DA TV RECORD, 1969)

Uma das marcas do dr. Paulo Machado de Carvalho era sua capacidade de liderança, superando vaidades que reconhecidamente proliferavam nas duas atividades onde exerceu seu comando — entre artistas de rádio ou televisão e jogadores de futebol. Sua fama de líder carismático chegou a exageros que beiram a fantasia, mas alguns fatos comprovam sua notável capacidade de juntar personalidades antagônicas num grupo unido e credenciado ao sucesso, mesmo em condições adversas.

O cataclismo futebolístico da Copa de 50 deixou uma cisma que perdurou durante anos na seleção brasileira: a de que os jogadores da raça negra não conseguiam suportar a carga de uma final, pipocando na decisão. Durante anos os dois jogadores mais execrados pela catástrofe frente aos uruguaios foram Bigode e Barbosa, dois negros. Esqueciam que o grande capitão da celeste olímpica também era um negro, Obdulio Varela, e que o maior jogador desse *scratch* brasileiro, considerado o maior do mundo na Copa, era outro negro, mestre Zizinho, eventualmente o mais inteligente jogador que o futebol brasileiro conheceu. Nada disso era lembrado e a Copa de 54 teria servido para confirmar tal fama através de outro extraordinário craque do passado, o grande Bauer.

Ao ser designado por João Havelange para chefe da delegação brasileira da Copa de 58 — num período em que os cariocas dominavam o futebol brasileiro, alimentados por uma rixa com os paulistas que, verdade seja dita, era insuflada pela crônica esportiva —, o paulista dr. Paulo tinha não apenas que superar esse problema que vinha de anos, como também descascar o grande abacaxi que imperava na seleção brasileira, a cisma de que os negros se mijavam de medo, especialmente nos jogos finais. Sua primeira providência foi formar uma comissão de jornalistas dos dois estados, para depois concentrar a seleção longe das duas capitais, no Hotel Araxá, em Minas Gerais.

No primeiro dia, dr. Paulo reuniu todos os jogadores para uma saudação e transmitiu a norma que desde aquele momento deveria ser seguida: no salão de refeições, os jogadores seriam separados em duas turmas, os brancos de um lado e os negros de outro. Foi um baque no grupo que apenas começava a ser formado. Os comentários foram os piores possíveis, disseram que o dr. Paulo era ditador, racista, o diabo. Nenhum jogador acreditava que o grande líder fosse capaz de tal discriminação, reascendendo uma questão que se tentava superar. Desanimados, foram para o salão, enquanto o chefe subiu para seu quarto. Quando desceu para o jantar, o ambiente era tenso e de grande expectativa, com negros de um lado e brancos de outro. Dr. Paulo entrou resoluto e foi direto sentar-se junto com os negros. Foi uma surpresa que descarregou por completo a tensão que acabara de se formar, os jogadores ficaram estupefactos, os brancos foram os primeiros a aplaudir, e o dr. Paulo acabava de conquistar, com um só gesto, amizades para toda a vida, estimulando a vontade e o empenho de que precisariam para chegar à vitória na Copa. Na conquista, basta lembrar, o grande líder foi Didi, a maior revelação, Pelé, a grande sensação, Garrincha, e o maior lateral do mundo, Djalma Santos, atuando somente no jogo final — todos negros, que jantaram com Paulo Machado de Carvalho naquela noite.

Da mesma maneira que tinha soluções brilhantes, de cunho estritamente popular, para os desafios no futebol, dr. Paulo também era fascinado pela superstição. Usou um terno marrom em todos os jogos dessa Copa, que repetiu na de 1962, quando também voltou com a taça. Transmitiu aos três filhos sua ligação com a mística e o culto da sorte através dos números. As placas de todos os automóveis da família Carvalho terminavam em sete, a Rádio Panamericana, futura Jovem Pan, tinha o prefixo de PRH 7, a TV Record era canal 7. Se não fosse sete, tinha que ser nove ou treze. A Rádio Record era PRB 9, a TV Rio era canal 13, o endereço das Emissoras Unidas era avenida Miruna, número 713, o dia 7 de cada mês foi escolhido para o célebre *Show do Dia 7*. Enfim, o culto cabalístico estava sempre presente nas atividades e na criatividade que dr. Paulo tanto incentivou.

Da mesma maneira que não há mal que não se acabe, inversamente, não há bem que sempre dure. O ano de 1969 não foi nada feliz para os Machado de Carvalho. Em janeiro, o edifício da avenida Paulista, onde se localizava a torre de transmissão do canal 7, pegou fogo. Em 28 de março, um incêndio se alastrou a partir do camarim de Roberto Carlos, e o Teatro Record Consolação foi destruído. Às 17h45 de domingo, 13 de julho, ou seja, dia 13 do mês 7, surgiram chamas nos fundos do Teatro Record Centro, que ficou quase inteiramente arruinado, sobrando a fachada e algumas paredes externas. A história da música brasileira perdeu em menos de seis meses os palcos de algumas de suas maiores conquistas.

Foi o ano da epidemia de incêndios na TV Record, que ninguém acreditava terem sido acidentais, mormente pelo fato de que no mesmo 13 de julho, menos de três horas depois do fogo no ex-Paramount, os estúdios da TV Globo na rua das Palmeiras também foram destruídos por um incêndio. Nunca foram devidamente esclarecidos, embora os proprietários acreditassem que tenham sido atos terroristas. Há uma concordância tácita que a inacreditável sequência de incêndios nas diversas dependências da TV Record abateu de tal forma o ânimo dos Machado de Carvalho que daí em diante eles começaram a perder o entusiasmo pela tônica que os tornou famosos, rádio e televisão. A Record entrou em parafuso.

Com a moral no fundo do poço, sem a maioria dos astros que vinham brilhando desde 1965 e, compreensivelmente, até desorientada, a direção da emissora acreditava que programas polêmicos eram uma nova tendência na televisão, podendo ser a chave do sucesso para tentar salvar a audiência e a receita dos comerciais, que caía a olhos vistos. Os anunciantes ficavam exauridos porque, com um pequeno acréscimo ao que lhes era cobrado pela Record para cobrir apenas a praça de São Paulo, poderiam alcançar o Brasil todo anunciando na TV Globo.

Em decorrência da repressão, legalizada pelo AI-5, a vontade de polemizar poderia estar recalcada, e as pessoas mais dispostas a discutir e até brigar. Partindo desse raciocínio, o produtor Carlos Manga imaginou um programa baseado num tribunal onde o convidado era colocado na situação de réu, acusado, questionado, defendido e julgado. Era preciso incluir na equipe de participantes fixos — acusadores, defensores e jurados — elementos dispostos a assumir o tipo canalha, utilizando sem o menor pudor argumentos, provocações e artimanhas de quaisquer procedência, para descontrolar o convidado e escandalizar o espectador. Outro grupo de componentes do programa, variável semanalmente, faria o contraponto com tiradas engraçadas que aliviariam a tensão. Assim se misturavam vilões como Sílvio Luiz e Clécio Ribeiro com as adoráveis figuras de Aracy de Almeida e Adoniran Barbosa.

O convidado em julgamento no *Quem tem medo da verdade?*, título do programa, era em geral um astro do elenco da Record. A armação de péssimo gosto e altos cachês, um *Big Brother* da época, atingiu índices tão elevados de audiência, aquilo que a Record mais precisava, que a premiada Equipe A complacentemente deu um jeito de encaixar esse mundo cão no V Festival, programado para novembro. De que maneira?, perguntará o leitor sem entender como um festival possa ser de tal forma afrontado. Misturando alhos com bugalhos. A malsinada ideia de envolver a competição de canções com debates desse naipe foi levada a sério, em nada contribuindo para um festival onde seriedade é fundamental.

* * *

O V Festival da Música Popular Brasileira foi realizado no Teatro Record Augusta, o antigo cine Regência, arrendado pela emissora e apresentado por Paulinho Machado de Carvalho como a "casa de espetáculos de categoria, com ingressos pagos, para um público popular mas de qualidade".

Em maio Solano Ribeiro se desligara da TV Record, pondo fim ao vínculo do qual resultaram quatro eventos bem-sucedidos na Era dos Festivais. Solano resolveu ir para a Alemanha, e a Record decidira mudar o rumo de sua programação, desistindo dos musicais, que já tinham dado flor. O assistente do IV Festival, Marco Antônio Rizzo, assumiu sua posição.

No desfigurado V Festival, as canções seriam avaliadas por um júri oficial mas, logo depois de apresentadas, deveriam ser submetidas a um tribunal formado por dois grupos de debatedores adversários que, esperava-se, deveriam se comportar entre o engraçadinho e o histriônico. A ordem era polemizar. Após a execução de uma música, o "promotor" faria acusações contra a letra e a melodia. Um "advogado de defesa" rebateria. Aí, cada membro do grupo de jurados daria sua opinião. Teoricamente nada disso deveria influir no julgamento do júri oficial, este sim nos moldes dos festivais anteriores, só que com direito a comentários ao vivo.

O cenário expressionista de Ciro Del Nero era do estilo medieval, remetendo propositadamente à cena da condenação de Joana D'Arc. Os pobres dos intérpretes estariam num plano inferior ao do tribunal, para se sentirem esmagados pela acusação e jurados.

Não contente, a direção do Festival, pela qual respondiam Rizzo e a Equipe A, determinou ainda que seriam proibidas as guitarras, numa atitude de censura que se casava de véu e grinalda com o próprio governo militar. Com tais medidas, inacreditavelmente estapafúrdias, esperava-se transformar o V Festival da Record em quatro grandes programas de televisão.

* * *

Zuza Homem de Mello

Para o *Jornal Jovem Pan*, um quarto de página dentro do *Jornal da Tarde* dedicado às notícias da emissora dirigida por Tuta, as entradas para a primeira noite do Festival estavam todas vendidas e 70 jornalistas estariam em lugares reservados. Nilton Travesso iria produzir as três eliminatórias e a final. Como uma das 42 músicas classificadas não tinha sido liberada pela Censura, foi feita uma substituição: entrou "Nas areias da Lua" (Onizete Marizinho e Saulo Farias) em lugar de "Clarice" (Eneida e João Magalhães).

Logo no início da primeira eliminatória, às 22h20 de sábado, 15 de novembro, Blota Jr., com sua verve admirável, discorreu longamente sobre a proibição das guitarras em virtude das manifestações acaloradas pró e contra a medida. Como não havia muita gente mesmo, a justificativa se evaporou. O público não lotava nem os 400 lugares disponíveis e o balcão estava quase vazio. Em compensação, o palco estava abarrotado com três amontoados de jurados e debatedores. Havia o júri constituído pelos maestros Gabriel Migliori, Hervê Cordovil e Severino Filho (líder de Os Cariocas), os radialistas Fausto Canova e Moraes Sarmento, o poeta Paulo Bonfim e as cantoras Maysa e Aracy de Almeida. Noutra ala, um dos grupos de debate, formado por jovens supostamente agressivos, próguitarra por certo, que se apresentaram voluntariamente ante a recusa dos que tinham sido sorteados na plateia. Trocando em miúdos, desconhecidos emitindo opiniões imprevisíveis que nivelavam por baixo as eventuais considerações dos entendidos. Dá para acreditar? O segundo grupo de debates, supostamente dos ponderados, era formado nessa noite por Agostinho dos Santos, João de Barro, os jornalistas Liba Friedman e Arley Pereira, e o radialista da casa Randal Juliano.

Após a apresentação de cada música, entravam em ação os debatedores, para depois os jurados se pronunciarem. Saiam pérolas e pedradas em profusão nesse programa em que artistas experientes e consagrados como Luiz Vieira, Miltinho, Paulinho Nogueira e Elza Soares, ou com promissora carreira como Paulinho da Viola, Maria Creusa e Elton Medeiros, se viam remetidos ao estágio de calouros diante de considerações que, em alguns casos, poderiam provocar gargalhadas ou demonstrar sobeja ignorância musical. Os achados não foram poucos. Aracy de Almeida, de longe a mais espirituosa, considerou a candidata "Hoje é domingo" (Haroldo Barbosa e Raul Mascarenhas) "uma verdadeira bagulhada. Estamos conversados". Quando Paulinho da Viola terminou "Sinal fechado", um dos representantes do grupo jovem rotulou-a "de verdadeira música de ninar defuntos". Maysa, uma das que dizia coisa com coisa, avaliou "música e letra de uma dignidade que estava faltando nesse Festival".

O som era um problema que interferia no espetáculo. Randal Juliano, do grupo ponderado, mandou um espectador calar a boca, reclamou do som e justificou não estar dando opinião sobre as músicas porque não conseguia ouvi-las. Discretamente, alguém da direção lhe ordenou: "Randal, ou você volta atrás e diz que era mentira que não estava ouvindo as música, ou sai daí imediatamente". Protestando, Randal saiu do palco.

O problema de som também se estendia aos intérpretes. Como a orquestra ficou jogada num canto do palco, escondida do público, os cantores ou não conseguiam ouvi-la (caso de Elza Soares), ou atravessavam o ritmo porque o som chegava atrasado (caso de Djalma Pires).

Com algumas exceções — uma delas era "Bola branca", de Paulinho Nogueira, cantada por Cláudia e que iria se tornar conhecida como "O jogo é hoje" —, a monotonia da maioria das candidatas foi a tônica dessa noite que em nada se parecia com as dos festivais anteriores da Record. Outras três exceções foram classificadas "Gostei de ver" (Eduardo Gudin e Marco A. Silva Ramos) com Márcia e os Originais do Samba, "Comunicação" (Edson Alencar e Helio Matheus) com Vanusa, e "Sinal fechado" (Paulinho da Viola) com o autor. Completavam o grupo "Catendê" (Jocafi, Onjas e I. Tavares) com Os Caçulas e "Hei, Mister!" (Ary Toledo e Chico de Assis) com Ary Toledo, a única que teve faixas e torcida. Na reapresentação das classificadas, metade do público já tinha se mandado para suas casas.

A não ser pelas quatro exceções, as músicas foram consideradas sem criatividade, a plateia se mostrou indiferente e desanimada, e o pior de tudo é que o objetivo da polêmica, no qual a produção punha tanta fé, não foi alcançado, ficando mais na área da fofoca que do debate. Salvaram-se os que entendiam, não tinham *parti pris* e sabiam se expressar, como Fausto Canova.

O esquema montado não agradou nada a cantores e compositores e alongou inutilmente o programa, que só terminou por volta de duas da manhã. Nilo Scalzo escreveu em *O Estado de S. Paulo* que essa eliminatória transformou o festival de música em "mais um espetáculo de televisão, com o tempero da vulgaridade, como ingrediente obrigatório para garantir audiência e pontos do Ibope". Talvez nem isso.

* * *

Grupo de debates criado para o V Festival da Record, em 1969, integrado por Randal Juliano, Agostinho dos Santos, Joel de Almeida e os jornalistas Liba Friedman e Arley Pereira. De pé, Braguinha.

"Alô, Helô" sendo defendida por Edgard Gianullo e Os Tais, tendo à direita o autor da música, Nonato Buzar. Ao fundo, o grupo de debates do festival, entre eles, Aracy de Almeida (à esquerda), Hervê Cordovil, Gabriel Migliori, Fausto Canova, Severino Filho e Kalil Filho (no grupo à direita).

"Responda: você já viu festival pior do que este?" era o título estampado no *Jornal da Tarde* de 22 de novembro. A matéria concluía: "o que ele realmente merece é que a música de Paulinho da Viola não se classifique entre as primeiras, porque é boa demais". Os concorrentes também não estavam gostando: "Estão matando tudo, antes era um festival de músicas. Agora virou um festival de polêmicas, as estrelas são o grupo de debates e o júri. O cantor e a música são complementos", declarou Tom Zé no ensaio para a segunda eliminatória.

A produção deslocou a posição da orquestra mas o formato seria o mesmo, variando apenas alguns dos debatedores. Não adiantou muito. Maria Odete, com um decote pronunciado em seu vestido vermelho e verde, reclamou que não ouvia a orquestra ao cantar "Monjolo" (Dino Galvão Bueno e Eric Nepomuceno). Antes dela, "Infinito" (Reginaldo Bessa), foi muito aplaudida pela numerosa torcida feminina que saudava com faixas e cartazes o cantor Agnaldo Rayol, pouco importando o que cantava.

Após a apresentação de "Bola pra frente" com Tom Zé, o "acusador" Sílvio Luiz, marido da cantora Márcia, pediu a palavra: "Em vim aqui mais para me redimir das acusações que fiz contra Tom Zé no programa *Quem tem medo da verdade?*. Mas infelizmente tenho que confirmar o que disse naquele programa. Tom Zé é mesmo uma besta quadrada". Sem comentários.

Depois do baiano, entrou Moacyr Franco para defender "Vem enquanto é tempo", dele e Fernando Lona. Apareceu com uma guitarra, ganhou aplausos da turma pró, e, no meio da música, surpreendeu a todos batendo no instrumento com um pedaço de madeira, para obter aprovação da turma contra. Após aquela cena de pastelão, enquanto os jurados davam seus recados, os autores desinteressados liam revistas e conversavam com o auditório. A análise de Maysa definiu o que pensavam: "A música é péssima. E quem nasceu para ser Moacyr, nunca chega a ser Rogério Duprat". A décima terceira concorrente foi "Moleque" com Luiz Gonzaga Jr., que parou no meio e recomeçou, o que não prejudicou sua apresentação. Foi uma das classificadas, além de "Tu vais voltar" (Ribamar e Romeu Nunes) com Antônio Marcos, "Alô, Helô" (Nonato Buzar) com Edgard e Os Tais, "Infinito" e "Monjolo". Ainda faltava uma etapa.

* * *

Aos trancos e barrancos, o V Festival teve sequência no sábado seguinte, dia 29 de novembro, com a participação de vários cantores conhecidos: Marlene, Moreira da Silva, Sílvio César, Noite Ilustrada, Isaura Garcia, Clara Nunes e Agnaldo Rayol que, para variar, tinha a maior torcida. À porta do teatro, estacionaram os ônibus, certamente fretados, dos associados do Fã Club Agnaldo Rayol, que ingressaram no teatro, provavelmente sem pagar, com o objetivo de mais uma vez saudar seu ídolo. Com o Trio Mocotó ele defenderia a música mais encrencada com a Censura, "Clarice", de Eneida e João Magalhães, afinal liberada, e que foi a última candidata da noite, para alívio de quem estava presente e dos telespectadores do canal 7.

Ninguém gostou de ter participado dessa eliminatória. Nem Tom Zé, que foi classificado, nem Marlene, que ficou nervosa e não conseguiu a classificação, nem Isaura Garcia, que conseguiu. O comentário da maioria dos competidores era curto e grosso: a falência dos festivais.

Foram classificados "Sou filho de rei" (João Mello e Fernando Lobo) com Clara Nunes, "Primavera" (Lupicínio Rodrigues e Hamilton Chaves) com Isaurinha, "Casa azul" (Roberta Faro) com a própria, "Jeitinho dela" (Tom Zé) com ele e os Novos Baianos e "Clarice" com Agnaldo.

* * *

"Aqui não pode sentar, está reservado", diziam os guardas e dois homens de camisa vermelha aos que tentavam ocupar as três primeiras filas do Teatro Record Augusta antes da final no dia 6 de dezembro. Eram os lugares para as fãs de Agnaldo Rayol, a torcida mais bem fornida de todas, com retratos, faixas e cartazes de seu ídolo.

Pelos aplausos, o primeiro concorrente da noite, "Gostei de ver", de Eduardo Gudin e Marco Antônio Ramos, com Márcia e os Originais do Samba, deveria ser o grande favorito do público. De violonista com diversas aparições nos programas musicais da Record, Gudin, que havia estreado em festival no ano anterior, despontava agora como compositor de samba e, anos mais tarde, seria o único paulista com uma obra equiparável aos clássicos Adoniran Barbosa e Paulo Vanzolini. Em seguida, a loiríssima Vanusa defendendo "Comunicação" com grande parte dos mais jovens a seu favor, antecedeu "Sinal fechado", que contava com a preferência dos entendidos e dos músicos. Eram as três melhores canções da final. Daí em diante, uma ou outra animava o auditório, mas sobraram vaias para todo mundo, inclusive Agnaldo, recebido com confetes e serpentinas pela sua tropa. Foi o último concorrente da final. A idolatria que gozava era tamanha que ao ser anunciado o nome do melhor intérprete, Antônio Marcos, as "agnaldetes" partiram para a ignorância contra os torcedores rivais, rapazes na maioria.

Moacyr Franco interpreta "Vem enquanto é tempo" no festival, batendo numa guitarra para conquistar a simpatia dos que eram contra o instrumento.

Tom Zé convocou para defender com ele "Jeitinho dela" o grupo que então se lançava em São Paulo: os Novos Baianos, com Baby Consuelo, Paulinho Boca de Cantor e Moraes Moreira. Ao fundo, Aracy de Almeida e Fausto Canova, do grupo de debates do festival.

Antes de apresentar as primeiras classificadas, Blota Jr. e Sônia Ribeiro estavam carecas de saber que daí para a frente as vaias iam engrossar. Não deu outra. Depois da fria recepção para a quinta classificada, "Monjolo", composição e interpretação num estilo considerado superado em termos de festival, o público reprovou em peso a decisão de atribuir apenas a quarta colocação a "Gostei de ver" com uma vaia consistente e clamores de "Primeiro! Primeiro!" dirigidos aos jurados, a ponto de Márcia mal conseguir ouvir os Originais do Samba. A plateia exigiu um bis, foi atendida, e continuou gritando "Marmelada!" durante a apresentação das demais.

Com concorrentes e penetras por todos os cantos, mal deixando espaço para os intérpretes, o palco era sede da mais completa anarquia. Mais parecendo um bando de papagaios de pirata na tela do canal 7, cada um entrava e saia quando bem entendesse, gesticulava com o público a seu bel-prazer, compondo as imagens finais do que tinha sido o Festival. Pulando de contentamento pelo terceiro lugar dado a "Comunicação", Vanusa, de vestido longo, mal conseguia se ouvir, tapando os ouvidos para não desafinar. Quando a segunda colocada foi anunciada, Agnaldo Rayol, de paletó sem camisa e uma corrente metálica pendente no peito, soltou a voz em "Clarice", acompanhado pela orquestra e pela autora Eneida, que milagrosamente conseguiu um espaço para tocar seu violão. Abrindo caminho para chegar ao microfone, Blota Jr. anunciou o troféu SICAM para a melhor letra, "Moleque" de Gonzaguinha, e o prêmio de melhor arranjo para a música também vencedora do Festival, "Sinal fechado". Segundo se comentava nos bastidores, foi a maior justiça feita em festivais de música no Brasil. De camisa esporte de mangas curtas, Paulinho se abria num vasto sorriso sob os aplausos dos que lotavam o palco, posicionando-se ao violão para cantar sua música, a mais difícil de ser ouvida no meio daquela balbúrdia generalizada. Vanusa, Nonato Buzar, cantores, músicos e até funcionários da TV Record, demonstrando o reconhecimento pela sua vitória, vieram até a boca de cena para pedir silêncio, no que conseguiram ser atendidos em parte, para que o eufórico compositor cantasse "Sinal fechado".

Paulinho da Viola foi acompanhado pela orquestra no arranjo que o maestro Gaya escreveu para a seção de cordas baseado na parte de violão escrita pelo autor. A composição não tinha um ritmo definido, iniciava-se com um leve toque de chorinho, mas súbito, após uma pausa, o ritmo se perdia, quase um *ad libitum*, criando uma sensação de gênero musical indefinível. "Sinal fechado" foi a composição mais estranha en-

Agnaldo Rayol foi o maior ídolo do V Festival da Record, onde defendeu "Infinito" e "Clarice". Ao fundo, Maysa, integrante do júri.

Paulinho da Viola, espremido no palco, canta "Sinal fechado" após ser anunciado como vencedor do festival, em 6/12/1969.

tre todas as vencedoras da Era dos Festivais. Estranha e atraentemente hipnotizadora, um canto de sereia como uma conhecida canção americana do repertório de Nat King Cole "Nature Boy". Era tão deslocada na obra de Paulinho, com suas mudanças rítmicas, seus intencionais acordes arpejados de nona e o evasivo diálogo de sua letra, que, anos depois, quando Chico Buarque gravou-a, muitos pensaram que fosse sua.

Antes de compor a música, Paulinho, como a maioria dos artistas brasileiros, passava pela sensação de isolamento diante da partida de colegas para fora do país, sentia o clima pesado das pessoas se falarem sem nada dizer. Havia até um amigo seu que dizia sempre "Temos que conversar assuntos importantes", e apesar de se cruzarem com frequência, nunca conversavam.

Durante anos de sua vida, Paulo César Batista de Faria, filho do emérito violonista do conjunto de choro Época de Ouro, César Faria, tomava um ônibus para ir ao centro da cidade ou ao cursinho preparatório para o Colégio Pedro II, passando defronte ao monumento dos pracinhas, na praia do Flamengo, que, da janela, observava com prazer. Em 1969, acredita ter tido um sonho cujas imagens ficariam gravadas fortemente em seu subconsciente, retornando mais de uma vez, como um delírio. No sonho, Paulinho embarcava num ônibus nesse local e via alguém lá na frente com quem desejava falar. Como o ônibus estava muito cheio, tinha que se comunicar por sinais, que eram correspondidos. O veículo parava exatamente no mesmo ponto, como se tivesse se movimentado e, ao mesmo tempo, permanecido no mesmo lugar. A pessoa saltava, enquanto ele, ainda de dentro, tentava inutilmente continuar a comunicação. Constantemente repetido, esse desvario foi a inspiração da música, evoluindo para a cena de duas pessoas que se avistam em dois carros parados no sinal, tentam se falar rapidamente enquanto o sinal ainda está vermelho, pouco conseguem, e o sinal fica verde.

Na letra de "Sinal fechado" ("Olá como vai?/ Eu vou indo, e você, tudo bem?"), a dificuldade do diálogo ("pois é, quanto tempo/ [...] me perdoe a pressa"), o isolamento na cidade ("precisamos nos ver por aí/ Pra semana, prometo, talvez"), a necessidade de fuga ("por favor telefone, eu preciso beber alguma coisa..."), e o final sem fim ("adeus... adeus..."), refletem a mordaça da comunicação. Para a historiadora Ângela de Castro Gomes, é a melhor das músicas de festival com conotação política, elaborada em pleno regime militar. Paulinho, que jamais pretendeu fazer uma música retratando esse período, fez questão de dar esse caráter pesado ao lirismo da composição através do arranjo e de sua interpretação fria. Foi cobrado para fazer outras no mesmo estilo e anos depois fez o samba "Roendo as unhas", com apenas quatro acordes e tão incomum que não tem uma resolução tonal muito definida.

Mal terminou de cantar "Sinal fechado", Paulinho foi levantado nos ombros por Agnaldo Rayol, no meio da confusão que tomava conta da final de mais um festival da TV Record. A cortina se fechou com o público gritando e os ganhadores sendo cumprimentados por concorrentes, músicos e até jurados. Paulinho chorava abraçado à esposa, sem condições de transmitir aos repórteres o grau de emoção que vivia.

Com essa vitória realizou um *cross over* de sambista para astro de primeira grandeza sem perder um pingo de sua dignidade, a mesma dos maiores bambas da música brasileira. Seus prêmios foram 10 mil cruzeiros novos e o troféu de primeiro lugar. Nessa noite, seu sobrenome artístico poderia ganhar um aposto que sua modéstia jamais permitiria: Paulinho da Viola de Ouro.

Os prêmios foram entregues no sábado seguinte à final, mas, antes disso, na segunda-feira, a TV Record expediu um comunicado informando que o quarto lugar era para "Tu vais voltar", derrubando "Gostei de ver" para quinto, e "Monjolo" para sexto. Foi a última rata do V Festival da Record.

* * *

Na mesma proporção em que o noticiário da imprensa — que nos festivais anteriores ocupava muitas vezes uma página inteira com análises, previsões, letras e críticas posteriores — foi consideravelmente limitado, os discos com as 36 finalistas em três volumes lançados com estardalhaço pela Philips, foram reduzidos a um LP da RGE com 11 músicas gravadas ao vivo, nem todas finalistas, em uma capa negra inexpressiva. Não incluía nenhuma das três primeiras colocadas, nem mesmo em interpretações diferentes. Paulinho da Viola gravou "Sinal fechado" em compacto da Odeon, Agnaldo Rayol gravou "Clarice", tendo "Infinito" no lado B, em compacto da Copacabana e Vanusa fez sucesso com o compacto duplo da RCA que tinha "Comunicação", também gravada por Elis Regina no seu LP da Philips *...Em pleno verão*, de 1970. Oito anos depois Elis incluiu "Sinal fechado" no show e disco *Transversal do tempo*.

Malgrado tenham demonstrado uma louvável sensibilidade, aliada à independência de opinião, conferindo o primeiro lugar a uma criação tão original quanto misteriosa, os senhores jurados deixaram escapar uma oportunidade que poderia pelo menos redimir aquele que seria o último festival da TV Record. A redenção poderia ter-se dado desde a primeira eliminatória, onde a quarta concorrente era interpretada por um espalhafatoso bando de três cabeludos, trajando capas psicodélicas, e uma garota espevitada com um espelho na testa. A música que defenderam, e que não se classificou, era "De Vera" (Antônio Carlos Moraes Pires e Luiz Galvão) e o grupo, os Novos Baianos, formado por Moraes Moreira (o autor, Antônio Carlos M. Pires), Paulinho Boca de Cantor, Luiz Galvão e a garota Baby Consuelo. Iriam botar pra quebrar logo em seu disco de estreia, *Ferro na boneca*, no qual "De Vera" seria o primeiro sucesso, projetando o grupo nacionalmente. Os Novos Baianos tinham sido contratados por João Araújo da RGE, eram empresariados por Marcos Lázaro e habitavam o Hotel Paramount na Boca do Lixo. Antes do Festival eram reconhecidos na cidade, a ponto de serem cumprimentados até por policiais que superavam a resistência natural a seu aspecto espantador, porque tinham abafado no programa *Quem tem medo da verdade?* como advogados de defesa de Tom Zé — onde argumentaram com músicas improvisadas em versos como este: "As feras do Manga (Carlos Manga)/ são bem domadas/ com purê e cachê/ mas quando chegam em casa/ mandam brasa no iê-iê-iê". A suave e ingênua "De Vera" ("Falando de Vera/ e da primavera"), no lote das primeiras composições de Moraes e Galvão, era um samba chegado ao rock com muito suingue e foi ovacionada durante a apresentação naquela primeira eliminatória. Os Novos Baianos, que também fizeram coro para Tom Zé em "Jeitinho dela", se consagraram na década de 1970 como das mais consequentes propostas na música brasileira.

* * *

Como programa de televisão, esse Festival não foi nada para Paulinho Machado de Carvalho. "O balão dos festivais na televisão já estava murcho desde 1968 e a Record já pressentia que esse modelo de programa estava em declínio", completou. Não foram só os incêndios. Para Blota Jr., tudo aquilo que a Record fez ficou prejudicado por uma série de acontecimentos, entre os quais os incêndios. Neles, o canal 7 perdeu praticamente todo o seu equipamento por duas vezes seguidas. Se a programação que foi obrigada a produzir — após o primeiro incêndio nos estúdios — criou o inédito cenário que nenhuma outra emissora tinha, os rostos e a vibração espontânea da plateia participativa do Teatro Record, os incêndios subsequentes dos dois teatros destruíram precisamente esse cenário fundamental, responsável pelo vínculo que se formou com o público.

Além disso, a relação que a Record tinha com os artistas era a de uma família. Muitos dos grandes nomes da música brasileira ingressaram como semiamadores na Record, vivendo a fase romântica em que se fez a história do período mais brilhante da música popular brasileira na segunda metade do século XX. Havia um grau de profissionalismo bem remunerado, mas a relação tinha o caráter da amizade. Essa relação nasceu, cresceu e acabou na fase áurea da Record.

A aura que se mantém nos festivais da Record tem uma razão de ser: eles foram realizados numa emissora musical como consequência do que já vinha acontecendo, fizeram parte de um contexto onde havia um grande programa musical por dia, nos sete dias da semana. O espectador do canal 7 era uma pessoa encantada com a música, uma pessoa que tinha prazer em ouvir música, que se interessava por música, que discutia e participava do que acontecia na música. Esse era precisamente o público dos festivais.

Foi uma lástima que o quinto e último Festival da Record tenha sido tão melancólico. Em compensação, com apenas dois dos festivais anteriores, os de 1966 e 1967, a TV Record é mais lembrada na Era dos Festivais que qualquer outra emissora de televisão brasileira.

13.
"BR-3"
(V FIC/TV GLOBO, 1970)

Sob a presidência do general Emílio Garrastazu Médici, amigo íntimo e sucessor de Costa e Silva, após os pouco menos de três meses em que o país esteve sob o comando da junta provisória formada pelos três ministros militares, alcunhados maldosamente de "os três patetas", o terrorismo urbano sofreu perdas consideráveis. Foi "um dos períodos mais repressivos, se não o mais repressivo da história brasileira", afirma o historiador Boris Fausto. Segundo o jornalista Elio Gaspari, no final de junho de 1970, estavam desestruturadas todas as organizações que algum dia chegaram a ter mais de cem militantes. Restava apenas um líder de destaque, o capitão Lamarca, que se embrenhara no interior da Bahia e cedo ou tarde seria capturado. Questão de tempo.

Durante o governo Médici, a partir de 1970, o Brasil viveu um clima de expansão. Para alguns simpatizantes, era indício de que ocorria um milagre. A massa da população tinha a nítida sensação de prosperidade, para a qual a conquista da Copa do Mundo de Futebol ajudou em muito, como reafirmação da grandeza e confiança no país. "Todos juntos, vamos/ pra frente Brasil, Brasil/ salve a seleção..." diziam os versos de Miguel Gustavo comemorando as vitórias da seleção canarinho no México, cantados por um coro de 90 milhões de pessoas.

O "Milagre brasileiro" era exaltado em números contundentes, do crescimento do PIB médio e da redução da taxa de inflação; em realizações reconhecidas, como a rodovia Transamazônica anunciada em junho daquele ano; em adesivos nacionalistas nos vidros dos automóveis — "Ninguém segura este país" ou "Brasil, ame-o ou deixe-o". Na economia, tinha-se a impressão da adição de uma dose de fermento no bolo que crescia pelo acúmulo de capitais, quando na verdade acontecia uma concentração de renda favorecendo determinados setores exceto o dos trabalhadores de baixa qualificação.

A TV Globo, que vinha expandindo sua rede desde 1968, atingia predomínio maciço através de uma máquina bem azeitada, de uma imagem e programação uniformes — depois conhecidas como Padrão Globo de Qualidade, idealizado por Boni — difundidas por todas as afiliadas. Beneficiou-se ainda com o crescimento do número de aparelhos de televisão domésticos, alcançando 40% das residências urbanas em consequência das facilidades de crédito pessoal. Em 1970 a Globo já tinha adquirido os 49% de seus associados norte-americanos, o Grupo Time Life, mas não conseguiria se livrar de uma pecha para o resto de sua existência: de docilidade para com o regime militar. "Docilidade é eufemismo", contestarão uns e outros, os que sabiam das coisas.

O crescimento da rede se refletiu nos antecedentes do V FIC. Prometendo uma transmissão a cores para toda a Europa e um documentário de 60 minutos feito pela Rádio Televisão Francesa com equipamento da EMI inglesa, o diretor da TV Globo Walter Clark se afinava perfeitamente com a euforia que se apossou do Brasil no ano de 1970.

Por sua vez, o diretor geral do FIC, Augusto Marzagão, eleito presidente da Federação Internacional dos Organizadores de Festivais, enfrentava um clima de desconfiança com relação à realização do festival. O Maracanãzinho tinha sofrido um incêndio em março, as obras de reconstrução estavam atrasadas e, para assegurar o festival e rebater dúvidas, a primeira providência foi adiá-lo. Depois de 45 dias na Europa e Estados Unidos fazendo contatos, Marzagão, ligeiramente mais gordo, sem o bigode e com gravatas espalhafatosas, regressou confirmando que o FIC seria em outubro. Prometeu a presença de Andy Williams, Percy Faith, Jane Powell, dos portugueses Carlos do Carmo e Amália Rodrigues como convidados e afirmou que seria seu último ano de festival.

Gradualmente o festival se transformava numa grande janela escancarada para mostrar a felicidade do povo brasileiro. As odiosas vaias de cunho político eram coisa do passado. Driblando no futebol e sambando no carnaval, o povo agora torcia livremente por canções. Tão livremente que no FIC anterior aplaudira uma canção inglesa mais que a brasileira. Sem que ninguém molestasse ninguém. A liberdade manifesta na assistência do Maracanãzinho era um símbolo vivo, talvez até mais valioso e eficaz que as ações da AERP (Assessoria Especial de Relações Públicas) promovidas no governo anterior. Claro, liberdade desde que não ofendesse a família brasileira.

A TV Globo tinha plena consciência do significado do FIC para o governo, ao mostrar no exterior a imagem do povo brasileiro cantando e espantando seus males. Tanto que, mesmo reconhecendo o prejuízo anual desde 1967, quando investira 140 mil cruzeiros contra 240 mil da Secretaria de Turismo, continuava investindo, passando agora a arcar com 3/4 partes dos custos contra 1/4 da Secretaria, para quem também as despesas se justificavam. Afinal de contas, as dezenas de artistas estrangeiros e jornalistas convidados deixavam a "fortuna" de cerca de dez mil dólares no Rio em roupas, instrumentos musicais e *souvenirs* adquiridos. "Isso é receita para o país!", reconheciam.

Ao mesmo tempo, a responsabilidade da maior parte do orçamento a cargo da Globo era um dos fatores que diminuía o poder de Marzagão. Após quatro anos seu contrato estava para expirar e, segundo se comentava em conversas de bastidores, não havia intenção de renová-lo. Antes que isso chegasse aos *potins*, Marzagão pulou na frente. "Este será o último Festival da Canção que eu promovo", declarou o homem do FIC em 3 de outubro ao jornal *O Globo*.

Nessa altura já se tinha finalizado a triagem das concorrentes classificadas. Como no ano anterior, São Paulo teria direito a cinco vagas entre as 40 distribuídas pelas duas eliminatórias do Rio. No dia 21 de agosto, no Teatro Globo à praça Marechal Deodoro, fora realizada a eliminatória paulista com 20 músicas apresentadas por Marília Gabriela, Maria Cláudia, Lívio Carneiro e Hilton Gomes. Entre as cinco que se classificaram estavam "Sermão" (Baden Powell e Paulo César Pinheiro) com Cláudia e "Rio Paraná" (Ary Toledo e Chico de Assis) com Tonico e Tinoco. Pela primeira vez uma música caipira concorreria ao Galo de Prata.

No Rio, o cargo de coordenador musical era agora ocupado pelo vencedor do II FIC, Gutemberg Guarabira. Depois de passar dois anos como chefe de gabinete do presidente do Banco do Brasil, seu então sogro, Gut foi contratado como auxiliar do departamento musical do FIC, que era coordenado por Paulo Tapajós desde a primeira edição. Houve um quiproquó no seu pagamento e Paulo ficou tão aborrecido que saiu. Gut ficou como coordenador interino e com o tempo foi efetivado. Era eficiente, ágil, simpático e tinha uma vantagem: mesmo passando para o outro lado do balcão, gozava de sólida amizade com os compositores que frequentavam festivais. No fundo ainda era um deles.

Gut coordenou o grupo de trabalho que fez a peneira das inscritas seguindo o método de festivais anteriores: descartavam-se as fitas que não tinham a menor chance e repassavam-se as trezentas e poucas restantes, que constituíam o chamado balaio, ouvidas com redobrada atenção para se atingir a seleção de semifinalistas pelo Rio. Reunido numa pequena casa próxima à sede da Globo no Jardim Botânico, o grupo incluía além de músicos, ex-jurados, caso de Júlio Hungria do *Jornal do Brasil*, e um ex-concorrente, caso de Marcos Vasconcelos. Na reta de chegada sobraram cinco músicas que ninguém queria deixar de fora, as discussões se tornaram tão acaloradas que Júlio e Marcos quase chegaram às vias de fato. Júlio havia fechado com "Encouraçado" de Sueli Costa e Tite de Lemos, enquanto Marcos queria "Conquistando e conquistado", de Carlos Imperial e Ibrahim Sued. Quebraram o pau, "voou tinta para todos os lados" e os dois tiveram que ser contidos para não se atracarem. A solução foi entrarem as duas, abrindo-se mais uma vaga e totalizando 41, computadas as cinco de São Paulo, único estado concorrente nesse ano além da Guanabara.

Duas semanas antes do início do FIC praticamente todos os compositores selecionados já tinham assinado o contrato de edição de suas músicas com a editora Cannes. Porém Carlos Imperial, alegando que tinha uma editora própria, e os paulistas Adilson Godoy e Ary Toledo se recusaram, mas receberam uma carta dando-lhes um prazo. Ficaram de resolver. Como era o processo de edição de uma música? E por que os demais compositores tinham assinado?

Uma obra musical é considerada publicada quando é gravada, isto é, registrada num disco. Anteriormente a prova de autoria de uma obra era a publicação de uma partitura impressa por uma editora com quem o autor celebrava um contrato. Cobrando uma porcentagem, a editora se encarregava de defender a parte patrimonial da obra, esforçando-se em divulgá-la, incluí-la em gravações de cantores, enfim, explorar a obra para poder auferir os dividendos a que tinha direito.

Com o advento das gravações fonográficas, a edição (impressão da partitura) ficou sem sua função primeira, passando a ser um mero acessório para efeito de prova de autoria. As editoras, então, transformaram-se em procuradoras ou cessionárias do autor para efeitos patrimoniais, isto é, o editor é quem autoriza gravações e recolhe os direitos autorais como representante legal do autor. É o que acontecia no V FIC.

Com o tempo, os compositores de um repertório considerável resolveram constituir suas próprias editoras e, para evitar arcar com uma infraestrutura burocrática necessária, passaram a entregar a administração de suas editoras, digamos menores ou particulares, aos grupos editoriais que se formaram por iniciativa das gravadoras. Assim os grupos editoriais, um braço das grandes gravadoras, administram a tarefa das editoras pequenas em troca de um outro percentual.

No FIC, o procedimento para a edição das músicas seguiu em parte o modelo do Festival de San Remo. Neste, para se ressarcir das despesas de organizar o festival que promovia uma obra inédita, foi montada uma editora que ficava com 50% dos direitos futuros ou então abria mão de porcentagem em troca de 2 mil dólares por canção. Assim, o FIC também montou uma editora própria, a Cannes, com a qual todos os compositores selecionados, uma boa parte iniciantes, assinavam um documento pelo qual cediam os direitos de edição de suas composições no ato de inscrição. Dessa maneira, o festival evitava que os eventuais proventos de seu investimento com cada canção fossem depois parar nas mãos de editores que nada tinham investido e poderiam se beneficiar. Afinal a organização do FIC montava a competição, arcava com despesas de jurados, de arranjos, acertava com os intérpretes quando necessário, promovia a apresentação das canções, pagava a infraestrutura e ainda oferecia prêmios. Julgava justo receber uma porcentagem dos futuros resultados da edição das canções.

Corriam rumores que a editora Cannes, representada pelo advogado Alberto Rego, era ligada a Augusto Marzagão e não à TV Globo como se propagava. Fosse como fosse, ao menos algumas canções dos FIC, as mais celebradas supostamente, eram candidatas a possíveis rendimentos sob a forma de edições e, vale recordar, também de gravações. Efetivamente o FIC foi um forte componente na criação da Sigla, que gerou a gravadora Som Livre da Globo, como se verá.

De qualquer forma, após alguns dias, dentro do prazo, Imperial, Adilson Godoy e Ary Toledo recuaram e assinaram em branco com o FIC.

As 41 canções escolhidas eram ensaiadas inicialmente no auditório da Rádio Nacional e depois no ginásio ainda em obras. Animadíssimos, os componentes do grupo da fase de classificação apregoavam que nunca se havia atingido um nível tão elevado, incluindo-se composições dos novatos Ivan Lins, Beto Guedes, Sueli Costa e Luiz Gonzaga Jr., por exemplo. Em função da transmissão em cores para o exterior, o espetáculo de iluminação também prometia. "Será o mais lindo de todos os festivais", antecipava Marzagão, atarefado com seus 140 convidados do exterior e mais 160 que vieram por conta própria, acrescentando: "e o som vai ser maravilhoso".

O tititi sobre o som era tradição nos FIC. Nos ensaios do Maracanãzinho até músicos da orquestra, sob a batuta de Mário Tavares ou Leonardo Bruno, chiavam a respeito. Ninguém conseguiu entender uma palavra da letra cantada por Cláudia, uma cantora elogiada pela clareza da dicção. O eco era tal que nem ela se ouvia. Havia caixas penduradas no teto por fios de aço, direcionadas para o público da área superior, e outras, presas nas grades da arquibancada, voltadas para o piso térreo. O coordenador musical Gut apressava-se em desfazer o temor, "essas caixas vão ser todas trocadas". Um dos responsáveis refutava: "Não vamos tirar as caixas. Um amplificador quebrou e quando for substituído vai ficar tudo uma maravilha". Quatro dias antes da abertura, Marzagão foi dar uma espiada no ensaio, ficou 15 minutos e caiu fora rapidinho, antes que lhe perguntassem sobre o som. A cantora Ellen de Lima declarou após o ensaio que "o som ainda era imaginário", aludindo ao grupo que iria participar da primeira eliminatória, o Som Imaginário, que, ao contrário da maioria dos novos grupos escalados para o V FIC, não estava nem um pouco preocupado com a produção cênica.

* * *

Assim, antecedido de promessas auspiciosas, exceto no item som, o V Festival Internacional da Canção foi iniciado às 20h35 de quinta-feira, 15 de outubro de 1970 — sendo transmitido em cores para os Estados Unidos e Europa — com Hilton Gomes e Arlete Salles saudando público e telespectadores de todas os cantos.

Ele:

— O Brasil volta a cantar para o mundo!

Ela:

— Boa noite Brasil, berço da Música Popular!

Entra o segundo casal de apresentadores, o narrador de futebol Geraldo José de Almeida, no apogeu de sua carreira televisiva, e Maria Cláudia.

Ele:

— Lindo, lindo, lindo! Brasil que é tricampeão do mundo. Esta é a Copa Mundial da Canção! Pra frente Brasil!

Dispensemos outras frases nesse roteiro apologético para não arrebentar o coração do prezado leitor. Vamos aos senhores jurados. Nesse ano, o júri era formado pelos compositores Edmundo Souto e Francisco de Assis Bezerra de Menezes (o fazendeiro de Barretos, autor de "Perfil de São Paulo"), a cantora Rita Lee, o professor Reginaldo Carvalho, os jornalistas Carlos Menezes, Eduardo Athaide, Sérgio Noronha, Milton Temmer, Nelson Motta, Reynaldo Jardim, Zevi Ghivelder, Luiz Carlos Maciel, o presidente da Ordem dos Músicos, violonista Geraldo Miranda, o diretor do MIS Ricardo Cravo Albin, o regente Henrique Morelenbaum e por Paulinho da Viola, convidado para presidente. Foi ainda criado um júri popular, com votação independente, formado por sete elementos escolhidos entre o público, a ser presidido por Chacrinha que, ao surgir fantasiado espalhafatosamente com sua famosa buzina de interromper calouros, sacudiu o Maracanãzinho numa evidência de sua popularidade.

No novo palco os títulos das canções, autores e intérpretes apareciam em três círculos iluminados acima das folhas de três portas giratórias, por onde surgiam os cantores. Os dois primeiros eram Mariá (revelação de cantora no FIC anterior) e Luís Antônio (também premiado em outros festivais) à frente do grupo com seis músicos — todos negros vestindo batas africanas coloridas, liderados pelo pianista Dom Salvador ao órgão, para interpretar "Abolição 1860-1980", dele e Arnoldo Medeiros, gênero *spiritual*. "Não, não se pode falar em Black Power ou coisa assim", declarou a cantora quando indagada se a música tinha caráter político no tocante a racismo. "Tem grande vinculação com a raça, raízes negras... mas sem intenções racistas, só musicais". A apresentação da primeira concorrente, bastante aplaudida, dava a pista do que seria a tônica desse ano, a produção cênica das canções alimentada pela *soul music*. Sendo artistas negros então, as chances eram maiores.

Os demais 20 concorrentes dessa noite alternaram-se entre cantores convencionais — Cláudia (muito aplaudida), Cauby Peixoto e Fábio, que conquistou a plateia defendendo a balada *soul* "Encouraçado" (Sueli Costa e Tite de Lemos) e os novos grupos, sobretudo dois deles, O Terço e o Som Imaginário. O Terço havia se formado sete meses antes e contava com Jorge Amidem (guitarra), Sérgio Hinds (baixo) e Vinicius Cantuária (bateria) para defender "Um milhão de olhos", de Jorge e Sérgio, com boa receptividade. Os não conformistas de cabelos compridos do Som Imaginário, às vésperas de seu primeiro disco após acompanharem Milton Nascimento, defendiam "Feira moderna" (Fernando Brant e Beto Guedes), sendo integrado por Zé Rodrix (órgão e vocal), Fredera (guitarra), Luís Alves (contrabaixo), Wagner Tiso (piano), Tavito (violão) e Roberto Silva (bateria).

O mais comentado artista dessa noite, vencedor na votação popular e tão aplaudido quanto Fábio, usava cavanhaque e bigode, tocava piano e cantava também sob influência *soul*, "O amor é meu país", dele e Ronaldo Monteiro de Souza. Era o espadaúdo Ivan Lins, um dos componentes da turma que se reunia às sextas-feiras na casa do psiquiatra Aluísio Porto Carrero, à rua Jaceguai, na Tijuca, para trocar ideias, cantar e ouvir suas próprias composições. Denominava-se Movimento Artístico Universitário, o MAU. Também faziam parte da turma Luiz Gonzaga Jr., César Costa Filho, Sílvio da Silva Jr. e Aldir Blanc, estes dois

O palco do Festival Internacional da Canção de 1970, no Maracanãzinho, com as três portas giratórias por onde entravam os cantores.

Os cantores e músicos negros do conjunto de Dom Salvador interpretam a canção *soul* "Abolição 1860-1980" no V FIC.

autores de "Amigo é pra essas coisas", a canção que, diziam, sintetizava o espírito do MAU.

Dos shows intermediários dessa noite, que não participavam da competição, o mais aplaudido foi o de Paulo Diniz, com seu sucesso do momento, "Quero voltar pra Bahia (I Wanna Go Back To Bahia)". Às 11 da noite as luzes do ginásio já estavam apagadas.

No dia seguinte à eliminatória, o reservado presidente Médici fez chegar à organização do festival a confirmação de que iria receber os jornalistas visitantes para uma audiência no Palácio das Laranjeiras. A finalidade do encontro era, segundo o *Jornal do Brasil*, buscar "dar aos estrangeiros uma melhor e maior imagem do Brasil no exterior", bem diferente da que tinham na Europa, onde as informações sobre o país estavam muito distorcidas. Ali estava o FIC para não deixar ninguém mentir.

* * *

No sábado 17 de outubro, a maioria das faixas ostentadas pelo povo presente à segunda eliminatória, mais animado e numeroso que na primeira, era de incentivo a Wanderléa, em seu *début* no FIC ao defender "A charanga", dela e do novo compositor Dom (Eustáquio Gomes de Farias, autor de "Eu te amo meu Brasil"), que formava dupla com Ravel. Definida como xaxado-*soul* — mais uma que aderia à *soul music*, o gênero da moda — agradou bastante, apesar de sua apresentação ter sido prejudicada por uma pane na iluminação bem no meio da música. Wandeca, em minissaia que ouriçou os marmanjos, recomeçou depois que as luzes voltaram, teve que interromper pela segunda vez por causa de nova pane de dez minutos e afinal conseguiu levar "A charanga" a bom termo, com seu jeitinho cativante e a retaguarda de Marinês e sua gente.

Antes dela já tinham se apresentado oito candidatos. O primeiro da noite daquele sábado recebeu muitos aplausos, pois trazia para o palco o ritmo que está no sangue dos cariocas, o samba. Era Martinho da Vila em seu partido-alto "Meu laiaraiá", acompanhado por Rosinha de Valença ao violão e a Turma do Samba.

Se alguém ainda tinha dúvidas acerca da relação verdadeiramente umbilical entre o carioca e o samba, deixou de ter na apresentação da quarta canção. Ignorando totalmente a música caipira do interior de outros estados, a grande maioria da plateia castigou pesado com uma vaia de lascar dirigida à histórica dupla sertaneja Tonico e Tinoco defendendo "Rio Paraná". Alguns jurados riam, outros disfarçavam o desdém, provavelmente achando que festival não era programa das cinco da manhã na rádio de Botucatu. Os dois irmãos cantadores foram até o fim com a maior dignidade e nem deram pelota.

Vieram mais dois grupos, A Tribo (Nelson Ângelo, o autor, Joyce, Novelli e Toninho Horta) num baião de título escalafobético "Onoceonokotô", e O Grupo numa canção de título boboca "E coisa e tal" (Eduardo Souto e Sérgio Bittencourt). Ambos precederam a concorrente recebida com mais uma solene vaia, só que por outro motivo, a evidente apelação do coadjuvante Carlos Imperial ao lado do cantor de "Conquistando e conquistado", Guilherme Lamounier. Fantasiado de índio o fanfarrão Imperial conseguiu exatamente o que pretendia, ser vaiado. Enterrado naquele cocar de penas e felicíssimo, distribuiu beijos em penca e ainda jogou suas duas sandálias para a plateia, não desperdiçando, como seu habitual desiderato, a oportunidade de dar a nota de sua presença.

A décima segunda concorrente foi a que mais agradou até aquela altura da segunda eliminatória, a empolgante canção romântica "Universo no teu corpo" com Taiguara, sozinho no palco, empunhando o microfone de mão e cantando com o empenho previsto, como quem se despede para sempre do público.

A mais aguardada atração dessa noite era a décima terceira concorrente. Desde os ensaios que se comentava sobre Toni Tornado, o intérprete que a dupla Antônio Adolfo e Tibério Gaspar havia descoberto para transmitir o que tinham imaginado para "BR-3", sua valsa que se transformava em *soul music* na segunda parte. Com a participação do Trio Ternura, Toni, um negrão de quase dois metros de altura, seria encarregado de defender a composição, tendo liberdade para improvisar. Entrou sob algumas vaias e um burburinho que em instantes se transformou em silêncio sob o impacto de sua presença. Toni exibiu uma performance tão espetacular, cantando e dançando no estilo de James Brown, que deu a todos a impressão daquela ser a melhor música de todas. Ficou tão comovido com os aplausos que, depois de cantar, desmaiou nos bastidores declarando ao se recuperar: "Foi a emoção, é a primeira vez que eu participo de um festival, mas não há de ser nada, a gente está aqui é para vencer". Próximo à cena, o compositor Antônio Adolfo que deixara a cargo do quarteto de Osmar Milito o acompanhamento, chorava de emoção.

Antes da última concorrente, ainda foram apresentados mais dois componentes do MAU, Luiz Gonzaga Jr., que não agradou muito ao público mas punha fé em sua composição "Um abraço terno em você, viu mãe?", e César Costa Filho em "Diva", que nada acrescentou.

Finalmente a vigésima concorrente, o último show da noite na superprodução de Erlon Chaves para "Eu também quero mocotó" de Jorge Ben. O talentoso maestro Erlon Chaves, com longa carreira na Rádio e TV Tupi de São Paulo desde os 13 anos, arranjador em três discos de Elis Regina, diretor musical do I FIC, assumiu a função de cantor porque nem Jorge nem Wilson Simonal diziam estar livres naquela data. Achou que era hora de tirar um sarro em sua carreira, promovendo sua apresentação durante a semana anterior ao declarar que iria incendiar o Maracanãzinho vestindo um *sarong* amarelo. Acompanhado da Banda Veneno, que não deixava por menos (três trumpetes, três trombones, um sax-alto, bateria, contrabaixo, guitarra e ritmistas), além de bailarinas, coro masculino e feminino num total de 40 figuras, ele lotou o palco do FIC como ninguém tinha se atrevido antes. Com muito suingue, "Mocotó" sacudiu o festival, o público cantou, dançou e aplaudiu de pé. O negro Erlon Chaves, deixou o palco consagrado como o mais sério rival do negro Toni Tornado no duelo final marcado para a noite seguinte, domingo.

* * *

Não deu outra. Na finalíssima, "BR-3" com Toni, e "Eu também quero mocotó" com Erlon se destacaram, assumindo as duas primeiras posições na reta final nacional do V FIC assinalado pelos *big shows* e *black music*.

"BR-3", a favorita, foi a décima segunda. Com o cabelo *African look* que aumentava seu metro e noventa e quatro de altura, Toni Tornado entrou de botas pretas até o joelho, calças e camisa cáqui desabotoada com o peito à mostra, onde um sol colorido pintado pelo maquiador Erick contrastava com a pele escura, os braços abertos para cima com as mãos espalmadas, uma figuraça. Com ele, no *backing vocal*, o Trio Ternura, três filhos do compositor de "Ninguém é de ninguém", Humberto Silva — Jussara e Jurema em vestidos longos de mangas compridas, estampados com cores vivas, e Robson, de camisa azul com uma manta vermelha pendurada ao ombro. Após a calma introdução gospel do piano os três repetiam, como um eco, a estrofe de oito compassos da primeira parte cantada tranquilamente por Toni — "A gente corre/ *e a gente corre/* na BR-3/ *na BR-3/* e a gente morre/ *e a gente morre/* na BR-3/ *na BR-3*" — que emendava no solo de Toni com a mesma melodia e outra letra: "há um foguete/ rasgando o céu, cruzando o espaço/ e um Jesus Cristo feito em aço/ crucificado outra ve-e-e-z". No mesmo anda-

Com mais de 40 figuras no palco do V FIC, entre cantores e músicos da Banda Veneno, o maestro Erlon Chaves faz a plateia e até os jurados dançarem ao som de "Eu também quero mocotó", de Jorge Ben.

A figuraça de Toni Tornado cantando "BR-3", de Antônio Adolfo e Tibério Gaspar, com o Trio Ternura no suporte vocal e dançante.

mento médio-lento e divisão a 3/4, que induziam a plateia a balançar o corpo e braços, tudo era repetido mais duas vezes com letras diferentes no solo de Toni, que acentuava cada vez mais as inflexões *soul*. No arranjo do maestro Leonardo Bruno acontecia nesse ponto uma chamada dos metais para a segunda parte, formada por *riffs* no estilo *funk*, com o trio entoando apenas "Na bê erre três" repetidamente, em andamento rápido e na divisão 4/4, enquanto Toni se soltava em frases e exclamações, em gritos desesperados como um piloto alucinado no seu carro em alta velocidade, que poderia levá-lo à morte pela estrada BR-3. No seu improviso também dançava, rodopiando em passos que nunca tinham sido visto antes no Brasil, produzindo uma coreografia espetacular com uma agilidade estonteante, conseguindo um efeito semelhante ao de luzes estroboscópicas. Um show! O público mal conseguia ouvir de tanto que aplaudia, o tímido Antônio Adolfo, que estava ao piano, não se conteve e foi abraçá-lo no palco. Toni Tornado acabou com o baile.

Antônio Viana Gomes, nascido em 1931 na cidade de Mirante do Paranapanema, oeste de São Paulo, veio para o Rio com 11 anos e na juventude frequentou o programa *Hoje é dia de rock*, de Jair de Taumaturgo, fazendo o que era moda na época: dublar os cantores americanos. Era um dos "mimiqueiros" na TV Rio dublando Chubby Checker com o nome de Toni Checker, quando conheceu Carlos Imperial que contratou-o como seu segurança encarregado de fazer uma presepada toda vez que chegasse no seu carrão à TV Continental para apresentar o programa *Os brotos comandam*. Conviveu assim com Roberto Carlos, Erasmo e Simonal, aprendeu as manhas dos astros e engajou-se no show Coisas do Brasil especializado em levar a música brasileira ao exterior. Depois de uma temporada na Europa, Toni foi parar nos Estados Unidos, onde viveu vários meses na clandestinidade como lavador de carros, voltando ao Brasil sob uma chocante cabeleira *black power* e falando inglês com sotaque do Harlem. Foi contratado como atração internacional de araque por uma boate de reputação duvidosa nas cercanias da Praça Mauá, centro do Rio, com o nome de Johnny Bradford. Além de cantar, dançava no estilo de James Brown e foi defender uma nota extra fazendo um showzinho com sua mulher Edna, em outro inferninho barra pesada, o New Holiday, na avenida Copacabana quase esquina de Princesa Isabel, o mesmo local onde funcionara o club Porão 73 na época da bossa nova. Foi lá que Tibério Gaspar foi assisti-lo para avaliar se Toni, que também fora crooner do conjunto de Ed Lincoln, tinha condições de defender no FIC sua composição "BR-3".

Semanas antes, numa das viagens de ônibus que fizeram a Belo Horizonte, Antônio Adolfo mostrara a Tibério a nova música, no mesmo estilo de "Tele tema", tema de amor que ambos escreveram para a novela *Véu de noiva*, grande sucesso na TV Globo. Tibério decidiu fazer uma letra fotografando o momento em que se vivia, comparando-o com a estrada que percorriam, a perigosa BR-3, antiga denominação da BR-135, de 463 quilômetros que une o Rio a Belo Horizonte, notável pelos muitos acidentes próximos ao temeroso Viaduto das Almas. Era o momento das conquistas espaciais, da juventude psicodélica, dos desmandos da ditadura militar, disfarçados no verso "e uma notícia fabricada/ pro novo herói de cada mês". A música foi oferecida a Simonal, amigo comum da dupla, que a rejeitou por não se enquadrar na linha alegre em que estava metido; aí foram atrás de Tim Maia que estava arquivado pela Philips, aguardando um lançamento bombástico, não podendo se expor competindo no FIC; afinal, por sugestão do cantor Orlan Divo, Tibério foi ouvir Toni no inferninho de Copacabana.

Tibério achava que "BR-3" necessitava de um intérprete engajado no esquema Black Power para se encaixar na linha *soul*, em voga no festival daquele ano e, como havia imaginado, ser dançada na segunda parte. Viu na figura de Toni a possibilidade dele reproduzir o gestual do movimento negro americano e dançar como quem flutua no ar, o que Michael Jackson viria a fazer anos depois. Tibério orientou-o na postura de um líder negro na primeira parte e deu-lhe liberdade de improvisar na parte dançante. Em lugar de uma letra convencional, esta sugeria um "Guia para improviso", um roteiro de palavras e frases tipo "Baby, baby, só morro na BR-3" ou "Oh! I can't love you na BR-3" que caíram como uma luva para Toni. Não deu outra. Com o novo sobrenome Tornado, sugerido pelo produtor Mariozinho Rocha da gravadora Odeon que preparava os discos do festival, foi um furor na final nacional do FIC.

A última concorrente foi o grande *happening* da final nacional. Aquele povo todo foi entrando pelo palco, a Banda Veneno em longas túnicas vermelhas, o vasto coro feminino em batas amarelas, o masculino em cor de abóbora, Erlon Chaves com calças vermelhas e uma túnica prateada estilo Mao com um cinto dourado, tudo bolado pela jornalista de modas Fátima Ali. Qual marajá do Oriente, Erlon cantava sob a refrescante brisa de grandes leques de plumas de avestruz, abanadas por um par de "escravos" também negros. O regente Rogério Duprat vestia um macacão laranja de mecânico, não regia coisa nenhuma, virava as páginas ao léu, incitando o coro a jogar as partituras para o ar. Ninguém parecia levar a sério a competição, estavam ali para fazer o povo se divertir com o novo acepipe — o mocotó.

Para os frequentadores do Jogral, o badalado bar paulista de Luís Carlos Paraná, mocotó não era só a nutritiva carne da pata do boi. O termo designava as bem torneadas pernas das *habituées*, o achado que o assíduo frequentador Jorge Ben aproveitou para criar mais uma de suas letras sem papo cabeça, estribada no ritmo da palavra oxítona e no apelo de quem sonha com uma única coisa na vida, mocotó: "... pois eu cheguei, tô chegado/ tô com fome/ sou um pobre coitado/ me ajudem por favor/ bote mocotó no meu prato/ mocotó, mocotó, mocotó...". O mocotó tomou conta de todo mundo no Maracanãzinho, até dos jurados. Sequiosa, Rita Lee cantava "Eu quero mocotó mãe, mocotó pai", Erlon não teve dúvidas, desceu do palco seguido pela banda, ergueu-a nos braços e retornou com Rita no colo, deixando o público alucinado com a festa de arromba.

Ao terminar de cantar "Eu também quero mocotó", Erlon tinha dado um passo decisivo no *cross over* que pretendia imprimir em sua carreira. Depois de anos atuando sob o manto recatado de arranjador, assumira o papel de *star* para defender a música de Jorge como um *happening*, por sugestão do diretor da Philips André Midani. Erlon fora contratado pela Simonal Produções de seu grande amigo, para esse novo projeto em sua vida artística. Naturalmente esperava ganhar. Como também esperavam Taiguara, o preferido de Chacrinha, e Ivan Lins, criticado porque o pessoal linha dura concluíra que "O amor é meu país" era uma declaração de amor ao Brasil. Quem não tinha nenhuma esperança de vitória eram os componentes do Som Imaginário, que ao tomarem conhecimento do boato que o resultado já estava decidido, resolveram apresentar em sinal de protesto, uma versão *fake* de "Feira moderna", com um acorde só repetido e sem nenhum sentido.

O resultado, após uma homenagem a Luiz Gonzaga (e um conflito em que o fotógrafo de *O Globo* Erno Schneider foi preso e liberado sob um protesto público de seus colegas), decepcionou Taiguara que ficou revoltado com o oitavo lugar, deixou Erlon Chaves feliz apesar do sexto lugar, promoveu a turma do MAU com Gonzaguinha em quarto e Ivan Lins em segundo, que não cabiam em si de contentes. Confirmando o esperado, a vitória coube a "BR-3", provocando uma alegria incontida entre compositores e intérpretes. Depois da reapresentação da vencedora, Tibério e Toni se abraçavam chorando emocionados.

— Não aguento mais, bicho. É demais para mim — dizia o primeiro.

— Estou sonhando. Isso é um sonho. Não é possível — confessava o segundo.

O júri nacional e o júri popular haviam premiado "BR-3" com o primeiro lugar e ela iria representar o Brasil na fase internacional na semana seguinte. Foram todos, compositores, intérpretes e músicos de A Brazuca, festejar a vitória com champanha na casa dos pais de Tibério Gaspar, D. Isaura e seu Gaspar, no Jardim Botânico. Às quatro da matina ainda tiveram fôlego para encontrar Ivan Lins, Gonzaguinha, César Costa Filho, Ruy Mauriti e outros num restaurante da Zona Sul. A turma do MAU também estava feliz; tinha fechado contrato para uma série de programas na TV Globo cujo título seria Som Livre Exportação.

Na segunda-feira desfilavam pelos salões do Hotel Glória os dois heróis da noite anterior. De um lado, como defensor do Brasil na competição internacional, abordado por repórteres sequiosos, o novo astro, que uma semana antes não passava de um ilustre desconhecido fingindo ser cantor americano, era agora o dodói da imprensa especializada, Mister Toni Tornado. Na piscina outro negro, feliz em ter sido convidado por Augusto Marzagão para ocupar a presidência do júri e reapresentar "Mocotó" no show de encerramento da final internacional, Mister Erlon Chaves. Dois dias depois, novamente na piscina do hotel, entre declarações bem-humoradas sobre os planos em sua carreira, ele prometia:

— No encerramento do Internacional é que "Mocotó" vai ser o maior barato.

Nunca se comeu tanto mocotó e geleia de mocotó no Rio como naquela semana. Houve um almoço na Sucata, em que o novo rei da Pilantragem, Erlon Chaves, foi servido pelo garçom Carlos Imperial com a presença de Simonal. Era o estado-maior da Pilantragem.

Na quinta-feira, dia da primeira eliminatória internacional, um grupo de 42 jornalistas e artistas ligados ao FIC foi recebido pelo presidente Médici no Palácio das Laranjeiras. O encontro durou quase uma hora, o presidente manifestou aos cantores de "BR-3" sua esperança de conquistarem o tricampeonato também na música. Alguns convidados acharam o chefe da Nação "uma extraordinária figura humana", mas nenhum dos jornalistas presentes teve oportunidade de conversar com o presidente sobre o que se dizia do Brasil no exterior.

* * *

Para frustração do general Médici, o Brasil não foi tricampeão na música. Na final internacional do domingo, 25 de outubro, diante de uma

Saboreando o sucesso de "Eu também quero mocotó", Erlon Chaves se serve de feijoada em um almoço oferecido na boate Sucata, na semana que antecedeu à final internacional do V FIC.

No Palácio das Laranjeiras, sob as vistas de Augusto Marzagão (de óculos escuros), o general Médici cumprimenta Toni Tornado por sua vitória com "BR-3", e lhe pede para vencer também a final internacional do FIC de 1970, conquistando o tricampeonato na música.

plateia de pelo menos 20 mil pessoas, jornalistas nacionais e internacionais, três celebridades (Ray Conniff, Quincy Jones e Paul Simon, que tinha se aborrecido quando sua mulher na chegada ao aeroporto do Galeão foi abordada pela polícia para que não usasse uma blusa com um retrato de Mao Tsé-tung) e outros convidados do exterior (Wallace Collection, Dave Grusin, Richie Havens, Françoise Hardy, Spanky Wilson e Lalo Schifrin), diante dessa gente toda, "BR-3" conquistou o terceiro lugar. O primeiro foi "Pedro Nadie", de José Tcherkaski e do cantor Piero Benedictis, que defendiam a Argentina. A noitada foi mais longa que o esperado: teve show de Ray Conniff, Jair Rodrigues, Spanky Wilson e Erlon Chaves, mas nem Toni, gritando "Deus!" e plantando bananeira, nem Erlon, foram os destaques que prometiam. Ou melhor, foram sim mas num outro sentido.

As performances anteriores de um e de outro tinham causado tal rebuliço que agora simbolizavam uma ameaça: a do homem negro podendo invadir a família branca brasileira e fazer um estrago. Os militares deram mostras de temer que Toni Tornado pudesse tornar-se um novo líder negro, a exemplo do que acontecia nos Estados Unidos com os violentos Panteras Negras. A frivolidade crescente do competente maestro Erlon Chaves, ocasionalmente um jurado debochado no programa de calouros de Flávio Cavalcanti e naquele momento namorando Vera Fischer, poderia mexer com o conservadorismo da família de classe média brasileira. Era um terreno perigoso que nenhum dos dois conhecia.

Para a apresentação de "Eu também quero mocotó" na final de 25 de outubro Erlon resolveu incrementar ainda mais o *happening*. Ao ser convidado por Geraldo José de Almeida, o presidente do júri internacional levantou-se e subiu ao palco para anunciar um número extra, em que substituía os "escravos de sultão" pelas "gatas do Canecão", lideradas por duas irmãs:

— Agora vamos fazer um número quente, eu sendo beijado por lindas garotas. É como se eu fosse beijado por todas as que estão aqui presentes.

Na plateia foi uma vaia só. Nos lares, algumas esposas brancas engoliram em seco ofendidíssimas ao lado dos maridos. Erlon começou a cantar "Eu quero é mocotó" em inglês quando surgiram as duas louraças em traje cor de pele para rodopiar à sua volta gritando "Queremos mocotó!" e beijá-lo carinhosamente. Surgiram mais garotas que, depois de repetirem a dose, saíram do palco de braços dados com Erlon. Aí é que a Banda Veneno entrou, Erlon voltou para cantar "Eu também quero mocotó" com o enorme coral sob a regência de Rogério Duprat e a sur-

A imagem *black* de Toni Tornado mexeu com as estruturas das moças brancas do público. "BR-3" ficaria somente com o terceiro lugar na final internacional do FIC.

"Queremos mocotó", dizia a loira, enquanto abraçava e beijava o presidente do júri internacional Erlon Chaves, em um "happening" armado pelo maestro para a final de 25/10/1970.

presa — as presenças do compositor Jorge Ben e do Trio Mocotó. Foram delirantemente aplaudidos e atacaram em seguida a marcha "Cidade maravilhosa".

Para um crítico foi a loucura mais vitoriosa que presenciara. Para milhares de telespectadores, o "número infeliz", acrescentado por Erlon Chaves à revelia, segundo o comunicado posterior da TV Globo, poderia ser descrito como divertido, desnecessário, de mau gosto, indecente, erótico ou libidinoso. Dependia do ponto de vista do observador. Para os padrões dos anos 70 era uma afronta! Imaginem um negro sendo beijado por brancas na televisão.

Erlon Chaves saiu do palco e foi imediatamente levado preso a uma delegacia acusado de atentado à moral. Com ele, Boni, o diretor da TV Globo como responsável pela transmissão, também foi preso. Assistiram ao vídeo diversas vezes tentando explicar que não havia nada, não viam nada demais nos gestos qualificados de obscenos. Afinal, Erlon foi liberado por interferência de Flávio Cavalcanti, mas o assunto não morreu aí.

No dia seguinte choveram reclamações e comentários pouco favoráveis à cena levada aos lares do país. Dois agentes da Censura Federal estiveram no Glória para entregar uma advertência a Erlon Chaves pela sua participação no FIC da véspera, por ter sido beijado por moças em trajes sumários. Esperaram até a noite mas ele não apareceu no hotel. Na terça, os comentários nos jornais eram mais que azedos, taxando o episódio de obsceno, cafajeste, desrespeitoso. Nesse dia 27 de outubro Erlon foi interrogado durante quatro horas na Censura Federal sob a alegação que seu espetáculo de domingo fora considerado obsceno e de mau gosto. Na mesma semana, depois de posar para fotos da revista *Manchete* no apartamento da relações públicas da Simonal Produções, Ivone Kassu, Erlon rumou para seu apartamento no mesmo bairro do Leme. Pouco depois, Ivone recebe um telefonema avisando que Erlon tinha sido levado de sua casa preso. Comentava-se que as esposas de alguns generais ficaram extremamente ofendidas com sua performance no palco do FIC. Depois de alguns dias, Erlon Chaves foi solto, mas no final de novembro ficaria proibido de exercer suas atividades profissionais em todo o território nacional por 30 dias pela portaria assinada pelo chefe da Censura Federal, Geová Lemos Cavalcanti. Sua carreira de cantor se desmanchou. Era outro homem.

Dias após a final internacional, o colunista social Ibrahim Sued, concorrente desclassificado, articulou um embuste sugerindo que BR-3 não era somente a sigla da via Rio-Belo Horizonte, mas, segundo o código dos

O espetáculo de um negro sendo beijado por loiras no encerramento
do V FIC foi demais para os padrões conservadores da época, e Erlon Chaves
foi levado, dias depois, a um interrogatório na Censura Federal.

A Censura apertava o cerco: por causa dessa charge de Jaguar,
feita sobre o quadro O grito do Ipiranga, de Pedro Américo, publicada
em novembro de 1970, toda a redação do Pasquim ficou em cana.

viciados, uma veia do braço onde se injetava cocaína. Por detrás da invenção havia um *lobby* para um livreco escrito pelo seu amigo general Jaime Graça, chamado *Tóxico*. Na sua capa vermelha, o título lembrava uma carreira de cocaína e nas primeiras páginas sugeria que a música "BR-3" era um hino ao toxicômano com a substituição dos versos de Tibério no início da música: "Há uma seringa/ que vem do céu, cruzando o braço/ e uma agulha feita em aço/ prá espetar outra vez".

Como se não bastasse, Toni Tornado, já separado de Edna havia mais de um mês, teve uma violenta discussão com a ex-mulher quando foi apanhar documentos no apartamento 102 da rua Bolívar, 124, quase esquina de Barata Ribeiro, que redundou numa acusação, fabricada, de "agressão". Nessa altura dos acontecimentos, o tranquilo Toni, que não bebia e não fumava, tinha engatado um romance ardente justamente com a atraente Arlete Sales, uma das apresentadoras do FIC. Pronto. Não faltava mais nada para se formar o maior bololô, fazendo tremer as bases das famílias conservadoras e colocando em xeque a segurança das mulheres brancas. Além disso, "BR-3" caía de encomenda para a turma do fumacê, que fumava maconha na zona sul do Rio com a mesma facilidade que chupava um sorvete Chicabon. Foram os ingredientes para mudar o rumo de uma possível trajetória de "BR-3" e iniciar um inferno astral que poderia dinamitar a carreira de Toni Tornado e, por tabela, truncar os *hits* da dupla Tibério Gaspar e Antônio Adolfo.

Tibério foi chamado a depor, sendo interrogado pelo chefe do SNI general João Batista Figueiredo. Conseguiu convencê-lo de que não havia motivo para preocupação, desmistificando o que se dizia de Toni Tornado. Mas o estrago estava feito. O romance café com leite foi motivo para grande escândalo na época criando problemas para Arlete na emissora. Toni era execrado, encontrava bilhetes anônimos no carro que havia comprado, mal podia sair à rua.

Num festival de verão em 1971 na praia de Guarapari, no Espírito Santo, apresentado por Chacrinha, Toni teve que substituir Erasmo Carlos no show complementar e quando foi dar um pião duplo no ar, perdeu o equilíbrio e despencou do palco rudimentar em cima de uma moça da plateia. Disseram que ele estava "doidão" e queria voar.

Começou o período de rejeição ao letrista Tibério Gaspar e da piração que tomou conta de Antônio Adolfo. Os contratos da Brazuca Produções com o Trio Ternura e Toni Tornado foram desfeitos. A Brazuca sofreu um assédio dos militares querendo tirar partido para fazer propaganda do governo. Antônio Adolfo sentiu a barra pesada, decidiu não embarcar naquele esquema, resolveu sair do Brasil indo para os Estados Unidos e Europa onde foi estudar com Nadia Boulanger. Retornou para atuar como músico de estúdio. Em 1976 gravaria o disco *Feito em casa*, o primeiro disco independente na história fonográfica brasileira.

* * *

"BR-3", um número de show que dependia diretamente de Toni Tornado, foi gravada no primeiro de seus dois LPs, em 1971 pela Odeon, ocupando a sétima faixa. A quarta, de autoria dele, é uma canção dolente, uma confissão de um amor passado. Chama-se "Uma canção para Arla". Gérson Combo, Wanderley Cardoso e o grupo Som Bateaux também gravaram "BR-3".

A irresistivelmente dançante versão de "Eu também quero mocotó" era a quinta faixa do lado A do primeiro de cinco volumes da Banda Veneno de Erlon Chaves, lançado em 1971 pela Philips, depois do compacto da CBS que saiu em cima do festival. Foi gravada ainda por Chacrinha (que meteu o pau na música como presidente do júri nacional), Os Grilos, o palhaço Carequinha, o conjunto de Caçulinha, o organista André Penazzi e o Milton Banana Trio.

Os discos oficiais do FIC saíram ainda em outubro de 1970 — dois LPs com 14 das 20 finalistas nacionais no selo Odeon. Sugestivamente, ambos se iniciavam da mesma maneira, com o Hino do Festival Internacional, de Miguel Gustavo, o autor de "Pra frente Brasil", sendo interpretado por Simonal: "... No Brasil a alegria hoje é tanta/ povo que canta é povo feliz...". "BR-3", na gravação de Toni Tornado, estava no primeiro disco mas nenhum dos dois tinha "Eu também quero mocotó".

O número datado de 4 a 10 de novembro de *O Pasquim* publicava uma charge de Jaguar realizada a partir da pintura *O grito do Ipiranga*, de Pedro Américo, com Dom Pedro I declarando a Independência e bradando "Eu quero é mocotó". O editor Sérgio Cabral foi preso no dia seguinte, fazendo companhia aos que lá já estavam, e por ordem do irado general Orlando Geisel um corretivo foi aplicado na equipe d'*O Pasquim* sob a forma de estender sua prisão por mais dois meses.

* * *

Plasticamente, "Eu também quero mocotó" e "BR-3" foram de longe as duas campeãs do V FIC, mas um componente racista as destruiu.

Se Erlon Chaves fosse branco, talvez tivesse sido diferente. Depois da prisão, o músico alegre e comunicativo, um tanto exibido mas muito admirado pela sua capacidade, estava abatido, angustiado, triste e sem horizonte, logo quando sua nova carreira estivera à beira de explodir. Seu lado emocional foi duramente atingido. Ele ficou com medo de se apresentar cantando e voltou ao que fazia antes: escrever arranjos e reger. Quando seu amigo Simonal foi acusado de delator em 1972, recebeu um segundo golpe. Erlon baixou a guarda para a vida. Em novembro de 1974, estava numa loja de discos na Galeria Paissandu, na rua Senador Vergueiro no Flamengo, próximo de onde morava, quando sofreu um enfarte fatal. Erlon Chaves tinha 40 anos e atuava na música desde menino quando tocava piano no *Clube Papai Noel* da Rádio Difusora de São Paulo.

Se Toni Tornado fosse branco, talvez também tivesse sido diferente. Como não era bem visto pelos militares e ainda exercia uma atividade de pregação social em favor dos negros nos bailes *black* da periferia, um certo dia, em 1972, "os homens" entraram derrubando a porta de seu apartamento. Foi conduzido para a praça XV, levado a Brasília e depois convidado a sair do país. Foi para o Uruguai, sul de Angola, Egito e depois Europa, interrompendo sua carreira de cantor no Brasil. Com o tempo, tornou-se conhecido como ator de televisão, muito elogiado na minissérie *Agosto* (1993), baseada no livro de Rubem Fonseca, em que fez o papel do guarda-costas de Getúlio Vargas, Gregório Fortunato.

O V FIC deixou um rastro de racismo, uma marca de preconceito contra artistas da raça negra, aquela que contribuiu para a música brasileira, como também para a cubana e a norte-americana, com o elemento mais proeminente de seu caráter, o ritmo. Se alguém ainda tinha dúvidas, o V FIC deixou claro que havia pressão do governo militar para que os festivais e a própria música popular fossem mantidos como eficazes torpedos para mostrar ao resto do mundo o quanto havia de alegria e felicidade no seio do povo brasileiro.

14.
"KYRIE"
(VI FIC/TV GLOBO, 1971)

"Pode colocar que é fabricada mesmo. Para uma música fazer sucesso, nós estudamos o mercado com todos os detalhes. Temos um trabalho planificado, pastas com paradas de sucesso, épocas do ano, faixas de público [...] Se o governo nos honrar com a deferência, muito bem. O hino brasileiro é muito pessimista. Fala que o Brasil vai ficar deitado. O Brasil está de pé. Olha só a Transamazônica", declararam Dom e Ravel à revista *Veja*, em fevereiro de 1971, sobre sua composição "Eu te amo, meu Brasil". Elaborada com tamanho rigor científico, não é de admirar que ao sair da prancheta para as prensas, em outubro de 1970, o compacto tenha atingido, em fevereiro, a casa de 200 mil unidades vendidas, ameaçando dominar o carnaval e dando sequência ao ufanismo do tricampeonato de futebol no México. Como se pode notar, aventava-se até a hipótese da canção ser oficializada como hino. Uma tal conjuntura deve ter espantado alguns dos artistas da música brasileira que retornaram ao Brasil nos primeiros meses de 1971, Caetano Veloso, Edu Lobo e Carlos Lyra. Ou até causado náuseas.

Passado o carnaval, o caldeirão musical era aquecido, em abril, com um novo programa de televisão, *Som Livre Exportação*, no Parque do Anhembi, em São Paulo, com milhares de pessoas se espremendo para assistir à demonstração de que a música brasileira retomava o caminho de suas origens após o furacão estético do Tropicalismo. Podia ser interpretado como uma risonha perspectiva para a produção musical em 1971. Não era bem assim.

Quando voltou da Itália, em março de 1970, onde fora morar logo após a decretação do AI-5, Chico Buarque encontrou um Brasil bem diferente do que lhe fora descrito. A situação no governo Médici não estava nada melhor, havia repressão, censura à música e ao teatro, e ele sentiu a barra pesada logo nas primeiras tentativas de retomar sua carreira brasileira: "Apesar de você", que tinha sido gravada depois de liberada, foi proibida, tendo sido recolhidos os discos que já estavam nas lojas. Chico sofria ameaças constantes e compunha sabendo que tudo o que criasse teria que passar pelo crivo da Censura, com alguma chance de ser liberado, mas havia o risco de se repetir o que acontecera com "Apesar de você". Em pouco tempo ele percebeu que não poderia trabalhar sobressaltado pela incerteza.

O controle da Censura era nocivo à criação de um elenco dos grandes compositores brasileiros, justamente os que poderiam ser tão importantes para o VI FIC. A TV Globo desejava garantir a retomada de sua participação em festival, mas nenhum deles estava minimamente interessado em inscrever música.

Nada parecia mais oportuno que tentar uma forma de reaproximação com essas grandes figuras dos festivais anteriores e ver se topariam concorrer novamente no FIC que se avizinhava. Foi essa a ideia que Gut incutiu na cabeça de seu chefe, Augusto Marzagão, que assumia o posto de diretor geral pela sexta vez, muito embora tivesse declarado um ano antes que seria o último. Que tal se eles fossem convidados, participando automaticamente com uma composição inédita, não lhe parecia uma boa ideia? Não poderia ser uma grande chance de levantar o VI FIC? O único problema seria aplainar as arestas com a Censura. Mas Gut acreditava que seria bem-sucedido nos contatos que se propunha a estabelecer com a fina flor da música brasileira, Tom, Vinicius, Caetano, Sérgio Ricardo, Ruy Guerra, Capinan, Baden, Marcos e Paulo Sérgio Valle, Milton, Edu e Chico. Embora estivesse ocupando um cargo do outro lado, sua origem ainda era a de um músico ganhador de festival, de compositor. Pelo menos era o que se sabia de Gutemberg Guarabira. Por méritos próprios, ele parecia cada vez mais prestigiado no FIC, mas, em contrapartida, como todo elemento que trabalhasse na Globo, era considerado pela imprensa esquerdista um vendido ao imperialismo. Torquato Neto, cuja coluna "Geleia geral" tinha projeção na *Última Hora*, não perdia chance de malhá-lo. No entanto, Gut era operoso e criativo, havia estabelecido um convênio mediante o qual o vencedor do Festival de Juiz de Fora, disputado em julho, estaria automaticamente incluído nas eliminatórias do FIC.

O plano de Gut para o VI Festival foi avante. Em maio, a direção do FIC, através de Augusto Marzagão, comunicou que os principais órgãos da imprensa iriam receber uma circular com os nomes dos compositores que haviam participado de festivais anteriores. Cada órgão deveria escolher 12 nomes, e, assim, os mais votados seriam convidados a participar do FIC na condição de *hors-concours*.

A princípio seriam 17 vagas reservadas para essa elite, competindo lado a lado com as composições dos que se inscrevessem. Foi com o maior orgulho que o secretário de Turismo da Guanabara, Rui Pereira da Silva, anunciou no dia 9 de julho as 23 músicas selecionadas através do usual processo do balaio, entre aproximadamente 1.500 inscrições. Entre elas estavam canções de Sueli Costa, Antônio Carlos e Jocafi, Eumir Deodato, César Costa Filho, Aldir Blanc, Nelson Motta e Gonzaguinha. Por falta de tempo, nesse ano São Paulo não participaria, mas foi prometida uma noite de gala no Teatro Municipal de São Paulo em 5 de outubro, após a final internacional. Entre os convidados do exterior, Marzagão prometeu Little Richard, The Osmond Brothers e Peter Fonda.

Em 1º de setembro, a Polícia Federal determinou que todos os participantes do VI FIC deveriam ser registrados em seus arquivos até uma semana antes do primeiro espetáculo, visando "sanear a área". Seria fornecida uma carteira com nome, identidade oficial, foto 3 x 4 e especialidade no FIC. Apenas duas músicas haviam sido vetadas, "Corpos nus", de Taiguara (um do grupo dos privilegiados), e "Pirambeira", de Hermínio Bello de Carvalho e Maurício Tapajós, irmão de Paulinho. Taiguara não entendeu o porquê do veto: "É um samba. A letra é superlírica e fala de um homem e uma mulher que se completam para fazer fé. É de muito amor, muito mais romântica e amorosa do que erótica". Já estava até ensaiada por Alaíde Costa — mas como ele era taxado de comunista e os censores implicavam com nudez e outros que tais, talvez aí estivessem duas boas justificativas para o veto. As 23 passaram a ser 21.

De outra parte, até o dia 4 de setembro apenas duas músicas do grupo dos privilegiados haviam sido entregues para o processo de liberação, arranjo e ensaio, "Calabouço", de Sérgio Ricardo, e "Instantâneos", de Marcos Valle. Tinha-se vagas informações das demais prometidas. "Que horas são?" seria uma "canção meio sombria" de Chico e Tom, a ser defendida pelo MPB 4; já se sabiam os títulos de outras três: "São Francisco dos retirantes", de Egberto Gismonti, "Canto continental", de Edu Lobo e Ruy Guerra, e "O estrangeiro", de Antônio Adolfo. Era tudo. Um pouco de paciência que as letras estariam chegando. Também iriam participar duas músicas do Festival de Juiz de Fora, "Casa no campo", de Zé Rodrix e Tavito, e "Cantiga antiga", de Rui Gonçalves.

* * *

Mais uma vez foram feitas promessas sobre as mudanças no malfadado Maracanãzinho: uma nova estrutura metálica na cúpula, que atuaria como rebatedor acústico; duas toneladas e meia de material de som, incluindo microfones Neuman e Electrovoice; uma mesa de áudio com 36 canais e alto-falantes que projetavam o som sem difundi-lo; quatro câmeras e duas gruas; 48 refletores e uma iluminação com novos efeitos, como o de um só foco concentrado sobre o cantor ou solista; um estrado móvel sobre rodinhas onde os grupos se aprontariam com calma antes de entrar em cena e, quando anunciados, seriam empurrados para dentro do palco já posicionados. Eram esses os principais pormenores aos quais se acrescentava o cenário em preto e branco, criado por Fernando Pamplona.

No dia 9 de setembro, duas semanas antes da abertura, a coordenação do FIC divulgou que das 17 vagas disponíveis para os *hors-concours* apenas dez seriam preenchidas. Dori Caymmi, Taiguara, Milton Nascimento, Ivan Lins, Baden Powell, Os Mutantes e Caetano Veloso haviam se recusado a participar e estavam definitivamente fora. As letras das músicas dos demais, Paulinho da Viola e Capinan, Egberto Gismonti, Paulinho Tapajós, Sérgio Ricardo, Edu Lobo e Ruy Guerra, Tom e Chico, Tibério Gaspar e Antônio Adolfo, continuavam sendo aguardadas.

No dia 16, Augusto Marzagão convocou a imprensa para uma coletiva em que deu detalhes do sistema de som, que, mais uma vez, deveria ser bem melhor, e rebateu as críticas aos ilustres desconhecidos que costumavam vir do exterior para a fase internacional do FIC, destacando para esse ano os irmãos Castro, do México, Palito Ortega, da Argentina, e o conjunto Rock Horse, dos Estados Unidos. Embora disfarçasse, Marzagão estava visivelmente preocupado com as letras dos compositores nacionais convidados.

Nesse dia, faltando oito para o início, a bomba estourou. Doze compositores — autores convidados de sete músicas participantes das semifinais do VI FIC — cancelaram sua participação. Os editores de *O Pasquim* foram os intermediários da carta à direção do FIC:

"Prezados senhores,

Os compositores que abaixo assinam o presente documento renunciam à sua participação no VI Festival Internacional da Canção Popular. As razões são públicas e notórias: a exorbitância, a intransigência e a drasticidade do Serviço de Censura na apreciação do que lhe tem sido submetido, afora exigências burocráticas inconcebíveis, tais como cadastramento e carteirinha dos participantes, estranhas ao que normalmente se ado-

ta para tais circunstâncias. Sem esquecer sempre a desquali-
ficação dos que exercem uma função onde a sensibilidade e o
respeito pela arte popular são prioritários.

Agradecemos à direção do Festival e à imprensa que hon-
rosamente nos indicou para uma participação que, diante do
exposto acima, torna-se impossível e impraticável.

Assinado: Paulinho da Viola, Ruy Guerra, Sérgio Ricardo,
Tom Jobim, José Carlos Capinan, Chico Buarque, Vinicius de
Moraes, Toquinho, Marcos e Paulo Sérgio Valle, Edu Lobo e
Egberto Gismonti.
Rio, 15/9/1971.

P.S.: Os demais compositores convidados não se manifes-
tam em virtude de não se encontrarem momentaneamente na
cidade."

E que bomba! Devastadora. Com os que já haviam se recusado a
participar, o FIC sofria um rombo capaz de pôr o navio a pique. Diante
do problema, Walter Clark decidiu: "Olha, não há possibilidade de fazer o Festival sem música. Vocês da produção do Festival vão ter que se
virar, fazer o Festival sem os principais compositores do Brasil".

Os problemas da TV Globo com a Censura haviam começado na
fase da seleção do balaio, os censores queriam conhecer as letras das músicas e saber quem eram os autores antes mesmo de serem anunciadas.
Agora a Globo estava pressionada a fazer o Festival de qualquer maneira. Os censores, que eram civis, técnicos de carreira do Ministério da Justiça submissos aos agentes militares, ameaçavam. Por sua vez, os militares não queriam permitir que o público deduzisse que os compositores
tinham força para impedir a Globo de realizar o Festival.

Foi montado um esquema de emergência para apagar o incêndio.
Démarches, demissões e substituições, confirmações e desmentidos, con-
sultas e pedidos, telefonemas e reuniões de horas e horas aconteceram nos
três dias seguintes para se saber como e o que seria do Festival Internacional da Canção.

Intrigado e ainda estupefacto, um Marzagão exausto, sem gravata,
falando pausadamente, anunciou para a imprensa, na coletiva realizada
no Hotel Glória no dia 21, quais as 50 músicas, e não mais 40, que iriam
participar das duas eliminatórias dali a três dias, 24 e 25 de setembro.

Não disse uma palavra sobre o que tinha acontecido. Quem o conhecia sabia que estava arrasado.

* * *

Recuemos no tempo e vejamos o que aconteceu do outro lado, o dos compositores, e que não estava nos jornais.

A predisposição dos compositores não era apenas contra a censura que tomava conta do teatro, da imprensa e da televisão, não lhes dando chance para exercerem sua atividade criativa. Havia uma agravante de âmbito mais amplo que a maioria desconhecia.

O Exército, que já exercia um completo domínio sobre o DOPS e o SNI, queria também ter um controle total sobre o Festival. E a razão não tinha nada a ver com o interesse pelas músicas ou até pela carreira dos artistas. O Exército havia detectado que o FIC era o melhor veículo de propaganda de um "outro" Brasil, que poderia melhorar a péssima imagem difundida no exterior em virtude das notícias sobre perseguições e torturas. O governo brasileiro, que nesse aspecto não gozava de muito prestígio lá fora, poderia conquistar a posição da sonhada "Ilha da Tranquilidade", que o Exército almejava, através da divulgação de cenas do Festival que mostrassem artistas cantando e as alegres manifestações na plateia, por meio de discos e vídeos que eram enviados à Europa.

Pouco antes do VI FIC, a vontade do Exército de controlar o Festival atingiu as raias do absurdo. Não apenas exigiu que os compositores participantes tivessem a carteira de identidade registrada na Censura, como até os intérpretes e acompanhantes teriam de ser fichados. Uma ficha completa de cada um deveria ser enviada a Brasília para que os dados fossem checados e emitidas as carteirinhas, que eram então devolvidas ao Rio. Essas informações eram colhidas pelo jovem diretor artístico do Festival, Gutemberg Guarabira, e passadas pelo diretor geral do Festival, Augusto Marzagão, ao professor Rabassi, que, sendo diretor da Assessoria Especial de Relações Públicas da Presidência da República (AERP), era o assessor do general Médici para esse assunto.

Meses antes, Gut tivera uma ideia mirabolante. Uma ideia perigosa, na qual acabaria por exercer um papel duplo, que tinha como principal finalidade detonar aquela imagem favorável, propagada pelo governo brasileiro no exterior, execrada com razão pelos compositores. Como o diretor artístico do FIC poderia agir em favor dos compositores que estavam contra esse mesmo Festival? Como ser a favor do FIC que se servia das músicas desses compositores para transmitir ao mundo uma falsa imagem do Brasil? Como um elemento da emissora de televisão que mostrava essa imagem cor-de-rosa do país em plena ditadura do general Médici poderia atuar contra os interesses de sua empregadora?

Gut convenceu Augusto Marzagão que se deveria exercer uma pressão sobre alguns compositores para que participassem do Festival. O plano era convidar elementos da imprensa especializada a apontarem 12 compositores de tal envergadura que não precisassem nem passar pela primeira triagem como os demais inscritos. Suas músicas seriam recebidas e aceitas, estando assim automaticamente selecionadas e incluídas nas semifinais. Dessa maneira, atenuava-se sua predisposição contra o Festival, pois, com o *status* de compositores privilegiados que lhes era dado, poderia ser quebrada a barreira. Eles se sentiriam sensibilizados a inscrever suas músicas, afinal, em última análise, não ficaria bem que compositores considerados publicamente de primeira linha deixassem de participar.

Marzagão temeu pela reação dos compositores, mas Gut prometeu ter uma conversa com esse primeiro time da música brasileira. Antes mesmo da escolha dos jornalistas, ele já imaginava quem seriam os escolhidos. Tão logo a lista de privilegiados foi divulgada, Gut procurou sigilosamente um deles, Chico Buarque, para desenvolverem o plano da conspiração de usar o Festival e sua principal emissora de televisão como forma de protesto internacional. Chico ficou de convencer os demais colegas compositores a aderirem, mas alguns deles se recusaram peremptoriamente a enviar canções, alegando problemas que tinham tido com a direção do Festival. Antes mesmo que Chico chegasse a explicar o plano, as respostas eram negativas, não queriam saber de nada relacionado a festival. Outros, porém, aceitaram pelo menos conversar sobre o assunto e, assim, marcou-se uma reunião onde seria exposta a segunda parte do plano, que nem Marzagão conhecia, e era a seguinte: os compositores aceitariam participar do Festival, inscreveriam músicas, mas ninguém entregaria as letras. Aguardariam até o último momento do encerramento das inscrições e, aí sim, entregariam todas de uma só vez. Mesmo que as letras fossem contra a ditadura, a Censura não teria coragem de barrar, pois se tratava dos melhores compositores brasileiros. A Globo também não poderia recuar, afinal, nessa altura já teriam sido anunciadas aquelas atrações incríveis e não haveria como explicar uma desistência. Seria uma explosão no Festival e o fim do seu uso como propaganda cor-de-rosa do regime militar.

Chico Buarque morava numa linda cobertura, rodeada de um terraço de pedra mineira e com vista total para a Lagoa Rodrigo de Freitas.

Convocou os compositores para a reunião em seu apartamento e dispôs várias cadeiras como um pequeno auditório, tendo à frente uma mesinha mais alta para quem fosse falar. Gut saiu da Globo meio escondido e às 4 da tarde estava lá. Chico fez a apresentação para os compositores presentes, entre eles Ruy Guerra, Paulinho da Viola, Sérgio Ricardo, Marcos e Paulo Sérgio Valle, Edu Lobo e Capinan, dizendo que Guarabira tinha um plano a apresentar e era para isso que todos estavam ali reunidos, inclusive ele, que também iria escutar o que se tinha a dizer. Mal Gut começou a explicar a primeira parte do plano, o inflamado Ruy Guerra, que discursa muito bem, pediu a palavra para arrasá-lo argumentando que eles não eram palhaços para serem enganados numa jogada que, estava na cara, era da TV Globo e iria colocá-los em perigo. Enfim, liquidou com Guarabira. Em pouco tempo já tinha o apoio de alguns presentes e Guarabira, acostumado a essas reações, sentiu que o plano iria por água abaixo.

Nenhum dos presentes, Ruy Guerra muito menos, sabia da vida ambígua que Gut levava, completamente diferente da que aparentava. Aos olhos de todos os compositores, estava queimado, pois trabalhava na TV Globo, de mãos dadas com o governo militarista. Não era bem assim. Já estava separado de sua primeira mulher e morava num aparelho cujo aluguel era dividido com a Aliança Libertadora Nacional. O apartamento do diretor do FIC da TV Globo, na rua Hilário Gouveia, que ficava quase defronte à delegacia de Copacabana, era entreposto de armas e uniformes das Forças Armadas, para uso dos guerrilheiros contra a ditadura. Gut não podia dar bandeira de maneira alguma, nem chamar muita atenção para si, no que era escolado. Tinha um treinamento de muitos anos no assunto, desde a década de 1960, quando morava no apartamento do irmão. Nem Chico Buarque, que o conhecia bem, sabia dessa sua atividade.

Em 1966, o baiano Gutemberg Nery Guarabira Filho morava no Méier num ambiente muito politizado, pois seu irmão José era líder sindical dos petroleiros, um setor muito visado em virtude do poder de outras empresas multinacionais do setor. José Nery Guarabira era filiado ao Partido Comunista e abrigava frequentemente fugitivos políticos que dividiam o quarto com Gutemberg. Foi assim que este aprendeu desde muito cedo a acobertar pessoas ou arquivar armas em seu quarto.

Gut frequentava um núcleo do Partido Comunista no Teatro Jovem da praia do Botafogo, que realizava às sextas-feiras animados encontros musicais juntando novatos com artistas mais famosos, como Paulinho da

Viola, Elton Medeiros, Nara Leão e Nelson Lins e Barros. Foi Paulinho quem apresentou Guarabira como um "compositor rural" a Nelson Lins e Barros, que o convidou para morar em seu apartamento em Copacabana e ficar mais perto da música, próximo de Edu Lobo e Chico Buarque. Quando Nelson morreu, Gut foi morar no Solar da Fossa, no mesmo quarto de Paulinho da Viola e Abel Silva.

Agora ele se via diante daquela reação de Ruy Guerra sem poder abrir o bico. Foi com surpresa que, nessa altura, quando parecia que estava tudo perdido, Paulinho da Viola pediu a palavra e fez um verdadeiro relatório sobre a vida de Gut, dizendo que por ele botava a mão no fogo. Devidamente avalizado, a situação se reverteu inteiramente e Gut pôde então explicar o plano todo que, afinal, foi bem recebido e obteve o apoio dos compositores presentes e, posteriormente, até de ausentes como Tom Jobim, que estava nos Estados Unidos, e Baden Powell, na França. Dessa maneira, alguns dos maiores compositores brasileiros iriam dar o troco a quem usava seu nome para uma divulgação de segundas intenções em caráter internacional. Era mesmo uma conspiração usando a própria TV Globo, promotora do VI FIC, para um protesto contra a Censura.

No limite dos preparativos para o Festival, quando toda a divulgação já fora feita e já se encontrava na etapa dos arranjos, começaram a surgir algumas letras, que nada tinham a ver com as partituras, algumas nem cabiam na métrica das músicas. A Censura brecou tudo, algumas letras nem apareceram. Foi um pandemônio, um Deus nos acuda. Assim que as músicas foram proibidas, por sugestão de Júlio Hungria, do *Jornal do Brasil*, Gut e o grupo de compositores pediram ao jornalista Fernando Garcia para produzir uma declaração que teria a assinatura de todos os participantes do grupo, retirando suas músicas do Festival e culpando a Censura. Funcionaria como uma pesada contrapropaganda ao que o governo fazia através do Festival Internacional da Canção. Assinaram Paulinho da Viola, Edu Lobo, Egberto Gismonti, Vinicius de Moraes, Toquinho, Chico Buarque, Ruy Guerra, Capinan, Sérgio Ricardo, Tom Jobim, Marcos e Paulo Sérgio Valle.

Como os manifestos eram, no entanto, proibidos por lei, a declaração foi redigida sob a forma de uma carta aberta à população, faltando decidir quem a entregaria, pois sabia-se que a intenção dos militares era sempre agarrar o cabeça dos movimentos e, para eles, quem entregasse a carta à imprensa era o líder. Foi resolvido que a carta seria jogada no quintal do *Pasquim*, que tentaria publicá-la, mas, provavelmente, seria impedido pela Censura. Contudo calculavam que houvesse tempo para que *O Pasquim* passasse a carta a outras redações onde havia jornalistas de esquerda, alguns dos que colaboraram com a lista dos melhores compositores. Assim foi feito, mas a Censura foi rapidíssima e o único jornal brasileiro que conseguiu chegar às bancas com a carta publicada foi uma edição da *Última Hora*, que ainda assim foi recolhida. A Censura só não contava com a repercussão fora do Brasil. Uma agência internacional conseguiu mandar a notícia e a carta foi publicada no exterior, atingindo em cheio a propaganda da "Ilha da Tranquilidade" do governo brasileiro.

A temperatura subiu atingindo o vermelho. O correspondente internacional responsável foi preso e expulso do país no ato. Gut foi chamado ao gabinete de Augusto Marzagão e tiveram uma reunião telefônica com Rabassi e o próprio presidente Médici, ambos em Brasília. Os dois queriam saber quem era o líder do grupo.

Alguns agentes do DOPS foram à sede do Festival e procuraram Gut para ajudá-los a descobrir quem tinha inventado aquilo tudo. Assim que saíram, sabendo que Chico Buarque seria o primeiro a ser procurado, Gut saiu voando numa Kombi da Secretaria de Turismo até o Canecão, sacou Chico do ensaio do show *Construção* e levou-o a um botequim próximo para preveni-lo. Justamente nesse momento chegaram os agentes do DOPS chefiados por um sinistro torturador de chapéu preto. Gut deu uma de desentendido dizendo que estava acalmando Chico, preparando-o para um bate papo no DOPS, e que não haveria nenhuma prisão. O chefão ficou feliz, não desconfiou de nada e, agradecidíssimo, ainda deu uma piscada de olho para Gut.

Como nesse dia foram localizados apenas Chico Buarque, Egberto Gismonti, Augusto Marzagão e Marcos Valle, que foi levado de camburão, marcou-se uma nova data em que todos estivessem presentes. Os compositores do grupo, entre eles Chico Buarque, Edu Lobo, Ruy Guerra, Marcos e Paulo Sérgio Valle, Tom Jobim, Vinicius de Moraes, Paulinho da Viola, Toquinho, Egberto Gismonti e Sérgio Ricardo, foram intimados a depor no sábado, 17 de setembro, devendo dar uma explicação sobre sua atitude, se era um ato antipatriótico, se eram subversivos, se eram comunistas. Para Chico isso não era nenhuma novidade, estava mais do que acostumado a prestar depoimento.

Os interrogatórios seriam realizados numa sala da Censura Federal onde funcionava o SOPS, Serviço de Orientação Política e Social, uma outra unidade da Polícia Federal à praça Marechal Âncora, 4. Foram presididos pelo general França, Chefe de Segurança do Estado, acompanhados pelo inspetor Sena, que Chico já conhecia, pela chefe da Censura Federal Maria Selma Miranda Chaves e por um funcionário que representava a TV Globo.

Pressionada pelo governo a fazer o Festival de qualquer maneira, a TV Globo precisava encontrar uma solução em questão de horas. Walter Clark teve duas ações: a primeira foi dar um jeito de liberar as músicas. Tomou essa providência imediatamente junto à Censura Federal em Brasília, através de Duarte Franco, o encarregado desse assunto na emissora, sem saber que alguns compositores nem tinham entregado as letras.

A outra ação era negociar com os compositores rebeldes para que participassem do Festival, embora Boni, o diretor mais ligado ao Festival, achasse que eles não cederiam. Essa segunda ação foi um tanto desastrada porque Walter Clark indicou para liberar as canções que ainda estivessem presas — e que na realidade nem existiam — bem como dialogar com os compositores seu assistente Paulo César Ferreira, um elemento executivo rápido e de estilo "pão, pão, queijo, queijo", avesso à diplomacia.

No início de 1969, Paulo César Ferreira tinha saído da direção da Rádio Nacional, ligada ao Ministério da Fazenda, para ser integrado à TV Globo na condição de assessor de Walter Clark, ao lado do publicitário João Carlos Magaldi, do coronel João Baptista de Paiva Chaves e de Homero Icaza Sanchez, o bruxo panamenho das pesquisas. Os quatro formavam a Assessoria Executiva da Direção Geral, a Assex. Agitado e intempestivo, cumpria as ordens a ferro e fogo, ganhando o apelido de Tarzã, quer pelo seu tamanho, quer pelo empenho determinado nas missões que lhe eram confiadas.

Nesse caso acabou assumindo uma posição exagerada na defesa da empresa. Sua intenção era obrigar que os compositores voltassem atrás, participando do Festival. Quando soube que algumas letras nem haviam sido entregues, na verdade nem tinham sido feitas, o sangue subiu-lhe à cabeça. "Por que vocês não comunicaram com antecedência?", indagou ingenuamente, sem a mais vaga ideia do que havia por trás. "Assim acabam comprometendo o Festival e a Globo." Paulo César dizia ter feito um contato direto com o presidente Médici e este garantira que as músicas não seriam censuradas.

Chico explicou que não era uma atitude política e sim uma forma de protesto contra a Censura que os impedia de trabalhar, ninguém sabia quem tinha jogado a carta no quintal do *Pasquim*, ninguém era comunista ou subversivo, a Censura desmantelava sua obra, estavam tentando trabalhar e não conseguiam, e essa era a oportunidade de informarem ao público que isso estava ocorrendo.

Porém o funcionário da Globo estava irredutível, ameaçou-o, apelando e obrigando-o a participar do Festival: "Eu não estou aqui para discutir problema ideológico. Estou aqui numa missão, tenho que salvar o Festival!", afirmou exaltado, excessivamente zeloso em defender os interesses da Globo e, naquelas circunstâncias, os do governo militar. O tempo esquentou e, nesse beco sem saída, o general França, que já havia dado um murro na mesa, interveio dizendo: "Nós não podemos obrigar os meninos, se eles não querem participar, não adianta".

Chico e os demais foram liberados e, ainda assim, Chico prometeu pensar sobre o assunto. Depois decidiu não voltar mesmo ao Festival. Mais tarde cada um fez uma declaração individual caindo fora do FIC. Foi o início da fase de rompimento entre Chico Buarque e a TV Globo.

Diante do impasse, Paulo César deu por terminada sua participação e se retirou levando as letras liberadas, algumas delas sem terem sequer sido lidas pelos censores. Foi direto para o Hotel Glória, onde já se tinha constituído um núcleo com João Araújo, José Octávio Castro Neves, Duarte Franco e Clemente Neto para tentar conseguir em três dias, e de qualquer maneira, músicas inéditas para substituírem as que tinham sido retiradas.

Enquanto isso, Gut entrou em contato com Gonzaguinha e Aldir Blanc, os dois em que mais confiava entre os previamente selecionados pelo sistema de balaio, e pediu-lhes que, além de não participar do Festival, apoiassem através de outra carta a atitude dos que já haviam se retirado. O texto de desistência dessa segunda turma chegou a ser redigido, vários, devido à tremenda pressão da TV Globo, não aderiram, e um deles, integrante do grupo MAU e concorrente, teria ficado com medo e telefonou para o Festival denunciando que seu companheiro Gonzaguinha estava passando o abaixo-assinado. Aí os militares resolveram intimar os novatos a depor também. Ficaram todos apavorados. A jornalista Ana Maria Bahiana, que também era letrista, quase desmaiou quando soube por telefone que poderia ser interrogada.

A diretoria da TV Globo começou a desconfiar de Gut e, após a denúncia telefônica de outro autor, assíduo concorrente e advogado, decidiu pela sua demissão. Boni foi até a sede do Festival no Hotel Glória para arrebatar-lhe a direção, entrou na sua sala, olhou firme e não disse meia palavra. O bom entendedor captou tudo, abaixou a cabeça,

`A DIREÇÃO DO VI FIC.

      Os abaixo assinados, compositores escolhidos dentro de um critério normal de classificação, concordamos com os motivos alegados pelos compositores escolhidos pela imprensa, conforme documento apresentado anteriormente. Ou mais explicitamente: a exorbitância, a intransigência e a drasticidade do Serviço de Censura na apreciação do que lhe tem sido submetido, afora exigências burocráticas inconcebíveis, tais como cadastramento e carteirinha dos participantes, coisas essas estranhas ao que normalmente se adota para tais circunstâncias. Ressaltamos que a desqualificação dos que exercem esta função, onde são imprescindíveis sensibilidade e respeito pela procura de novas formas de linguagem, para enriquecimento da nossa cultura popular e evolução de um setor importantíssimo dentro do cenário que nos leva a uma internacionalização, impede qualquer participação criativa de nossa parte. No momento e sempre, a parte prioritária.

      Sendo assim, retiramos nossos trabalhos do VI FIC, solidarizando-nos inteiramente com os supra-citados compositores escolhidos pela imprensa.

      Nestes têrmos, abaixo assinamos:

      RIO DE JANEIRO, 17 de setembro de 1971

(assinaturas manuscritas)

(JORGE AMIDEM)
J. Amidem
"TARSO"
Sérgio Ferreira da Cruz
PEChenti
Marcio Proença
Luis Gonzaga Junior
Paulo Emílio Costa Leite
Vicente Marcio Proença Pereira
Aldir Blanc Mendes (ALDIR BLANC)
GERALDO EDUARDO RIBEIRO CARNEIRO
EDUARDO SOUTO
LUIS CARLOS SÁ
VITOR MARTINS
SILVIO DA SILVA JR.
PAULO ROBERTO MACHADO DE BARROS
Tite de Lemos
Suely Costa
José Mauro
Silvio da Silva Jr.
Paulinho Machado
S. Costa
Luis Bandeira (LUIS BANDEIRA)

Depois do manifesto dos compositores convidados renunciando à sua participação no VI FIC, em um protesto contra a Censura, os compositores selecionados para o festival também redigiram o seu, em 17/9/1971. O episódio levou Gutemberg Guarabira, um dos organizadores dos abaixo-assinados, a ser demitido da TV Globo.

cumprimentou-o e sentiu-se dispensado do Festival. Terminou a carreira do baiano Gutemberg Nery Guarabira Filho no FIC, dando lugar à sua participação num trio que seria formado com Luiz Carlos Sá e Zé Rodrix, mais tarde reduzido à dupla Sá e Guarabira, com grandes sucessos nos anos 1970 e 1980.

O núcleo da Globo estava a todo vapor. Era um pega pra capar, o que viesse era lucro, valia de tudo, samba enredo destinado ao carnaval ("Alô! Alô! Taí Carmen Miranda", da Império Serrano), músicas já programadas para serem gravadas ("Canto livre"), temas reservados para futuras novelas ("Você não tá com nada", para *Bandeira 2*); João Araújo enfiou quem estava para gravar na Som Livre, até Paulo César Ferreira botou uma cantora, a finalidade era deixar passar tudo que aparecesse para completar o elenco do FIC. Na segunda-feira, três dias antes do Festival, continuava o entra e sai de compositor no apartamento 400 do Hotel Glória e, como consequência desse rapa tudo, chegaram mais músicas que o necessário: 80 composições, quando o normal eram 40. Conseguiram eliminar 30, e as 50 restantes, onde inevitavelmente havia muito bagulho, ainda deveriam ser preparadas, o que significa convocar os intérpretes, escrever arranjos, fazer as cópias, efetuar ensaios, um esforço inaudito para que o VI FIC fosse realizado. Seria o mais medíocre da Era dos Festivais.

Bem-humorado, Marzagão anunciou na quarta-feira os membros do numeroso júri: Eduardo Figueiredo (editor de *OESP*), Célio Alzer (programador da Rádio JB), Cussy de Almeida (violinista), João de Barro (o compositor Braguinha), Dom Salvador (pianista), Carlos Monteiro (maestro), Geraldo Miranda (presidente da Ordem dos Músicos), Darcy Villaverde (violonista), Agostinho Pestana (prefeito de Juiz de Fora), Mário Luís (diretor da rádio Mundial), Carlos Menezes (jornalista de *O Globo*), Jorge Segundo (jornalista de *O Cruzeiro*), Lula Freire (autor), Francisco de Abreu (dirigente da Rádio Nacional de São Paulo), Tárik de Souza (jornalista da *Veja*), Silvia Ravache (jornalista da *Rio Gráfica*), Tibério Gaspar (letrista) e Moyses Weltman (da Editora Bloch). A atriz Regina Duarte iria presidir o júri nacional porque "decidiu-se", justificou Marzagão dando de ombros. O júri popular teria sete pessoas sorteadas, sendo presidido por Grande Otelo. Marzagão explicou ainda que a saída de Gut se deu porque ele divergia de certas decisões, uma delas caracterizada pelo atraso na entrega de algumas músicas.

* * *

Zuza Homem de Mello

Tibério Gaspar, o letrista de "BR-3", música que venceu o festival anterior, participou do FIC de 1971 como jurado.

Normalmente um compositor de destaque nos festivais, Jorge Ben teve participação discreta no VI FIC, apresentando a apagada "Porque é proibido pisar na grama" no Maracanãzinho. No ano seguinte seria diferente...

Com apresentação de Hilton Gomes, Lívio Carneiro, Maria Cláudia e Arlete Sales, e a orquestra regida pelo competente Mário Tavares, foi iniciado o VI Festival Internacional da Canção na sexta-feira, 24 de setembro. Apenas três concorrentes foram de fato aplaudidas pelo público, que em sua maioria foi ao Maracanãzinho para assistir ao show do guitarrista Santana e sua Blues Band. Nem Gonzaguinha, tocando com um cigarro entre os dedos sua composição "Sanfona de prata", nem Zé Rodrix e o grupo Faya, com a campeã de Juiz de Fora "Casa no campo", dele e de Tavito, despertaram os cariocas da quase indiferença diante das 25 concorrentes, das quais 15 eram selecionadas através do balaio, duas vinham do Festival de Juiz de Fora e oito entraram no afogadilho da necessidade de salvar o Festival. As três que se destacaram na preferência popular foram: "Kyrie" (Paulinho Soares e Marcelo Silva), título ecumênico para uma canção quadradinha com o Trio Ternura; "O visitante" (Jorge Amidem e César das Mercês) com O Terço devidamente incrementado com a guitarra de três braços tocada por Jorge e o violoncelo elétrico por Sérgio Hinds; "Desacato" (Antônio Carlos e Jocafi), que, mesmo num relance, mostrava ser a melhor das três, com o grupo Brasil Ritmo acompanhando os autores.

* * *

Na noite seguinte, foi impingida outra dose de 25 músicas inéditas para um público diminuto, calculado em 2,5 mil assistentes. "O Maracanãzinho estava melancolicamente quase vazio... O nível abaixo de medíocre das músicas e das letras que foram levadas ao palco do Festival foi o único culpado pelo insucesso", descreveu o *Correio da Manhã*. Nem Jorge Ben nem os Golden Boys, nem os desconhecidos Tom e Dito ou um certo Jacks Wu motivaram alguém, por mais ferrenho torcedor do FIC que fosse. Os títulos de algumas concorrentes caíam como uma luva para resumir o que foi essa noite: "Você não tá com nada" (Sílvio César), "Não existe nada além de nós" (Fernando César e Nelson de Morais Filho), "Voltar, eu não" (Luís Bandeira), "Sem volta" (Guilherme Dias Gomes e Caique). Nem que fosse de encomenda ficaria mais adequado.

A final foi assistida por um Augusto Marzagão "amargurado, como um espectador distante", segundo Júlio Hungria do *Jornal do Brasil*, "triste... um extraordinário saco de pancadas", segundo Sérgio Bittencourt de *O Globo*.

Apesar do entusiasmo de Hilton Gomes e seus colegas apresentadores, apesar da animação um tanto forçada de torcidas organizadas para

Antônio Carlos e Jocafi prosseguem sua escalada de sucessos com "Desacato", cantada em coro pela plateia do VI FIC: "por isso agora, deixa estar...".

"Kyrie", a música vencedora do festival de 1971 tanto no júri oficial quanto no popular, foi carregada pelo afinado Trio Ternura.

abafar o fracasso de público da noite anterior, apesar do aparato técnico e do *tour de force* do núcleo montado pela Globo, não havia como aprumar um festival com aquelas 20 canções selecionadas para a final nacional. O programa foi ao ar, cumprindo-se o compromisso de realizar o Festival, mas o VI FIC não pôde ser salvo. Faltava a matéria-prima: música. Ainda que pelo menos duas delas pudessem ser bem aproveitadas, como de fato foram, "Desacato" e "Casa no campo", a vencedora, nos dois júris, foi a pueril "Kyrie", possivelmente em função do arranjo de Leonardo Bruno e, certamente, da performance do Trio Ternura.

Os autores de "Kyrie", dois dos menos conhecidos entre os finalistas da etapa nacional (concorrentes no FIC anterior com "Quebra cabeça"), foram, como de hábito, muito cumprimentados, ficaram felizes com a possibilidade de sucessos no futuro e foram comemorar a vitória com champanhe no sobrado dos pais dos cantores à rua Aureliano Portugal, no Rio Comprido. Em outra parte da cidade, a cúpula da Globo festejava a final nacional dividida em dois grupos, um no Number One e outro no Rincão Gaúcho.

* * *

O tranquilo letrista Marcelo Silva dedicava-se a *jingles* e o simpático compositor Paulinho Soares, que não tocava nenhum instrumento, tinha um sistema *sui generis* de compor: ligava o gravador e começava a cantar. Ambos tinham 18 composições em parceria. A melodia de "Kyrie" remete à música sacra e a letra é uma declaração de amor aludindo a ritos ou orações, como no refrão bastante cantado naquela noite: "Ó meu amor/ por piedade/ ó meu amor/ livre-me do mal também/ mate esta saudade, amém". Na liturgia, o Kyrie, que em grego significa Senhor, é a súplica que se segue ao Introito no início da missa católica e denomina-se Kyrie Eleison (Senhor tende piedade).

O arranjo de Leonardo Bruno, a despeito da bateria fazendo um ritmo pavorosamente quadrado, tirou leite de pedra através da técnica do cânone, a da melodia de uma voz ser imitada, à pequena distância, por outras vozes, cuja origem é a música sacra no século XV. Foi assim criado um atrativo para uma canção chué muito bem interpretada pelo Trio Ternura. Os garotos Jussara, Jurema e Robson, filhos do compositor Humberto Silva, cantavam juntos desde 1966 orientados e estimulados pelo pai, que também encaminhou os outros quatro filhos para a música. Promovidos pelo apresentador Haroldo de Andrade, estrearam em disco em 1968 na Musidisc (de Nilo Sérgio) com o LP *Trio Ternura* con-

Zuza Homem de Mello

tendo três versões e composições brasileiras, das quais "Nem um talvez", de Humberto, era de longe a melhor. Concorrendo na fatia música de juventude do mercado fonográfico com o Trio Esperança, era um grupo bastante afinado, tendo Robson como solista. Em junho de 1971, impulsionado pela participação em "BR-3", lançou seu segundo LP pela CBS, sob a direção artística de Raul Seixas, com traços de *soul music*, dando mais oportunidades às duas irmãs e obtendo destaque com "Vou morar no teu sorriso", igualmente a faixa mais interessante. Sua carreira, no entanto, não teve uma sequência duradoura.

O refrão da segunda colocada, "Desacato", foi o mais cantado pelo público no interior do Maracanãzinho e mesmo ao sair, após o espetáculo: "Por isso agora/ deixa estar, deixa estar/ que eu vou entregar você". "Desacato" deu continuidade à carreira dos baianos Antônio Carlos e Jocafi, os autores de "Você abusou", um samba que já era sucesso antes do FIC e passou a ser executado com intensidade em todo o mundo, especialmente no Oriente, determinando o padrão de outros sambas da dupla, como "Mudei de ideia", um lembrando o outro.

Convidada para presidir o júri internacional, Elis Regina fez valer o aguçado senso de detectar músicas para seu repertório. Caçou a nona colocada, "Casa no campo", e gravou-a espetacularmente num compacto lançado em cima do FIC, transformando-a na mais sólida canção do Festival. Elis foi quem melhor soube aproveitar a mensagem daquela letra ("...eu quero carneiros e cabras pastando... meus discos e livros e nada mais") identificada com um estilo de vida oposto ao urbano que tinha tudo a ver com a mentalidade da juventude da época.

"Kyrie" seria a defensora do Brasil na competição internacional da semana seguinte, empurrada por uma torcida animadíssima vestindo camisas dos clubes cariocas de futebol e portando faixas, possivelmente plantadas pela produção, "Marzagão é cultura" ou "Elis is beautiful". Sem protestos de cunho patriótico, obteve o terceiro lugar na decisão que premiou o bolero mexicano "Y después del amor", de Arturo Castro, que o interpretou "al lado de su hermano, también Castro, por supuesto".

Há inúmeras melodias na música sacra para o Kyrie, incluídas em missas desde o século X. Além dos "Kyrie" de Carlos Gomes e de Homero de Sá Barreto, há no Brasil gravações de Nelson Ângelo, Edu Lobo e Cussy de Almeida e a Orquestra Armorial com esse título, mas nenhuma delas era a vencedora do FIC, que só foi gravada mesmo pelo Trio Ternura, e regravada por Silvia Maria. Nem Paulinho Soares, cujo primeiro disco como intérprete foi lançado em 1978 na Continental, incluiu-a no

A contagiante "Desacato" leva o líder do júri popular do VI FIC, Grande Otelo, a subir no palco para sambar e comemorar o segundo lugar da canção na fase nacional do festival.

Com Augusto Marzagão, a presidente do júri internacional do VI FIC, Elis Regina, e seu filho João Marcelo Bôscoli no colo: nem bem acabou o evento, a cantora garimpou a nona colocada do festival, "Casa no campo", e fez dela um dos maiores sucessos de sua carreira.

repertório. Devido ao timbre de sua voz, esse LP com outras composições suas deixa a lembrança de um Chico Buarque requentado.

A trajetória de "Desacato" em discos foi bem outra. Além do compacto com Antônio Carlos e Jocafi, lançado em setembro de 1971 pela RCA, foi gravada também em compacto pelo grupo The Jet Blacks e em LP, ainda nos anos 1970, por Agnaldo Rayol, pelo guitarrista Poly, por Caçulinha, pela cantora Maria de Fátima e pela esplêndida orquestra brasileira de Carlos Piper, o arranjador que faleceu com Agostinho dos Santos no acidente aéreo de Paris em 1973. Zé Rodrix incluiu "Casa no campo" no seu LP de 1976, *Soy latino americano*, da Odeon.

O disco oficial do VI FIC, produzido pela associação Sigla-Odeon, fazia parte de um processo na montagem do selo Som Livre, ligado à TV Globo para lançar trilhas de novelas como a de *O cafona*, que estava estourada na época. No alto da capa do LP do FIC havia uma observação entre parênteses: "as favoritas". Continha assim 12 das 20 canções finalistas, entre as quais, a vencedora com o Trio Ternura, "Desacato" com Cláudia e "Casa no campo" com Zé Rodrix. Foi melhor assim. Se mais houvesse, pior seria para seus compradores, pois às faixas que já lá estavam seriam acrescentadas outras oito, somando 18 micos a reafirmar a baba do quiabo que foram as músicas desse Festival. Sua capa trazia ainda o desenho original de Ziraldo do Galo de Ouro, utilizado nos FIC anteriores, que já estava sendo abandonado e nem tinha sido utilizado nos cenários, como parte de um processo de encampação do FIC por parte da emissora. Nos papéis timbrados, o símbolo do Galo já tinha sido trocado pelo da Globo. Em curto espaço de tempo, a emissora diminuíra quase que totalmente o poder de Marzagão, detentor de direitos sobre o FIC. Em 22 de outubro ele enviou uma carta pondo fim ao acordo que durara cinco anos e oficializando seu afastamento.

* * *

O VI FIC fora merencório. Para Boni foi um Festival que não existiu, em que não aconteceu nada.

Para Marzagão, o homem do FIC, não ficou claro o que aconteceu, os compositores quiseram criar um fato político, uma denúncia, aproveitando a presença dos jornalistas estrangeiros. Desiludido, Augusto decidiu sair do Brasil; foi para o México em 1972 e acabou se tornando vice-presidente da cadeia Televisa e braço direito de seu presidente, Emilio Azcárraga, também proprietário do Estádio Azteca. Conseguiu elevar o faturamento de vendas externas de US$ 2 milhões para US$ 15 milhões anuais mas jamais se afastou dos contatos com a música de seu país durante os quase 20 anos em que lá permaneceu, trabalhando em espanhol com espírito brasileiro e ganhando em inglês. Através de deliciosos artigos publicados em jornais brasileiros mostrou seu descortino nas mais diferentes questões de cunho nacional ou internacional. Os que participaram das seis edições do Festival, por ele comandadas, permanecem seus incondicionais admiradores. Marzagão retornou do México quando recebeu um convite do presidente José Sarney para ocupar em maio de 1989 o cargo de secretário do presidente. Posteriormente tornou-se chefe da Assessoria de Comunicação de mais um presidente, Itamar Franco.

Para a crônica especializada, o VI FIC foi o mais medíocre da Era dos Festivais. Entre os globais, nem todos tinham uma real percepção do que os festivais representavam, uma colossal importância no relacionamento entre a empresa e o governo militar. "A questão básica é que a imagem do Brasil no exterior é divulgada favoravelmente por Pelé e pelo FIC", declarou à revista *Veja* o assessor de imprensa Hélio Tys, nomeado pela TV Globo em setembro.

Por mais que tentassem tapar o sol com a peneira, os que de fato conduziam o Festival sabiam no seu íntimo que aquilo tudo era o preâmbulo do fim de uma era. Com um ano de antecedência. Na emissora das novelas, um dos mandamentos rezava que o último capítulo devia ser um fecho de ouro, tinha que ter um final brilhante. Na novela do VI FIC, todavia, não houve como seguir essa regra. Os capítulos mais dramáticos aconteceram antes da estreia, privando os telespectadores de assistir ao que aconteceu de mais eletrizante. A novela propriamente dita, foi um fiasco retumbante.

15.
"FIO MARAVILHA" E "DIÁLOGO"
(VII FIC/TV GLOBO, 1972)

O símbolo do FIC, um galo desenhado por Ziraldo, dançou.

Sete anos antes, Augusto Marzagão comentava com seu amigo e desenhista mineiro que precisava de um símbolo para o festival que iria dirigir.

— Qual o canto que é ouvido no mundo inteiro, até na Cochinchina? — perguntou-lhe Ziraldo. — É o canto do galo.

— É isso mesmo — concordou Marzagão. — Então desenha um galo para mim.

Nas suas horas vagas na revista *O Cruzeiro*, Ziraldo tinha desenhado um galo no estilo do pintor francês Georges Mathieu, de quem se tornara grande amigo quando ele estivera no Brasil exibindo em público sua técnica de pintura com "revolta, rapidez e risco". Levou Marzagão para conhecer o modelo "à la Mathieu".

— Vou fazer um galo como esse — disse Ziraldo.

— É esse o galo! — decidiu Marzagão entusiasmado, sem permitir que o desenhista fizesse outro. Assim, aquele galo, que nas correspondências dos FIC era substituído por um desenho simplificado de galo baseado numa clave de sol, também de Ziraldo, tornou-se um símbolo tão marcante que ficou na moda, passando a ser modelo para as aulas de tapeçaria e de pintura em cerâmica das senhoras cariocas.

Em 1972, o galo de Ziraldo foi para escanteio. Em seu lugar surgiu um galináceo estilizado em linhas geométricas com as letras *f, i e c* em caixa-baixa inseridas no penacho e na papada simbolizando um novo ciclo do Festival Internacional da Canção, sob a direção global e para ser apreciado em cores.

Em março de 1972 a TV Globo comandara a rede nacional do programa inaugural da televisão em cores no Brasil — um filme sobre a vida de Cristo e o documentário *Viagem pelo Brasil*, transmitido através do sistema PAL-M para aproximadamente 5 mil aparelhos existentes no país. Em abril realizou-se um coquetel no novíssimo Hotel Nacional, inaugurado em fevereiro, onde foram anunciadas mudanças para recuperar a boa imagem do certame. Tendo como meta reduzir seus custos para enfrentar problemas econômicos a TV Globo decidiu diminuir sensivelmente a participação de artistas e jornalistas estrangeiros, alterando um conceito defendido por Augusto Marzagão com quem já não existia mais vínculo. Dois novos diretores ocupariam o seu lugar, José Otavio de Castro Neves ficaria na direção internacional e para a fase nacional Boni recorreu a quem já conhecia desde a TV Excelsior, o expert em montar festivais, que estava vivendo na Alemanha e retornou especialmente para dirigir o VII FIC, Solano Ribeiro.

A fase nacional teria, como antes, duas eliminatórias marcadas para 16 e 17 de setembro, mas agora com a participação de apenas 15 canções em cada. A final nacional seria dia 30 para selecionar duas entre 12, e não mais uma entre 20 concorrentes, destinadas à final internacional, também com muito menos compositores convidados. Os estrangeiros de países sem tradição musical não entrariam mais e, coerentemente com o novo plano de custos, os convites seriam limitados a dez músicas de fora concorrendo direto com as duas brasileiras numa final internacional com 12 participantes, agendada para o dia 1º de outubro. As atrações internacionais seriam o grupo Blood, Sweat and Tears, Astor Piazzolla e Aretha Franklin. Anunciar Aretha, ou era chute ou falta de conhecimento do *métier*, pois ela não viajava de avião de jeito nenhum.

Após o encerramento das inscrições em 30 de junho, foi montado o grupo para destacar 30 músicas entre as 1.912 inscritas e, seguindo o sistema instituído por Solano na Excelsior e Record, sem que os autores fossem identificados pelos cinco especialistas encarregados da tarefa, todos de sua absoluta confiança: Roberto Freire, Décio Pignatari, Julio Medaglia, Sérgio Cabral e César Camargo Mariano. Não havia mais editora ligada ao FIC, os compositores poderiam editar suas músicas onde bem quisessem. Solano não prometia grandes astros, mas sim novos nomes para uma renovação na música brasileira dos próximos anos. Na sua opinião, se aparecesse uma nova geração de grandes compositores, o FIC estaria salvo.

A lenga-lenga de que o som do Maracanãzinho iria melhorar foi repetido pela sétima vez na história dos FIC, com citações técnicas que poucos entendiam ("divisão em planos: o primeiro numa abertura de 10 graus atinge a parte mais alta das arquibancadas... o segundo plano também em três fases, com abertura de 45, 55 e 65 graus..."), com números de potência para impressionar e com detalhes e marcas do equipamento para mostrar serviço. A aparelhagem de iluminação, requintada como pedia uma transmissão a cores, foi importada da Alemanha e, para melhor entrosamento com os cantores, a orquestra ficaria no meio do palco projetado pelo argentino Frederico Padilla, que eliminou as passarelas laterais.

E as músicas? A grande expectativa recaía sobre as novidades dos estreantes que suplantavam em larga margem o que os FIC anteriores haviam trazido à tona. Alinhavam-se entre os 30 concorrentes o diretor de teatro Fauzi Arap, compositor de um "tango mineiro" ("Carangola ou Navalha na carne") a ser cantado por Marlene; Hermeto Paschoal com "Serearei", descrita como uma "espécie de lamento africano" a ser defendida pela suave Alaíde Costa, que encerrara uma temporada de sucesso no Teatro Fonte da Saudade no Rio; dois cearenses parceiros em "Bip... bip", Antônio Carlos Belchior e José Ednardo Costa Souza; o jovem Oswaldo Montenegro, de 16 anos, para quem participar com "Automóvel" já era uma vitória; os dois mineiros Sirlan e Murilo, autores de "Viva Zapátria", muito comentada antes mesmo da eliminatória; o paulista Walter Franco, filho do considerado radialista Cid Franco, com sua composição "Cabeça" que já provocava comentários controvertidos; o baiano Raul Seixas até então mais conhecido como produtor e agora assumindo carreira de compositor com duas concorrentes, "Eu sou eu, Nicuri é o Diabo" e "Let Me Sing, Let Me Sing", que ele mesmo defenderia; seu companheiro de hábitos e ideologia, o capixaba Sérgio Sampaio, primo do cantor Raul Sampaio, comparecendo com "Eu quero é botar meu bloco na rua"; outro cearense, Raimundo Fagner, compositor e intérprete de "Quatro graus" que nos ensaios pintou como uma das favoritas; o pernambucano Alceu Valença que defenderia "Papagaio do futuro" com seu amigo e comparsa, também de Pernambuco, Geraldo Azevedo; e, finalmente, uma cantora taxada de fenômeno antes de se apresentar, chamada Maria Alcina.

Inegavelmente um elenco promissor de novos nomes para a futura música popular brasileira. Contando com esses e outros concorrentes Solano cumprira a tarefa que lhe fora confiada. Seu erro de cálculo foi considerar Maria Alcina como o maior fenômeno surgido na música popular brasileira depois de Carmen Miranda e Elis Regina.

Nos dias que antecederam à primeira eliminatória os procedimentos habituais foram efetuados. A sede do festival foi instalada, voltando para o Copacabana Palace Hotel. Solano convidou o jornalista João Luiz de Albuquerque para assessor de imprensa, os ensaios foram iniciados, o júri estava sendo montado e as letras das canções foram para a aprovação da Censura Federal.

VII FESTIVAL INTERNACIONAL DA CANÇÃO POPULAR

O FIC foi perdendo suas marcas: Augusto Marzagão foi substituído na direção do festival, assim como o galo original criado por Ziraldo.

Jackson do Pandeiro, Alceu Valença e Geraldo Azevedo apresentam "Papagaio do futuro" na primeira eliminatória do FIC de 1972, mas a composição de Alceu não se classificou para a final.

Pelo que os censores podiam concluir, a que mais chamava a atenção devia abordar indiretamente um assunto muito sério, a pátria, pois chamava-se "Viva Zapátria". A música fora inscrita por Dona Clélia, proprietária do bar Saloon, em Belo Horizonte, onde músicos e compositores mineiros se reuniam com frequência. Depois de classificada, o letrista Murilo Antunes recebeu um telefonema para que fosse ao Rio de Janeiro responder a algumas perguntas da Polícia Federal.

Chegando ao Rio na véspera do encontro, Murilo, com 21 anos, sem música gravada, começando carreira, encafifado de ter que ir antes à polícia, foi a um show com o MPB 4 e seu ídolo Chico Buarque, que ele já conhecia de Belo Horizonte. Com Sirlan, foi ao camarim depois do show e perguntou-lhe:

— Ô Chico, amanhã eu tenho uma empreitada aqui. Estou meio preocupado e queria pedir uma opinião para você que já tem escova de dente lá na Censura. Estou imaginando fazer uma burla no depoimento.

Como acontecia com todos os que eram censurados na época, a saída era essa: encenar diante das alegações, geralmente primárias, do órgão federal. Murilo disse a Chico que pretendia dar uma de mineirão matuto, falando errado, que era do Jequitinhonha e estava chegando na capital, não sabia do que eles estavam falando, explicando que a letra era uma homenagem ao filme *Viva Zapata*. Chico, que já conhecia a música, escutou com o maior carinho e disse:

— Acho que você está certíssimo. Eles não têm argúcia, não vão perceber que está mentindo. Você está no caminho certo, tem é que caprichar.

No dia seguinte às 9 da manhã lá estavam Murilo e Sirlan na Censura Federal no centro do Rio, diante de uma mesa com oito pessoas, duas mulheres e seis homens, funcionários que tinham sido removidos de outras instituições federais para exercer o cargo de censor, todos com uma pose danada mas que visivelmente não entendiam patavina de cultura. A primeira pergunta foi para o letrista:

— Por que pátria no nome?

— Eu tô começano agora moço, sô lá do Vale do Jequitinhonha, sabe onde é que fica? Minha região é munto pobre, demorei a mudá pra capitá prá podê estudá, eu sempre gostei de música e quando eu fiz essa, eu queria homenageá um filme muito bonito. Mas o filme chamava *Viva Zapata* e acontece que eu conheço uma música que já tem esse nome. Se não me engano essa música é dum pessoá que chama Sá e Guarabira. E eu não queria começá seu moço, plagiano ninguém, num posso fazê uma coisa dessa.

Aí vieram perguntas rápidas para criar uma pressão emocional. Perguntaram se ele conhecia alguém do MR-8, alguém da AP, da POLOP. Claro que Murilo conhecia, pois exercia a militância desde o curso secundário, estava ligado a ações de organizar passeatas, era ativo em esconder pessoas, em levá-las para o interior, participando do esquema. Respondeu:

— Hein, quê que é isso? Num sei do quê que o sinhô tá falano.

Nessa toada conseguiu dar uma relaxada ao interrogatório quando uma das censoras, uma coroa de cabelo pavoneado e muitos colares, perguntou sobre o filme.

— Pois é — disse Murilo —, era um filme do Elia Kazan, *Viva Zapata*, com Marlon Brando, que tinha uma história de amô muito bonita dos dois.

— Ah, eu vi esse filme.

Murilo deitou e rolou.

— Pois é, a senhora num lembra? Ele teve que saí fugido, foi perseguido e tudo, mas o coração dele, ele dexô na aldeia dele. E depois pr'ele encontrá com o amô, que dificurdade num é? Ele conseguiu encontrá com ela escondido, lembra? Depois eu achei aquele romance uma beleza...

Esticava sobre o filme quando dois censores saíram da sala desinteressados, e Murilo sentiu que conseguira enfraquecer o empuxe que tinham no começo, foi desarmando a Censura que acabou liberando a música "Viva Zapátria", cujos versos não tinham a mais leve referência ao romance do filme, direcionando-se noutra direção com este início: "Esse meu sangue fervendo de amor/ aterrissam os falcões onde estou/ carabinas, sorriso onde estou/ um compromisso, a sirene chegou...".

A preocupação da Polícia não era só com os compositores. A imagem verde-oliva e amarelo-gema seria enviada ao exterior pela televisão e para que tudo corresse sobre carretéis algumas advertências se faziam necessárias.

Solano, um assistente e o assessor de imprensa João Luiz de Albuquerque foram chamados para uma reunião nos porões do Palácio do Catete com a Polícia Federal. Depois de terem assegurado que todos os funcionários da Censura receberiam seus convites gratuitamente, foi-lhes passado um decálogo do que era e do que não era permitido. Não tolerariam letras "perigosas" e, quando um dos três sugeriu um censor músico para examinar melodias que poderiam incitar à revolução como a "Marselhesa", a observação foi anotada. Também não seria permitido o gesto do punho cerrado para o alto, do "perigo negro" que "não era o vermelho, era o negro mesmo", o Black Power americano supostamente interessado em prejudicar o relacionamento no "único país do mundo sem preconceito racial". Se alguém fizesse o gesto, a estação sairia do ar.

Finalmente, em tom professoral, foi dada a recomendação que ficou para a história: "Como nos anos anteriores, um agente nosso ficará bem atrás da boca do palco. Quero avisar vocês que qualquer cantora com decote avantajado não vai poder entrar no palco. Os decotes do ano passado não serão mais permitidos". Houve uma pequena discussão, e aí ouviu-se a seguinte frase: "Esse é o primeiro ano que o festival vai ser apresentado em cores, e um decote avantajado em cores é muito mais imoral que um decote avantajado em preto e branco". João Luiz, Solano e o assistente tiveram que se conter para não cair na gargalhada nos vetustos porões do Palácio do Catete.

Só na véspera da primeira eliminatória é que o júri foi anunciado, desfazendo a ansiedade de jornalistas e concorrentes. Seus integrantes eram o diretor de programação do sistema Globo de rádio Mário Luís Barbato, o maestro Rogério Duprat, o poeta e professor Décio Pignatari, os experientes Roberto Freire e Sérgio Cabral, o jornalista Alberto de Carvalho, o pianista João Carlos Martins, o empresário dos baianos Guilherme Araújo, e dois conhecidos radialistas — Big Boy, do Rio, e Walter Silva, de São Paulo. Nara Leão aceitou ser a presidente depois de muito assédio. Desta vez o júri popular não foi sorteado mas escolhido entre personalidades como a linda mulata Aizita Nascimento, a *socialite* Beki Klabin e o cantor brega Waldick Soriano. Antes mesmo da primeira eliminatória, "Fio Maravilha" já era considerada uma das mais fortes candidatas do primeiro grupo.

* * *

Às 21h10 do sábado 16 de setembro, os quatro apresentadores deram o *start* do VII FIC. Às cores rosa, amarelo, lilás, verde e azul do palco e às das bandeiras desfraldadas dos países participantes, juntava-se o jogo de luzes para um máximo efeito destinado a embelezar a transmissão colorida. A orquestra sob a regência de Mário Tavares atacou o tema do festival e os quatro apresentadores entraram em ação: Murilo Neri vestia um *smoking* azul enquanto José Augusto, um vermelho. Ao lado dos dois novos ocupantes das posições masculinas, as moças eram as mesmas do ano anterior: Maria Cláudia, de vestido azul, e Arlete Sales, de vermelho. Entre tantas cores, o detalhe que mais chamava a atenção era a ousadia dos decotes de ambas. A Censura rendeu-se à decantada beleza da mulher brasileira, não reclamou e a transmissão se fez para o Brasil, Panamá, Colômbia, Venezuela, Porto Rico e México.

Foram apresentadas 15 canções com intervalos comerciais preenchidos por música brasileira executada pela orquestra regida também por Leonardo Bruno e Chiquinho de Morais. Ao final o júri classificou seis concorrentes: "Serearei" (Hermeto Paschoal), em que a cabeleira do albino Hermeto foi a maior atração; o samba "Nó na cana" (Ari do Cavaco e César Augusto) com o refrão "Olha que tem nó na cana..." muito aplaudido com a ajuda dos requebros da cantora Mirna; "Eu sou eu, Nicuri é o Diabo" (Raul Seixas), um samba-rock com entrecho de tango cantado e dançado por Raul Seixas, vestido de diabo amarelo, acompanhado pelo grupo Os Lobos; a teatral e anti *déjà vu* "Cabeça", que o público, despreparado para aquela linguagem poética adensada, vaiou violentamente sem que o autor e intérprete Walter Franco se perturbasse o mínimo; o samba "Diálogo" (Baden Powell e Paulo César Pinheiro) também muito aplaudido pela presença de Baden e pela participação dançante de Cláudia Regina e "Fio Maravilha" (Jorge Ben), a que mais empolgou com a cantora Maria Alcina saracoteando num traje indígena estilizado. A presidente do júri, Nara Leão, não se conformou que seus companheiros tivessem desprezado "Eu quero é botar meu bloco na rua" com Sérgio Sampaio.

* * *

Meia hora antes de começar a segunda eliminatória no dia seguinte, o público estava impaciente e se agitou de vez quando as duas apresentadoras apareceram. Com seus novos decotes, Arlete e Maria Cláudia estavam ainda mais ousadas que na véspera e novamente ninguém protestou. A primeira manifestação de grande entusiasmo ocorreu quando Raul Seixas imitando Elvis Presley apresentou a quinta concorrente, "Let Me Sing" vestido de preto com jaqueta de couro, botas e cinturão com tachinhas. Com exceção dele, os demais tratavam de aproveitar ao máximo as cores nas vestimentas. Os Originais do Samba fizeram a plateia sambar pra valer trajando *blasers* amarelo e calças vinho, Arnaldo dos Mutantes estava com uma túnica roxa e asas de anjo brancas, Rita Lee num saiote brilhante de grega. A maioria tratava de caprichar no que houvesse de mais vistoso e berrante para fazer jus às cores da televisão.

Após um show de Gal Costa o júri classificou mais seis canções na eliminatória de domingo: "Let Me Sing, Let Me Sing" (Edith Wisner e Raul Seixas), "Flor lilás" (Luli) com a dupla Luli e Lucina, "A volta do ponteiro" (Roberto L. da Silva e Roberto F. dos Santos) com Os Originais do Samba, "Viva Zapátria" (Sirlan e Murilo) com Sirlan, "Mande um abraço pra velha" (Os Mutantes) e "Carangola" (Fototi e Fauzi Arap) com Marlene. Em vista de um empate entre duas músicas o júri transgrediu o plano de voo estabelecido incluindo "Liberdade, liberdade" (Oscar Torales) e, mostrando seu espírito de colaboração, decidiu também alegrar sua presidente Nara Leão dando a mão à palmatória ao incluir a composição de Sérgio Sampaio que fora prejudicada por um tumulto na apresentação. Assim seriam 14 as concorrentes à final nacional assentada para dali a duas semanas. Entrementes seriam realizadas duas eliminatórias internacionais com os 14 países convidados, cada qual concorrendo com duas músicas. Como se vê, o esquema original foi alterado. De cada eliminatória internacional sairiam cinco concorrentes, somando dez, que se cruzariam com as duas brasileiras vencedoras da final nacional do dia 30 de setembro.

A condescendência da Censura com o colo das apresentadoras, o comportamento relativamente normal da plateia, quebrado por meros incidentes como duas garotas dançando frevo de saiote e sombrinha como manda o figurino, o acatamento às decisões dos jurados classificando "Viva Zapátria" para a final, tudo isso levava a crer que o intervalo que antecederia a final nacional enquanto os estrangeiros se digladiavam, seria de uma desfrutável bonança para todo mundo. Avizinhava-se, porém, uma tempestade.

Comentava-se que o júri nacional estava dividido em duas tendências dominantes: uma, baseada no gosto popular, inclinava-se por "Fio Maravilha", apesar da performance de Maria Alcina ter ficado abaixo do esperado. "A roupa que ela usou agrediu o público, assustou um pouco...", justificou Solano Ribeiro ao jornal *O Globo*, confiante que ela ainda iria estourar no FIC. A outra tendência, voltada para o experimental, podia ser resumida nas declarações do jurado Sérgio Cabral no mesmo dia: "Eu já tenho meu voto, mas não posso dizer agora. Aliás, acho muito bom esse intervalo de quinze dias entre as eliminatórias e a final, porque nós, do júri, podemos pensar melhor. Só quero destacar o trabalho de Walter Franco em "Cabeça". Essa música é genial porque mostra que a vanguarda brasileira não tem nada a ver com a vanguarda americana". "Cabeça", é bom recordar, fora a música mais vaiada nas eliminatórias mas gozava da preferência de nove jurados.

Foi aí que trovejou. O diretor Walter Clark chamou Solano para uma comunicação importante:

— Os militares mandam você afastar a Nara do júri.

— Mas ela é presidente do júri! Ela me ajudou a levantar o conceito do festival. E agora tem que tirar? Vão jogar o festival no chão.

— Mas não tem jeito, ordem de militares não se discute.

Os militares impunham a saída de Nara por não terem gostado de uma entrevista sua ao *Jornal do Brasil* desancando o que acontecia no país.

— Então eu também estou fora. Se a Nara sair eu também saio.

A discussão prolongou-se noite adentro. Foi proposto deixar Nara no júri sem ser mostrada na televisão, até sem citar seu nome. Nada adiantou. Diante do impasse e da eminência dele próprio abandonar o festival, Solano cedeu, concordando em se destituir todo o júri de brasileiros e substituí-lo por outro grupo, mas só de estrangeiros. Alguns jurados como Walter Silva, Roberto Freire, Décio Pignatari e Rogério Duprat interpretaram a decisão como uma represália às intenções manifestadas abertamente de elegerem "Cabeça". E tinham eles pelo menos um forte motivo para isso: Maria Alcina estava na mira da TV Globo e dizia-se que já estava contratada antes do FIC para seis apresentações.

A desculpa esfarrapada para a surpreendente mudança do júri foi dada pelo diretor geral do FIC José Otavio de Castro Neves que considerou inicialmente ter sido cumprida a missão do júri presidido por Nara. "Nós acreditamos", disse ele, "que essas músicas classificadas sejam suficientemente boas para um julgamento internacional. E um júri internacional terá, é claro, uma visão maior para indicar as duas representantes brasileiras com verdadeiras possibilidades de disputar o mercado externo". O novo júri seria presidido pelo editor da revista *Billboard*, Lee Zitho, e seus companheiros gringos receberiam uma tradução literal das letras para inglês e francês acompanhada de uma adaptação para que compreendessem o sentido de cada canção brasileira. Por exemplo, "Eu quero é botar meu bloco na rua" foi traduzida por uma senhora, que confessou estar meio sem prática para a tarefa, para "I Want To Put My Block In The Street" o que, na cabeça dos gringos, foi entendido como "Eu quero colocar meu enorme pedaço de pedra na rua".

Com um procedimento dessa natureza, a direção do FIC esperava inocentemente que ninguém chiasse. Mas nenhum dos jurados engoliu. Nara ficou revoltada afirmando tratar-se "de um verdadeiro escândalo mudar-se as regras depois do jogo começado, uma grossura, um desrespeito". Os jurados brasileiros redigiram um comunicado para ser distribuído à imprensa.

Os Originais do Samba levam a plateia a dançar em "A volta do ponteiro", classificando a música para a final nacional do VII FIC.

Por ordem dos militares, que não gostaram de uma entrevista sua desancando a situação do país, a presidente do júri nacional do festival, Nara Leão, foi afastada. Na sequência, todos os jurados brasileiros, incluindo o radialista Walter Silva (à direita), também seriam destituídos.

Foi nesse clima tumultuado que se iniciou a final nacional do FIC no último domingo de setembro de 1972.

* * *

Com um engradado na cabeça contendo seis novos instrumentos para a apresentação de "Serearei", o saxofonista Mazinho do grupo de Hermeto Paschoal tentou entrar no Maracanãzinho, mas foi barrado. Motivo: os instrumentos eram quatro galinhas e dois porcos. "Sei que quando a gente aperta o pé do porco ele dá um grito que nenhum piano do mundo consegue igualar", justificava Hermeto para incluir novos sons no seu grupo. O diretor do festival Solano Ribeiro, não sabendo se admitia ou não tamanha extravagância, ligou para a Censura que vetou a participação de animais no festival. Mas a direção da TV Globo não acreditou que Hermeto fosse acatar a ordem na apresentação de seu número, o primeiro da final nacional. O fato é que quando ele subiu ao palco, não havia som nos microfones. Foi anunciado que havia um defeito no equipamento, Hermeto gritou pedindo som, os técnicos "tentaram" resolver mas não conseguiram. O apresentador anunciou que Hermeto e Alaíde Costa voltariam para se apresentar ao final.

Logicamente a eficiência dos técnicos foi comprovada em seguida. O som estava normalizado para a segunda concorrente, o samba "Nó na cana" com Mirna e Elson. Nos seus postos de jurados os canadenses, americanos, franceses, espanhóis e outros gringos tentavam decifrar o significado daquela letra: "Quando eu digo que tem nó na cana/ quem é malandro não fica de bobeira/ porque se marcar no sono baiano/ vai virar pino de furar pedreira/ Olha que tem nó na cana..." A letra, uma antologia de gírias de morro carioca com o ritmo do samba comendo por baixo, fez o público se esbaldar, dançando e cantando nas arquibancadas, enquanto os jurados se entreolhavam com cara de paisagem, tentando captar o sentido da coisa e esforçando-se em acompanhar o ritmo com a cabeça.

A quarta concorrente também foi recebida com uma explosão de aplausos e uma faixa desfraldada na arquibancada com o título "Eu sou eu, Nicuri é o Diabo". Raul Seixas e Os Lobos em traje medieval conquistaram os jurados uma vez que guitarras elétricas e a linguagem do rock lhes era familiar.

Mais aplausos para a quinta concorrente, "Fio Maravilha" na interpretação da espoleta Maria Alcina vestida de odalisca em rosa e vermelho. Essa também foi facilmente assimilada pelo júri que acompanhava o ritmo com palmas e chegou a aplaudir ao final, envolvido pelo entusiasmo da plateia.

Mas uma bela vaia esperava "Cabeça" que não perturbou minimamente Walter Franco, o mais procurado para entrevistas e muito satisfeito com a pequena torcida organizada que aplaudia a letra *clean* da sua música experimental recitada que se iniciava com "Que é que tem nessa cabeça, irmão?...", prosseguindo repetitivamente mas sem redundância e com sons de sintetizador gravados ao fundo. Os jurados, com fone de ouvido e impassíveis, pareciam estar ouvindo uma voz de outro planeta.

A nona concorrente foi mais um rock, "Let Me Sing", novamente com Raul Seixas trajando as mesmas botas, jaqueta e calças de couro negro da apresentação anterior, numa empatia com os jurados e o público dançante. A seguir, o violonista Baden Powell, demoradamente aplaudido antes mesmo de tocar para Tobias e Cláudia Regina cantarem seu extenso afrossamba "Diálogo". Depois dele o cabeludo e bigodudo Sirlan Antônio de Jesus subiu ao palco para cantar a barroca "Viva Zapátria", acompanhado pela orquestra da Globo e dois músicos do conjunto do bar Saloon, o tecladista Flávio Venturini e o baixista Beto Guedes. Foi ouvido respeitosamente com sua voz estranha lembrando um frade franciscano e ovacionado ao final, certamente não imaginando que ali começava o calvário em que sua carreira se transformaria nos cinco anos seguintes.

A penúltima canção foi a marcha-rancho "Eu quero é botar meu bloco na rua" com o magro e cabeludo Sérgio Sampaio, uma figura muito parecida com Raul Seixas com quem tanto se identificava. Depois da última concorrente, "Carangola", a mais vaiada da noite, "Serearei" voltaria a ser apresentada. Alaíde entrou no palco demonstrando muita preocupação pois pretendia explicar ao público o que acontecia nos bastidores. Seu plano era dizer "Gente, eu estou presa no camarim e vou cantar obrigada". Ao se dirigir ao microfone começou dizendo "Gente"... e não saiu mais nada. Seu microfone foi desligado. O público vaiava pedindo som. Alaíde se enfureceu, jogou o microfone no chão, saiu do palco e foi para o camarim mudar de roupa. A segunda tentativa de apresentação de "Serearei" foi cancelada. Rapidinho, Murilo Neri deu por encerrada a apresentação das concorrentes, aguardando a decisão do júri de gringos.

Nos camarins o jurado brasileiro Roberto Freire berrava contra a violência de que fora vítima. Provavelmente por ser um destemido atuante em manifestações de caráter político, ele fora designado pelos companheiros do júri nacional para entrar no Maracanãzinho, penetrar nos camarins e subir ao palco para ler o comunicado que haviam redigido.

Maria Alcina, com "Fio Maravilha", empolga júri e plateia
na final nacional do VII FIC, amparada pelo grupo que a acompanhava
na boate Number One, incluindo Marilton Borges no vocais (à direita)
e Paulinho da Costa na percussão (à esquerda). A composição
de Jorge Ben arrematou o primeiro lugar no festival.

Cláudia
Regina e
Baden Powell
defendem
o afrossamba
"Diálogo"
(parceria de
Baden com
Paulo César
Pinheiro),
a outra
vencedora da
fase nacional
do festival.

Fazendo-se passar por músico de um dos grupos, Roberto entrou no palco para exercer sua arriscada e ingrata missão de arauto. Aproximou-se do microfone e estava lendo o início do manifesto quando sentiu-se agarrado. Foi violentamente arrastado pelos seguranças da TV Globo que o conduziram para atrás do palco jogando-o numa sala onde havia um grupo de policiais e um delegado que disse: "Podem bater porque ele também é comunista". Diante da autorização os policiais se regalaram batendo para valer, com socos e pontapés, jogaram-no contra a parede, pisaram em suas costas, aplicaram uma tremenda surra deixando-o estendido no camarim com fratura nos dois braços, no malar, em quatro costelas e uma couve-flor sangrenta em lugar do rosto. Totalmente lúcido, Roberto viu quando Boni e outros diretores chegaram com Nara, que vendo a cena disse:

— Se vocês não lerem o comunicado, nós invadimos o palco e todos vamos ser espancados.

Boni foi rápido no gatilho, passou os olhos no texto e disse: "Se vocês tirarem esse primeiro período (falando mal da Globo) eu mando ler". Assim foi decidido. Roberto permanecia no camarim com enfermeiros enquanto o comunicado era lido por Murilo Neri:

> "Os integrantes do júri da fase nacional do VII Festival Internacional da Canção, cumprindo sua finalidade de apontar as duas composições musicais que representarão o Brasil na final internacional, decidiram indicar as seguintes concorrentes: 'Cabeça', de Walter Franco, e 'Nó na cana', de Ari do Cavaco e César Augusto. Ao tempo que divulgam esta decisão, os membros de júri manifestam sua estranheza ante a decisão do Festival, destituindo-os sem qualquer explicação. Consideram ainda sua destituição um ato arbitrário e altamente suspeito.

> Rio de Janeiro, 30 de setembro de 1972.
> Nara Leão — presidente — Rogério Duprat, Décio Pignatari, Alberto C. N. de Carvalho, Léa Maria, Sérgio Cabral, Guilherme Araújo, João Carlos Martins, Walter Silva, Roberto Freire, Mário Luiz e Big Boy."

Na plateia, alguns policiais subiram as arquibancadas às carreiras arrancando uma faixa que dizia "O júri de gringos foi dirigido" enquanto outros, nos bastidores, cerceavam os repórteres que desejavam entrevistar Roberto Freire, seguindo as ordens do coronel Ardovino Barbosa que gritava "Bota a imprensa pra baixo no pau".

Nesse ambiente degenerado foram proclamadas as duas vencedoras brasileiras que disputariam na noite seguinte com as 12 estrangeiras a final internacional: "Diálogo" e "Fio Maravilha". Nem Baden Powell nem Jorge Ben, seus compositores, podiam ser considerados representantes da renovação prometida.

Mostrando um virtuoso zelo pelo espetáculo da noite seguinte, 1º de outubro, os jurados escalados para a final internacional enviaram uma recomendação aos artistas participantes para que "não usassem recursos extra musicais, não dançassem ou rebolassem em suas apresentações".

Eram 14 canções de dez países sendo duas argentinas, duas alemãs, duas americanas e duas brasileiras. Comentava-se que a vitória do americano David Clayton Thomas com "Nobody Calls Me A Prophet" já estava decidida e quando o cantor grego Demis Roussos, que defendera "Velvet Mornings" na semifinal internacional, tomou conhecimento do que se dizia, abandonou o Maracanãzinho. Elementos da organização saíram correndo para explicar aos jurados que ele não entraria no palco e era preciso tomar alguma providência sob a forma de agrado. Antes dele cantar houve um intervalo comercial enquanto a orquestra ficou tocando "Ê baiana" durante vários minutos. Afinal, Roussos, numa túnica dourada com estampados vermelhos, entrou com seu grupo dizendo "aquele abraço" antes de cantar sua música recebida entusiasticamente por um público que repartia sua preferência com "Fio Maravilha", a outra grande favorita.

À esquerda do palco ficava o alto comando da Globo e do lado direito o curral da imprensa onde rolavam as fofocas. Lá estava o assessor de imprensa João Luiz de Albuquerque aguardando a decisão dos jurados quando Solano Ribeiro chegou correndo, inclinando-se para lhe falar reservadamente:

— João, em quanto tempo você consegue reunir a imprensa?

— Uns 15 ou 20 minutos. Por que?

— Porque o Walter Clark está me dizendo que eu preciso mudar o resultado final do festival. Não deu "Fio Maravilha" com a Maria Alcina e eles querem que eu mude, trocando com o segundo. E eu disse que não admito isso e que vinha falar com você para chamar a imprensa.

— Nesse caso eu junto a imprensa em três minutos.

— Então você espera aí que eu vou voltar para lá.

E desapareceu, saindo do Maracanãzinho mas no meio do caminho

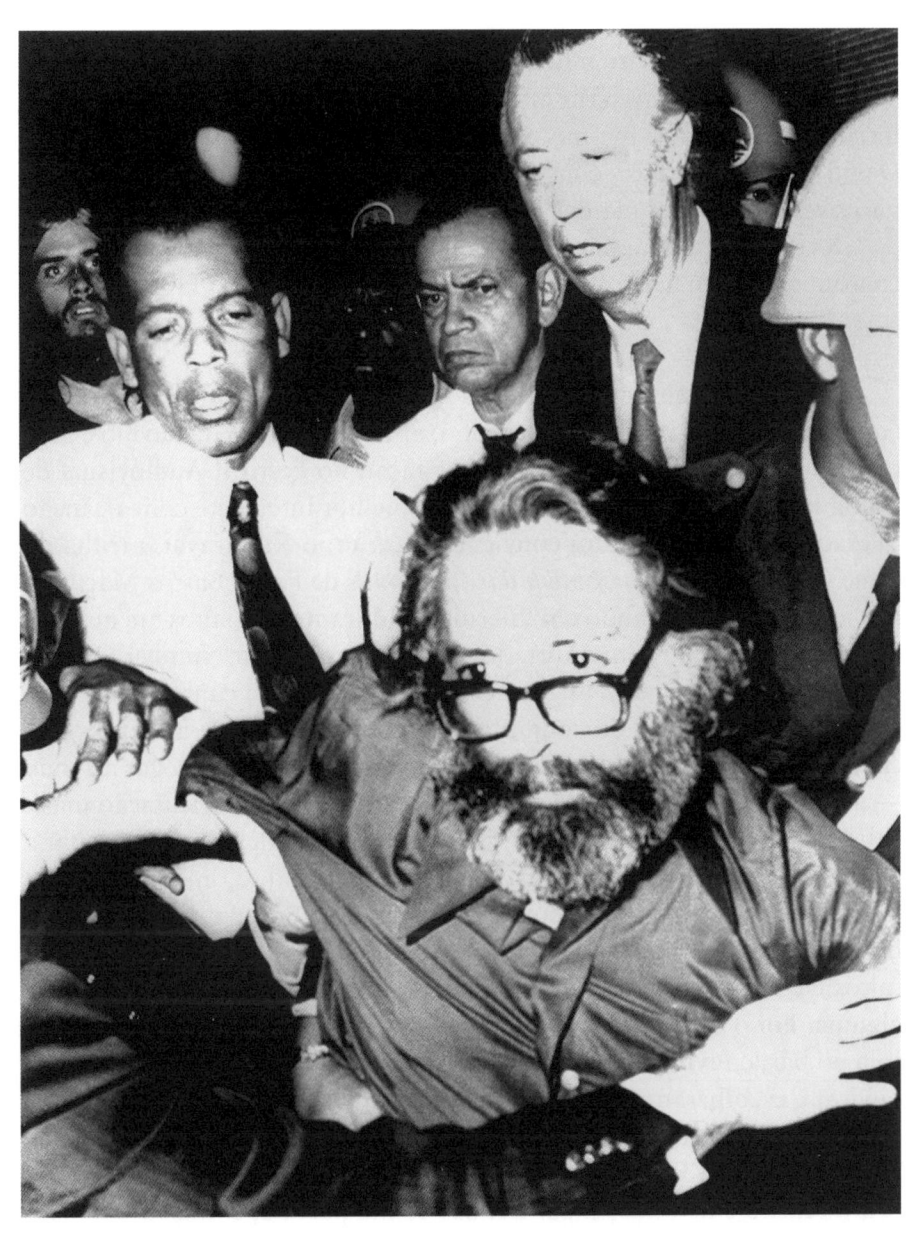

Ao tentar ler no palco do VII FIC um manifesto contra a destituição
do júri nacional, Roberto Freire foi violentamente arrastado por policiais, que o
levaram a uma sala e o espancaram barbaramente: de costelas quebradas, o jurado
passou quinze dias no hospital se recuperando. Terminava a Era dos Festivais.

resolveu voltar atrás indo se sentar no meio das arquibancadas como um espectador.

O resultado não foi mudado. Enquanto o júri popular deu a vitória à música da Itália, "Aeternum", com o conjunto Formula Tre, o júri internacional premiou mesmo o ex-*crooner* do Blood, Sweat and Tears, David Clayton Thomas com sua voz de Ray Charles branco. Se Solano não tivesse peitado uma das duas figuras mais importantes da Globo e da televisão brasileira, teria sido dada a vitória à música defendida pela cantora em quem a TV Globo apostava antes mesmo do FIC.

* * *

A alegre mineira de Cataguases Maria Alcina Leite nem rádio tinha em sua casa. Ouvia música no vizinho, aprendeu violão de ouvido e cantava na rádio local. Após uma apresentação no Festival Audiovisual de Cataguases em que ganhou o prêmio de melhor intérprete com a canção "Pesadelo refrigerado", foi convidada para ir ao Rio gravar a trilha do filme O *Anunciador, o homem das tormentas* de Paulo Bastos Martins e acabou ficando, cantando em inferninhos durante dois anos até que, em 1972, surpreendeu Mauro Furtado, proprietário do Bar Number One em Ipanema, que ao ouvi-la julgou ser um homem quem cantava. Foi contratada como *crooner* do conjunto mas sua voz exótica e a extravagância de suas performances — já em Cataguases chegava a se jogar ao chão — animaram Mauro a promovê-la como atração sob a orientação musical de Severino Filho, líder dos Cariocas. Maria Alcina rompia com a estética de então através de sua voz gutural varonil, da maquiagem extravagante, das roupas irreverentes, compondo, com sua figura que lembrava Josephine Baker, uma divertida *mise-en-scène* recheada de passos, saltos e coices surpreendentes que não se enquadravam em coreografia alguma. Foi o que impressionou também a Solano Ribeiro que ao assisti-la no bar, convidou-a para participar do FIC. Entre as fitas que ambos ouviram, escolheram uma música do flamenguista doente Jorge Ben que exaltava outra figura exótica, o jogador de seu clube Fio (João Batista de Sales) apelidado Fio Maravilha. Longe de ser um craque, este era um negro retinto e dentuço, capaz de, na mesma partida, cometer lances bisonhos e marcar gols inacreditáveis como o que descreve a letra de Jorge, uma narrativa de *speaker* de futebol sem tirar nem por: "Aos trinta e três minutos do segundo tempo/ depois de fazer uma jogada celestial em gol/ tabelou, driblou dois zagueiros/ deu um toque, driblou o goleiro... Fio Maravilha, nós gostamos de você/ Fio Maravillha, faz mais um pra gente ver". Maria Alcina inspirou-se na alegria da comemoração de um gol, nos pulos que os jogadores costumam dar, para criar sua performance para o FIC que conquistou a todos — diretores da TV Globo, flamenguistas ou torcedores de outros clubes presentes ao Maracanãzinho e jurados do festival. Em arranjo de Severino Filho, cantou e foi consagrada com o grupo do Number One, cujo percussionista chamava-se Paulinho da Costa e seria anos depois um dos mais prestigiados músicos brasileiros em atividade nos Estados Unidos.

Quando terminou sua apresentação na final internacional, os diretores da Globo Walter Clark e Boni aguardavam-na atrás do palco, incentivando-a a bisar o número, o que nunca tinha acontecido. Por conta da performance de Maria Alcina, Jorge Ben recebeu um prêmio que não estava programado. Pressionado, o júri houvera criado duas menções honrosas, uma para "Fio Maravilha" e outra para a canção grega. Posteriormente, Roussos afirmaria que receber menção honrosa foi um insulto.

Depois da surra dos policiais, Roberto Freire ficou 15 dias internado às expensas da Globo, voltou a São Paulo e retornou ao Rio sendo recebido por Boni de braços abertos, para acertar o contrato da série que escreveria, *A grande família*. A assinatura ficou marcada para o dia seguinte. Nessa noite Roberto foi convidado para jantar com José Octavio de Castro Neves, Solano Ribeiro e suas respectivas no restaurante Nino, da Domingos Ferreira, em Copacabana. Começaram a beber e a recordar os episódios do festival dando gargalhadas acima do normal. Na mesa da frente havia uns senhores que começaram a reclamar sem ser atendidos. De repente um deles arremessa uma garrafa de uísque Dimple, que passou zunindo sobre a cabeça dos cinco espatifando-se num espelho que havia atrás. Os três se levantaram e com a ajuda dos garçons deram uma surra nos reclamantes. No dia seguinte, Roberto voltou ao escritório da Globo e depois de assinar o contrato, Boni recomendou:

— Quando você sair, saia por aquela escada ali. Aqueles caras em quem vocês bateram ontem são diretores da Globo.

* * *

"Fio Maravilha" foi gravado por Maria Alcina num compacto da Chantecler com o arranjo original, aproveitado para seu primeiro LP, lançado em maio de 1973, reunindo material de seus diversos compactos. Foi gravada ainda por Jorge Ben (num compacto e depois em LP da Philips), por Chacrinha, pelo saxofonista Meireles com orquestra, por Paul Mauriat e orquestra e, em versão de Boris Bergman, por Crystal Grass.

No seu repertório de shows e discos Maria Alcina preocupou-se em resgatar sambas gravados por Carmen Miranda como "Alô alô", "Maria Boa", "Me dá, me dá" e a marcha "Como vais, você", mantendo uma vibrante postura de reverência à música brasileira do passado.

Quem também pôde tirar grande proveito do FIC em sua carreira foi Raul Seixas. Antes do festival, ele e Sérgio Sampaio já haviam sido contratados por Roberto Menescal, então diretor artístico da gravadora Philips. Inicialmente Sérgio fez sucesso com "Eu quero é botar meu bloco na rua", uma das músicas mais executadas nas rádios depois desse FIC. Mas o palco não era seu forte e aos poucos Sérgio Sampaio foi se tornando um artista meio marginal até se incorporar ao time chamado de "maldito", que, longe de ser um termo pejorativo, é sinônimo de *cult* na música popular. O baiano Raul foi outra grande revelação desse festival. Pensava-se que fosse apenas um compositor mas no palco rendeu muito mais. Sua carreira foi ascendendo assustadoramente até chegar ao topo de maior ídolo do rock brasileiro da história, tendo composto boa parte de seus maiores sucessos em parceria com Paulo Coelho, que mais tarde se tornaria um dos escritores brasileiros mais bem-sucedidos.

Em contrapartida a maior vítima desse FIC foi o compositor mineiro Sirlan. Só conseguiu gravar seu primeiro e único disco *Sirlan profissão de fé* na Continental em 1979. No entanto já tinha músicas suficientes com seus parceiros Murilo e Fernando Brant para sair do festival, entrar no estúdio e gravar. Na primeira remessa de dez músicas enviadas à Censura só uma foi liberada, a que era instrumental. Numa segunda leva de outras dez, foram aprovadas mais duas. O processo durava meses, as respostas vinham em dose de conta-gotas, os dois letristas combinaram inverter o que já tinham feito, fazendo novas letras para as mesmas melodias mas de nada valeu. A demora resultante do pouco caso por parte da Censura, levou três gravadoras, Som Livre, RCA e WEA, a rescindirem seus contratos com Sirlan enquanto os anos se passavam e nenhum disco era gravado. O impulso que recebeu no FIC foi pouco a pouco se desfazendo em poeira. Quando o LP foi finalmente lançado poucos se lembravam de quem era Sirlan, o compositor e cantor mineiro que teve a carreira massacrada e foi impedido de ter seu lugar ao sol na música brasileira pela Censura Federal. E isso não é conto de fada.

O disco oficial do VII FIC foi lançado pela Som Livre, a etiqueta da Sigla, Sistema Globo de Gravações Audiovisuais e tinha na capa azul o novo símbolo do festival, que não chegaria a completar um ano de uso. Continha as 12 músicas da final nacional, quase todas com seus intérpretes originais. As ausências eram dos contratados da Philips, Sérgio Sampaio, Raul Seixas e Os Mutantes, além de Walter Franco, outro "maldito" desse festival e cujo primeiro LP seria lançado em 1973 pela Continental.

* * *

O VII FIC foi alvo de críticas de toda sorte na imprensa brasileira. Contabilizou despesas estimadas em um milhão de dólares e um prejuízo de 400 mil dólares perdidos em extravagâncias que em nada combinavam com o plano de economia inicial, como os 170 hóspedes no Copacabana Palace ou as duas viagens do equipamento de um cantor francês, em sentido contrário ao seu dono. Vieram à tona também outros escândalos: o murro que o empresário de David Clayton Thomas dera num técnico de som, a prisão do representante de Israel, de Rogério Duprat, Alaíde Costa e Walter Franco. Lamentou-se a vaia descomunal a Astor Piazzolla em um dos shows de intervalo e, logicamente, o baixo comparecimento de público, calculado numa média de 5 mil pessoas por noite. Para a TV Globo havia ainda o implacável nível de audiência que, segundo o Ibope, foi considerado fraco. "Prosseguiremos de qualquer maneira porque o FIC é um patrimônio do Rio e a única maneira de exportar música brasileira", bradou um Walter Clark arrebatado à revista *Veja*, contrariando o que já estava na cara. Mas num ato falho afirmou também que "o charme do festival era o público". Assim mesmo, no passado.

Em maio do ano seguinte, a direção da Globo admitiu que o FIC de 1973 não seria realizado, alegando falta de interesse dos patrocinadores.

Nos quase 30 anos subsequentes foram realizados festivais esparsos (detalhados na seção "Ficha técnica dos festivais", ao final deste livro), e se alguém ainda mantinha expectativas de que se pudesse reviver a Era dos Festivais, o Festival da TV Globo em 2000 foi uma prova dos nove a sepultar qualquer nesga de esperança, à qual se podem aduzir os ridículos e pretensiosos programas, também da Globo, *Música do século*. Em ambos se revela que na cúpula da produção não havia o elemento indispensável: não havia quem tivesse ouvidos de músico.

* * *

Por que os festivais foram interrompidos? O criador dos festivais, Solano Ribeiro, responde: "Porque a Rede Globo ficou cansada de resolver problemas políticos. A Globo se desinteressou por festival. Preferiu parar e parou".

O diretor da Globo, Boni, sentiu que já estavam caminhando para o fim e o festival estava sepultado. Já se tinha perdido o que havia de bom. Para ele a perda dos festivais se compara ao desastre de Ayrton Senna: "Foram dois momentos em que a televisão foi obrigada a admitir que estavam sumindo do vídeo duas atrações que mexiam com o público. A Globo perdeu seu grande contato com a alma brasileira".

Para o jornalista João Luiz de Albuquerque, Augusto Marzagão conseguiu criar em seis anos um acontecimento na cidade como nem o concurso de Miss Brasil do final dos anos 50 foi capaz. Conseguiu revelar grandes músicos e, sem esses festivais, talvez demorasse mais seis ou sete anos para que eles aparecessem. Alguns teriam até desistido.

Para o maestro Julio Medaglia, quando a Globo quis retomar os festivais em 2000, fez um festival com pirotecnias, efeitos e plateias artificiais, pensando que poderia recuperar o que tinha destruído em anos.

Para o músico e cantor Magro, do MPB 4, a diferença entre os festivais da Record e os que se fizeram depois é que naqueles, a música mandava. Quando o processo se inverteu, acabou.

Para a historiadora Ângela de Castro Gomes, os artistas participavam francamente das manifestações políticas ocorridas desde 1966 indo à frente e sendo duramente atingidos nos processos de censura e de prisões que desabaram sobre a classe. Quando o general Ernesto Geisel tomou posse, essa forma de luta estava vencida, a guerrilha estava exterminada. Não havendo mais clima político, não havia mais o pano de fundo que animava os festivais, o pano de fundo da resistência ao regime militar. A Era dos Festivais estava encerrada.

O psicanalista-jornalista-teatrólogo Roberto Freire, jurado no primeiro festival da Excelsior em 1965 e no sétimo FIC da Globo em 1972, considera os jurados como obstetras que ajudaram a tirar os filhos para a música brasileira. "Os festivais", continua Roberto, "foram um acontecimento importantíssimo na vida brasileira. Primeiro porque mobilizaram o povo a participar da criação e da renovação na música brasileira. Segundo porque com a tecnologia da televisão puderam abranger um número muito maior de pessoas na divulgação e no debate sobre a música brasileira. Terceiro porque têm o significado de um fato histórico com uma importância bem superior ao que se imaginava. Os jovens não sabem que Chico Buarque nasceu num festival e é preciso que eles saibam a força que isso teve, qual foi a luta, única no mundo, para se operar essa revolução na música popular brasileira. Sinto que no Brasil os fatos acontecem e a história só registra o que interessa ao poder. É muito triste. Os jovens universitários precisam saber que foram universitários brasileiros que derrubaram a ditadura. Não foram os operários que vieram muito depois. Os estudantes lutaram permanentemente contra a ditadura, foram presos, torturados, mortos e mantiveram a luta. Os universitários de hoje precisam saber disso".

O povo brasileiro precisa saber. Saber também que em 1º de outubro de 1972 terminava o último festival de uma era. Acabou-se. A Era dos Festivais saiu do ar.

FICHA TÉCNICA DOS FESTIVAIS

Esta seção contempla, de modo pontual, os mais significativos festivais de música popular realizados entre 1960 e 2000, observando-se em cada um deles as seguintes variáveis: nome do evento, entidade promotora, datas e locais das fases eliminatórias e final, títulos das músicas, compositores, intérpretes, finalistas e vencedoras.

Os eventos realizados entre 1960 e 1965 não foram tão divulgados nem tão observados como os dos anos posteriores. A partir de 1965, os festivais, que começaram a causar maior interesse na mídia, foram fartamente anunciados e sobre eles os grandes jornais veicularam matérias, em forma de cobertura e/ou de crítica, antes, durante e após sua realização. Com isso, uma grande massa de documentos pôde ser consultada.

Embora todo esforço tenha sido feito no sentido de se obter os dados precisos, foi constatado que existem divergências de informações de um veículo para outro, ou às vezes num mesmo veículo, de uma edição para outra ou, ainda, numa mesma edição, de um articulista para outro.

Algumas vezes as informações fornecidas antes do evento não coincidiam com as posteriores à sua realização — a distribuição das concorrentes nas eliminatórias havia sido modificada, o intérprete escolhido para uma música não era o mesmo e músicas previstas para serem apresentadas acabaram não o sendo. As alterações eram veiculadas em alguns jornais enquanto outros mantinham a informação original. Como saber qual o correto?

Assim, apesar do esforço realizado, é possível que ainda existam lacunas e/ou eventuais falhas na ordem de apresentação das canções, na grafia de um nome de compositor ou intérprete, ou em outro tipo de informação.

Nosso objetivo é preencher as lacunas e corrigir as falhas nas próximas edições. Para tanto convidamos o leitor que tenha informações comprovadas que nos forneça através da editora; essa contribuição será valiosa para a excelência deste guia informativo que servirá de referência aos interessados no assunto.

A seção está dividida em três blocos: o primeiro aborda os festivais narrados no livro; o segundo, outros festivais de projeção nacional; e o terceiro, os principais festivais regionais.

Zuza Homem de Mello e Ercilia Lobo

FESTIVAIS NARRADOS NO LIVRO

I FESTA DA MÚSICA POPULAR BRASILEIRA
Novembro e dezembro de 1960
TV Record
Grande Hotel, Guarujá

Música	Compositor	Intérprete
FINAL (sábado, 3/12/1960)		
Concorrentes		
Afinado	Raul Gomide de Andrade	
Balada para a onda do mar	Alfredo Morais	
Boa noite cidade	Aristides Moreira Costa (Aimoré)	
Brasília	Etore Agili	
Canção do pescador	Newton Mendonça	Roberto Amaral
Continue a tentar	Belmiro Barrela	
De agosto a setembro	Armando Cavalcanti e Vitor Freire	
Eu	Laudelina Cotrim de Castro	Mag May
Fim de noite	Vadim da Costa Arsky	
Foi assim no começo	Horácio Souza Coutinho Filho e José Souza Coutinho	
Grande ciúme	José Domingos da Silva	
Juízo final	Lúcio Cardim Filho	
Passarinho Bem Querê	Barbosa Lessa	
Pinta a cara palhaço	Hélio Amaral	
Quiproquó sentimental	Vadim da Costa Arsky e Fernando da Costa e Silva Araújo	
Rimas de ninguém	Vera Brasil	
Rei Zulu chegô	José Assad (Beduíno)	
Samba triste	Vadim da Costa Arsky	
Seringueiro	José Assad (Beduíno)	Edilton Lopes
Uirapuru	Alfredo Morais	
Zumbi guerreiro	Antônio Bueno	
Vencedores		
1° Canção do pescador	Newton Mendonça	Roberto Amaral
2° Eu	Laudelina Cotrim de Castro	Mag May
3° Seringueiro	José Assad (Beduíno)	Edilton Lopes
4° Passarinho Bem Querê	Barbosa Lessa	
5° Samba triste	Vadim da Costa Arsky	
6° Rimas de ninguém	Vera Brasil	
7° Grande ciúme	José Domingos da Silva	
8° De agosto a setembro	Armando Cavalcanti e Vitor Freire	
9° Rei Zulu chegô	José Assad (Beduíno)	
10° Boa noite cidade	Aristides Moreira Costa (Aimoré)	
11° Fim de noite	Vadim da Costa Arsky	
12° Afinado	Raul Gomide de Andrade	
13° Balada para a onda do mar	Alfredo Morais	
14° Zumbi guerreiro	Antônio Bueno	
15° Quiproquó sentimental	Vadim Arsky e Fernando Araújo	
16° Pinta a cara palhaço	Hélio Amaral	
17° Continue a tentar	Belmiro Barrela	
18° Juízo final	Lúcio Cardim Filho	
19° Uirapuru	Alfredo Morais	
20° Brasília	Etore Agili	
21° Foi assim no começo	Horácio Souza Coutinho Filho e José Souza Coutinho	

I FESTIVAL NACIONAL DE MÚSICA POPULAR BRASILEIRA

Março e abril de 1965
TV Excelsior
Guarujá, São Paulo, Petrópolis e Rio de Janeiro

Música	Compositor	Intérprete

1ª ELIMINATÓRIA (sábado, 27/3/1965, Cassino do Guarujá)

Classificadas

Música	Compositor	Intérprete
Miss Biquini	Zuleica Pinho e Sílvio Mazzuca	Márcia
Sonho de um carnaval	Chico Buarque de Hollanda	Geraldo Vandré
Por um amor maior	Francis Hime e Ruy Guerra	Elis Regina
Flor da manhã	Adilson Godoy	Alaíde Costa

2ª ELIMINATÓRIA (terça-feira, 30/3/1965, Auditório da TV Excelsior, São Paulo)

Classificadas

Música	Compositor	Intérprete
Eu só queria ser	Vera Brasil e Mirian Ribeiro	Claudete Soares
Valsa do amor que não vem	Baden Powell e Vinicius de Moraes	Elizeth Cardoso
Rio do meu amor	Billy Blanco	Wilson Simonal
O amor que se fez canção	Joubert de Carvalho	Hugo Santana
Arrastão	Edu Lobo e Vinicius de Moraes	Elis Regina

3ª ELIMINATÓRIA (sábado, 3/4/1965, Hotel Quitandinha, Petrópolis)

Classificadas

Música	Compositor	Intérprete
Queixa	Sidney Miller, Zé Kéti e Paulo Tiago	Ciro Monteiro
Jangadeiro	João do Vale e Dulce Nunes	Catulo de Paula
Por quem morreu o amor	Ronaldo Bôscoli e Roberto Menescal	Peri Ribeiro
Cada vez mais Rio	Luiz Carlos Vinhas e Ronaldo Bôscoli	Wilson Simonal

FINAL (terça-feira, 6/4/1965, Auditório da TV Excelsior, Rio de Janeiro)

Vencedoras

Música	Compositor	Intérprete
1º Arrastão	Edu Lobo e Vinicius de Moraes	Elis Regina
2º Valsa do amor que não vem	Baden Powell e Vinicius de Moraes	Elizeth Cardoso
3º Eu só queria ser	Vera Brasil e Mirian Ribeiro	Claudete Soares
4º Queixa	Sidney Miller, Zé Kéti e Paulo Tiago	Ciro Monteiro
5º Cada vez mais Rio	Luiz Carlos Vinhas e Ronaldo Bôscoli	Wilson Simonal

II FESTIVAL NACIONAL DE MÚSICA POPULAR BRASILEIRA

Abril e junho de 1966
TV Excelsior
Guarujá, Porto Alegre, Recife, Ouro Preto, Rio de Janeiro e São Paulo

Música	Compositor	Intérprete

1ª ELIMINATÓRIA (sexta-feira, 29/4/1966, Clube da Orla, Guarujá)

Concorrentes

Música	Compositor	Intérprete
Em tom de você		Luís Carlos
Joga a tristeza no mar		Germano Batista
Canção do amor que se foi		Clara Nunes
Tema		Ivete
Pra que mentir		Flora
Motivos		Sílvio Aleixo
As estrelas que caem no mar		Penha Maria
Primavera em flor		Expedito Baracho
Bem bom no tom		Djalma Dias
Desesperança		Roberta

Classificadas

Joga a tristeza no mar		Germano Batista
Bem bom no tom		Djalma Dias
Motivos		Sílvio Aleixo

2ª ELIMINATÓRIA (sexta-feira, 6/5/1966, Teatro da Reitoria da UFRGS, Porto Alegre)

Concorrentes

Se a gente morresse de amor		Silvinha
Zé da Silva		Junaldo
Rancho da rosa encarnada		Antônio Borba
Felicidade pra mim		Moacir Gomes e Maria Lúcia
Cidade vazia	Baden Powell e Lula Freire	Milton Nascimento
Meu mundo é o samba		Ailton Tobias
Mensagem		Cláudia
Minha canção é você		Valter David
Conselho ao coração		Jorge Silva
Minha solidão		Fernando Colares

Classificadas

Cidade vazia	Baden Powell e Lula Freire	Milton Nascimento
Mensagem		Cláudia
Se a gente morresse de amor		Silvinha

3ª ELIMINATÓRIA (sábado, 14/5/1966, Auditório da TV Jornal do Comércio, Recife)

Concorrentes

Perdão		Maria Odete
Sem tempo		Érica Norimar
Inaê	Vera Brasil e Maricene Costa	Nilson
Acalanto		Ivete
Rancho do céu		Roberto Gianoni
Castelo na areia		Ivan Crossi
Os olhos do amor		Clara Nunes
Universo		José Carlos
Vivo a esperar		Carmen Silva
Solidão		Marcos Aguiar

Classificadas

Acalanto		Ivete
Inaê	Vera Brasil e Maricene Costa	Nilson
Perdão		Maria Odete

4ª ELIMINATÓRIA (sexta-feira, 20/5/1966, Praça do Museu dos Inconfidentes, Ouro Preto)

Concorrentes

Fim de tristeza	Adilson Godoy	Doroti
Canção para um maiô azul com bolinhas brancas		Jair Campos
Prelúdio para um amor eterno		Diva Helena
Porta-estandarte	Geraldo Vandré e Fernando Lona	Airto Moreira e Tuca
Irremediavelmente		Silvinha
Hino de paz		Cleber
Então		Djalma Dias
Sambossa canção		Carlos Terra
Se o sol falasse		Roberta
Cantiga do amor que foi bom		Luís Domingues

Classificadas

Porta-estandarte	Geraldo Vandré e Fernando Lona	Airto Moreira e Tuca
Irremediavelmente		Silvinha
Canção para um maiô azul com bolinhas brancas		Jair Campos

5ª ELIMINATÓRIA (sexta-feira, 27/5/1966, Auditório da TV Excelsior, Cine Astória, Rio de Janeiro)

Concorrentes

Tic-tac	Talita Pinto da Fonseca	Doroti
Chora céu	Luís Roberto e Adilson Godoy	Cláudia
Boa palavra	Caetano Veloso	Maria Odete
Comunhão		Edgard Pozer
Balança a roseira		Flora Purim
Sem você		Sue
Prelúdio para um amor que começou		Sonia Lemos
Você pediu um samba		Tuca
Amar e sofrer		José Milton
Diane		Sérgio Augusto

Classificadas

Tic-tac	Talita Pinto da Fonseca	Doroti
Chora céu	Luís Roberto e Adilson Godoy	Cláudia
Boa palavra	Caetano Veloso	Maria Odete

FINAL (domingo, 5/6/1966, Auditório da TV Excelsior, São Paulo)

Finalistas (entre parênteses os intérpretes substituídos)

Joga a tristeza no mar		Germano Batista
Acalanto		Ivete
Boa palavra	Caetano Veloso	Maria Odete
Prelúdio para um amor que começou		Sonia Lemos
Canção para um maiô azul com bolinhas brancas		Jair Campos
Inaê	Vera Brasil e Maricene Costa	Nilson
Perdão		Clara Nunes (Maria Odete)
Tic-tac	Talita Pinto da Fonseca	Doroti
Fim de tristeza	Adilson Godoy	Penha Maria
Porta-estandarte	Geraldo Vandré e Fernando Lona	Airto Moreira e Tuca
Cidade vazia	Baden Powell e Lula Freire	Milton Nascimento
Balança a roseira		Flora Purim
Se a gente morresse de amor		Silvinha
Comunhão		Edgar Pozer
Chora céu	Luís Roberto e Adilson Godoy	Cláudia
Motivos		Sílvio Aleixo
Irremediavelmente		Érica Norimar (Silvinha)
Bem bom no tom		Carmen Silva (Djalma Dias)
Mensagem		Djalma Dias (Cláudia)

Vencedoras

1º Porta-estandarte	Geraldo Vandré e Fernando Lona	Airto Moreira e Tuca
2º Inaê	Vera Brasil e Maricene Costa	Nilson
3º Chora céu	Luís Roberto e Adilson Godoy	Cláudia
4º Cidade vazia	Baden Powell e Lula Freire	Milton Nascimento
5º Boa palavra	Caetano Veloso	Maria Odete

II FESTIVAL DA MÚSICA POPULAR BRASILEIRA

Setembro e outubro de 1966
TV Record
Teatro Record Consolação, São Paulo

Música	Compositor	Intérprete

1ª ELIMINATÓRIA (terça-feira, 27/9/1966)

Concorrentes

Ela continua	Portinho e João Batista da Silva	Noite Ilustrada
Aviso	Britinho e Fernando César	Helena de Lima
Canção de não cantar	Sérgio Bittencourt	MPB 4
Anoitecer	Francis Hime e Vinicius de Moraes	Roberto Carlos
Casa de pau, pó e pá	Catulo de Paula	O Quarteto
Disparada	Geraldo Vandré e Théo de Barros	Jair Rodrigues
Não chore irmão	Luís Rodrigues da Cruz e Adilson Godoy	Márcia
Lá vem o bloco	Carlos Lyra e Gianfrancesco Guarnieri	Leny Everson
Querendo ficar	Johnny Alf e Ary Francisco	Wilson Simonal
A lenda do vento	Rosana Bueno e Stella Carr	Ivete
Conformação	Alberto Arantes e Sérgio Bittencourt	Isaurinha Garcia
Um dia	Caetano Veloso	Maria Odete

Classificadas

Canção de não cantar	Sérgio Bittencourt	MPB 4
Disparada	Geraldo Vandré e Théo de Barros	Jair Rodrigues
Lá vem o bloco	Carlos Lyra e Gianfrancesco Guarnieri	Leny Everson
Um dia	Caetano Veloso	Maria Odete

2ª ELIMINATÓRIA (quarta-feira, 28/9/1966)

Concorrentes

A banda	Chico Buarque de Hollanda	Nara Leão
Renascença	Cláudio Santos Varella e José Wilson Pereira	Maysa
Amor de mentira	Zé Kéti e Sílvio Tancredi	Orlando Silva
Estrelinha	Tuca e Ieda Maria do C. Arruda	Eliana Pittman
O sonhador	Luís Roberto e Ruth Salles	Cláudia
Marcha de todo mundo	Walter Santos e Teresa Souza	Os Cariocas
Canção para Maria	Paulinho da Viola e José Carlos Capinan	Jair Rodrigues
Vela branca	Adilson Godoy	Agnaldo Rayol
Ensaio geral	Gilberto Gil	Elis Regina
Levante	Geraldo Vandré	Maria Odete
Flor maior	Célio Borges Pereira	Roberto Carlos

Classificadas

A banda	Chico Buarque de Hollanda	Nara Leão
Canção para Maria	Paulinho da Viola e José Carlos Capinan	Jair Rodrigues
Ensaio geral	Gilberto Gil	Elis Regina
Flor maior	Célio Borges Pereira	Roberto Carlos

3ª ELIMINATÓRIA (sábado, 1/10/1966)

Concorrentes

Fim de sonho	Sílvio Mazzuca	Hugo Santana
De amor ou paz	Adauto Santos e Luís Carlos Paraná	Elza Soares
Jogo de roda	Edu Lobo e Ruy Guerra	Elis Regina
Largo da Lapa	Geraldo Mendonça e Max Nunes	Jamelão
A Terra é isso	Luís Eça e Ruy Guerra	Doroti
Canção para não chorar	Spencer Biller e Edson Alexandre	Hebe Camargo
Canto aberto	Heraldo do Monte e Carlos Soulié Amaral	Cláudia
Maria vintém	Luís Chaves e Assis Comaru	Wilson Miranda
O que a gente quer	Paulinho Nogueira	Paulinho Nogueira
O homem	Millôr Fernandes	Nara Leão

　　　　　　　　　Zuza Homem de Mello

Amor, paz	Vera Brasil e Maysa	Maysa
Adarrum	Roberto Nascimento	Doroti
Canção para a amada distante	Gabriel Migliori e Marcos César	Agnaldo Rayol

Classificadas
De amor ou paz	Adauto Santos e Luís Carlos Paraná	Elza Soares
Jogo de roda	Edu Lobo e Ruy Guerra	Elis Regina
O homem	Millôr Fernandes	Nara Leão
Amor, paz	Vera Brasil e Maysa	Maysa

FINAL (segunda-feira, 10/10/1966)

Finalistas
Canção de não cantar	Sérgio Bittencourt	MPB 4
Disparada	Geraldo Vandré e Théo de Barros	Jair Rodrigues
Lá vem o bloco	Carlos Lyra e Gianfrancesco Guarnieri	Leny Everson
Um dia	Caetano Veloso	Maria Odete
A banda	Chico Buarque de Hollanda	Nara Leão
Canção para Maria	Paulinho da Viola e José Carlos Capinan	Jair Rodrigues
Ensaio geral	Gilberto Gil	Elis Regina
Flor maior	Célio Borges Pereira	Roberto Carlos
De amor ou paz	Adauto Santos e Luís Carlos Paraná	Elza Soares
Jogo de roda	Edu Lobo e Ruy Guerra	Elis Regina
O homem	Millôr Fernandes	Nara Leão
Amor, paz	Vera Brasil e Maysa	Maysa

Vencedoras
1º A banda	Chico Buarque de Hollanda	Nara Leão
1º Disparada	Geraldo Vandré e Théo de Barros	Jair Rodrigues
2º De amor ou paz	Adauto Santos e Luís Carlos Paraná	Elza Soares
3º Canção para Maria	Paulinho da Viola e José Carlos Capinan	Jair Rodrigues
4º Canção de não cantar	Sérgio Bittencourt	MPB 4
5º Ensaio geral	Gilberto Gil	Elis Regina

I FESTIVAL INTERNACIONAL DA CANÇÃO POPULAR
Outubro de 1966
Secretaria de Turismo da Guanabara e TV Rio
Maracanãzinho, Rio de Janeiro

| Música | Compositor | Intérprete |

1ª ELIMINATÓRIA (sábado, 22/10/1966)

Concorrentes (por ordem de apresentação)
Guerra e paz	Vilma Camargo	Penha Maria
O que ficou de nós dois	Carlos Alberto Maciel, Renato Silveira e Achilles Gazzaneo	Valéria
Saveiros	Dori Caymmi e Nelson Motta	Nana Caymmi
Canto triste	Edu Lobo e Vinicius de Moraes	Elis Regina
O amor é chama	Marcos e Paulo Sérgio Valle	Cláudia
Canção de um novo sol	Dulce Nunes e Ruy Guerra	Dulce Nunes
Festa no mar	José Orlando	José Orlando
Maria	Francis Hime e Vinicius de Moraes	Wilson Simonal
Canção brasileira	Heckel Tavares e Luís Peixoto	Hugo Santana
Canção do negro amor	Capiba e Ariano Suassuna	Sílvio Aleixo
Vou tão sozinho	Catulo de Paula e Antônio Carlos	Altemar Dutra
Aquele amor melhor	Tito Madi	Tito Madi
Nossos silêncios	Zilda Cormack	Zilda Cormack
Chorar e cantar	Vera Brasil e Silvan Neto	Claudete Soares
Não se morre de mal de amor	Reginaldo Bessa	Taiguara

É preciso perdoar	Alcivando Luz e Carlos Coqueijo	MPB 4
Flor no chão	Raul Mascarenhas e Haroldo Barbosa	Helena de Lima
Canção de ninar a amada	Reginaldo Bessa	Stelinha Egg

2ª ELIMINATÓRIA (domingo, 23/10/1966)

Concorrentes (por ordem de apresentação)

Inaiá	Luiz Carlos Sá	Luiz Carlos Sá
Canção do amor que não vem	Capiba	Claudionor Germano
Canção de ouro e prata	Marco Antônio Menezes e Chico de Assis	Ellen de Lima
Beira mar	Caetano Veloso e Gilberto Gil	Maria Bethânia
Crepúsculo	Zilda Cormack	Lana Bittencourt
O cavaleiro	Tuca e Geraldo Vandré	Tuca
Minha senhora	Gilberto Gil e Torquato Neto	Gal Costa
Se a gente grande soubesse	Billy Blanco	Quarteto em Cy e Bilinho
A morte do André	Jota D'Ângelo	Carlos Hamilton
Quando dois se gostam	Dalmo Castelo	Sílvio César e Doris Monteiro
Dia das rosas	Luís Bonfá e Maria Helena Toledo	Maysa
Canção e medo	Sérgio Bittencourt	MPB 4 e Quarteto em Cy
Minha alegria é só você	Alcyr Pires Vermelho e Degê	Altemar Dutra
Chora coração	Baden Powell e Vinicius de Moraes	Taiguara
Vai de uma vez	Fernando César e Britinho	Helena de Lima
Apoteose do samba	Heriveto Martins e Klécius Caldas	Miltinho
Benza Deus	Paulinho Nogueira	Wilson Miranda
Festa de cores	Capiba	José Orlando

FINAL (segunda-feira, 24/10/1966)

Finalistas

Saveiros	Dori Caymmi e Nelson Motta	Nana Caymmi
Canto triste	Edu Lobo e Vinicius de Moraes	Elis Regina
Canção brasileira	Heckel Tavares e Luís Peixoto	Hugo Santana
Chorar e cantar	Vera Brasil e Silvan Neto	Claudete Soares
Não se morre de mal de amor	Reginaldo Bessa	Taiguara
É preciso perdoar	Alcivando Luz e Carlos Coqueijo	MPB 4
Inaiá	Luiz Carlos Sá	Luiz Carlos Sá
O cavaleiro	Tuca e Geraldo Vandré	Tuca
Se a gente grande soubesse	Billy Blanco	Quarteto em Cy e Bilinho
Dia das rosas	Luís Bonfá e Maria Helena Toledo	Maysa
Canção e medo	Sérgio Bittencourt	MPB 4 e Quarteto em Cy
Apoteose do samba	Heriveto Martins e Klécius Caldas	Miltinho
Benza Deus	Paulinho Nogueira	Wilson Miranda
Festa de cores	Capiba	José Orlando

Vencedoras

1º Saveiros	Dori Caymmi e Nelson Motta	Nana Caymmi
2º O cavaleiro	Tuca e Geraldo Vandré	Tuca
3º Dia das rosas	Luís Bonfá e Maria Helena Toledo	Maysa

Zuza Homem de Mello

III FESTIVAL DA MÚSICA POPULAR BRASILEIRA

Setembro e outubro de 1967
TV Record
Teatro Record Centro, São Paulo

Música	Compositor	Intérprete

1ª ELIMINATÓRIA (sábado, 30/9/1967)

Concorrentes (por ordem de apresentação)

Música	Compositor	Intérprete
O combatente	Walter Santos e Tereza Sousa	Jair Rodrigues
Dadá Maria	Renato Teixeira	Gal Costa e Sílvio César
E fim	Sonia Rosa	Sonia Rosa
Roda viva	Chico Buarque de Hollanda	Chico Buarque e MPB 4
A moreninha	Tom Zé	Djalma Dias
Ponteio	Edu Lobo e Capinan	Edu Lobo e Marília Medalha
Eu e a brisa	Johnny Alf	Márcia
Minha gente	Demetrius	Demetrius
Ela, felicidade	Vera Brasil	Claudete Soares
O milagre	Nonato Buzar	Wilson Simonal
Maria, carnaval e cinzas	Luís Carlos Paraná	Roberto Carlos e O Grupo
Bom dia	Nana Caymmi e Gilberto Gil	Nana Caymmi

Classificadas

Música	Compositor	Intérprete
Roda viva	Chico Buarque de Hollanda	Chico Buarque e MPB 4
Ponteio	Edu Lobo e Capinan	Edu Lobo e Marília Medalha
Maria, carnaval e cinzas	Luís Carlos Paraná	Roberto Carlos e O Grupo
Bom dia	Nana Caymmi e Gilberto Gil	Nana Caymmi

2ª ELIMINATÓRIA (sexta-feira, 6/10/1967)

Concorrentes (por ordem de apresentação)

Música	Compositor	Intérprete
Rua antiga	Roberto Menescal e Rubens Richter	O Quarteto
Brinquedo	Alfredo Noffah Neto e Walter de Carvalho	Claudete Soares
Belinha	Toquinho e Victor Martins	Wilson Simonal
Por causa de Maria	Marcos César e Paulo Scarpa	Sílvio César e Titulares do Ritmo
Domingo no parque	Gilberto Gil	Gilberto Gil e Os Mutantes
Uma dúzia de rosas	Carlos Imperial	Ronnie Von
Manhã de primavera	Adilson Godoy	Adilson Godoy e Golden Boys
Cantiga de Jesuíno	Capiba e Ariano Suassuna	De Kalaffe
Diana pastora	Fernando Lobo e João Mello	Marília Medalha e Momento Quatro
O cantador	Dori Caymmi e Nelson Motta	Elis Regina
A estrada e o violeiro	Sidney Miller	Sidney Miller e Nara Leão
Samba de Maria	Francis Hime e Vinicius de Moraes	Jair Rodrigues

Classificadas

Música	Compositor	Intérprete
Domingo no parque	Gilberto Gil	Gilberto Gil e Os Mutantes
O cantador	Dori Caymmi e Nelson Motta	Elis Regina
A estrada e o violeiro	Sidney Miller	Sidney Miller e Nara Leão
Samba de Maria	Francis Hime e Vinicius de Moraes	Jair Rodrigues

3ª ELIMINATÓRIA (sábado, 14/10/1967)

Concorrentes (por ordem de apresentação)

Música	Compositor	Intérprete
Ventania (De como um homem perdeu seu cavalo e...)	Geraldo Vandré e Hilton Acioly	Geraldo Vandré
Balada do Vietnam	Elizete Sanches e David Nasser	Wilson Simonal
Anda que te anda	Ary Toledo e Mário Lago	Agnaldo Rayol
Gabriela	Francisco Fuzzetti (Maranhão)	MPB 4
Isso não se faz	Pixinguinha e Hermínio Bello de Carvalho	Elza Soares
Menina moça	Martinho José Pereira (da Vila)	Jamelão

Beto bom de bola	Sérgio Ricardo	Sérgio Ricardo
Canção do cangaceiro	Carlos Castilho e Chico de Assis	Maria Odete
Capoeirada	Erasmo Carlos	Erasmo Carlos
Festa no terreiro de Alaketu	Antônio Carlos Marques Pinto	Maria Creusa
Volta amanhã	Fernando César e Mario Brito	Hebe Camargo
Alegria, alegria	Caetano Veloso	Caetano Veloso e Os Beat Boys

Classificadas

Ventania (De como um homem perdeu seu cavalo e...)	Geraldo Vandré e Hilton Acioly	Geraldo Vandré
Gabriela	Francisco Fuzzetti (Maranhão)	MPB 4
Beto bom de bola	Sérgio Ricardo	Sérgio Ricardo
Alegria, alegria	Caetano Veloso	Caetano Veloso e Os Beat Boys

FINAL (sábado, 21/10/1967)

Finalistas (por ordem de apresentação)

Bom dia	Nana Caymmi e Gilberto Gil	Nana Caymmi
A estrada e o violeiro	Sidney Miller	Sidney Miller e Nara Leão
Alegria, alegria	Caetano Veloso	Caetano Veloso e Os Beat Boys
Domingo no parque	Gilberto Gil	Gilberto Gil e Os Mutantes
Gabriela	Francisco Fuzzetti (Maranhão)	MPB 4
O cantador	Dori Caymmi e Nelson Motta	Elis Regina
Beto bom de bola	Sérgio Ricardo	Sérgio Ricardo
Ponteio	Edu Lobo e Capinan	Edu Lobo e Marília Medalha
Ventania (De como um homem perdeu seu cavalo e...)	Geraldo Vandré e Hilton Acioly	Geraldo Vandré
Maria, carnaval e cinzas	Luís Carlos Paraná	Roberto Carlos e O Grupo
Roda viva	Chico Buarque de Hollanda	Chico Buarque e MPB 4
Samba de Maria	Francis Hime e Vinicius de Moraes	Jair Rodrigues

Vencedoras

1º Ponteio	Edu Lobo e Capinan	Edu Lobo e Marília Medalha
2º Domingo no parque	Gilberto Gil	Gilberto Gil e Os Mutantes
3º Roda viva	Chico Buarque de Hollanda	Chico Buarque e MPB 4
4º Alegria, alegria	Caetano Veloso	Caetano Veloso e Os Beat Boys
5º Maria, carnaval e cinzas	Luís Carlos Paraná	Roberto Carlos e O Grupo
6º Gabriela	Francisco Fuzzetti (Maranhão)	MPB 4

Melhor letra	Sidney Miller	A estrada e o violeiro
Melhor intérprete	Elis Regina	O cantador
Melhor arranjo	Rogério Duprat	Domingo no parque

II FESTIVAL INTERNACIONAL DA CANÇÃO POPULAR

Outubro de 1967
Secretaria de Turismo da Guanabara e TV Globo
Maracanãzinho, Rio de Janeiro

Música	Compositor	Intérprete

1ª ELIMINATÓRIA (quinta-feira, 19/10/1967)

Concorrentes (por ordem de apresentação)

Fala baixinho	Pixinguinha e Hermínio Bello de Carvalho	Ademilde Fonseca
Sou só solidão	Paulo Faya e Carlos Althier	Luís Carlos Clay
De serra, de terra e de mar	Geraldo Vandré, Théo de Barros e Hermeto Paschoal	Geraldo Vandré
Maria, minha fé	Milton Nascimento	Agostinho dos Santos
Travessia	Milton Nascimento e Fernando Brant	Milton Nascimento
Canção de esperar você	Fernando Leporace	Gracinha Leporace
O despertar	Vera Brasil e Sonia Avelar	Modern Tropical Quartet

Carolina	Chico Buarque de Hollanda	Cynara e Cybele
Cantiga	Dori Caymmi e Nelson Motta	MPB 4
Sem despedida	Macalé	Joyce e Momento Quatro
Maria madrugada	Toninho Horta e Junia Horta	O Quarteto
Vem comigo cantar	Luís Bonfá e Maria Helena Toledo	Sandra
Canto do perdão	Hedys Portela e Roberval Pereira Filho	O Grupo
São os do norte que vêm	Ariano Suassuna e Capiba	Claudionor Germano
O sim pelo não	Alcivando Luz e Carlos Coqueijo	MPB 4
Segue cantando	Marcos Valle e Paulo Sérgio Valle	Quarteto 004
Chora minha nega	Reginaldo Bessa	Wilson Miranda
Canto de despedida	Edu Lobo e Capinan	Neide Mariarrosa
Margarida	Gutemberg Guarabira	Gutemberg Guarabira e Grupo Manifesto
Foi no carnaval	Tita	Tita
Se você voltar	Wilson Falcão e Portinho	Zezé Gonzaga
Eu quis viver	Taiguara e Cido Bianchi	Taiguara
Eu te amo amor	Francis Hime e Vinicius de Moraes	Cláudia

2ª ELIMINATÓRIA (sábado, 21/10/1967)

Concorrentes (por ordem de apresentação)

Morro velho	Milton Nascimento	Milton Nascimento
Canção de perdoar	Aécio Flávio do Rêgo e André Carvalho	Carlos Hamilton
Terral	Paulo Gustavo da Silva Costanza	Neide Maiarrosa
Menino sol	Eduardo Souto Neto e Alberto Souza Paes	Fernando Antônio Eiras
Motivo	Sônia Rosa	Sonia Delfino
Revolta	Tuca	Tuca
Nem é carnaval	Toninho Horta e Márcio Borges	Márcio Borges
O tempo da flor	Francis Hime e Vinicius de Moraes	Cláudia
Desencontro	Amauri Tristão e Mário Telles	Gracinha Leporace e Mário Telles
Hora de amar	Radamés Gnattalli e Alberto Ribeiro	Carlos José
Sou de Oxalá	Alcivando Luz e Carlos Coqueijo	Quarteto em Cy
Saudade demais	Arthur Verocai e Paulinho Tapajós	O Quarteto
Tudo é teu	Remo Usai e Wanda Randi	Luís Carlos Clay
Me disseram	Joyce	Joyce
Oferenda	Luís Eça e Lenita Eça	Cynara e Cybele
Marinheiro, olê	Gutemberg Guarabira	Agostinho dos Santos
Canta	Roberto Menescal	Taiguara
Quem diz que sabe	João Donato e Dora Wilson Valle	Quarteto 004
Manhã de ninguém	Sérgio Mendes e Arino Matos	Quinteto Agora 5
Fuga e antifuga	Edino Krieger e Vinicius de Moraes	Quarteto 004 e As Meninas
Todas as coisas do mundo	Pingarrilho e Marcos Vasconcellos	Maricene Costa
Balanço do vento	Talita Pinto Fonseca	Gabriela
Caminhada	Antônio Adolfo e Tibério Gaspar	Beth Carvalho, Eduardo Conde e Trio 3 D

FINAL (domingo, 22/10/1967)

Finalistas

Fala baixinho	Pixinguinha e Hermínio Bello de Carvalho	Ademilde Fonseca
De serra, de terra e de mar	Geraldo Vandré, Théo de Barros e Hermeto Paschoal	Geraldo Vandré
Travessia	Milton Nascimento e Fernando Brant	Milton Nascimento
Canção de esperar você	Fernando Leporace	Gracinha Leporace
Carolina	Chico Buarque de Hollanda	Cynara e Cybele
Cantiga	Dori Caymmi e Nelson Motta	MPB 4
Vem comigo cantar	Luís Bonfá e Maria Helena Toledo	Sandra
São os do norte que vêm	Ariano Suassuna e Capiba	Claudionor Germano
O sim pelo não	Alcivando Luz e Carlos Coqueijo	MPB 4
Canto de despedida	Edu Lobo e Capinan	Neide Mariarrosa

Margarida	Gutemberg Guarabira	Gutemberg Guarabira e Grupo Manifesto
Morro velho	Milton Nascimento	Milton Nascimento
Terral	Paulo Gustavo da Silva Costanza	Neide Maiarrosa
O tempo da flor	Francis Hime e Vinicius de Moraes	Cláudia
Desencontro	Amauri Tristão e Mário Telles	Gracinha Leporace e Mário Telles
Sou de Oxalá	Alcivando Luz e Carlos Coqueijo	Quarteto em Cy
Oferenda	Luís Eça e Lenita Eça	Cynara e Cybele
Marinheiro, olê	Gutemberg Guarabira	Agostinho dos Santos
Fuga e antifuga	Edino Krieger e Vinicius de Moraes	Quarteto 004 e As Meninas
Caminhada	Antônio Adolfo e Tibério Gaspar	Beth Carvalho, Eduardo Conde e Trio 3 D

Vencedoras

1º Margarida	Gutemberg Guarabira	Gutemberg Guarabira e Grupo Manifesto
2º Travessia	Milton Nascimento e Fernando Brant	Milton Nascimento
3º Carolina	Chico Buarque de Hollanda	Cynara e Cybele
4º Fuga e antifuga	Edino Krieger e Vinicius de Moraes	Quarteto 004 e As Meninas
5º São os do norte que vêm	Ariano Suassuna e Capiba	Claudionor Germano
6º O sim pelo não	Alcivando Luz e Carlos Coqueijo	MPB 4
7º Morro velho	Milton Nascimento	Milton Nascimento
8º Fala baixinho	Pixinguinha e Hermínio Bello de Carvalho	Ademilde Fonseca
9º Cantiga	Dori Caymmi e Nelson Motta	MPB 4
10º Oferenda	Luís Eça e Lenita Eça	Cynara e Cybele

I BIENAL DO SAMBA

Maio e junho de 1968
TV Record e Revista Intervalo
Teatro Record Centro, São Paulo

Música	Compositor	Intérprete

1ª ELIMINATÓRIA (sábado, 11/5/1968)

Concorrentes

Lapinha	Baden Powell e Paulo César Pinheiro	Elis Regina
Ingratidão	Ismael Silva	Isaura Garcia
Sandália da mulata	Donga e Walfrido Silva	Germano Mathias
Tião, braço forte	Marcos Valle e Paulo Sérgio Valle	Milton Nascimento
Foi ela	Zé Kéti	Zé Kéti
Mulher, patrão e cachaça	Adoniran Barbosa	Demônios da Garoa
Escola de samba	Luís Antonio	Helena de Lima e Miltinho
A feiticeira do Araxá	Noel Rosa de Oliveira, Anescar e Ivan Salvador	Jorge Goulart
Bom tempo	Chico Buarque de Hollanda	Chico Buarque de Hollanda
Marina	Synval Silva	Noite Ilustrada
Pra frente	Pedro Caetano e Claudionor Cruz	Djalma Dias
Coisas do mundo, minha nega	Paulinho da Viola	Jair Rodrigues

2ª ELIMINATÓRIA (sábado, 18/5/1968)

Concorrentes

Quem dera	Sidney Miller	MPB 4
Samba da vida	Miguel Gustavo	Araci de Almeida
Dai um jeito neste mundo	Bide e Antônio Almeida	Moreira da Silva
Senhor do mundo	Jair do Cavaquinho e Lauro Gomes	Francisco Egídio
Quando a polícia chegar	João da Baiana	Clementina de Jesus
Festival de amor	João de Barro	Jair Rodrigues

Zuza Homem de Mello

Rio dos meus pais	Ataulfo Alves	Ataulfo Alves e Suas Pastoras
Procura-se um tema	Roberto Menescal e Rubens Richter	Gracinha Leporace
Tive, sim	Cartola	Ciro Monteiro
Luandaluar	Sérgio Ricardo	Marília Medalha
Samba arrasta multidão	Luiz Reis	Antônio Borba

3ª ELIMINATÓRIA (sábado, 25/5/1968)

Concorrentes

Sem sol e sem amanhã	Capiba	Claudete Soares
Eu tenho tristeza	Antônio Nassara	Paulo Marquez
Samba de protesto	Herivelto Martins	Agnaldo Rayol
Canto chorado	Billy Blanco	Jair Rodrigues
Guerra santa	Cyro de Sousa e Mario Rossi	Osvaldo Nunes
Canção do peregrino	Denis Brean e Guilherme de Almeida	Jorge Goulart
Protesto meu amor	Pixinguinha e Hermínio Bello de Carvalho	Mariarrosa
Rainha, porta-bandeira	Edu Lobo e Ruy Guerra	Márcia
Pressentimento	Elton Medeiros e Hermínio Bello de Carvalho	Marília Medalha
Ela não é o que dizem	Nelson Cavaquinho	Jorge Veiga
No mesmo lugar	Monsueto	Monsueto e Irmãs Marinho
Um favor	Lupicínio Rodrigues	Nora Ney
Samba do suicídio	Paulo Vanzolini	Luís Carlos Paraná

FINAL (sábado, 1/6/1968)

Concorrentes

Lapinha	Baden Powell e Paulo César Pinheiro	Elis Regina
Bom tempo	Chico Buarque de Hollanda	Chico Buarque de Hollanda
Marina	Synval Silva	Noite Ilustrada
Coisas do mundo, minha nega	Paulinho da Viola	Jair Rodrigues
Quem dera	Sidney Miller	MPB 4
Tive, sim	Cartola	Ciro Monteiro
Quando a polícia chegar	João da Baiana	Clementina de Jesus
Luandaluar	Sérgio Ricardo	Marília Medalha
Canto chorado	Billy Blanco	Jair Rodrigues
Protesto meu amor	Pixinguinha e Hermínio Bello de Carvalho	Mariarrosa
Rainha, porta-bandeira	Edu Lobo e Ruy Guerra	Márcia
Pressentimento	Elton Medeiros e Hermínio Bello de Carvalho	Marília Medalha

Vencedoras

1º Lapinha	Baden Powell e Paulo César Pinheiro	Elis Regina
2º Bom tempo	Chico Buarque de Hollanda	Chico Buarque de Hollanda
3º Pressentimento	Elton Medeiros e Hermínio Bello de Carvalho	Marília Medalha
4º Canto chorado	Billy Blanco	Jair Rodrigues
5º Tive, sim	Cartola	Ciro Monteiro
6º Coisas do mundo, minha nega	Paulinho da Viola	Jair Rodrigues

III FESTIVAL INTERNACIONAL DA CANÇÃO POPULAR

Setembro e outubro de 1968
Secretaria de Turismo da Guanabara e TV Globo
São Paulo e Rio de Janeiro

Música	Compositor	Intérprete

FASE PAULISTA (setembro de 1968, Teatro da Pontifícia Universidade Católica de São Paulo, TUCA)

1ª ELIMINATÓRIA (quinta-feira, 12/9/1968)

Concorrentes		
Congada	Jorge Ben	Jorge Ben
Serenata	Hilton Acioly	Hilton Acioly e Trio Marayá
Caminhante noturno	Os Mutantes	Os Mutantes
Flor e pedra	Carlos Castilho e Victor Martins	Maricene Costa e Titulares do Ritmo
Mariinha primavera	Lúcio Alves e Marcos Vasconcelos	Lúcio Alves
É proibido proibir	Caetano Veloso	Caetano Veloso e Os Mutantes
Gabriela mais bela	Roberto Carlos e Erasmo Carlos	Gal Costa
Onde anda Yolanda	Rolando Boldrin	Rolando Boldrin
Maré alta	Caetano Zamma e Carlos Q. Telles	De Kalafe
Na boca da noite	Toquinho e Vanzolini	Ivete
Quadro	Carlos Viana e José Márcio	José Márcio
Canção do amor armado	Sérgio Ricardo	Sérgio Ricardo
Classificadas		
Caminhante noturno	Os Mutantes	Os Mutantes
É proibido proibir	Caetano Veloso	Caetano Veloso e Os Mutantes
Onde anda Yolanda	Rolando Boldrin	Rolando Boldrin
Na boca da noite	Toquinho e Vanzolini	Ivete
Quadro	Carlos Viana e José Márcio	José Márcio
Canção do amor armado	Sérgio Ricardo	Sérgio Ricardo

2ª ELIMINATÓRIA (sábado, 14/9/1968)

Concorrentes		
Oxalá	Théo de Barros	Théo de Barros
Pra não dizer que não falei das flores	Geraldo Vandré	Geraldo Vandré
América, América	César Roldão Vieira	César Roldão Vieira
Sem entrada, sem mais nada	Tom Zé	Tom Zé
Só de lembranças	Namur e Romário	
Questão de ordem	Gilberto Gil	Gilberto Gil
Era azul	Renato Teixeira	Renato Teixeira
Dança da rosa	Maranhão	Maranhão
Vai de mim	Adauto Santos e Gilberto Karan	Adauto Santos
Linda em noite linda	Ely Arcoverde e Sidney Moraes	Os Três Morais
Cantiga marinheira	Geraldo Cunha e Antonio Albin	Geraldo Cunha
Vida, vida	Eneida e Aerton	
Classificadas		
Oxalá	Théo de Barros	Théo de Barros
Pra não dizer que não falei das flores	Geraldo Vandré	Geraldo Vandré
América, América	César Roldão Vieira	César Roldão Vieira
Dança da rosa	Maranhão	Maranhão

FINAL PAULISTA (domingo, 15/9/1968)

Finalistas		
Caminhante noturno	Os Mutantes	Os Mutantes
É proibido proibir	Caetano Veloso	Caetano Veloso e Os Mutantes

Zuza Homem de Mello

Onde anda Yolanda	Rolando Boldrin	Rolando Boldrin
Na boca da noite	Toquinho e Vanzolini	Ivete
Quadro	Carlos Viana e José Márcio	José Márcio
Canção do amor armado	Sérgio Ricardo	Sérgio Ricardo
Oxalá	Théo de Barros	Théo de Barros
Pra não dizer que não falei das flores	Geraldo Vandré	Geraldo Vandré
América, América	César Roldão Vieira	César Roldão Vieira
Dança da rosa	Maranhão	Maranhão

Vencedoras fase paulista

1° Oxalá	Théo de Barros	Théo de Barros
2° Dança da rosa	Maranhão	Maranhão
3° Pra não dizer que não falei das flores	Geraldo Vandré	Geraldo Vandré
4° América, América	César Roldão Vieira	César Roldão Vieira
5° É proibido proibir	Caetano Veloso	Caetano Veloso e Os Mutantes
6° Canção do amor armado	Sérgio Ricardo	Sérgio Ricardo

FASE NACIONAL (setembro e outubro de 1968, Maracanãzinho, Rio de Janeiro)

1ª ELIMINATÓRIA (quinta-feira, 26/9/1968)

Concorrentes (por ordem de apresentação)

Meu sonho antigo	Sérgio Bittencourt	Taiguara e O Grupo
Praia só	Irineia Ribeiro	Geise
Passacalha	Edino Krieger	Quarteto 004
Filho de Iemanjá	Evaldo Gouveia e Jair Amorim	Opus 4
Despertar	Flavia de Queirós Lima e Hedys Barroso Neto	Iracema Werneck e As Compositoras
Negroide	Maurício Einhorn, Arnaldo Costa e Taiguara	Taiguara
Dia de vitória	Marcos Valle e Paulo Sérgio Valle	Marcos Valle
Oxalá	Théo de Barros	Trio Marayá e Quarteto Novo
Mergulhador	Candinho e Lula Freire	Ana Lúcia
Corpo e alma	Augusta Maria Tavares	Heleninha Rodrigues
Tempo de partir	Sérgio Napp	Paulo Roberto
Andança	Paulinho Tapajós, Danilo Caymmi e Edmundo Souto	Beth Carvalho e Golden Boys
Amada canta	Luís Bonfá e Maria Helena Toledo	Maria Helena Toledo, Luís Claudio e Grupo Ensaio
Maré morta	Edu Lobo e Ruy Guerra	Eduardo Conde
Dança da rosa	Maranhão	Quarteto 004, Traditional Jazz Band e Maranhão
Razão de cantar	Nonato Buzar e Chico Anísio	Fernando Pereira
O tempo será tua paz	Salvador Silva Filho e Maria Inês V. Silva	Mariá
A noite, a maré e o amor	Sílvio Silva Jr. e Aldir Blanc	Márcio Lott e O Soneto
Canção do amor armado	Sérgio Ricardo	Sérgio Ricardo
Salmo	Roberto Menescal e Mário Telles	Mário Telles e O Soneto
Boca da noite	Toquinho e Paulo Vanzolini	Ivete e Canto 4
Caminhante noturno	Os Mutantes	Os Mutantes
Roteiro	Paulo Vitola e Lapis	Paulo Vitola e Lapis

2ª ELIMINATÓRIA (sábado, 28/9/1968)

Concorrentes (por ordem de apresentação)

Sabiá	Antônio Carlos Jobim e Chico Buarque	Cynara e Cybele
Por causa de um amor	Capiba	Claudionor Germano
Roda de samba	Tito Madi	Miltinho
Pra não dizer que não falei de flores	Geraldo Vandré	Geraldo Vandré

A Era dos Festivais

Visão	Antônio Adolfo e Tibério Gaspar	Agostinho dos Santos e Quarteto 004
Mestre-sala	Reginaldo Bessa e Ester Bessa	Tuca e Trio ABC
Herói de guerra	Adilson Godoy	Maria Odete e Adilson Godoy
Capoeira	José Orlando e Benil Santos	Eliana Pittman
Engano	Renato de Oliveira e Fernando César	Morgana
O sonho	Egberto Gismonti	Egberto Gismonti e Os Três Morais
Guerra de um poeta	Beth Carvalho	Sonia Lemos
Rua da aurora	Durval Ferreira e Fátima Gaspar	Lucia Helena
Terra santa	Marco Versiani e Alberto Araújo	Jorge Neri
Plenilúnio	Johnny Alf	Bené Alves
Rainha do sobrado	Eduardo Souto Neto	Sílvio Caldas
Maria é só você	Alcivando Luz e Carlos Coqueijo	Maria Creusa e Agora 4
América, América	César Roldão Vieira	César Roldão Vieira e Canto 4
Dois dias	Dori Caymmi e Nelson Motta	Eduardo Conde
Festa do povo	Jota D'Ângelo	Jamelão

FINAL NACIONAL (domingo, 29/9/1968)

Vencedoras

1º Sabiá	Antônio Carlos Jobim e Chico Buarque	Cynara e Cybele
2º Pra não dizer que não falei de flores	Geraldo Vandré	Geraldo Vandré
3º Andança	Paulinho Tapajós, Danilo Caymmi e Edmundo Souto	Beth Carvalho e Golden Boys
4º Passacalha	Edino Krieger	Quarteto 004
5º Dia de vitória	Marcos Valle e Paulo Sérgio Valle	Marcos Valle
6º Caminhante noturno	Os Mutantes	Os Mutantes
7º Dança da rosa	Maranhão	Quarteto 004, Traditional Jazz Band e Maranhão
8º Boca da noite	Toquinho e Paulo Vanzolini	Ivete e Conjunto Canto 4
9º Canção do amor armado	Sérgio Ricardo	Sérgio Ricardo
10º Dois dias	Dori Caymmi e Nelson Motta	Eduardo Conde
Melhor arranjo	Rogério Duprat	Caminhante noturno
Melhor interpretação	Os Mutantes	Caminhante noturno
Revelação feminina	Mariá	O tempo será tua paz
Revelação masculina	Bené Alves	Plenilúnio

IV FESTIVAL DA MÚSICA POPULAR BRASILEIRA
Novembro e dezembro de 1968
TV Record
Teatro Record Centro, São Paulo

Música	Compositor	Intérprete

1ª APRESENTAÇÃO (quarta-feira, 13/11/1968)

18 concorrentes, sem julgamento

2ª APRESENTAÇÃO (quinta-feira, 14/11/1968)

18 concorrentes, sem julgamento

1ª ELIMINATÓRIA (segunda-feira, 18/11/1968)

Concorrentes (por ordem de apresentação)

Bonita	Hilton Acioly e Geraldo Vandré	Trio Marayá e Geraldo Vandré
O muro (ex-Berlimuro)	Adilson Godoy	Adilson Godoy e Claudete Soares

Cajueiro velho	Luís Roberto de Oliveira e Milton E. Nepomuceno	Eduardo Conde
Dia da graça	Sérgio Ricardo	Sérgio Ricardo e Modern Tropical Quintet
Festa é festa	Carlos de Souza e Ronaldo Tapajós	Rô e Carlinhos
Rosa da gente	Dori Caymmi e Nelson Motta	Beth Carvalho
Madrasta	Beto Ruschel e Renato Teixeira	Roberto Carlos
Domingo de manhã	Maurício Einhorn, Arnaldo Costa e Mário Telles	Wilson Miranda
2001	Rita Lee e Tom Zé	Os Mutantes
Descampado verde	Maranhão	Maranhão e MPB 4
A grande ausente	Francis Hime e Paulo César Pinheiro	Taiguara
Eu tenho que andar mais lento	Mariozinho Rocha e Fernando Lobo	Márcia

2ª ELIMINATÓRIA (segunda-feira, 25/11/1968)

Concorrentes (por ordem de apresentação)

Cantoria	Lucia Helena e Luiz Vieira	Lucelena e Grupo 7
Sei lá Mangueira	Paulinho da Viola e Hermínio Bello de Carvalho	Elza Soares e Os Originais do Samba
A outra	Toquinho e Maranhão	Ivete
Memórias de Marta Saré	Edu Lobo e Gianfrancesco Guarnieri	Edu Lobo e Marília Medalha
Charrete	José Rodrigues	Momento Quatro
Diálogo	Marcos Valle, Paulo Sérgio Valle e Milton Nascimento	Marcos Valle e Milton Nascimento
Pequenina	César Roldão Vieira	César Roldão Vieira e Trio Esperança
Cavaleiro andante	Edmundo Souto e Arnoldo Medeiros da Fonseca	Beth Carvalho e Eduardo Conde
Divino, maravilhoso	Gilberto Gil e Caetano Veloso	Gal Costa, Ivete e Arlete
Choro do amor vivido	Eduardo Gudin e Walter de Carvalho	Os Três Morais
Queremos guerra	Jorge Ben	Jorge Ben
Terra virgem	Adilson Godoy e Saulo Nunes	Márcia e Bossa Jazz Trio

3ª ELIMINATÓRIA (segunda-feira, 2/12/1968)

Concorrentes (por ordem de apresentação)

Atento alerta	Egberto Gismonti e Paulo Sérgio Valle	Marília Medalha e Egberto Gismonti
Boletim	Marconi Júnior e Hilton Acioly	Trio Marayá
O viandante	Novelli e Wagner Tiso	Taiguara
Casa de bamba	Martinho José Ferreira (da Vila)	Martinho da Vila e Originais do Samba
São, São Paulo meu amor	Tom Zé	Tom Zé, Canto 4 e Os Brasões
Sem mais Luanda	Joyce e José Rodrigues	Joyce
Benvinda	Chico Buarque de Hollanda	Chico Buarque de Hollanda, MPB 4 e Toquinho
A família	Ary Toledo e Chico Anísio	Jair Rodrigues e Golden Boys
Todas as ruas do mundo	Fernando César e Elizabeth Sanchez	Ana Lúcia
Dom Quixote	Arnaldo D. Baptista e Rita Lee	Os Mutantes
Cantiga	Caetano Zamma e José Carlos Queiroz Telles	O Quarteto
Sentinela	Milton Nascimento e Fernando Brant	Cynara e Cybele e Milton Nascimento

FINAL (segunda-feira, 9/12/1968)

Finalistas (por ordem de apresentação)

Choro do amor vivido	Eduardo Gudin e Walter de Carvalho	Os Três Morais
Bonita	Hilton Acioly e Geraldo Vandré	Trio Marayá e Geraldo Vandré
A família	Ary Toledo e Chico Anísio	Jair Rodrigues e Golden Boys
Descampado verde	Maranhão	Maranhão e MPB 4
Rosa da gente	Dori Caymmi e Nelson Motta	Beth Carvalho

A Era dos Festivais

Música	Compositor	Intérprete
Diálogo	Marcos e Paulo Sérgio Valle e Milton Nascimento	Marcos Valle e Milton Nascimento
São, São Paulo meu amor	Tom Zé	Tom Zé, Canto 4 e Os Brasões
Terra virgem	Adilson Godoy e Saulo Nunes	Márcia e Bossa Jazz Trio
Sentinela	Milton Nascimento e Fernando Brant	Cynara e Cybele e Milton Nascimento
Benvinda	Chico Buarque de Hollanda	Chico Buarque de Hollanda, MPB 4 e Toquinho
A grande ausente	Francis Hime e Paulo César Pinheiro	Taiguara
Memórias de Marta Saré	Edu Lobo e Gianfrancesco Guarnieri	Edu Lobo e Marília Medalha
2001	Rita Lee e Tom Zé	Os Mutantes
Cantiga	Caetano Zamma e José Carlos Queiroz Telles	O Quarteto
Sei lá Mangueira	Paulinho da Viola e Hermínio Bello de Carvalho	Elza Soares e Os Originais do Samba
Dia da graça	Sérgio Ricardo	Sérgio Ricardo e Modern Tropical Quintet
Madrasta	Renato Teixeira e Beto Ruschel	Roberto Carlos
Divino, maravilhoso	Gilberto Gil e Caetano Veloso	Gal Costa, Ivete e Arlete

Vencedoras júri especial

1º São, São Paulo meu amor	Tom Zé	Tom Zé, Canto 4 e Os Brasões
2º Memórias de Marta Saré	Edu Lobo e Gianfrancesco Guarnieri	Edu Lobo e Marília Medalha
3º Divino, maravilhoso	Gilberto Gil e Caetano Veloso	Gal Costa, Ivete e Arlete
4º 2001	Rita Lee e Tom Zé	Os Mutantes
5º Dia da graça	Sérgio Ricardo	Sérgio Ricardo e Modern Tropical Quintet
6º Benvinda	Chico Buarque de Hollanda	Chico Buarque de Hollanda e MPB 4

Vencedoras júri popular

1º Benvinda	Chico Buarque de Hollanda	Chico Buarque de Hollanda e MPB 4
2º Memórias de Marta Saré	Edu Lobo e Gianfrancesco Guarnieri	Edu Lobo e Marília Medalha
3º A família	Ary Toledo e Chico Anísio	Jair Rodrigues e Golden Boys
4º Bonita	Hilton Acioly e Geraldo Vandré	Trio Marayá e Geraldo Vandré
5º São, São Paulo meu amor	Tom Zé	Tom Zé e Canto 4
6º A grande ausente	Francis Hime e Paulo César Pinheiro	Taiguara

Demais prêmios

Melhor intérprete masculino	Jair Rodrigues	A família
Melhor intérprete feminino	Elza Soares	Sei lá Mangueira
Melhor arranjador	Edu Lobo	Memórias de Marta Saré

IV FESTIVAL INTERNACIONAL DA CANÇÃO POPULAR

Setembro de 1969
Secretaria de Turismo da Guanabara e TV Globo
Maracanãzinho, Rio de Janeiro

Música	Compositor	Intérprete

1ª ELIMINATÓRIA (quinta-feira, 25/9/1969)

Concorrentes (por ordem de apresentação)

Passo hoje	Francisco Lessa e José Antônio Castelo	Os Três Morais
Copacabana, velha de guerra	Joyce e Sérgio Flaksman	Joyce e O Triciclo
Sagarana	João de Aquino e Paulo César Pinheiro	Maria Odete
Flash	Hermes de Aquino	Hermes, Lais e Os Cleans
Acalanto para Isabela	Alceu Valença	Alceu Valença
Cidade grande	Amaury Tristão e César Mourão	Vox Populi

Visão geral	César Costa Filho, Ruy Mauriti e Ronaldo M. de Sousa	Quarteto 004 e César Costa Filho
Sala de espera	Laís Marques	Laís, Hermes e Os Cleans
Leonora	Luiz Carlos Sá	Luiz Carlos Sá e Os Argonautas
Cantiga por Luciana	Edmundo Souto e Paulinho Tapajós	Evinha
Correntes	Toninho Horta e Márcio Borges	Eduardo Conde
Bem te vi	Arthur Verocai e Arnoldo Medeiros	Grupo Mineiro, Dorinha Tapajós e The Youngsters
Chica Maria	Luís Mauro Pinto da Costa	Luís Mauro Pinto da Costa
Beiras	Nelson Panicalli e Ronaldo Monteiro de Sousa	O Grupo
Levança	Sérgio Ferreira da Cruz	Luciana
Juliana	Antônio Adolfo e Tibério Gaspar	A Brazuca e Antônio Adolfo
Madrugada, carnaval e chuva	Martinho da Vila	Martinho da Vila e Grupo Terra
Tornado	Guto Graça Mello e César Mourão	Vox Populi
O tempo e o vento	Jorge Omar e Billy Blanco	Beth Carvalho
Por favor, sucesso	Carlos A. Hartlieb	Liverpool Sound
Na roda do vento	Candinho e Lula Freire	Rui Felipe

2ª ELIMINATÓRIA (sábado, 27/9/1969)

Concorrentes (por ordem de apresentação)

Serra acima	Sílvio da Silva Jr. e Aldir Blanc Mendes	Os Três Morais
Ave-maria dos retirantes	Alcivando Luz e Carlos Coqueijo	Maysa
Charles anjo 45	Jorge Ben	Jorge Ben e Trio Mocotó
Gotham city	Macalé e Capinan	Macalé, Os Brasões, Juliana e Daniele
Grande cidade	Manuel Tiago e Airton Barbosa	Regininha
Minha Marisa	Fred Falcão e Paulinho Tapajós	Golden Boys
Maria do Carmo	Marconi Campos e Hilton Acioly	Marconi Campos e Théo
Canastra real	Guilherme Dias Gomes e Luciano Bastos	Os Brasões
Beijo sideral	Marcos Valle e Paulo Sérgio Valle	Marcos Valle
Flor, manequim, depois mulher	Taiguara	Taiguara, Luiz Carlos Vinhas, Luís Tiso e Quarteto Forma
Canção do vento norte	Roberto Lima	Roberto Lima e Valéria Acioman
Ando meio desligado	Os Mutantes	Os Mutantes
Beira vida	Dori Caymmi e Nelson Motta	Eduardo Conde
Claridade	Homero Moutinho Filho	Homero Moutinho Filho
O mercador de serpentes	Egberto Gismonti	Egberto Gismonti
Longe do tempo	Danilo Caymmi e João Carlos Padua	O Bando
Quem mandou	Eduardo Souto Neto e Sérgio Bittencourt	O Grupo e Fórmula 7
Anunciação	Francis Hime e Paulo César Pinheiro	MPB 4
Lendas da renda branca	Hedys Barroso Neto e Flávia Queirós Lima	Luísa
Razão de paz para não cantar	Eduardo Lages e Alésio de Barros	Cláudia e Quarteto Forma

FINAL (domingo, 28/9/1969)

Finalistas

Passo hoje	Francisco Lessa e José Antônio Castelo	Os Três Morais
Visão geral	César Costa Filho, Ruy Mauriti e Ronaldo M. de Sousa	Quarteto 004 e César Costa Filho
Cantiga por Luciana	Edmundo Souto e Paulinho Tapajós	Evinha
Bem te vi	Arthur Verocai e Arnoldo Medeiros	Grupo Mineiro, Dorinha Tapajós e The Youngsters
Juliana	Antônio Adolfo e Tibério Gaspar	A Brazuca e Antônio Adolfo
Madrugada, carnaval e chuva	Martinho da Vila	Martinho da Vila e Grupo Terra
O tempo e o vento	Jorge Omar e Billy Blanco	Beth Carvalho
Na roda do vento	Candinho e Lula Freire	Rui Felipe

A Era dos Festivais

Serra acima	Sílvio da Silva Jr. e Aldir Blanc Mendes	Os Três Morais
Ave-maria dos retirantes	Alcivando Luz e Carlos Coqueijo	Maysa
Charles anjo 45	Jorge Ben	Jorge Ben e Trio Mocotó
Gotham city	Macalé e Capinan	Macalé, Os Brasões, Juliana e Daniele
Minha Marisa	Fred Falcão e Paulinho Tapajós	Golden Boys
Beijo sideral	Marcos Valle e Paulo Sérgio Valle	Marcos Valle
Ando meio desligado	Os Mutantes	Os Mutantes
Beira vida	Dori Caymmi e Nelson Motta	Eduardo Conde
O mercador de serpentes	Egberto Gismonti	Egberto Gismonti
Quem mandou	Eduardo Souto Neto e Sérgio Bittencourt	O Grupo e Fórmula 7
Anunciação	Francis Hime e Paulo César Pinheiro	MPB 4
Razão de paz para não cantar	Eduardo Lages e Alésio de Barros	Cláudia e Quarteto Forma

Vencedoras

1º Cantiga por Luciana	Edmundo Souto e Paulinho Tapajós	Evinha
2º Juliana	Antônio Adolfo e Tibério Gaspar	A Brazuca e Antônio Adolfo
3º Visão geral	César Costa Filho, Ruy Mauriti e Ronaldo M. de Sousa	Quarteto 004 e César Costa Filho
4º Razão de paz para não cantar	Eduardo Lages e Alésio de Barros	Cláudia e Quarteto Forma
5º Minha Marisa	Fred Falcão e Paulinho Tapajós	Golden Boys
6º O tempo e o vento	Jorge Omar e Billy Blanco	Beth Carvalho
7º Quem mandou	Eduardo Souto Neto e Sérgio Bittencourt	O Grupo e Fórmula 7
8º Ave-maria dos retirantes	Alcivando Luz e Carlos Coqueijo	Maysa
9º Beijo sideral	Marcos Valle e Paulo Sérgio Valle	Marcos Valle
10º Ando meio desligado	Os Mutantes	Os Mutantes
Melhor arranjo	Eumir Deodato	Ave-maria dos retirantes
Melhor interpretação	Cláudia	Razão de paz para não cantar
Revelação feminina	Evinha	Cantiga por Luciana

V FESTIVAL DA MÚSICA POPULAR BRASILEIRA

Novembro e dezembro de 1969
TV Record
Teatro Record Augusta, Cine Regência, São Paulo

Música	Compositor	Intérprete

1ª ELIMINATÓRIA (sábado, 15/11/1969)

Concorrentes

Louvado seja	Luiz Vieira e Marconi Campos	Luiz Vieira e Trio Marayá
Camisa branca	Elton Medeiros e Otavio Moraes	Djalma Pires
Pro que der e vier	Ivan Lins, Waldemar Correa e Ronaldo de Souza	Elza Soares
Nas areias da lua	Onizete Marizinho e Saulo Farias	Maria Creusa
Bola branca	Paulinho Nogueira	Cláudia
Hoje é domingo	Haroldo Barbosa e Raul Mascarenhas	Miltinho
De Vera	Antônio Carlos M. Pires (Moraes Moreira) e Luiz Galvão	Moraes Moreira e Luiz Galvão
Gostei de ver	Eduardo Gudin e Marco Antônio da Silva Ramos	Márcia e Os Originais do Samba
Vou trocar de namorada	Célio Borges Pereira	Três Morais
Comunicação	Edson Alencar e Hélio Gonçalves Mateus	Vanusa
Sinal fechado	Paulinho da Viola	Paulinho da Viola
Mana, cadê meu boi	Jorginho Capela e Bezerra da Silva	Bezerra da Silva
Catendê	Jocafi, Onias Camardelli e Ildazio Tavares	Maria Creusa e Os Caçulas
Hey Mister	Ary Toledo e Chico de Assis	Ary Toledo

Classificadas

Gostei de ver	Eduardo Gudin e	Márcia e
	Marco Antônio da Silva Ramos	Os Originais do Samba
Comunicação	Edson Alencar e Hélio Gonçalves Matheus	Vanusa
Sinal fechado	Paulinho da Viola	Paulinho da Viola
Catendê	Jocafi, Onias Camardelli e Ildazio Tavares	Maria Creusa e Os Caçulas
Hey Mister	Ary Toledo e Chico de Assis	Ary Toledo

2ª ELIMINATÓRIA (sábado, 22/11/1969)

Concorrentes

A moça e o mar	Miguel Gustavo	Miltinho
Tu vais voltar	José Ribamar e Romeu Nunes	Antônio Marcos
Acertando o passo	Hilton Acioly e Marconi Campos	Trio Marayá
Leão de coleira	Euzébio "Velha" Nascimento	Euzébio "Velha" Nascimento
Infinito	Reginaldo Bessa	Agnaldo Rayol
Despejo na favela	Adoniran Barbosa	Nerino Silva
		e Titulares do Ritmo
Monjolo	Dino Galvão Bueno e Eric Nepomuceno	Maria Odete
Não interessa	Geraldo Babão	Tânia, Luísa
		e Originais do Samba
Tocha	Expedito Faggioni	Expedito Faggioni
Bola prá frente	Tom Zé	Tom Zé, Canto 4 e Trio Mocotó
Vem enquanto há tempo	Moacyr Franco e Fernando Lona	Moacyr Franco
Alô, Helô	Nonato Buzar	Edgard e Os Tais
Moleque	Luiz Gonzaga Jr.	Luiz Gonzaga Jr.
Falta uma rês	José Itamar de Freitas	Sílvio Aleixo
Vida	José Orlando	Elza Soares

Classificadas

Moleque	Luiz Gonzaga Jr.	Luiz Gonzaga Jr.
Tu vais voltar	José Ribamar e Romeu Nunes	Antônio Marcos
Alô, Helô	Nonato Buzar	Edgard e Os Tais
Monjolo	Dino Galvão Bueno e Eric Nepomuceno	Maria Odete
Infinito	Reginaldo Bessa	Agnaldo Rayol

3ª ELIMINATÓRIA (sábado, 29/11/1969)

Concorrentes

A escola vai descer	Osvaldo Nunes e Aristóteles II	Osvaldo Nunes
Valentia	Behring Leiros	Trio Marayá
Casa azul	Roberta Faro	Roberta Faro
Queixa	Maurício Tapajós	
	e Hermínio Bello de Carvalho	Marlene
O urubu está voando baixo	Moreira da Silva e João Correa	Moreira da Silva
Jeitinho dela	Tom Zé	Tom Zé e Novos Baianos
Mar da tranquilidade	Ruy Faria, Cynara e Aquiles	MPB 4
Samba do paquera	Martinho da Vila	Martinho da Vila
O bonde alegria	Sílvio César e Sylvan Paezzo	Sílvio César
Atraso em meu caminho	Jair do Cavaquinho e Picolino	Noite Ilustrada
Primavera	Lupicínio Rodrigues e Hamilton Chaves	Isaura Garcia
Um abraço, Recife	Edson Conceição	Golden Boys
Sou filho de rei	João Mello e Fernando Lobo	Clara Nunes
Clarice	Eneida e João Magalhães	Agnaldo Rayol e Trio Mocotó

Classificadas

Sou filho de rei	João Mello e Fernando Lobo	Clara Nunes
Primavera	Lupicínio Rodrigues e Hamilton Chaves	Isaura Garcia
Casa azul	Roberta Faro	Roberta Faro
Jeitinho dela	Tom Zé	Tom Zé e Novos Baianos
Clarice	Eneida e João Magalhães	Agnaldo Rayol e Trio Mocotó

A Era dos Festivais

FINAL (sábado, 6/12/1969)

V FESTIVAL INTERNACIONAL DA CANÇÃO POPULAR

Outubro de 1970
Secretaria de Turismo da Guanabara e TV Globo
Maracanãzinho, Rio de Janeiro

Música	Compositor	Intérprete

1ª ELIMINATÓRIA (quinta-feira, 15/10/1970)

Namorada	Fred Falcão e Arnoldo Medeiros	Antônio Marcos e Vanusa
Feira moderna	Beto Guedes e Fernando Brant	Som Imaginário
Quebra cabeça	Paulinho Soares e Marcelo Silva	A Brazuca
O amor é meu país	Ivan Lins e Ronaldo Monteiro de Souza	Ivan Lins
Quem tem tempo pra ser meu amigo	Alberto Land	Sílvio César
A velha porta	Beth Carvalho	Beth Carvalho e As Gatas
Aleluia, aleluinha para cinco cavaleiros	Miguel Coelho e Francisco Aguiar	Antônio Claudio

2ª ELIMINATÓRIA (sábado, 17/10/1970)

Concorrentes (por ordem de apresentação)

Meu laiaraiá	Martinho da Vila	Martinho da Vila, Turma do Samba e Rosinha de Valença
Em qualquer rua de Ipanema	Billy Blanco	Clara Nunes
Tão preso pelo teu olhar	Valgênio Rangel e Marco Antônio da Silva Ramos	Os Três Morais
Rio Paraná	Ary Toledo e Chico de Assis	Tonico e Tinoco
Onoceonekotô	Nelson Ângelo	A Tribo
E coisa e tal	Eduardo Souto Neto e Sérgio Bittencourt	O Grupo
Três minutos para um aviso importante	Luís Eça e Novelli	Jorge Néri
Conquistando e conquistado	Carlos Imperial e Ibrahim Sued	Guilherme Lamounier
A charanga	Dom e Vanderléa	Vanderléa
Sombras às cinco da tarde	Aécio Flávio do Rego	Nilza Menezes e Márcio Lott
A última vez que eu vi Rozane	Leno	Leno
Universo no teu corpo	Taiguara	Taiguara
BR-3	Antônio Adolfo e Tibério Gaspar	Toni Tornado, Trio Ternura e Quarteto Osmar Milito
Reino	Adilson Godoy e Márcio Borges	Silvia Maria
Amor pra ficar	Alcivando Luz e Carlos Coqueijo	Ana Margarida
Um abraço terno em você, viu mãe?	Luiz Gonzaga Jr.	Luiz Gonzaga Jr.
Hipnose	Antônio Carlos e Jocafi	Golden Boys
Diva	César Costa Filho e Aldir Blanc	César Costa Filho
Ana	Eduardo Lages e Márcio Proença	Agostinho dos Santos e Quarteto Forma
Eu também quero mocotó	Jorge Ben	Erlon Chaves e Banda Veneno

FINAL (domingo, 18/10/1970)

Finalistas

Tributo ao sorriso	Jorge Amidem e Sérgio Hinds	O Terço
Sermão	Baden Powell e Paulo César Pinheiro	Cláudia
Milhões de anos-luz além	Luiz Carlos Sá	A Charanga
Quem tem tempo pra ser meu amigo	Alberto Land	Sílvio César
Feira moderna	Beto Guedes e Fernando Brant	Som Imaginário
Um abraço terno em você, viu mãe?	Luiz Gonzaga Jr.	Luiz Gonzaga Jr.
Meu laiaraiá	Martinho da Vila	Martinho da Vila, Turma do Samba e Rosinha de Valença
Universo no teu corpo	Taiguara	Taiguara
Quebra cabeça	Paulinho Soares e Marcelo Silva	A Brazuca
Diva	César Costa Filho e Aldir Blanc	César Costa Filho
E coisa e tal	Eduardo Souto Neto e Sérgio Bittencourt	O Grupo
BR-3	Antônio Adolfo e Tibério Gaspar	Toni Tornado, Trio Ternura e Quarteto Osmar Milito
Abolição 1860-1980	Dom Salvador e Arnoldo Medeiros	Mariá, Luís Antônio e Conjunto Dom Salvador

A Era dos Festivais

O amor é meu país	Ivan Lins e Ronaldo Monteiro de Souza	Ivan Lins
A velha porta	Beth Carvalho	Beth Carvalho e As Gatas
Encouraçado	Sueli Costa e Tite de Lemos	Fábio
Onoceonekotô	Nelson Ângelo	A Tribo
Hipnose	Antônio Carlos e Jocafi	Golden Boys
A charanga	Dom e Vanderléa	Vanderléa
Eu também quero mocotó	Jorge Ben	Erlon Chaves e Banda Veneno

Vencedoras

1º BR-3	Antônio Adolfo e Tibério Gaspar	Toni Tornado, Trio Ternura e Quarteto Osmar Milito
2º O amor é meu país	Ivan Lins e Ronaldo Monteiro de Souza	Ivan Lins
3º Encouraçado	Sueli Costa e Tite de Lemos	Fábio
4º Um abraço terno em você, viu mãe?	Luiz Gonzaga Jr.	Luiz Gonzaga Jr.
5º Abolição 1860-1980	Dom Salvador e Arnoldo Medeiros	Mariá, Luís Antônio e Conjunto Dom Salvador
6º Eu também quero mocotó	Jorge Ben	Erlon Chaves e Banda Veneno
7º Meu laiaraiá	Martinho da Vila	Martinho da Vila, Turma do Samba e Rosinha de Valença
8º Universo no teu corpo	Taiguara	Taiguara
9º Tributo ao sorriso	Jorge Amidem e Sérgio Hinds	O Terço
10º E coisa e tal	Eduardo Souto Neto e Sérgio Bittencourt	O Grupo
Melhor arranjador	Rogério Duprat	Cafusa
Melhor conjunto	A Brazuca	Quebra cabeça
Melhor intérprete feminina	Beth Carvalho	A velha porta
Melhor intérprete masculino	Fábio	Encouraçado

VI FESTIVAL INTERNACIONAL DA CANÇÃO POPULAR
Setembro de 1971
Secretaria de Turismo da Guanabara e TV Globo
Maracanãzinho, Rio de Janeiro

Música	Compositor	Intérprete

1ª ELIMINATÓRIA (sexta-feira, 24/9/1971)

Concorrentes (por ordem de apresentação)

Sanfona de prata	Luiz Gonzaga Jr.	Luiz Gonzaga Jr.
Canto livre	Herivelto Martins e Peri Ribeiro	Peri Ribeiro
Pela cidade	Carlos Escobar e Márcio Ramos	Ana Maria
Casa no campo	Tavito e Zé Rodrix	Zé Rodrix e Grupo Faya
Olhos da manhã	José Mauro e Ana Maria Bahiana	José Mauro e Nana Caymmi
Prece	Paulo César Dória	Sílvio César
América do sol	Osmar Milito	Lucinha e Osmar Milito
Folha cinco	William Prado	Betinho
Medo	César Costa Filho e Aldir Blanc	César Costa Filho
Xingu	Pedro Paulo Lomba e Jorge André Tavares	Grupo 1822
Sistema solar	Dilvo da Silva Jr. e Aldir Blanc	Rolano Faria
Kyrie	Paulinho Soares e Marcelo Silva	Trio Ternura
Lourinha	Fred Falcão e Arnoldo Medeiros	Wanderléa, Altamiro Carrilho e Brasil Ritmo
O visitante	Jorge Amiden e César Mercês	O Terço
Outra vez você	Márcio Proença e Paulo E. C. Leite	Márcio Proença
Júlia	Sérgio F. da Cruz	Fábio, Eclipse e Waltel Branco
Desacato	Antônio Carlos e Jocafi	Antônio Carlos e Jocafi e Brasil Ritmo
Amiga amada	Abílio Manoel	Abílio Manoel e Os Três Moraes

Zuza Homem de Mello

Canção pra Janaína	João Só	João Só
Dezoito e trinta	Eduardo Souza Neto e Geraldino Carneiro	A Bolha
Dia de verão	Eumir Deodato	Silvia Maria
No ano 83	Sérgio Sampaio	Sérgio Sampaio e Trio
Cantiga antiga	Ruy Gonçalves	Ruy Gonçalves e Universo
Micróbio da selva	Ciro Aguiar e João Marcos	Os Diagonais
Alô! Alô! Taí Carmem Miranda	Maneco, Wilton e Heitor	Roberto e Império Serrano

2ª ELIMINATÓRIA (sábado, 25/9/1971)

Concorrentes (por ordem de apresentação)

Tucaberê	Luiz Carlos Sá	Luiz Carlos Sá
Amor em viagem	Mozart de Araújo, Padilha Filho e Valder Durão	Luís Antônio
Canção pra senhora	Sérgio Bittencourt	O Grupo
Nú meu rosto	Eduardo C. Rocha	Alpha Centauro
João Amem	Waldemar de Oliveira (Jacobina) e Hélio Matheus	Matheus
Pago pra ver	Eduardo Lima, José Luís Namur e Joaquim Silvestre	Tânia Maria
Sentando no arco-íris	Leno e Raul Seixas	Leno e Matéria-Prima
Um novo sol	Ângelo Antônio e Carlos Imperial	Ângelo Antônio
Voltar, eu não	Luís Bandeira	Golden Boys
Mundo jovem	Diógenes Burani	Nova Brazuca
Não existe nada além de nós	Fernando César e Nelson de Morais Filho	Joelma
Palavras perdidas	Reginaldo Bessa	Sônia Santos
Cantilena de Joana Magra	Ruy Mauriti e José Jorge Miquinioly	Ruy Mauriti Trio
Porque é proibido pisar na grama	Jorge Ben	Jorge Ben
Gilera	Beto Ruschel e Alceu da Gama	Beto Ruschel
Você não tá com nada	Sílvio César	Pedrinho Rodrigues e As Gatas
Sandy	Walter Montezuma e Júlio César	Buy My Records
Descrente do amor	Antônio Carlos e Expedito Carvalho	Tom e Dito
Karany Karanuê	Zé de Assis e Diana Camargo	Diana, Embaixador e Tribo Massai
Salamandra Polinésia	Denise Emmer	Denise Emmer e Ano Luz
Retirantes	Catulo de Paula	Catulo de Paula
Pensem como nós	Guilherme Lamounier	Guilherme Lamounier
Quem não canta e não dança não sabe o que está perdendo	Paulinho Machado e Nelson Motta	Sociedade Anônima
Sem volta	Guilherme Dias Gomes e Caique	Jacks Wu
Coisas mineiras	Fernando Leporace e Victor Martins	Som Livre

FINAL (domingo, 26/9/1971)

Finalistas

Sanfona de prata	Luiz Gonzaga Jr.	Luiz Gonzaga Jr.
Canto livre	Herivelto Martins e Peri Ribeiro	Peri Ribeiro
Casa no campo	Tavito e Zé Rodrix	Zé Rodrix e Grupo Faya
América do sol	Osmar Milito	Lucinha e Osmar Milito
Medo	César Costa Filho e Aldir Blanc	César Costa Filho
Kyrie	Paulinho Soares e Marcelo Silva	Trio Ternura
Lourinha	Fred Falcão e Arnoldo Medeiros	Wanderléa, Altamiro Carrilho e Brasil Ritmo
O visitante	Jorge Amiden e César Mercês	O Terço
Júlia	Sérgio F. da Cruz	Fábio e Eclipse com Waltel Branco
Desacato	Antônio Carlos e Jocafi	Antônio Carlos e Jocafi e Brasil Ritmo
Dia de verão	Eumir Deodato	Silvia Maria
No ano 83	Sérgio Sampaio	Sérgio Sampaio e Trio
Voltar, eu não	Luís Bandeira	Golden Boys

A Era dos Festivais

Karany Karanuê	Zé de Assis e Diana Camargo	Diana, Embaixador e Tribo Massai
Canção pra senhora	Sérgio Bittencourt	O Grupo
Você não tá com nada	Sílvio César	Pedrinho Rodrigues e As Gatas
Porque é proibido pisar na grama	Jorge Ben	Jorge Ben
João Amem	Waldemar de Oliveira (Jacobina) e Hélio Matheus	Matheus
Cantilena de Joana Magra	Ruy Mauriti e José Jorge Miquinioly	Ruy Mauriti Trio
Um novo sol	Ângelo Antônio e Carlos Imperial	Ângelo Antônio
Vencedoras		
1° Kyrie	Paulinho Soares e Marcelo Silva	Trio Ternura
2° Desacato	Antônio Carlos e Jocafi	Antônio Carlos e Jocafi e Brasil Ritmo
3° Dia de verão	Eumir Deodato	Silvia Maria
4° Canção pra senhora	Sérgio Bittencourt	O Grupo
5° João Amem	Waldemar de Oliveira (Jacobina) e Hélio Matheus	Matheus
6° Sanfona de prata	Luiz Gonzaga Jr.	Luiz Gonzaga Jr.
7° O visitante	Jorge Amiden e César Mercês	O Terço
8° América do sol	Osmar Milito	Lucinha e Osmar Milito
9° Casa no campo	Tavito e Zé Rodrix	Zé Rodrix e Grupo Faya
10° Voltar, eu não	Luís Bandeira	Golden Boys
Melhor arranjador	Radamés Gnattalli	Canto livre
Melhor conjunto	A Bolha	Dezoito e trinta
Melhor intérprete masculino	Ângelo Antônio	Um novo sol
Melhor intérprete feminino	Silvia Maria	Dia de verão

VII FESTIVAL INTERNACIONAL DA CANÇÃO POPULAR

Setembro de 1972
Secretaria de Turismo da Guanabara e TV Globo
Maracanãzinho, Rio de Janeiro

Música	Compositor	Intérprete
1ª ELIMINATÓRIA (sábado, 16/9/1972)		
Concorrentes (por ordem de apresentação)		
Nem becos, nem saídas	Abílio Manuel	Abílio Manuel e Os Condors
22° andar	Edson e Aloísio	Edson e Aloísio
Depois do portão	Jorge Amidem e Luís Mendes Jr.	Grupo Kharma
Diferenças	Rildo Hora e Manuel Nunes	Rildo Hora, Elisabete Viana e Os Batuqueiros
Serearei	Hermeto Paschoal	Conjunto Hermeto Paschoal e Alaíde Costa
Quatro graus	Fagner e Dedé	Fagner
Nó na cana	Ari do Cavaco e César Augusto	Mirna e Elson
Eu sou eu, Nicuri é o diabo	Raul Seixas	Os Lobos
Eu quero é botar meu bloco na rua	Sérgio Sampaio	Sérgio Sampaio
Cabeça	Walter Franco	Walter Franco
Diálogo	Baden Powell e Paulo César Pinheiro	Baden Powell, Tobias e Cláudia Regina
Papagaio do futuro	Alceu Valença	Alceu Valença, Jackson do Pandeiro e Geraldo Azevedo
Fio Maravilha	Jorge Ben	Maria Alcina
Nos cafundó do Zé	Ruy Mauriti e José Jorge	Ruy Mauriti e Trio
Corpo a corpo	Túlio Mourão e Nelson Motta	Fábio

Zuza Homem de Mello

2ª ELIMINATÓRIA (domingo, 17/9/1972)

Concorrentes (por ordem de apresentação)

Pente	Grupo Peso	Grupo Peso
Bip... bip...	José Ednardo e Belchior	Cláudio Ornellas
Reza ao Padre Cícero	Luís Wanderley	Luís Wanderley e Os Diagonais
Loucura pouca é bobagem	Jésus Rocha	Maurício e Ana Maria e Conjunto
Let me sing, let me sing	Edith Wisner e Raul Seixas	Raul Seixas e Grupo Feiner
Flor lilás	Luli	Luli e Lucina
Olerê Camará	Norival Reis e Joel Lourenço	Ângela Maria e Conjunto Nosso Samba
Marinheiro	Renato Teixeira	Renato Teixeira
Frevança	Tom e Dito	Tom e Dito e Trio Elétrico Tapajós
Liberdade, liberdade	Oscar Torales	A Bolha
A volta do ponteiro	Roberto Lourenço da Silva e Roberto Ferreira dos Santos	Os Originais do Samba
Viva Zapátria	Sirlan e Murilo	Sirlan
Mande um abraço pra velha	Os Mutantes	Os Mutantes
Automóvel	Osvaldo Montenegro	Os Três Morais
Carangola ou Navalha na carne	Fototi e Fauzi Arap	Marlene

FINAL (domingo, 30/9/1972)

Finalistas

Serearei	Hermeto Paschoal	Conjunto Hermeto Paschoal e Alaíde Costa
Nó na cana	Ari do Cavaco e César Augusto	Mirna e Elson
Flor lilás	Luli	Luli e Lucina
Eu sou eu, Nicuri é o diabo	Raul Seixas	Os Lobos
Fio Maravilha	Jorge Ben	Maria Alcina
Cabeça	Walter Franco	Walter Franco
A volta do ponteiro	Roberto Lourenço da Silva e Roberto Ferreira dos Santos	Os Originais do Samba
Liberdade, liberdade	Oscar Torales	A Bolha
Let me sing, let me sing	Edith Wisner e Raul Seixas	Raul Seixas e Grupo Feiner
Diálogo	Baden Powell e Paulo César Pinheiro	Baden Powell, Tobias e Cláudia Regina
Viva Zapátria	Sirlan e Murilo	Sirlan
Mande um abraço pra velha	Os Mutantes	Os Mutantes
Eu quero é botar meu bloco na rua	Sérgio Sampaio	Sérgio Sampaio
Carangola ou Navalha na carne	Fototi e Fauzi Arap	Marlene

Representantes na fase internacional

Fio Maravilha	Jorge Ben	Maria Alcina
Diálogo	Baden Powell e Paulo César Pinheiro	Baden Powell, Tobias e Cláudia Regina

A Era dos Festivais

OUTROS FESTIVAIS DE PROJEÇÃO NACIONAL

FESTIVAL DO RIO: A MAIS BELA CANÇÃO DE AMOR
Setembro de 1960
Prefeitura do Rio de Janeiro
Lagoa Rodrigo de Freitas, Rio de Janeiro

Música	Compositor	Intérprete
Finalistas		
Poema do adeus	Luís Antônio	Miltinho
Ternura antiga	José Ribamar e Dolores Duran	Luciene Franco
Será tarde	Renan França e Verinha Falcão	Ernani Filho
Procura sonhar comigo esta noite	Abílio de Lessa	Carlos José
Eu não tenho para onde ir	Edson Borges	Agnaldo Rayol
Ressurreição dos velhos carnavais	Lamartine Babo	Roberto Silva
Seu amor, você	Newton Mendonça	Lenita Bruno
Canção em tom maior	Ary Barroso	Ted Moreno
Afinal, chegaste	Paulo Soledade	Zezé Gonzaga
O céu virá depois	Sérgio Malta	Jorge Goulart
Vencedoras		
1º Canção em tom maior	Ary Barroso	Ted Moreno
2º Ternura antiga	José Ribamar e Dolores Duran	Luciene Franco

UM MILHÃO POR UMA CANÇÃO
Dezembro de 1963
Prefeitura do Rio de Janeiro
Teatro Copacabana, Rio de Janeiro

Música	Compositor	Intérprete
Vencedoras		
1º Uma canção por um milhão	Luís Antônio	Helena de Lima
2º Longe de você	Ary Barroso e Luís Peixoto	
3º Tudo que sonhei	Ribamar e Toni Vestane	
4º Meu bem	Glauco Pereira e Fernando Pereira	
5º Sempre te amarei	Sérgio Malta	
6º Mais que todo o amor	Britinho e Fernando César	

DEZ MILHÕES POR UMA CANÇÃO
Fevereiro de 1965
Teatro República, Rio de Janeiro

Música	Compositor	Intérprete
Vencedora		
A lei do mais forte	Jacobina e Murilo Latini	Ellen de Lima

I CONCURSO DE MÚSICAS DE CARNAVAL
Dezembro de 1966
Secretaria de Turismo do Estado da Guanabara e MIS

Música	Compositor	Intérprete

Vencedora
| 1º Máscara negra | Zé Kéti | |

I FESTIVAL ESTUDANTIL DE MÚSICA POPULAR
Outubro de 1967

Vencedora
| Minha viola | Luiz Carlos de Moraes | |

I FESTIVAL ESTUDANTIL PETROPOLITANO DE MÚSICA POPULAR
Outubro de 1967
Petrópolis

Vencedora
| O andarilho | Antônio Carlos Werneck | |

II CONCURSO DE MÚSICAS DE CARNAVAL
Dezembro de 1967
Secretaria de Turismo do Estado da Guanabara e MIS

Vencedora
| 1º Amor de carnaval | Zé Kéti | |
| 2º Aquela rosa que você me deu | Carolina Cardoso de Menezes e Armando Fernandes | |

I FESTIVAL UNIVERSITÁRIO DE MÚSICA POPULAR
Junho de 1968
Porto Alegre

Vencedora
| Jogo de viola | João Alberto P. Soares e Paulinho do Pinho | Érica Norimar |

II FESTIVAL FLUMINENSE DA CANÇÃO
Junho de 1968
Estádio Caio Martins, Niterói

Vencedora
| A vez e a voz da paz | Paulo Machado de Barros e Paulo Sérgio Valle | Eduardo Conde |

FESTIVAL DE JUIZ DE FORA

Junho e julho de 1968
Prefeitura de Juiz de Fora

Música	Compositor	Intérprete

Vencedora

Sem assunto	Sidney Miller	Cynara e Cybele

II FESTIVAL ESTUDANTIL DE MÚSICA POPULAR

Agosto de 1968
Jornal e TV Globo e Secretaria de Turismo da Guanabara
Teatro João Caetano, Rio de Janeiro

Vencedoras

1º Praia só	Irineia Ribeiro	
2º Lamento de capoeira	Vitorino Tosta Neto	
3º Havia	Antônio José do Espírito Santo	
4º Canção do amor que foi	Cristina Drummond e Maria Tereza Abreu	
5º Doce lembrança	Irineia Ribeiro	
6º Só quis amar	Valéria Zacarias	
7º Glória ao rei dos confins do além	Paulo César de Castro	
8º Chamada	Ângela Garcia e Hermínia Terezinha	
9º Linha doze	Joarez de Sousa e Antônio Eduardo Motta	
10º Desencanto	Ivan Cimas e Ronaldo Lanzelotti	
11º Sem mais o que dizer	Carlos Fernando Pereira	
12º Espera	Irineia Ribeiro	

II FESTIVAL ESTUDANTIL PETROPOLITANO DE MÚSICA POPULAR

Agosto de 1968
Petrópolis

Vencedora

Fantasia	Ricardo Valin, Rita Name Pérsia e Ricardo Pérsia

III FESTIVAL NACIONAL DE MÚSICA POPULAR BRASILEIRA

Junho, julho e agosto de 1968
TV Excelsior RJ e Secretaria de Turismo da Guanabara
Rio de Janeiro, Guanabara, Minas Gerais, Paraná, Pernambuco, Rio Grande do Sul e São Paulo

Música	Compositor	Intérprete

FASE PAULISTA

1ª ELIMINATÓRIA (domingo, 30/6/1968, Auditório da TV Excelsior, São Paulo)

Concorrentes (por ordem de apresentação)

Joana Maria, o sertão	Demetrius	Demetrius
Meu clarim	Maranhão	Maranhão e O Quarteto
Amanheceu quarta-feira	Sonia Rosa	Sonia Rosa
Anda	Hilton Acioly	Trio Marayá

Nasce uma favela	Rita Amaral Erhart	Pedrinho Mattar Trio
Os tons esmaecidos do azul	Fernando Lona	Marita Luizi
Catecismo, creme dental e eu	Tom Zé	Tom Zé e Os Três Morais
Dorme, meu irmão	Jorge Costa	Djalma Dias
Sem adeus	Eneida e Rita Moreira	Ivete e Arlete
Canta, calouro	Mauro Castro Neves	Thais Amaral e Mattar 3
Lamento do homem sem pranto	Adauto Santos e Ary Toledo	Djalma Lucio e Coral
Paz e alegria	Erasmo Carlos	Wilson Miranda

Classificadas

Anda	Hilton Acioly	Trio Marayá
Os tons esmaecidos do azul	Fernando Lona	Marita Luizi
Sem adeus	Eneida e Rita Moreira	Ivete e Arlete
Paz e alegria	Erasmo Carlos	Wilson Miranda

2ª ELIMINATÓRIA (sexta-feira, 5/7/1968, Auditório da TV Excelsior, São Paulo)

Concorrentes

Capoeira	Evaldo Gouveia e Jair Amorim	Roberto Luna e Trio Nagô
Até mais vê	Carlos Castilho e Victor Martins	Maricene Costa
Tristeza de pescador	Geraldo Cunha e Tuca	Os Três Morais
Quebra-mar	Lúcio Alves	Rosely
Rancho para de uma rosa	Wadim Arsky	Marta
Quem dera	Abílio Manoel	
Flerte (Manhã de chorar)	Moacyr Franco	Moacyr Franco
Que pena	Jorge Ben	Jorge Ben
Além mar	Adilson Godoy e Luiz Rodrigues Cruz	
Andança	Benito de Paula	
João Pierrô	Leo e Gilberto Karan	Márcia e Leo Karan
Pastora triste	Antônio José M. Freire (Tonicão)	

Classificadas

Capoeira	Evaldo Gouveia e Jair Amorim	Roberto Luna e Trio Nagô
Até mais vê	Carlos Castilho e Victor Martins	Maricene Costa
Tristeza de pescador	Geraldo Cunha e Tuca	Os Três Morais
Quebra-mar	Lúcio Alves	Rosely

3ª ELIMINATÓRIA (domingo, 7/7/1968, Auditório da TV Excelsior, São Paulo)

Concorrentes

Alegria sertaneja	José Di e Dina Santos	Luiz Vieira
Tema para um mundo novo	Vera Brasil e Sônia Avelar	Silvia Maria
Maria Bonita	Renato Teixeira	Renato Teixeira e Márcia
Último carnaval	Adauto Santos e Gilberto Karan	Adauto Santos
Mágica	Os Mutantes	Os Mutantes
Meu carnaval	Severino Filho e Lúcio Alves	Lúcio Alves
Tão somente (Ausência)	Toquinho e Pedro Karr	Ana Lúcia
O que Deus quiser	Caetano Zamma e Carlos Q. Telles	Germano Batista e Conjunto Barra Funda
Amor, amor	Hilton Acioly e Geraldo Vandré	Geraldo Vandré
Moda	Carlos Castilho e Victor Martins	Maricene Costa e Titulares do Ritmo
Maxi-mini saia	Denis Brean e O. Guilherme	Demônios da Garoa
O canto do morro	Dino Galvão Bueno	Dino Galvão Bueno

Classificadas

Tema para um mundo novo	Vera Brasil e Sônia Avelar	Silvia Maria
Mágica	Os Mutantes	Os Mutantes
O que Deus quiser	Caetano Zamma e Carlos Q. Telles	Germano Batista e Conjunto Barra Funda
Moda	Carlos Castilho e Victor Martins	Maricene Costa e Titulares do Ritmo

A Era dos Festivais

4ª ELIMINATÓRIA (sexta-feira, 12/7/1968, Auditório da TV Excelsior, São Paulo)

Concorrentes

Para quem não quiser ouvir meu canto	César Roldão Vieira	César Roldão Vieira
Assim como o nosso amor	Antônio Wanderley	Antônio Wanderley e Gal Costa
Paixão segundo o amor	Tuca	Tuca e Stella Maris
Gira-sol	Sérgio Ricardo	Sérgio Ricardo
O jornal	Francisco Anísio e Arno Rodrigues	Cynara e Cybele
Passo ligeiro	Hilton Acioly e Marconi C. Silva	Cynara, Cybele e Trio Marayá
Deus, São Jorge e a mulher	Adelino Moreira	Nelson Gonçalves
Canção que ninguém cantou	Fernando Lona	Fernando Lona e Zamali
Canta maninho	Heraldo do Monte e Geraldo Vandré	Germano Batista
Eu, cantador	Sérgio Vasconcellos Corrêa	Pedrinho Mattar Trio
Conclusão	Clayber de Souza Veto	
Santa tristeza	Ozinete Marinho	Silvana e Os Caçulas

Classificadas

Para quem não quiser ouvir meu canto	César Roldão Vieira	César Roldão Vieira
Assim como o nosso amor	Antônio Wanderley	Antônio Wanderley e Gal Costa
Paixão segundo o amor	Tuca	Tuca e Stella Maris
Gira-sol	Sérgio Ricardo	Sérgio Ricardo

FINAL PAULISTA (domingo, 14/7/1968, Auditório da TV Excelsior, São Paulo)

Concorrentes

Anda	Hilton Acioly	Trio Marayá
Os tons esmaecidos do azul	Fernando Lona	Marita Luizi
Sem adeus	Eneida e Rita Moreira	Ivete e Arlete
Paz e alegria	Erasmo Carlos	Wilson Miranda
Capoeira	Evaldo Gouveia e Jair Amorim	Roberto Luna e Trio Nagô
Até mais vê	Carlos Castilho e Victor Martins	Maricene Costa
Tristeza de pescador	Geraldo Cunha e Tuca	Os Três Morais
Quebra-mar	Lúcio Alves	Rosely
Tema para um mundo novo	Vera Brasil e Sônia Avelar	Silvia Maria
Mágica	Os Mutantes	Os Mutantes
O que Deus quiser	Caetano Zamma e Carlos Q. Telles	Germano Batista
Moda	Carlos Castilho e Victor Martins	Maricene Costa e Titulares do Ritmo
Para quem não quiser ouvir meu canto	César Roldão Vieira	César Roldão Vieira
Assim como o nosso amor	Antônio Wanderley	Antônio Wanderley e Gal Costa
Paixão segundo o amor	Tuca	Tuca e Stella Maris
Gira-sol	Sérgio Ricardo	Sérgio Ricardo

Vencedoras

1º Paixão segundo o amor	Tuca	Tuca e Stella Maris
2º Gira-sol	Sérgio Ricardo	Sérgio Ricardo
3º Sem adeus	Eneida e Rita Moreira	Ivete e Arlete
4º Até mais vê	Carlos Castilho e Victor Martins	Maricene Costa
5º Capoeira	Evaldo Gouveia e Jair Amorim	Roberto Luna e Trio Nagô
Melhor intérprete	Os Três Morais	
Melhor arranjador	Maestro Severino Filho	

FINAL NACIONAL

FINAL (sábado, 27/7/1968, Maracanãzinho, Rio de Janeiro)

Concorrentes (das cinco músicas classificadas em cada um dos oito estados,
só três concorreram na final nacional: houve uma triagem intermediária)

Fala moço (BA)	Alcivando Luz e Wilson Lins	Alcivando Luz
Presente da Mãe d'Água (BA)	Antônio Carlos Pinto	Maria Creusa
Pecatta mundi (BA)	Pedro Juracy e Marco Antônio	
A vez e a voz da paz (RJ)	Paulo Barros e Paulo Sérgio Valle	Taiguara
Reza praiana (RJ)	Luís Paulo Porto e Miguel Coelho	Mary Lauria e Grupo de Ensaio
Retirada (RJ)	Eduardo Lages	
Modinha (GB)	Sérgio Bittencourt	Taiguara
Ultimatum (GB)	Marcos Valle e Paulo Sérgio Valle	Maria Odete e Momento Quatro
Você passa, eu acho graça (GB)	Ataulfo Alves e Carlos Imperial	Ataulfo Alves
Lema (MG)	Mauro Marcelo	Mauro Marcelo
Antônio desfilando na parada (MG)	Carlos Hamilton e Dirney Reis	
Caminhada (MG)	Joécio Gomes	
João sem nada (PR)	Carlos Eduardo Mattar	
Samba de rua (PR)	Tacy Ney	
Aventura (PR)	Lápis e Paulo Vittola	
Ciranda do amor que vai morrer de velho para nascer criança (PE)	Roberto Lima de Souza	
Dia cheio de Ogum (PE)	Lourenço da F. Barbosa (Capiba)	
Retiro da lua (PE)		
Sonho (RS)	César Tortman	
O gaúcho (RS)	Raul Elwanger	
Pandeiro de prata (RS)	Túlio Piva	
Paixão segundo o amor (SP)	Tuca	Tuca e Stella Maris
Até mais vê (SP)	Carlos Castilho e Victor Martins	Maricene Costa
Capoeira (SP)	Evaldo Gouveia e Jair Amorim	Roberto Luna e Trio Nagô

Vencedoras

1º Modinha (GB)	Sérgio Bittencourt	Taiguara
2º Ultimatum (GB)	Marcos Valle e Paulo Sérgio Valle	Maria Odete e Momento Quatro
3º Paixão segundo o amor (SP)	Tuca	Tuca e Stella Maris
4º Fala moço (BA)	Alcivando Luz e Wilson Lins	Alcivando Luz
5º Você passa, eu acho graça (GB)	Ataulfo Alves e Carlos Imperial	Ataulfo Alves

I FESTIVAL UNIVERSITÁRIO DA CANÇÃO POPULAR
Setembro e outubro de 1968
TV Tupi e Secretaria de Turismo da Guanabara
Teatro Novo, Rio de Janeiro

| Música | Compositor | Intérprete |

ELIMINATÓRIAS (Terça-feira, 10, 17 e 24/9/1968)

FINAL (Terça-feira, 1/10/1968)

Finalistas

Helena, Helena, Helena	Alberto Land	Taiguara
Frevo da saudade	Fred Falcão e Paulinho Tapajós	Claudete Soares
O violeiro	Homero Moutinho Filho	Jair Rodrigues e Quarteto Novo
Lembrança	Célia Vaz	Magda

Síncope universal	Homero Moutinho Filho	Homero Moutinho Filho
Pobreza por pobreza	Luiz Gonzaga do Nascimento Jr.	Jorge Neri
Vidabreve	Irineia Ribeiro e Neville Jordan Larica	Claudete Soares
Até o amanhecer	Valdemar Correia dos Santos e Ivan Lins	Ciro Monteiro
Um novo rumo	Arthur Verocai e Geraldo Flach	Elis Regina
Meu tamborim	César Costa Filho	
	e Ronaldo Monteiro de Souza	Beth Carvalho
Arruaça	Ruy Mauriti e José Jorge Miquinioty	Sonia Lemos
Morena porta-bandeira	Sergio Ferreira da Cruz	Ruy Felipe

Vencedoras

1º Helena, Helena, Helena	Alberto Land	Taiguara
2º Vidabreve	Irineia Ribeiro e Neville Jordan Larica	Claudete Soares
3º Meu tamborim	César Costa Filho	
	e Ronaldo Monteiro de Souza	Beth Carvalho
4º Um novo rumo	Arthur Verocai e Geraldo Flach	Elis Regina
5º Até o amanhecer	Valdemar Correia dos Santos e Ivan Lins	Ciro Monteiro

II FESTIVAL UNIVERSITÁRIO DA MÚSICA BRASILEIRA
Setembro de 1969
TV Tupi e Secretaria de Educação da Guanabara
Teatro João Caetano, Rio de Janeiro

Música	Compositor	Intérprete

FINAL (sábado, 6/9/1969)

Finalistas

A menina e a fonte	Paulinho Tapajós, Arthur Verocai	
	e Arnoldo Medeiros	Golden Boys
De esquina em esquina	César Costa Filho e Aldir Blanc	Clara Nunes e Quarteto 004
Dois minutos de um novo dia	Ruy Mauriti e José Jorge	Antônio Adolfo e A Brazuca
Em qual estrada	Paulinho Tapajós e Fred Falcão	Maysa
Mirante	César Costa Filho e Aldir Blanc	Maria Creusa
Mundo novo, vida nova	Luiz Gonzaga Jr.	Claudete Soares
Nada sei de eterno	Silvio da Silva Jr. e Aldir Blanc	Taiguara
O trem	Luiz Gonzaga Jr.	Luiz Gonzaga Jr.
O cosmonauta que virou luar	Paulinho Tapajós e Edmundo Souto	Golden Boys e Youngsters
Passarinhada	Ruy Mauriti e José Jorge	Vox Populi

Vencedoras

1º O trem	Luiz Gonzaga Jr.	Luiz Gonzaga Jr.
2º Nada sei de eterno	Silvio da Silva Jr. e Aldir Blanc	Taiguara
3º Mirante	César Costa Filho e Aldir Blanc	Maria Creusa
4º Mundo novo, vida nova	Luiz Gonzaga Jr.	Claudete Soares
5º De esquina em esquina	César Costa Filho e Aldir Blanc	Clara Nunes e Quarteto 004

ABERTURA
Janeiro e fevereiro de 1975
Rede Globo
Teatro Municipal de São Paulo

Música	Compositor	Intérprete

1ª ELIMINATÓRIA (terça-feira, 7/1/1975)

Concorrentes

Eu não tenho nada com isso	Carlos Thiago	Carlos Thiago
Cirandeira	José Ribamar Viana	Ana Maria

Zuza Homem de Mello

Trabalhadores do Metrô	Raimundo José Guimarães Barreto e Walter Marques	Raimundo Monte Santo
Muzenza	Paulo Roberto de Oliveira Costa e José Luiz F. Penna	Paulo Costa e Zé Luiz
Muito tudo	Walter Franco	Walter Franco
Tele-rodovida	Milton Carlos e Isolda Fantucci	Milton Carlos
Tamanco malandrinho	Tom e Dito	Tom e Dito
Dança espanhola sobre a cabeça	José Márcio Pereira	José Márcio Pereira
Que venga el tango	Carlos Brandão e Sílvio Barbosa	Vera Coutinho
Súdito do rei	Flavio Siqueira e Lúcia Taques Bittencourt	Lúcia Bittencourt

Classificadas

Trabalhadores do Metrô	Raimundo José Guimarães Barreto e Walter Marques	Raimundo Monte Santo
Muito tudo	Walter Franco	Walter Franco
Tamanco malandrinho	Tom e Dito	Tom e Dito
Dança espanhola sobre a cabeça	José Márcio Pereira	José Márcio Pereira

2ª ELIMINATÓRIA (terça-feira, 14/1/1975)

Concorrentes

Mudanças	Gil Gerson Lopes Dornelles	Gil Gerson
Agonia de uma chama	Dionísio José Lopes Moreno	Walter Montezuma
Como um ladrão	Carlos Campos Vergueiro	Carlinhos Vergueiro
Antes que eu volte a ser nada	Leci Brandão da Silva	Leci Brandão
Farofa-fá	Mauro Celso Semenzzatto	Mauro Celso
Cidade americana	Carlos Walker Soares Luna e Luiz José de Lima e Souza	Walker e Piry
A morte de Chico Preto	Geraldo Filme de Souza	Clementina de Jesus
Morena, moreninha	Valgênio Rangel	O Quarteto
Ficaram nus	Luiz Octavio Bonfá Burnier e Cláudio Brandini Cartier	Cartier e Burnier
Carcaça	Raimundo Marques Costa	Raimundo Costa

Classificadas

Como um ladrão	Carlos Campos Vergueiro	Carlinhos Vergueiro
Antes que eu volte a ser nada	Leci Brandão da Silva	Leci Brandão
A morte de Chico Preto	Geraldo Filme de Souza	Clementina de Jesus
Ficaram nus	Luiz Octavio Bonfá Burnier e Cláudio Brandini Cartier	Cartier e Burnier

3ª ELIMINATÓRIA (terça-feira, 21/1/1975)

Concorrentes

O tempo	Reginaldo de Souza Bessa	Reginaldo Bessa
Fato consumado	Djavan Caetano Viana	Djavan
Teofagia	Luiz Marcatto Netto	Marco Antônio
Saudade minha inimiga	Nelson Cavaquinho e Guilherme de Brito	Elza Soares
Gaiola	Walter José Nunes Marques	Walter José
Circulo vicioso	Guilherme Lamounier	Fábio
Princípio do prazer	Jards Macalé	Jards Macalé
Drácula	Thiago Araripe e Décio Pignatari	Thiago Araripe
Ébano	Luiz Carlos dos Santos	Luiz Melodia
Sarro	Manoel Messias	Grupo Capote

Classificadas

O tempo	Reginaldo de Souza Bessa	Reginaldo Bessa
Fato consumado	Djavan Caetano Viana	Djavan
Princípio do prazer	Jards Macalé	Jards Macalé
Ébano	Luiz Carlos dos Santos	Luiz Melodia

4ª ELIMINATÓRIA (terça-feira, 28/1/1975)

Concorrentes

Rede verde	José Roberto, Romeu Barbosa e Elson Cruz	Elson Cruz
Porco na festa	Hermeto Paschoal	Hermeto Paschoal
Massa falida	Jesus Rocha e Fernando Rocha	César Costa Filho
Zueira	Eládio Gomes dos Santos (Baianinho)	Baiafro e Fafá de Belém
Vaila	Ednardo Costa Souza e José Soares Brandão	Ednardo
Balbina	Paulo Vanzolini	Germano Batista
Bananeiras	Luiz Diniz, Walter da Silva e Adelmo Tenório	Lima Duarte
Pirulito da paz	Daniel Taubkin e Pedro Infantozzi	Eddy Star
Bem te viu	Henrique Jorge Mautner e Nelson Jacobina	Jorge Mautner
Vou danado pra catende	Alceu Valença	Alceu Valença

Classificadas

Porco na festa	Hermeto Paschoal	Hermeto Paschoal
Vaila	Ednardo e José Soares Brandão	Ednardo
Bem te viu	Henrique Jorge Mautner e Nelson Jacobina	Jorge Mautner
Vou danado pra catende	Alceu Valença	Alceu Valença

FINAL (terça-feira, 4/2/1975)

Finalistas

Trabalhadores do Metrô	Raimundo José Guimarães Barreto e Walter Marques	Raimundo Monte Santo
Muito tudo	Walter Franco	Walter Franco
Tamanco malandrinho	Tom e Dito	Tom e Dito
Dança espanhola sobre a cabeça	José Márcio Pereira	José Márcio Pereira
Como um ladrão	Carlos Campos Vergueiro	Carlinhos Vergueiro
Antes que eu volte a ser nada	Leci Brandão da Silva	Leci Brandão
A morte de Chico Preto	Geraldo Filme de Souza	Clementina de Jesus
Ficaram nus	Luiz Octavio Bonfá Burnier e Cláudio Brandini Cartier	Cartier e Burnier
O tempo	Reginaldo de Souza Bessa	Reginaldo Bessa
Fato consumado	Djavan Caetano Viana	Djavan
Princípio do prazer	Jards Macalé	Jards Macalé
Ébano	Luiz Carlos dos Santos	Luiz Melodia
Porco na festa	Hermeto Paschoal	Hermeto Paschoal
Vaila	Ednardo Costa Souza e José Soares Brandão	Ednardo
Bem te viu	Henrique Jorge Mautner e Nelson Jacobina	Jorge Mautner
Vou danado pra catende	Alceu Valença	Alceu Valença

Vencedoras

1º Como um ladrão	Carlos Campos Vergueiro	Carlinhos Vergueiro
2º Fato consumado	Djavan Caetano Viana	Djavan
3º Muito tudo	Walter Franco	Walter Franco
Melhor arranjo	Hermeto Paschoal	Porco na festa
Melhor intérprete	Clementina de Jesus	A morte de Chico Preto

Zuza Homem de Mello

I FESTIVAL UNIVERSITÁRIO DE MÚSICA POPULAR BRASILEIRA

Abril e maio de 1979
TV Cultura
Teatro Pixinguinha, São Paulo

Música	Compositor	Intérprete

1ª ELIMINATÓRIA (segunda-feira, 30/4/1979)

Classificadas

Música	Compositor	Intérprete
Carruagens	Carlos Eduardo Vargas da Silva e João Alexandre Viegas	
Dia a dia	Celso Viáfora	
A malhação	Dionísio Moreno e Chiquinho Ferrão	
Coral dos gemedores	Renato da Cunha Lemos	

2ª ELIMINATÓRIA (segunda-feira, 7/5/1979)

Classificadas

Música	Compositor	Intérprete
Infortúnio	Arrigo Barnabé	Arrigo Barnabé
Brigando na lua	Mario Augusto Aydar	Premeditando o Breque
Glória	Renato da Cunha Lemos e Chico Ceará	O Grupo
Meu grande amor suicida	Dionísio Moreno e Chiquinho Ferrão	Eliane Estevam

3ª ELIMINATÓRIA (segunda-feira, 14/5/1979)

Classificadas

Música	Compositor	Intérprete
Turma do cometa	Schubert Zimmerer Neiva	
Boneca de pano	Carlos Eduardo Vargas da Silva	José Carlos Ramos
Diversões eletrônicas	Arrigo Barnabé e Lourdes Regina Porto	Arrigo Barnabé e Banda
Amigo	Julius Marden Castilho	

Final (segunda-feira, 21/5/1979)

Finalistas

Música	Compositor	Intérprete
Carruagens	Carlos Eduardo Vargas da Silva e João Alexandre Viegas	
Dia a dia	Celso Viáfora	
A malhação	Dionísio Moreno e Chiquinho Ferrão	
Coral dos gemedores	Renato da Cunha Lemos	
Infortúnio	Arrigo Barnabé	Arrigo Barnabé
Brigando na lua	Mario Augusto Aydar	Premeditando o Breque
Glória (Maninha)	Renato da Cunha Lemos e Chico Ceará	O Grupo
Meu grande amor suicida	Dionísio Moreno e Chiquinho Ferrão	Eliane Estevam
Turma do cometa	Schubert Zimmerer Neiva	
Boneca de pano	Carlos Eduardo Vargas da Silva	José Carlos Ramos
Diversões eletrônicas	Arrigo Barnabé e Lourdes Regina Porto	Arrigo Barnabé e Banda
Amigo	Julius Marden Castilho	

Vencedoras

Música	Compositor	Intérprete
1º Diversões eletrônicas	Arrigo Barnabé e Lourdes Regina Porto	Arrigo Barnabé e Banda
2º Brigando na lua	Mario Augusto Aydar	Premeditando o Breque
3º Meu grande amor suicida	Dionísio Moreno e Chiquinho Ferrão	Eliane Estevam
4º Glória	Renato da Cunha Lemos	Renato da Cunha Lemos
5º Boneca de pano	Carlos Eduardo Vargas da Silva	José Carlos Ramos
Melhor intérprete amador	José Carlos Ramos	Boneca de pano
Melhor intérprete profissional	Eliane Estevam	Meu grande amor suicida

FESTIVAL 79 DE MÚSICA POPULAR

Novembro e dezembro de 1979
Rede Tupi de Televisão
Palácio das Convenções do Anhembi, São Paulo

Música	Compositor	Intérprete

1ª ELIMINATÓRIA (quinta-feira, 15/11/1979)

Concorrentes

Música	Compositor	Intérprete
Poço mágico	Célia Maria Carvalho Vaz e Paulo Feital	Grupo Viva Voz
Perímetro urbano	José Cleivan de Paiva	Marku Ribas
Facho de fogo	João Bá e Vidal França	Diana Pequeno, Dércio Marques, Dorothy Papete e Celso Machado
Chama	Hilton Acioly e Joe	Acordel e Dércio Marques
É isso aí	Carlos Alberto Pinto de Arruda e Marco Antônio Costa Rosa	Miguel de Deus e Betinho
Em terras de Santa Cruz	João Boa Morte	João Boa Morte
Dona culpa ficou solteira	Jorge Ben	Caetano Veloso
Navegante	Sérgio N. do Areal Souto e João Batista Maranhão Filho	Sergio Souto e Elza Maria
Canalha	Walter Franco	Walter Franco
Reggae da independência	Chico Evangelista, J. Alfredo Guimarães e Antônio Risério	Chico Evangelista, Jorge e coro
Tira os óculos e recolhe o homem	Moreira da Silva e Jards Macalé	Moreira da Silva e Jards Macalé
Nossa Senhora dos Aflitos	Nando Carneiro, Alain de Magalhães e Geraldo Carneiro	Olivia

Classificadas

Música	Compositor	Intérprete
Chama	Hilton Acioly e Joe	Acordel e Dércio Marques
Dona culpa ficou solteira	Jorge Ben	Caetano Veloso
Canalha	Walter Franco	Walter Franco
Tira os óculos e recolhe o homem	Moreira da Silva e Jards Macalé	Moreira da Silva e Jards Macalé

2ª ELIMINATÓRIA (quinta-feira, 22/11/1979)

Concorrentes

Música	Compositor	Intérprete
Contradança	Cassio Tucunduva e João Luiz Marinho de Magalhães	Maria Thiago
Se não chover	Cláudio Jorge de Barros e Ivan Wrigg Moraes	Cláudia
Coração bobo	Alceu Valença	Alceu Valença e Jackson do Pandeiro
Bandolins	Oswaldo Montenegro	Oswaldo Montenegro
Todos os tempos	Celso Viáfora	Eduardo Conde
Dia dos adultos	Zé Ramalho	Zé Ramalho
Grande circo universal	Thomas Roth, Luís Guedes, Crispin del Cistia e David Naves	Grupo Papa Poluição
Sol vermelho	Odilon Escobar Filho e Abílio Manoel	Abílio Manoel e Terra Livre
Maria fumaça	Kleiton Alves Ramil e Kledir Alves Ramil	Kleiton e Kledir
Sabor de veneno	Arrigo Barnabé	Arrigo Barnabé e Neusa Pinheiro
Tô querendo tá	Bubuska Valença	Bubuska Valença
Xote da macaca	Mario Adnet	Boca Livre

Classificadas

Música	Compositor	Intérprete
Bandolins	Oswaldo Montenegro	Oswaldo Montenegro
Maria fumaça	Kleiton Alves Ramil e Kledir Alves Ramil	Kleiton e Kledir
Sabor de veneno	Arrigo Barnabé	Arrigo Barnabé e Neusa Pinheiro
Tô querendo tá	Bubuska Valença	Bubuska Valença

Zuza Homem de Mello

3ª ELIMINATÓRIA (quinta-feira, 29/11/1979)

Concorrentes

Toca Gilberto	Rildo Hora e Sérgio Cabral	
Mata	Marlui Miranda e Marcos Santilli	Marlui Miranda
Nada no escuro	Cezar das Mercês e Luiz Carlos Sá	Cezar das Mercês
Estatísticas	Guilherme Arantes	Guilherme Arantes
Marinheira	Ibanez de Carvalho Filho	Ibanez de Carvalho Filho
Até o infinito	Mauro Kwitko e Carmen Seixas	Mauro Kwitko
América	Cláudio Lucci	Elba Ramalho, Cláudio Lucci e Moto Perpétuo
Antworten	Mario Augusto Haydar e Wanderley Doratiotto	Paulinho Boca de Cantor
Quem me levará sou eu	Dominguinhos e Manduka	Fagner
Cantiga de Zé Pedro	Cátia de França	Cátia de França
Por água abaixo	Arthur de Andrade Leal	Arthur de Andrade Leal
Tempo de colheita	Genésio Sampaio Filho e Juraildes da Cruz	Toninho Café

Classificadas

Mata	Marlui Miranda e Marcos Santilli	Marlui Miranda
América	Cláudio Lucci	Elba Ramalho, Cláudio Lucci e Moto Perpétuo
Quem me levará sou eu	Dominguinhos e Manduka	Fagner
Tempo de colheita	Genésio Sampaio Filho e Juraildes da Cruz	Toninho Café

FINAL (sábado, 8/12/1979)

Finalistas (por ordem de apresentação)

Maria fumaça	Kleiton Alves Ramil e Kledir Alves Ramil	Kleiton e Kledir
Tô querendo tá	Bubuska Valença	Bubuska Valença
Bandolins	Oswaldo Montenegro	Oswaldo Montenegro
Chama	Hilton Acioly e Joe	Grupo Acordel
Tira os óculos e recolhe o homem	Moreira da Silva e Jards Macalé	Moreira da Silva e Jards Macalé
Canalha	Walter Franco	Walter Franco
Sabor de veneno	Arrigo Barnabé	Arrigo Barnabé e Neusa Pinheiro
Quem me levará sou eu	Dominguinhos e Manduka	Fagner
América	Cláudio Lucci	Elba Ramalho, Cláudio Lucci e Moto Perpétuo
Tempo de colheita	Genésio Sampaio Filho e Juraildes da Cruz	Toninho Café
Mata	Marlui Miranda e Marcos Santilli	Marlui Miranda
Dona culpa ficou solteira	Jorge Ben	Caetano Veloso

Vencedoras

1º Quem me levará sou eu	Dominguinhos e Manduka	Fagner
2º Canalha	Walter Franco	Walter Franco
3º Bandolins	Oswaldo Montenegro	Oswaldo Montenegro
Melhor intérprete	Neusa Pinheiro	Sabor de veneno
Melhor arranjo	Arrigo Barnabé	Sabor de veneno

MPB 80

Setembro de 1980
Rede Globo e Associação Brasileira de Produtores de Disco
Rio de Janeiro

Música	Compositor	Intérprete

1ª ELIMINATÓRIA (sexta-feira, 11/4/1980, Teatro Globo, Rio de Janeiro)

Concorrentes

A massa	Raimundo P. Sodré e Antônio Jorge Portugal	Raimundo Sodré

A Era dos Festivais

Arisco	Vital Lima e Sidney Piñon	Vital Lima
Viva o circo	Mauro Celso Semensato	Mauro Celso
Clareana	Joyce Silveira P. de Jesus	Joyce
Beatlemania	Jamil Joanes dos Santos e Márcio Borges	Jamil Joanes
Rio Capibaribe	Toinho Alves e João de Jesus Loureiro	Quinteto Violado
Nova manhã	Flávio Venturini, Vermelho e Tavinho Moura	14 Bis
Empada Molotov	Augusto César Brunetti e Grupo Premeditando o Breque	Grupo Premeditando o Breque
Rasta pé	José Alfredo Guimarães e Chico Evangelista	Chico Evangelista
Navio negreiro	Vinicius Cantuária	Solange
Transe total	Armando Costa Macedo e Antônio Risério	A Cor do Som
Como se fosse	Mauro Marcondes e Caito	Jace
Dor de cabeça	Genilson José de Araújo e Nicéas Alves Martins	Gene Araújo
Porto Solidão	Zeca Bahia e Gincko	Jessé
Essa tal criatura	Lecy Brandão da Silva	Lecy Brandão
Classificadas		
Clareana	Joyce Silveira P. de Jesus	Joyce
Essa tal criatura	Lecy Brandão da Silva	Lecy Brandão
Rasta pé	José Alfredo e Chico Evangelista	Chico Evangelista
A massa	Raimundo Sodré e Antônio Jorge Portugal	Raimundo Sodré
Rio Capibaribe	Toinho Alves e João de Jesus Loureiro	Quinteto Violado
Melhor intérprete	Jessé	Porto Solidão
Melhor arranjo	Quinteto Violado	Rio Capibaribe

2ª ELIMINATÓRIA (sexta-feira, 16/5/1980, Teatro Globo, Rio de Janeiro)

Concorrentes		
Um deus vagabundo	Ivo Rangel Neto	Bubuska
Mais uma boca	Fátima Guedes	Fátima Guedes
Demônio colorido	Sandra Cristina Frederico de Sá	Sandra Sá
Reunião de bacana	Ari do Cavaco e Bebeto São João	Exporta Samba
Angola	João de Aquino e Ederaldo Gentil	João de Aquino, Nadinho da Ilha e Grupo
Tão minha, tão mulher	Maurício Barrozo Neto Duboc e Carlos de Carvalho Colla	Maurício Duboc
Nova estação	Thomas Roth e Luís Guedes	Thomas Roth e Luís Guedes
Nostradamus	Eduardo Duzek	Eduardo Duzek
Iluminação	Renato Teixeira	Renato Teixeira
Linha da vida	Beto Scala e Wally Bianchi Chiola	Beto Scala
Foi deus quem fez você	Luís Ramalho	Amelinha
Fantoche	Guilherme Arantes	Guilherme Arantes
O cantador	Altay Velloso da Silva	Altay Velloso da Silva
Frevo frenético	Expedito Machado de Carvalho e Antônio Carlos dos Santos	Tom e Dito
Jacobina	Raul Ellwanger e Luiz Coronel	Nana Ellwanger
Classificadas		
Reunião de bacana	Ari do Cavaco e Bebeto São João	Exporta Samba
Nostradamus	Eduardo Duzek	Eduardo Duzek
Demônio colorido	Sandra Cristina Frederico de Sá	Sandra Sá
Foi deus quem fez você	Luís Ramalho	Amelinha
Mais uma boca	Fátima Guedes	Fátima Guedes
Melhor intérprete	Fátima Guedes	Mais uma boca
Melhor arranjo	Maurício Barrozo Neto Duboc	Tão minha, tão mulher

Zuza Homem de Mello

3ª ELIMINATÓRIA (sexta-feira, 13/6/1980, Teatro Globo, Rio de Janeiro)

Concorrentes

Que terreiro é esse	Xavantinho	Pena Branca e Xavantinho
Tá na hora	Wagner Paes de Souza	Moreno
Diverdade	Chico Maranhão	Diana Pequeno
Falabá	Walter Pinheiro de Queiróz Filho	Miramar
Hino amizade	Zé Ramalho	Zé Ramalho
Anunciação	Paulo Cezar Feital, Jota Maranhão e Diana Feital	Zezé Motta
No colo Del Rey	Cássio Teixeira Tucunduva Filho e João Luiz Magalhães	Roupa Nova
Rio Doce	José Geraldo Gusti	José Geraldo
Deda	Daltony Nobrega	Daltony Nobrega
Nessa altura dos acontecimentos	Márcio Marinho	Márcio Marinho
A festa da carne	Paulo dos Santos Resende e Paulo Souza	Mariana
Voar com gaiola e tudo	Lecy Estrada e Sérgio Sá de Albuquerque	Lecy Estrada
Chegou alegria	Gerson Lopes	Gerson Lopes
Saudade	José Renato Gomes da Souza	Jane Duboc
Ranca do feijão	Paulo Souza	Paulo Souza

Classificadas

Anunciação	Paulo Cezar Feital, Jota Maranhão e Diana Feital	Zezé Motta
A festa da carne	Paulo dos Santos Resende e Paulo Souza	Mariana
Diverdade	Chico Maranhão	Diana Pequeno
Hino amizade	Zé Ramalho	Zé Ramalho
Saudade	José Renato Gomes da Souza	Jane Duboc
Melhor intérprete	Zezé Motta	Anunciação
Melhor arranjo	José Renato Gomes da Souza	Saudade

4ª ELIMINATÓRIA (sexta-feira, 11/7/1980, Teatro Globo, Rio de Janeiro)

Concorrentes

Cidade louca	Babalu e Eliane Ribeiro	Artigo de Luxo
Largo da Carioca	Paulo Emílio e Maurício Tapajós	Viva Voz
Devassa	Wania Andrade e Solange Boeke	Fernanda
O mal é que sai da boca do homem	Pepeu Gomes, Baby Consuelo e Luiz Galvão	Pepeu Gomes e Baby Consuelo
Pega no pilão	Ney Lopes e Wilson Moreira	Wilson de Assis
Agonia	Mongol	Oswaldo Montenegro
Choro alegre	Chico Chaves e Marcos Darlan	Elza Maria
Aonde vai	Francisco Franco Filho	Franco Montoro
Nunca vi	Marcos Ribas e Paulo Coelho	Marku Ribas
Coração noturno	Cruz Neto	Maria Martha
Noroeste	Elpídio dos Santos	Grupo Paranga
Um dia em teu olhar	Ilka Lusieux e Ivan Wrigg	Octavio Burnier
O pinhão na amarração (Canto de amarração)	Elomar Figueira de Melo	Dércio Marques
Sonhador	Fernando Leporace e Nelson Wellington de Castro Waly	Fernando Leporace e Grupo Tarsis
Madrugada tropical	Rubens Sabino da Silva	Rubão Sabino

Classificadas

Devassa	Wania Andrade e Solange Boeke	Fernanda
Choro alegre	Chico Chaves e Marcos Darlan	Elza Maria
O pinhão na amarração (Canto de amarração)	Elomar Figueira de Melo	Dércio Marques
O mal é que sai da boca do homem	Pepeu Gomes, Baby Consuelo e Luiz Galvão	Pepeu Gomes e Baby Consuelo
Agonia	Mongol	Oswaldo Montenegro
Melhor intérprete	Oswaldo Montenegro	Agonia
Melhor arranjo	Antônio Adolfo	Devassa

A Era dos Festivais

FINAL (sábado, 23/8/1980, Maracanãzinho, Rio de Janeiro)

Finalistas

Reunião de bacana	Ari do Cavaco e Bebeto São João	Exporta Samba
A massa	Raimundo P. Sodré	
	e Antônio Jorge Portugal	Raimundo Sodré
Devassa	Wania Andrade e Solange Boeke	Fernanda
Anunciação	Paulo Cezar Feital, Jota Maranhão	
	e Diana Feital	Zezé Motta
Nostradamus	Eduardo Duzek	Eduardo Duzek
Demônio colorido	Sandra Cristina Frederico de Sá	Sandra Sá
A festa da carne	Paulo dos Santos Resende e Paulo Souza	Mariana
Foi deus quem fez você	Luís Ramalho	Amelinha
Choro alegre	Chico Chaves e Marcos Darlan	Elza Maria
Rio Capibaribe	Toninho Alves e João de Jesus Loureiro	Quinteto Violado
Diverdade	Chico Maranhão	Diana Pequeno
Mais uma boca	Fátima Guedes	Fátima Guedes
Essa tal criatura	Lecy Brandão da Silva	Lecy Brandão
O pinhão na amarração		
(Canto de amarração)	Elomar Figueira de Melo	Dércio Marques
Clareana	Joyce Silveira P. de Jesus	Joyce
O mal é que sai	Pepeu Gomes, Baby Consuelo e	
da boca do homem	Luiz Galvão	Pepeu Gomes e Baby Consuelo
Hino amizade	Zé Ramalho	Zé Ramalho
Saudade	José Renato Gomes da Souza	Jane Duboc
Rasta pé	José Alfredo Guimarães	
	e Chico Evangelista	Chico Evangelista
Agonia	Mongol	Oswaldo Montenegro

Vencedoras

1° Agonia	Mongol	Oswaldo Montenegro
2° Foi deus quem fez você	Luís Ramalho	Amelinha
3° A massa	Raimundo P. Sodré	
	e Antônio Jorge Portugal	Raimundo Sodré
Melhor intérprete	Jessé	Porto Solidão
Melhor arranjo	Quinteto Violado	Rio Capibaribe

MPB SHELL 81

Setembro de 1981
Rede Globo
Rio de Janeiro

Música	Compositor	Intérprete

1ª ELIMINATÓRIA (sexta-feira, 10/4/1981, Teatro Fênix, Rio de Janeiro)

Concorrentes (por ordem de apresentação)

Sabotagem	Faffy e Mirian Teresa Fernandes	Faffy
Tempo presente	Fernando A. Filizola	Quinteto Violado
Foi o gordo, Sinhá	Artulio Reis	Tete da Bahia
Encantador de serpentes	Robertinho do Recife e Jorge Mautner	Robertinho do Recife
		e Jorge Mautner
Pensei que fosse fácil (mas não é)	Zé Rodrix e Miguel Paiva	Rosana
Mordomia	Ari do Cavaco e Gracinha	Almir Guinetto
Serra do luar	Walter Franco	Walter Franco
Gonzagueando no fole	Joel Menezes	Zé Lima
Milho aos pombos	Zé Geraldo	Zé Geraldo
Coração de lata	Coca Moreno e Dalton Rieffel	Coca Moreno
Engenho	Vitor Ramil	Vitor Ramil
Bala passando rente	Gandhula, Eduardo Pereira	
	e Ulisses Tavares	Gandhula

Zuza Homem de Mello

Classificadas

Serra do luar	Walter Franco	Walter Franco
Mordomia	Ari do Cavaco e Gracinha	Almir Guinetto
Pensei que fosse fácil (mas não é)	Zé Rodrix e Miguel Paiva	Rosana
Tempo presente	Fernando A. Filizola	Quinteto Violado
Melhor intérprete	Rosana	Pensei que fosse fácil (mas não é)
Melhor arranjo	Lincoln Olivetti	Pensei que fosse fácil (mas não é)

2ª ELIMINATÓRIA (sexta-feira, 8/5/1981, Teatro Fênix, Rio de Janeiro)

Concorrentes (por ordem de apresentação)

Cristalina	Willy Verdaguer e Celso Ribeiro	Raíces de América
Estrelas	Oswaldo Montenegro	José Alexandre
Magro de gravata	Galileu	Galileu
Afufe o fole	Jean Garfunkel e Fran Papaterra	Jean Garfunkel
Avenida Brasil	Marina Lima e Antônio Cícero	Marina Lima
Adeus à dor	Tunai e Sérgio Natureza	Tunai
Águas da vida	Oscar Henriques e Ivan Wrigg	Oscar Henriques
Amizade sincera	Renato Teixeira	Renato Teixeira e Dominguinhos
Canção da chegada	Lula Cortês	Lula Cortês
Velhas brancas	Mário Barbará	Mário Barbará
No nosso é refresco	Accioly Neto	Accioly Neto
Canto chão	Ronaldo Ceniglio Rayol e Cláudio Antunes Justino	Ronaldo

Classificadas

Estrelas	Oswaldo Montenegro	José Alexandre
Afufe o fole	Jean Garfunkel e Fran Papaterra	Jean Garfunkel
No nosso é refresco	Accioly Neto	Accioly Neto
Amizade sincera	Renato Teixeira	Renato Teixeira e Dominguinhos

3ª ELIMINATÓRIA (sexta-feira, 12/6/1981, Teatro Fênix, Rio de Janeiro)

Concorrentes (por ordem de apresentação)

Navega coração	Kleiton e Kledir Ramil	Kleiton e Kledir Ramil
A cidade de Jota a Gê	Teca Calazans e Ricardo Vilas	Teca Calazans e Ricardo Vilas
Felicidade morena	Jorge Alfredo e Luiz Galvão	Jorge Alfredo e Chico Evangelista
Londrina (Uma valsa para Londrina)	Arrigo Barnabé	Arrigo Barnabé e Tetê Espínola
Prova de fogo	José Rocha e Oswaldo Lenine Macedo Pimentel	Lenine
Palco azul	Roger Henry, Sueli Corrêa e Sandra Sá	Sandra Sá
Atalho	Mongol	Mongol
Kraft mesmo	Bebeto Alves e Paulo Klein	Bebeto Alves
John	Xixa Motta e Nelson Motta	Olivia
Unidos do dia a dia	Paulo e Jorge dos Santos Santana e José Carlos Caramez	Triosan
Grade aberta	Sérgio Sá e Irene Acioli Cavalcanti	Sérgio Sá
Quebraram o braço da viola	Nelson Cebola	Nelson Cebola

Classificadas

Navega coração	Kleiton e Kledir Ramil	Kleiton e Kledir Ramil
Londrina (Uma valsa para Londrina)	Arrigo Barnabé	Arrigo Barnabé e Tetê Espínola
John	Xixa Motta e Nelson Motta	Olivia
Atalho	Mongol	Mongol
Melhor intérprete	Tetê Espínola	Londrina (Uma valsa para Londrina)

Melhor arranjo	Cláudio Leal Ferreira	Londrina
		(Uma valsa para Londrina)
	Chiquinho de Morais	Grade aberta

4ª ELIMINATÓRIA (sexta-feira, 10/7/1981, Teatro Fênix, Rio de Janeiro)

Concorrentes (por ordem de apresentação)

Valsa dos casais	Cláudio Nucci, Zé Luís Oliveira	
	e Luís Fernando Gonçalves	Cláudio Nucci
Geraluz	Tadeu Mathias	Tadeu Mathias
A sina e a ceia	Ederaldo Gentil e Roque Ferreira	Ederaldo Gentil e Os Tincoans
Perdidos na selva	Júlio Barroso	Gang 90 e As Absurdetes
Cobras e lagartos	Nestor de Holanda Cavalcanti	
	e Hamilton Vaz	Coral da Cultura Inglesa
Planeta água	Guilherme Arantes	Guilherme Arantes
Mistura	Arthur Gebara Junior e J. Petrolino	Flor de Cactus
Estrela reticente	Zeca Bahia e Fernando Coelho	Jessé
Estamos aí	Geraldo Flack e Luís Coronel	Berê
Balão	Nando Carneiro e Geraldo Carneiro	Beth Goulart
Mulher 80	Gastão Lamounier e Luiz Mendes Jr.	Eliane Ribeiro
Nuvem	Maurício Duboc e Carlos Colha	Maurício Duboc

Classificadas

Perdidos na selva	Júlio Barroso	Gang 90 e As Absurdetes
Balão	Nando Carneiro e Geraldo Carneiro	Beth Goulart
Planeta água	Guilherme Arantes	Guilherme Arantes
Cobras e lagartos	Nestor de Holanda Cavalcanti	
	e Hamilton Vaz	Coral da Cultura Inglesa

5ª ELIMINATÓRIA (sexta-feira, 7/8/1981, Teatro Fênix, Rio de Janeiro)

Concorrentes (por ordem de apresentação)

Trem da alegria	Piry Reis e Marcos Darlan	Banda de Pau e Corda
Canto matinal	Luís Guedes e Thomas Roth	Luís Guedes e Thomas Roth
Nossa vida de artista	Tibério Gaspar e Lena Brito	Tina Conrado
Purpurina	Jerônimo Jardim	Lucinha Lins
Canção descalça	Mario Adnet e Juca Filho	Boca Livre
Areias escaldantes	Lulu Santos	Lulu Santos
Lua nova	João de Aquino, Rui Quaresma	
	e Oswaldo Miranda	Sara
Tango à brasileira	Augusto César Brunetti e Fábio de Lucca	Augusto César Brunetti
Estrela do mar	Francis Hime e Olivia Hime	Olivia Hime
Pedra de atiradeira	João Boa Morte e Abner Nascimento	João Boa Morte
A espiral	Marta Strauch	Guadalupe

Classificadas

Canção descalça	Mario Adnet e Juca Filho	Boca Livre
Estrela do mar	Francis Hime e Olivia Hime	Olivia Hime
Tango à brasileira	Augusto César Brunetti e Fábio de Lucca	Augusto César Brunetti
Purpurina	Jerônimo Jardim	Lucinha Lins
Melhor intérprete	Lucinha Lins	Purpurina

FINAL (sábado, 12/9/1981, Maracanãzinho, Rio de Janeiro)

Finalistas (por ordem apresentação)

Serra do luar	Walter Franco	Walter Franco
Estrelas	Oswaldo Montenegro	José Alexandre
Perdidos na selva	Júlio Barroso	Gang 90 e As Absurdetes
Balão	Nando Carneiro e Geraldo Carneiro	Beth Goulart
Navega coração	Kleiton e Kledir Ramil	Kleiton e Kledir Ramil
Mordomia	Ari do Cavaco e Gracinha	Almir Guinetto
Londrina		
(Uma valsa para Londrina)	Arrigo Barnabé	Arrigo Barnabé e Tetê Espínola
Canção descalça	Mario Adnet e Juca Filho	Boca Livre

Zuza Homem de Mello

Música	Compositor	Intérprete
Planeta água	Guilherme Arantes	Guilherme Arantes
Afufe o fole	Jean Garfunkel e Fran Papaterra	Jean Garfunkel e Jackson do Pandeiro
Pensei que fosse fácil (mas não é)	Zé Rodrix e Miguel Paiva	Rosana
Amizade sincera	Renato Teixeira	Renato Teixeira e Dominguinhos
Estrela do mar	Francis Hime e Olivia Hime	Olivia Hime
Tango à brasileira	Augusto César Brunetti e Fábio de Lucca	Augusto César Brunetti
Tempo presente	Fernando A. Filizola	Quinteto Violado
Purpurina	Jerônimo Jardim	Lucinha Lins
Cobras e lagartos	Nestor de Holanda Cavalcanti e Hamilton Vaz	Coral da Cultura Inglesa
John	Xixa Motta e Nelson Motta	Olivia
No nosso é refresco	Accioly Neto	Accioly Neto
Atalho	Mongol	Mongol
Vencedoras		
1º Purpurina	Jerônimo Jardim	Lucinha Lins
2º Planeta água	Guilherme Arantes	Guilherme Arantes
3º Mordomia	Ari do Cavaco e Gracinha	Almir Guinetto
Melhor intérprete	Lucinha Lins	Purpurina
Melhor arranjo	Cláudio Leal Ferreira	Londrina (Uma valsa para Londrina)

MPB SHELL 82

Março a setembro de 1982
Rede Globo
Rio de Janeiro

Música	Compositor	Intérprete

1ª ELIMINATÓRIA (sexta-feira, 12/3/1982, Teatro Fênix, Rio de Janeiro)

Concorrentes		
Princesa	Flávio Venturini e Ronaldo Bastos	Flávio Venturini
Mulher maio	Ruy Faria	MPB 4
Comer fora	Dicró, Maria Rodrigues e Elias do Parque	Dicró e Os Espaciais do Samba
Caso especial	Sonia Burnier e Sonia Hirsch	Fafá de Belém
Cantiga da serra	Hilton Acioly	Clóvis Bonfim
Abraço de tamanduá	Augusto César Brunetti	Augusto César Brunetti
Quero mais	Marcelo Melo, Toinho Alves e Edinaldo Queiroz	Quinteto Violado
Teorema	Danilo Caymmi e Paulo Jobim	Cobra Coral
Canto nagô	Ronaldo Malta	Ronaldo Malta
Classificadas		
Comer fora	Dicró, Maria Rodrigues e Elias do Parque	Dicró e Os Espaciais do Samba
Quero mais	Marcelo Melo, Toinho Alves e Edinaldo Queiroz	Quinteto Violado
Teorema	Danilo Caymmi e Paulo Jobim	Cobra Coral
Canto nagô	Ronaldo Malta	Ronaldo Malta
Melhor intérprete	Fafá de Belém	Caso especial
Melhor arranjo	Magro	Mulher maio

2ª ELIMINATÓRIA (sexta-feira, 16/4/1982, Teatro Fênix, Rio de Janeiro)

Concorrentes		
Não dou, não dou	Cláudio Nucci	Marlene e Grupo Coisas Nossas
Menino nu	Casinho Terra e Fred Nascimento	Casinho Terra
Pensando bem	João de Aquino e Martinho da Vila	Negreiros

A Era dos Festivais

Canário do Brasil	Joyce	Joyce
Terra de Marlboro	Fred Pereira	Grupo Fulia
Saudações ao fim do mundo	Sérgio Sá	Sérgio Sá
Ajagunã (Oxaguiã)	Dadinho e Mateus	Os Tincoãs
Outros sons	Arrigo Barnabé e Carlos Rennó	Arrigo Barnabé
E no meio da agonia ainda achava graça	Bubuska Valença	Bubuska
Varandas	Almir Sater e Paulo Simões	Almir Sater

Classificadas

Não dou, não dou	Cláudio Nucci	Marlene e Grupo Coisas Nossas
Terra de Marlboro	Fred Pereira	Grupo Fulia
Ajagunã (Oxaguiã)	Dadinho e Mateus	Os Tincoãs
Varandas	Almir Sater e Paulo Simões	Almir Sater

Melhor intérprete	Joyce	Canário do Brasil
Melhor arranjo	Sérgio Sá	Saudações ao fim do mundo

3ª ELIMINATÓRIA (sexta-feira, 14/5/1982, Teatro Fênix, Rio de Janeiro)

Concorrentes

Nas costas do Brasil	Dominguinhos e Clodo	Guadalupe e Dominguinhos
Pé de vento	Tavito, Ricardo Magno e Carlos Márcio	Tavito e Conjunto Terra Molhada
O destino assim o quis	Wanderley Doratiotto	Premeditando o Breque
Auto do boi vagalume	Giordano Mochel Filho e Rosa Martins	Mochel
Eu te amo	Sueli Costa e Cacaso	Nana Caymmi
Brasa ardente	Raimundo Sodré e Jorge Portugal	Raimundo Sodré
Vento e pó	Jerônimo Jardim	Jerônimo Jardim
Enquanto a gente viver	Hermeto Paschoal	Hermeto Paschoal
Pelo amor de Deus	Paulo Debétio e Paulinho Rezende	Emílio Santiago
Dona	Sá e Guarabira	Sá e Guarabira

Classificadas

O destino assim o quis	Wanderley Doratiotto	Premeditando o Breque
Eu te amo	Sueli Costa e Cacaso	Nana Caymmi
Pelo amor de Deus	Paulo Debétio e Paulinho Rezende	Emílio Santiago
Dona	Sá e Guarabira	Sá e Guarabira

Melhor intérprete	Nana Caymmi	Eu te amo
Melhor arranjo	Hermeto Paschoal	Enquanto a gente viver
Melhor pesquisa	Giordano Mochel Filho e Rosa Martins	Auto do boi vagalume

4ª ELIMINATÓRIA (sexta-feira, 11/6/1982, Teatro Fênix, Rio de Janeiro)

Concorrentes

Zigue-zague	Mario Adnet e Chico Chaves	Elza Maria
Arrepia o homem	Bebeto de São João e Edson Show	Bebeto de São João
Doce mistério (Tentação)	Tunai e Sérgio Natureza	Jane Duboc
Filho	Jamil Joanes	Jamil Joanes
África	Altay Veloso	Altay Veloso
Fiapo de capim	Lisieux Costa	Cristina Santos
Meu velho coração	Nelson Cavaquinho e Guilherme de Brito	Nelson Gonçalves
O ilusionista	Carlos Vergueiro e J. Petrolino	Jessé
Bango-bango	Papa Kid	Papa Kid
Direitos exclusivos	Ivor Lancelotti e Cláudio Jorge	Fabíola

Classificadas

Doce mistério (Tentação)	Tunai e Sérgio Natureza	Jane Duboc
África	Altay Veloso	Altay Veloso
Meu velho coração	Nelson Cavaquinho e Guilherme de Brito	Nelson Gonçalves
O ilusionista	Carlos Vergueiro e J. Petrolino	Jessé

Melhor intérprete	Jane Duboc	Doce mistério (Tentação)
Melhor arranjo	Reinaldo Arias	Direitos exclusivos

5ª ELIMINATÓRIA (sexta-feira, 9/7/1982, Teatro Fênix, Rio de Janeiro)

Concorrentes

Cacatua	Ronaldo Barcellos	Ronaldo Barcellos
Doce amor	Eduardo Gudin e Roberto Riberti	Elza Soares
Princípio de tempestade	Abílio Manoel e Wilson Souto Jr.	Abílio Manoel
Amar é	Renato Terra e Gastão Lamounier	Renato Terra
Denúncia dos Santos Silva Beleléu	Itamar Assumpção	Itamar Assumpção
Décima primeira vez	Wania Andrade e Kedma Morais	Mariana
Barco sul	Théo de Barros e Gilberto Karan	Zé Luís
O anjo	Enoch Domingos	Lelé Alves
Esse crioulo tá glorificado	Jorge Ben	Luís Wagner
Ria de mim	Guilherme Arantes	Cauby Peixoto

Classificadas

Doce amor	Eduardo Gudin e Roberto Riberti	Elza Soares
Barco sul	Théo de Barros e Gilberto Karan	Zé Luís
O anjo	Enoch Domingos	Lelé Alves
Ria de mim	Guilherme Arantes	Cauby Peixoto

Melhor intérprete	Cauby Peixoto	Ria de mim
Melhor arranjo	Guilherme Arantes	Ria de mim
Melhor pesquisa	Itamar Assumpção	Denúncia dos Santos Silva Beleléu

6ª ELIMINATÓRIA (sexta-feira, 13/8/1982, Teatro Fênix, Rio de Janeiro)

Concorrentes

Provinciano	Ederaldo Gentil e Roque Ferreira	Paulo Diniz
Itaipuaçu	Wanderley Pigliasco e José Elias Abossamra	Elias
Camafeu (Gosto de vida)	Sarah Benchimol e Tony Bahia	Leila Maria
Ocorrência	Walter Marques	Marília Medalha
Varal	Oswaldo Montenegro e Jane Duboc	Oswaldo Montenegro e Zé Alexandre
Céu do Brasil	Lincoln Olivetti Barcellos e Robson Jorge	Lincoln Olivetti e Robson Jorge
Maravilha curativa	Miltinho e Kledir	Nara Leão
Convite ao prazer	Lee Macucci, Júlio Barroso e Wanderley Taffo	Gang 90 e Absurdetes
Embriagador	Fernando Leporace e Nelson Wellington	Leny Andrade
O fruto do suor	Tony Osanah e Enrique Bergen	Raíces de América
Valdirene, a paranormal	Eduardo Dusek e Luís Carlos Góes	Eduardo Dusek

Classificadas

Ocorrência	Walter Marques	Marília Medalha
Maravilha curativa	Miltinho e Kledir	Nara Leão
Embriagador	Fernando Leporace e Nelson Wellington	Leny Andrade
O fruto do suor	Tony Osanah e Enrique Bergen	Raíces de América

Melhor intérprete	Leny Andrade	Embriagador
Melhor arranjo	Dori Caymmi	Embriagador

FINAL (sábado, 11/9/1982, Maracanãzinho, Rio de Janeiro)

Finalistas (por ordem de apresentação)

Comer fora	Dicró, Maria Rodrigues e Elias do Parque	Dicró e Os Espaciais do Samba
O ilusionista	Carlos Vergueiro e J. Petrolino	Jessé
Terra de Marlboro	Fred Pereira	Grupo Fulia
Eu te amo	Sueli Costa e Cacaso	Nana Caymmi
Canto nagô	Ronaldo Malta	Ronaldo Malta
Quero mais	Marcelo Melo, Toinho Alves e Edinaldo Queiroz	Quinteto Violado
Teorema	Danilo Caymmi e Paulo Jobim	Cobra Coral
Doce mistério (Tentação)	Tunai e Sérgio Natureza	Jane Duboc
Doce amor	Eduardo Gudin e Roberto Riberti	Elza Soares
Ajagunã (Oxaguiã)	Dadinho e Mateus	Os Tincoãs

Ria de mim	Guilherme Arantes	Cauby Peixoto
Não dou, não dou	Cláudio Nucci	Marlene e Grupo Coisas Nossas
Varandas	Almir Sater e Paulo Simões	Almir Sater
O destino assim o quis	Wanderley Doratiotto	Premeditando o Breque
Ocorrência	Walter Marques	Marília Medalha
Maravilha curativa	Miltinho e Kledir	Nara Leão
Barco sul	Théo de Barros e Gilberto Karan	Zé Luís
Dona	Sá e Guarabira	Sá e Guarabira
Meu velho coração	Nelson Cavaquinho e Guilherme de Brito	Nelson Gonçalves
O fruto do suor	Tony Osanah e Enrique Bergen	Raíces de América
O anjo	Enoch Domingos	Lelé Alves
África	Altay Veloso	Altay Veloso
Embriagador	Fernando Leporace e Nelson Wellington	Leny Andrade
Pelo amor de Deus	Paulo Debétio e Paulinho Rezende	Emílio Santiago

Vencedoras

1º Pelo amor de Deus	Paulo Debétio e Paulinho Rezende	Emílio Santiago
2º O fruto do suor	Tony Osanah e Enrique Bergen	Raíces de América
3º Doce mistério (Tentação)	Tunai e Sérgio Natureza	Jane Duboc
4º Quero mais	Marcelo Melo, Toinho Alves e Edinaldo Queiroz	Quinteto Violado
5º Eu te amo	Sueli Costa e Cacaso	Nana Caymmi
Melhor intérprete	Cauby Peixoto	Ria de mim
Melhor arranjo	Dori Caymmi	Embriagador
Melhor pesquisa	Itamar Assumpção	Denúncia dos Santos Silva Beleléu
	Giordano Mochel Filho e Rosa Martins	Auto do boi vagalume

FESTIVAL DOS FESTIVAIS
Julho e outubro de 1985
TV Globo
Recife, Porto Alegre, São Paulo, Rio de Janeiro

Música	Compositor	Intérprete

1ª ELIMINATÓRIA (sábado, 27/7/1985, Recife)

Concorrentes

Os jovens não devem morrer	Dastrevas	
Alienado, alienígena	Accioly Neto	
Eu e eu	Asdrubal Alvim	
Caribe, calibre: amor	Jorge Portugal e Roberto Mendes	Jorge Portugal, Roberto Mendes e Grupo Santa Cruz
Minha aldeia	Sérgio Souto e Amaral Maia	Sérgio Souto
Confins do mundo	Waldir Mansur	
Novos rumos	Rossini Ferreira e Ana Ivo	Cida Moreira e Quinteto A Fina Flor
Sentimento e blues	Tadeu Mathias	
Meus bons amigos	Mongol	
Futuramente	Popola	
Rastros e riscos	Fernando Gama	
O dono da terra	Renato Corrêa e Nair de Cândia	Os Abelhudos

Classificadas

Alienado, alienígena	Accioly Neto	
Caribe, calibre: amor	Jorge Portugal e Roberto Mendes	Jorge Portugal, Roberto Mendes e Grupo Santa Cruz
Minha aldeia	Sérgio Souto e Amaral Maia	Sérgio Souto
Novos rumos	Rossini Ferreira e Ana Ivo	Cida Moreira e Quinteto A Fina Flor

| Rastros e riscos | Fernando Gama | |
| O dono da terra | Renato Corrêa e Nair de Cândia | Os Abelhudos |

2ª ELIMINATÓRIA (sábado, 24/8/1985, Porto Alegre)

Concorrentes

O que me dói é ver a gente mesma	José Alexandre	
Esse gaiteiro	Fernando Cardoso, Jair Kobe e Sérgio Napp	Grupo Canto Livre
Trem ligeiro	Luiz Octavio Bonfá Burnier	
Recriando a criação	Martinho da Vila e Zé Catimba	Martinho da Vila e Filhos
João Rosa	Nivaldo Ornelas e Murilo Antunes	
Do outro lado da rua	Totonho Villeroy	
Não negai	Luís Vagner	
Elis, Elis	Estevan Natolo Jr. e Marcelo Simões	Emílio Santiago
Lei da vida	Carlos Mosmann	
Vulcão feminino	Urbano Marinho, Ulisses Tavares e Sérgio Sá	Magali Mussi
Pátria amada	Geraldo Flach e Jerônimo Jardim	
Violão e voz	Prêntice e Heitor Valente	

Classificadas

O que me dói é ver a gente mesma	José Alexandre	
Esse gaiteiro	Fernando Cardoso, Jair Kobe e Sérgio Napp	Grupo Canto Livre
Recriando a criação	Martinho da Vila e Zé Catimba	Martinho da Vila e Filhos
Não negai	Luís Vagner	
Elis, Elis	Estevan Natolo Jr. e Marcelo Simões	Emílio Santiago
Vulcão feminino	Urbano Marinho, Ulisses Tavares e Sérgio Sá	Magali Mussi

3ª ELIMINATÓRIA (sábado, 21/9/1985, São Paulo)

Concorrentes (por ordem de apresentação)

Boy da Mooca	Rosana Piegaia e Márcia Brasil	Grupo Cor-de-Rosa
Os metaleiros também amam	Ayrton Mugnaini e Carlos Melo	Grupo Língua de Trapo
Mira ira	Lula Barbosa e Vanderlei de Castro	Míriam Mirah, Grupo Tarancon e Placa Luminosa
Depois da primeira vez	Toninho Negreiro e Almir Lopes	Toninho Negreiro
Tempo certo	Ubiratan de Sousa	Ubiratan Souza e Grupo Casinha da Roça
Chihuahua	Nando Carol, João Cristal e Miguel Valencise	Grupo Fruto da Terra
A última voz do Brasil	Zé Rodrix, Tico Terpins, Armandinho e Próspero Albanese	Joelho de Porco
Sol da manhã	Carlos Papel	Carlos Papel
Verdejar	Rubinho Ribeiro e Faíska	Grupo Zona Azul
Mãe, no que será que eu sou bom?	Fran Papaterra	Fran Papaterra e Grupo Filhinhos de Papai
Escrito nas estrelas	Arnaldo Black e Carlos Rennó	Tetê Espíndola
Poção mágica	Luís Guedes e Thomas Roth	Luís Guedes e Thomas Roth

Classificadas

Os metaleiros também amam	Ayrton Mugnaini e Carlos Melo	Grupo Língua de Trapo
Mira ira	Lula Barbosa e Vanderlei de Castro	Míriam Mirah, Grupo Tarancon e Placa Luminosa
Tempo certo	Ubiratan de Sousa	Ubiratan Souza e Grupo Casinha da Roça
A última voz do Brasil	Zé Rodrix, Tico Terpins, Armandinho e Próspero Albanese	Joelho de Porco
Verdejar	Rubinho Ribeiro e Faíska	Grupo Zona Azul
Escrito nas estrelas	Arnaldo Black e Carlos Rennó	Tetê Espíndola

A Era dos Festivais

4ª ELIMINATÓRIA (sábado, 5/10/1985, Rio de Janeiro)

Concorrentes

Eu não aguento mais	Zé Luiz	
Descobri que te amo	Marcos Wagner	
Flor Benvinda	Celso Adolfo	
Verde	Eduardo Gudin e Costa Netto	Leila Pinheiro
Vidraça	Herman Torres e Fausto Nilo	Rosana
Vamp neguinha	Cid Campos	Grupos Zipertensão e Panapaná
Gás de pum	Fred Pereira e Beto Zettel	
Ela é uma delícia	Claufe Rodrigues e Melão	
Vem, já passou	Sílvio Almeida, Guará e Ivan Matheus	
Meu caramelo	Maurício Maestro	
Afim de você	Paulinho Soledade	Paulinho Soledade e Banda
O condor	Oswaldo Montenegro	Oswaldo Montenegro e Coral Raça

Classificadas

Verde	Eduardo Gudin e Costa Netto	Leila Pinheiro
Vidraça	Herman Torres e Fausto Nilo	Rosana
Vamp neguinha	Cid Campos	Grupos Zipertensão e Panapaná
Afim de você	Paulinho Soledade	Paulinho Soledade e Banda
O condor	Oswaldo Montenegro	Oswaldo Montenegro e Coral Raça

1ª SEMIFINAL (sábado, 12/10/1985, Maracanãzinho, Rio de Janeiro)

Concorrentes

O dono da terra	Renato Corrêa e Nair de Cândia	Os Abelhudos
Elis, Elis	Estevan Natolo Jr. e Marcelo Simões	Emílio Santiago
Vulcão feminino	Urbano Marinho, Ulisses Tavares e Sérgio Sá	Magali Mussi
Vidraça	Herman Torres e Fausto Nilo	Rosana
Verdejar	Rubinho Ribeiro e Faíska	Grupo Zona Azul
Caribe, calibre: amor	Jorge Portugal e Roberto Mendes	Jorge Portugal, Roberto Mendes e Grupo Santa Cruz
Esse gaiteiro	Fernando Cardoso, Jair Kobe e Sérgio Napp	Grupo Canto Livre
Minha aldeia	Sérgio Souto e Amaral Maia	Sérgio Souto
A última voz do Brasil	Zé Rodrix, Tico Terpins, Armandinho e Próspero Albanese	Joelho de Porco
Os metaleiros também amam	Ayrton Mugnaini e Carlos Melo	Língua de Trapo
Afim de você	Paulinho Soledade	Paulinho Soledade e Banda
O condor	Oswaldo Montenegro	Oswaldo Montenegro e Coral Raça

2ª SEMIFINAL (sábado, 19/10/1985, Maracanãzinho, Rio de Janeiro)

Concorrentes

Novos rumos	Rossini Ferreira e Ana Ivo	Cida Moreira e Quinteto A Fina Flor
Rastros e riscos	Fernando Gama	
Alienado, alienígena	Accioly Neto	
O que me dói é ver a gente mesma	José Alexandre	
Recriando a criação	Martinho da Vila e Zé Catimba	Martinho da Vila e Filhos
Não negai	Luís Vagner	
Escrito nas estrelas	Arnaldo Black e Carlos Rennó	Tetê Espíndola
Mira ira	Lula Barbosa e Vanderlei de Castro	Míriam Mirah, Grupo Tarancon e Placa Luminosa
Tempo certo	Ubiratan de Sousa	Ubiratan Souza e Grupo Casinha da Roça

Zuza Homem de Mello

Verde	Eduardo Gudin e Costa Netto	Leila Pinheiro
Vamp neguinha	Cid Campos	Grupos Zipertensão e Panapaná

FINAL (sábado, 26/10/1985, Maracanãzinho, Rio de Janeiro)

Finalistas

O dono da terra	Renato Corrêa e Nair de Cândia	Os Abelhudos
Novos rumos	Rossini Ferreira e Ana Ivo	Cida Moreira e Quinteto A Fina Flor
Caribe, calibre: amor	Jorge Portugal e R. Mendes	Jorge Portugal e Grupo Santa Cruz
Elis, Elis	Estevan Natolo Jr. e Marcelo Simões	Emílio Santiago
Escrito nas estrelas	Arnaldo Black e Carlos Rennó	Tetê Espíndola
A última voz do Brasil	Zé Rodrix, Tico Terpins, Armandinho e Próspero Albanese	Joelho de Porco
Os metaleiros também amam	Ayrton Mugnaini e Carlos Melo	Grupo Língua de Trapo
Mira ira	Lula Barbosa e Vanderlei de Castro	Míriam Mirah
Tempo certo	Ubiratan de Sousa e Sousa Netto	Grupo Casinha da Roça
Verde	Eduardo Gudin e Costa Netto	Leila Pinheiro
Vamp neguinha	Cid Campos	Grupo Zipertensão
O condor	Oswaldo Montenegro	Oswaldo Montenegro e Coral Raça

Vencedoras

1º Escrito nas estrelas	Arnaldo Black e Carlos Rennó	Tetê Espíndola
2º Mira ira	Lula Barbosa e Vanderlei de Castro	Míriam Mirah
3º Verde	Eduardo Gudin e Costa Netto	Leila Pinheiro
Melhor arranjo	Mário Lúcio Marques	Mira ira
Melhor intérprete	Emílio Santiago	Elis, Elis
Melhor letra	Zé Rodrix, Tico Terpins, Armandinho e Próspero Albanese	A última voz do Brasil
Revelação	Leila Pinheiro	Verde

FESTIVAL DA MÚSICA BRASILEIRA

Agosto e setembro de 2000
Rede Globo
Credicard Music Hall, São Paulo

Música	Compositor	Intérprete

1ª ELIMINATÓRIA (sábado, 19/8/2000)

Concorrentes (por ordem de apresentação)

Afrika	Ricardo Oliveira Gomes	Ricardo Moreno e Rubinho Ribeiro
Vão	Dante Ozzetti	Virgínia Rosa
Amanheceu	Jorge Vercilo	Jorge Vercilo
Tubaína	Fernando Chuí de Menezes	Fernando Chuí de Menezes
Cisma	Vicente Barreto e José Carlos Costa Netto	Vicente Barreto
Rap da real	Renata Augusta Rodrigues, Alexandre Souza e Pedro Leão	Renata Holly
Primeiro olhar	Sérgio Farias e Cristina Saraiva	Simone Guimarães
Vazante	Sérgio Correa dos Santos	Sérgio Correa dos Santos
Xi!! de Pirituba a Santo André	Rafael Altério e Kléber de Albuquerque	Rafael Altério e Kléber de Albuquerque
Patifaria	Carlos Rodrigo Lessa	Carlos Rodrigo Lessa
Estrela da manhã	Roberto Silva Furquim	Mônica Salmaso
Zen	Walter Franco e Maria Cristina Villaboin	Walter Franco

Classificadas

Tubaína	Fernando Chuí de Menezes	Fernando Chuí de Menezes
Xi!! de Pirituba a Santo André	Rafael Altério e Kléber de Albuquerque	Rafael Altério e Kléber de Albuquerque
Estrela da manhã	Roberto Silva Furquim	Mônica Salmaso

2ª ELIMINATÓRIA (sábado, 26/8/2000)

Concorrentes (por ordem de apresentação)

Baião internauta	Francisco Wellington Neves	Beirão e Genésio Tocantins
Show	Luiz Augusto M. Tatit e Fábio Tagliaferri	Ná Ozzetti
Língua (O instrumento)	Edinho Queiroz	Edinho Queiroz
Tempestade e calmaria	Pedro Holanda Mascarenhas	Pedro Holanda Mascarenhas e Mariana de Moraes
DNA	José Miguel Wisnik	José Miguel Wisnik e Luciana Alves
Para de falar e faz	Cláudio Munayer David	Cláudio Munayer David e Banda Elétrica
O vaqueiro e o violeiro	Gilberto Nascimento e Américo Romano Ereno	Trio Terra e Dominguinhos
Elo partido	Gambeta	Jaime Além
Coisas do destino	Marisa Estevam de Alfaia	Marisa Estevam de Alfaia
Eu só quero beber água	Moacyr Luz	Moacyr Luz
O amor é pra se amar	Toninho Horta	Toninho Horta e Luiza Horta
Morte no escadão	José Carlos Guerreiro	Banda Tianastácia

Classificadas

Show	Luiz Augusto M. Tatit e Fábio Tagliaferri	Ná Ozzetti
Eu só quero beber água	Moacyr Luz	Moacyr Luz
Morte no escadão	José Carlos Guerreiro	Banda Tianastácia

3ª ELIMINATÓRIA (sábado, 2/9/2000)

Concorrentes (por ordem de apresentação)

Bela, doida e distraída	Zé Renato e Fausto Nilo	Zé Renato
Mais bonito	Célia Vaz e Suely Correa Vieira	Célia Vaz
Necessidade básica	Nelson Lemos Costa	Paulinho Lemos
Terra à vista	Marco André Siso de Oliveira e Alfredo Oliveira	Puxadores do Samba
Valsa em se	Carlos Henry Levy Sandoval	Clarisse
Bigamia	Alfredo Karan e Alexandre Lemos	Ronald Valle
Moleque tinhoso	Ivan Cardoso	Ivan Cardoso
Para-quedas	Denise Reis e Geraldo Fernandes	Denise Reis
Antinome	Chico César	Herbert Azul
Minha terra	Paulo César Oliveira	Paulo César Oliveira
Tudo bem, meu bem	Ricardo Soares de Carvalho	Ricardo Soares de Carvalho
Quando dorme Alcântara	José Antônio Pires de Carvalho	Tião Carvalho

Classificadas

Necessidade básica	Nelson Lemos Costa	Paulinho Lemos
Bigamia	Alfredo Karan e Alexandre Lemos	Ronald Valle
Tudo bem, meu bem	Ricardo Soares de Carvalho	Ricardo Soares de Carvalho

4ª ELIMINATÓRIA (sábado, 9/9/2000)

Concorrentes (por ordem de apresentação)

Tempo das águas	Valmir Ribeiro de Carvalho (Bilora)	Bilora
Brincos	Amaury Pacoal Falabella	Lula Barbosa
Cansaço	Pedro Correa Castello	Pedro Correa Castello
Abacate	Paulo Leonel Costa e Lula Ferreira	Paulo Leonel Costa
Chorinho em mente	Laerte Freire	Premê
Desde o primeiro dia	Chico Pinheiro e Guilherme Wisnik	Olivia Byington
Fogueira	César Nascimento	César Nascimento

Zuza Homem de Mello

Imaginária	Mario Sève e Suely Mesquita	Carol Saboya
Minha mãe	André Luiz Gonzaga	Banda Aliceh
Moleque marraio	Felipe Radicetti e Marcelo Coimbra	Cláudio Nucci
No fundo	Cláudia de Novais Lima	Cláudia de Novais Lima
Pra se juntar a nós	Carlinhos do Cavaco e Nilson Pinheiro	Carlinhos do Cavaco

Classificadas

Tempo das águas	Valmir Ribeiro de Carvalho (Bilora)	Bilora
Brincos	Amaury Pacoal Falabella	Lula Barbosa
Cansaço	Pedro Correa Castello	Pedro Correa Castello

FINAL (sábado, 16/9/2000)

Finalistas

Tubaína	Fernando Chuí de Menezes	Fernando Chuí de Menezes
Xi!! de Pirituba a Santo André	Rafael Altério e Kléber de Albuquerque	Rafael Altério e Kléber de Albuquerque
Estrela da manhã	Roberto Silva Furquim	Mônica Salmaso
Show	Luiz Augusto M. Tatit e Fábio Tagliaferri	Ná Ozzetti
Eu só quero beber água	Moacyr Luz	Moacyr Luz
Morte no escadão	José Carlos Guerreiro	Banda Tianastácia
Necessidade básica	Nelson Lemos Costa	Paulinho Lemos
Tudo bem, meu bem	Ricardo Soares de Carvalho	Ricardo Soares de Carvalho
Bigamia	Alfredo Karan e Alexandre Lemos	Ronald Valle
Tempo das águas	Valmir Ribeiro de Carvalho (Bilora)	Bilora
Brincos	Amaury Pacoal Falabella	Lula Barbosa
Cansaço	Pedro Correa Castello	Pedro Correa Castello

Vencedoras

1º Tudo bem, meu bem	Ricardo Soares de Carvalho	Ricardo Soares de Carvalho
2º Morte no escadão	José Carlos Guerreiro	Banda Tianastácia
3º Tempo das águas	Valmir Ribeiro de Carvalho (Bilora)	Bilora

Melhor intérprete	Ná Ozzetti	Show
Júri popular	Brincos	Amauri Falabella

PRINCIPAIS FESTIVAIS REGIONAIS

FESTIVAL DE MÚSICA POPULAR BRASILEIRA DE JUIZ DE FORA

Juiz de Fora-MG
Início em 1968, realizado até meados dos anos 1980

Principais criadores e organizadores:
João Medeiros (idealizador), Itamar Franco (prefeito), Murilo Hingel (presidente da comissão organizadora)

Algumas das canções premiadas:
"Casa no campo" (Tavito e Zé Rodrix), "Casaco marrom" (Danilo Caymmi, Guarabira e Renato Corrêa), "Tristeza pé no chão" (Armando Fernandes, o Mamão)

Outros artistas importantes que participaram: Macalé, Joyce, Toninho Horta, Novelli, Milton Nascimento, Guarabira, Capinan, Paulinho da Viola, Taiguara, Martinho da Vila, Gonzaguinha, Sidney Miller

FAMPOP (FEIRA AVAREENSE DA MÚSICA POPULAR)

Avaré-SP
Início em 1983, 20 edições realizadas até 2002

Principal idealizador: Juca Novaes

Algumas das canções premiadas:
"Beradero" (Chico César), "Samba do quilombo" (Lenine), "Alafim" (Moacyr Luz e Aldir Blanc), "Minha Nossa Senhora" (Fátima Guedes), "Encontro das águas" (Jorge Vercilo e Jota Maranhão)

Outros artistas que participaram: Zeca Baleiro, Rita Ribeiro, Virgínia Rosa, Carlos Careqa, Kleber Albuquerque, Sérgio Santos, Capinan, Ivor Lancelotti, Sérgio Natureza, Rafael Altério, Celso Viáfora, Flávio Henrique, Jean Garfunkel, Sizão Machado, Juarez Moreira

MUSICANTO SUL AMERICANO DE NATIVISMO

Santa Rosa-RS
Início em 1983, 18 edições realizadas até 2002

Principal idealizador: Luiz Carlos Borges

Algumas das canções premiadas:
Nelson Correia e Castro ("No sangue da terra nova guarani"), Kako Xavier, Elton Saldanha ("Baguala"), Lenine ("Candeeiro encantado", com Paulo César Pinheiro), Juca Novaes, Edu Santana e Rafael Altério ("Lua do Brasil"), Tambo do Bando ("O campeiro e o gravador")

Outros artistas que participaram: Renato Teixeira, Nilson Chaves, Kleiton Ramil, Telma Tavares, Amaro Pena

CALIFÓRNIA DA CANÇÃO

Uruguaiana-RS
Início em 1971, 32 edições realizadas até 2002

Principal idealizador: Colmar Duarte

Algumas das canções premiadas:
"Negro da gaita" (Gilberto Carvalho e Airton Pimentel, com César Passarinho), "Esquilador" (Telmo de Lima Freitas, com o autor), "Semeadura" (Fogaça e Vitor Ramil), "Tropa de osso" (Luiz Carlos Borges e Aparício Silva Rillo)

FERCAPO (FESTIVAL NACIONAL DA CANÇÃO POPULAR)

Cascavel-PR
Início em 1971, 27 edições realizadas até 2002

Organização: Clube Tuiuty
Principal idealizador: Luís Picoli

Algumas canções premiadas:
"Até quando Deus quiser" (Rafael e Rita Altério), "Puçangueira" (Eudes Fraga e João Gomes),
"América dos nus" (Zé Alexandre), "Vale a pena" (Vital Lima e Sérgio Lima Neto),
"Não minto pra mim" (Jean e Paulo Garfunkel)

FESTIVAL DA CANÇÃO DE BOA ESPERANÇA

Boa Esperança-MG
Início em 1971, 32 edições realizadas até 2002

Organização: Radium Clube Dorense

Algumas canções premiadas:
"Passarada" (Marcus Viana), "Pedra de atiradeira" (Abner Nascimento),
"Matinal" (Edson Aquino), "Vazantes" (Tadeu Franco), "Nós dois" (Celso Adolfo),
"Carro de poliça" (César Brunetti), "Crônica" (Celso Viáfora),
"Mazzaropi" (Jean e Paulo Garfunkel), "Não há o que temer" (Sueli Costa e João Medeiros Filho)

Compositores mais premiados: Afonso Felicori, Gil da Mata, Rafael Altério, Richardson Hermeto

FESTIVAL DE MPB DE TATUÍ

Tatuí-SP
Início em 1992, 11 edições realizadas até 2002

Principal idealizador: Maestro Antônio Carlos Neves de Campos

Algumas canções premiadas:
"Encanto do sertão" (Renato Motha), "Encanto" (Edson Silva),
"Sou mais Brasil" (Rafael e Rita Altério), "Harmonia" (Miltinho, Sirlan e Paulo César Pinheiro)

Outros compositores participantes: Eudes Fraga, Sebastião Tapajós, Simone Guimarães

FEMP (FESTIVAL DE MÚSICA DA PRIMAVERA)

São José do Rio Pardo-SP
Início em 1984, 11 edições realizadas até 2002

Organizador: Departamento de Esportes, Cultura e Turismo da Prefeitura Municipal de São José do Rio Pardo
Principal idealizador: Agenor Ribeiro Netto

Algumas canções premiadas:
"Partida" (Zé Beto Correia e Bartolomeu Mendonça), "Até quando Deus quiser" (Rafael e Rita Altério),
"Meio-dia" (Jean Garfunkel e Lea Freire), "Não vou sair" (Celso Viáfora),
"Break tupiniquim" (César Brunetti), "Tempodestino" (Nilson Chaves e Vital Lima)

DISCOGRAFIA DA ERA DOS FESTIVAIS

DISCOS OFICIAIS

II FESTIVAL DA MÚSICA POPULAR BRASILEIRA, TV RECORD, 1966

Viva o Festival da Música Popular Brasileira
Artistas Unidos, LP 70.000, 1966
Gravado ao vivo no Teatro Record de São Paulo
Promoção da TV Record, Canal 7

Lado A
1. Abertura — Orquestra da TV Record e Coro
2. "A banda" (Chico Buarque) — Chico Buarque
3. "A banda" (Chico Buarque) — Meninos Cantores de São Paulo
4. "Ensaio geral" (Gilberto Gil) — Elis Regina
5. "Um dia" (Caetano Veloso) — Maria Odette
6. "Amor, paz" (Maysa e Vera Brasil) — Maysa
7. "Anoiteceu" (Francis Hime e Vinicius de Moraes) — Leny Eversong
Lado B
1. "Disparada" (Geraldo Vandré e Théo de Barros) — Geraldo Vandré
2. "Canção de não cantar" (Sérgio Bittencourt) — Hebe Camargo
3. "Lá vem o bloco" (Carlos Lyra e Gianfrancesco Guarnieri) — Leny Eversong
4. "Flor maior" (Célio Borges Pereira) — Meninos Cantores de São Paulo
5. "Jogo de roda" (Edu Lobo e Ruy Guerra) — Elis Regina
6. "Canção para Maria" (Paulinho da Viola e Capinan) — Paulinho da Viola
7. Encerramento — Orquestra da TV Record e Coro

II FESTIVAL DA MÚSICA POPULAR BRASILEIRA, TV RECORD, 1966
I FESTIVAL INTERNACIONAL DA CANÇÃO POPULAR, TV RIO, 1966

Festival dos Festivais
Philips, P 765.000 P, 1966
Lado A
1. "Saveiros" (Dory Caymmi e Nelson Motta) — Elis Regina
2. "Gina" (Reed e Mason) — Waine Fontana
3. "A banda" (Chico Buarque) — Nara Leão
4. "Ensaio geral" (Gilberto Gil) — Gilberto Gil
5. "Dia das rosas" (Luís Bonfá e Maria Helena Toledo) — Claudete Soares
6. "O cavaleiro" (Tuca e Geraldo Vandré) — Geraldo Vandré
7. "Amor, sempre o amor" ("L'amour toujours l'amour") (Fauré e Mardel, versão de Romeo Nunes) —
    Fernando Pereira
Lado B
1. "Disparada" (Geraldo Vandré e Théo de Barros) — Jair Rodrigues
2. "Canção de não cantar" (Sérgio Bittencourt) — Elis Regina
3. "Frag den Wind" ("Pergunte ao vento") (Helmut Zacharias e Carl J. Schäuble) — Ronaldo
4. "Chorar e cantar" (Vera Brasil e Sivan Castelo Neto) — Claudete Soares
5. "Jogo de roda" (Edu Lobo e Ruy Guerra) — Elis Regina
6. "Canção do negro amor" (Capiba e Ariano Suassuna) — Sílvio Aleixo

Zuza Homem de Mello

I FESTIVAL INTERNACIONAL DA CANÇÃO POPULAR, TV RIO, 1966

I Festival Internacional da Canção Popular — Disco 1
Secretaria de Turismo do Estado da Guanabara, ST-1, 1966
Gravado ao vivo no Maracanãzinho, Rio de Janeiro, nos dias 22 e 30/10/1966
Lado A
1. "Hino do Festival" (Erlon Chaves e Ronaldo Bôscoli)
2. "Frag den Wind" (Helmut Zacharias e Carl J. Schäuble) — Inge Brück (Alemanha)
3. "Canto triste" (Edu Lobo e Vinicius de Moraes) — Elis Regina
4. "El banco del amor" (C. Sanoja) — Germán Rivas (Venezuela)
5. "Canção a medo" (Sérgio Bittencourt) — Quarteto em Cy e MPB 4
6. "Adeus" (N. Sheriff) — Rivka Raz (Israel)
Lado B
1. "Festa de cores" (Capiba) — José Orlando
2. "Un dia llegará" (La Calva e R.A. Alcón) — Duo Dinamico (Espanha)
3. "Chorar e cantar" (Vera Brasil e Sivan Castelo Neto) — Claudete Soares
4. "It never came be" (J. Dale) — Allan Blye (Canadá)
5. "Canção de ouro e prata" (Marco Antônio de Menezes Pimentel e Francisco de Assis) — Ellen de Lima
6. "Crepúsculo" (Zilda Cormack) — Lana Bittencourt

I Festival Internacional da Canção Popular — Disco 2
Secretaria de Turismo do Estado da Guanabara, ST-2, 1966
Gravado ao vivo no Maracanãzinho, Rio de Janeiro, nos dias 22 e 30/10/1966
Lado A
1. Show com Henri Mancini
2. "Meu adorado" (H. Nakamura) — Chiame Eti (Japão)
3. "Não se morre de mal de amor" (Reginaldo Bessa) — Taiguara
4. "Geh vorbei" (U. Jurgens e H. Beierlein) — Udo Jurgens (Áustria)
5. "Morte do André" (José Geraldo D'Ângelo) — Carlos Hamilton
Lado B
1. "Diga-me porque estás triste" (V. Simic) — Anica Zubovic (Ioguslávia)
2. "Canção de ninar a amada" (Reginaldo Bessa) — Stelinha Egg
3. "Rosa triste" (C. Solovera) — Glória Simonetti (Chile)
4. "Canção do amor que não veio" (Capiba) — Claudionor Germano
5. "Hey tyste man hey" (B.A. Wallin) — Lilli Lindfors (Suécia)

I Festival Internacional da Canção Popular — Disco 3
Secretaria de Turismo do Estado da Guanabara, ST-3, 1966
Gravado ao vivo no Maracanãzinho, Rio de Janeiro, nos dias 22 e 30/10/1966
Lado A
1. Apresentação de David Raksin em solo de piano
2. "L'amour toujours l'amour" (D. Faure) — Guy Mardel (França)
3. "Me llevarás en ti" (J.V. Cordovez) — Los Tolimenses (Colômbia)
4. "Já estamos tão longe" (S. Rembowski) — Irena Santor (Polônia)
5. "Maria" (Francis Hime e Vinicius de Moraes) — Wilson Simonal e MPB 4
Lado B
1. "Começar de ovo" (Nóbrega de Souza) — Simone de Oliveira (Portugal)
2. "O que ficou de nós dois" (Carlos Maciel Arruda, Renato Silveira e Achilles Gazzaneo) — Valéria
3. "Una noche azul" (M.C. Ocampo) — Amambay (Paraguai)
4. "Vou tão sozinho" (Catulo de Paula e Antônio Carlos de Souza e Silva) — Altemar Dutra
5. "Nossos silêncios" (Zilda Cormack) — Zilda Cormack

I Festival Internacional da Canção Popular — Disco 4
Secretaria de Turismo do Estado da Guanabara, ST-4, 1966
Gravado ao vivo no Maracanãzinho, Rio de Janeiro, nos dias 22 e 30/10/1966
Lado A
1. Apresentação de Edoard Khili
2. "Dia das rosas" (Luís Bonfá e Maria Helena Toledo) — Maysa
3. "Le danseur de corde" (P. Chammery) — Trio Chanteclair (Bélgica)
4. "Se a gente grande soubesse" (Billy Blanco) — Bilinho e Quarteto em Cy
5. "No sé decir adiós" (Malvicino) — Juan Ramón (Argentina)

A Era dos Festivais

Lado B
1. "Fire" (K. Kapnisis) — Yovanna (Grécia)
2. "Minha alegria é só você" (Alcyr Pires Vermelho e Dario Gadelha) — Altemar Dutra
3. "Appele-moi" (B. Azzam) — Bob Azzam (Suíça)
4. "Chora coração" (Baden Powell e Vinicius de Moraes) — Taiguara
5. "Se potessi amare te" (M. de Martino) — Lúcia Altieri (Itália)

I Festival Internacional da Canção Popular — Disco 5
Secretaria de Turismo do Estado da Guanabara, ST-5, 1966
Gravado ao vivo no Maracanãzinho, Rio de Janeiro, nos dias 22 e 30/10/1966
Lado A
1. Apresentação da orquestra do festival sob a regência de Severino Araújo: "O guarani" (Carlos Gomes)
2. "Saveiros" (Dori Caymmi e Nelson Motta) — Nana Caymmi
3. "Song of nostalgia" (J. Livingston e R. Evans) — Gogi Grant (USA)
4. "Canção brasileira" (Heckel Tavares e Luiz Peixoto) — Hugo Santana
5. "É preciso perdoar" (Alcivando Luz e Carlos Coqueijo Costa) — MPB 4
Lado B
1. "Inaiá" (Luiz Carlos Sá) — Luiz Carlos Sá
2. "O cavaleiro" (Tuca e Geraldo Vandré) — Tuca
3. "Apoteose do samba" (Klécius Caldas e Herivelto Martins) — Miltinho
4. "Benza Deus" (Paulinho Nogueira) — Wilson Miranda
5. "La piel" (Roberto Cantoral) — Roberto Cantoral (México)

I Festival Internacional da Canção Popular — Disco 6
Secretaria de Turismo do Estado da Guanabara, ST-6, 1966
Gravado ao vivo no Maracanãzinho, Rio de Janeiro, nos dias 22 e 30/10/1966
Lado A
1. Apresentação de Jay Livingston e Ray Evans
2. "Gina" (M. Murray e L. Reed) — Wayne Fontana (Grã-Bretanha)
3. "Guerra e paz" (Vilma Camargo) — Penha Maria
4. "Vai de uma vez" (Fernando César e Britinho) — Helena de Lima
5. "A stranger in my hometown" (S. Fennes) — Jozsef Nemeth (Hungria)
Lado B
1. Apresentação de Paulinho Nogueira: "Upa neguinho" (Edu Lobo e Gianfrancesco Guarnieri) e
     "Malanguenha" (Lecuona)
2. "A gente se lança aos mares" (A. Petrov) — Edoard Khill (Rússia)
3. "Maria sueños" (I. Granda) — Betty Misiego (Peru)
4. "Quando dois se gostam" (Dalmo Castello) — Sílvio César e Doris Monteiro
5. Encerramento: "Cidade maravilhosa" (André Filho)

III FESTIVAL DA MÚSICA POPULAR BRASILEIRA, TV RECORD, 1967

III Festival da Música Popular Brasileira — Vol. 1
Philips, R 765.014 L, 1967
Realização da TV Record de São Paulo
Lado A
1. "Ponteio" (Edu Lobo e Capinan) — Marília Medalha e Momento Quatro
2. "Dadá Maria" (Renato Teixeira) — Gal Costa e Renato Teixeira
3. "Ela, felicidade" (Vera Brasil) — Claudete Soares
4. "Minha gente" (Demétrius) — Ronnie Von
5. "Eu e a brisa" (Johnny Alf) — Márcia
6. "Bom dia" (Nana Caymmi e Gilberto Gil) — Gal Costa
Lado B
1. "O combatente" (Walter Santos e Tereza Souza) — Jair Rodrigues
2. "Roda viva" (Chico Buarque) — MPB 4
3. "A moreninha" (Tom Zé) — Gilberto Gil
4. "E fim!" (Sônia Rosa) — Claudete Soares
5. "Maria, carnaval e cinzas" (Luís Carlos Paraná) — Luís Carlos Paraná
6. "O milagre" (Nonato Buzar) — João Mello

Zuza Homem de Mello

III Festival da Música Popular Brasileira — Vol. 2
Philips, R 765.015 L, 1967
Realização da TV Record de São Paulo
Lado A
1. "O cantador" (Dori Caymmi e Nelson Motta) — Elis Regina
2. "Belinha" (Toquinho e Vitor Martins) — Ronnie Von
3. "A estrada e o violeiro" (Sidney Miller) — Nara Leão e Sidney Miller
4. "Samba de Maria" (Vinicius de Moraes e Francis Hime) — Jair Rodrigues
5. "Manhã de primavera" (Adilson Godoy) — Márcia
6. "Diana pastora" (Fernando Lobo e João Mello) — Marília Medalha e Momento Quatro
Lado B
1. "Uma dúzia de rosas" (Carlos Imperial) — Ronnie Von
2. "Domingo no parque" (Gilberto Gil) — Gilberto Gil
3. "Rua antiga" (Roberto Menescal e Rubens Richter) — O Quarteto
4. "Brinquedo" (Alfredo Naffah Neto e Walter de Carvalho) — Claudete Soares
5. "Por causa de Maria" (Marcos César e Paulo Scarpa) — Tonio Fernandes
6. "A cantiga de Jesuíno" (Capiba e Ariano Suassuna) — João Mello

III Festival da Música Popular Brasileira — Vol. 3
Philips, R 765.016 L, 1967
Realização da TV Record de São Paulo
Lado A
1. "Gabriela" (Maranhão) — MPB 4
2. "Alegria, alegria" (Caetano Veloso) — Caetano Veloso
3. "Isso não se faz" (Pixinguinha e Hermínio Bello de Carvalho) — O Quarteto
4. "Capoeirada" (Erasmo Carlos) — O Quarteto
5. "Canção do cangaceiro que viu a lua côr de sangue" (Carlos Castilho e Chico de Assis) — Sônia Lemos
6. "Anda que te anda" (Ary Toledo e Mário Lago) — Sílvio Aleixo
Lado B
1. "De como um homem perdeu seu cavalo e continuou andando" (Geraldo Vandré e Hilton Acioly) — Márcia
2. "Beto bom de bola" (Sérgio Ricardo) — Sérgio Ricardo
3. "Volta amanhã" (Fernando César e Mariá Brito) — Márcia
4. "Menina moça" (Martinho da Vila) — O Quarteto
5. "Festa no terreiro do Alaketu" (Antônio Carlos Marques Pinto) — Márcia
6. "Balada do Vietnam" (Elizabeth e David Nasser) — As Compositoras

As 12 mais do III Festival da Música Popular Brasileira
CBS, 37526, 1967
Lado A
1. "Ponteio" (Edu Lobo e Capinan) — Cynara e Cybele
2. "De como um homem perdeu seu cavalo e continuou andando" (Geraldo Vandré e Hilton Acioly) — Chico Feitosa
3. "Maria, carnaval e cinzas" (Luís Carlos Paraná) — Roberto Carlos
4. "Uma dúzia de rosas" (Carlos Imperial) — Maria Isabel
5. "Diana pastora" (Fernando Lobo e João Mello) — Ellen de Lima
6. "O cantador" (Dori Caymmi e Nelson Motta) — Cynara e Cybele
Lado B
1. "Domingo no parque" (Gilberto Gil) — Cynara e Cybele
2. "Alegria, alegria" (Caetano Veloso) — Maria Isabel
3. "Roda viva" (Chico Buarque) — Ellen de Lima
4. "O milagre" (Nonato Buzar) — Chico Feitosa
5. "Belinha" (Toquinho e Vitor Martins) — Ellen de Lima
6. "A estrada e o violeiro" (Sidney Miller) — Cynara e Cybele

II FESTIVAL INTERNACIONAL DA CANÇÃO POPULAR, TV GLOBO, 1967

II Festival Internacional da Canção Popular
Ritmos/Codil, CDL 13.003, 1967
Lado A (gravado ao vivo no Maracanãzinho, Rio de Janeiro)
1. "Travessia" (Milton Nascimento e Fernando Brant) — Milton Nascimento

2. "São os do Norte que vêm" (Capiba e Ariano Suassuna) — Claudionor Germano
3. "Morro velho" (Milton Nascimento) — Milton Nascimento
4. "Fala baixinho" (Pixinguinha e Hermínio Bello de Carvalho) — Ademilde Fonseca
5. "Se você voltar" (W. Falcão e Portinho) — Zezé Gonzaga
6. "Maria, minha fé" (Milton Nascimento) — Agostinho dos Santos
Lado B
1. "Margarida" (Gutemberg Nery Guarabira Filho) — Maricene
2. "Carolina" (Chico Buarque) — Maricene
3. "Segue cantando" (Marcos Valle e Paulo Sérgio Valle) — Quarteto 004
4. "Chora, minha nega" (Reginaldo Bessa) — Reginaldo Bessa
5. "Foi no carnaval" (Tita) — Tita
6. "O sim pelo não" (Alcivando Luz e Carlos Coqueijo Costa) — Alcivando Luz
7. "Quem diz que sabe" (Dora Beatriz, Wilson Valle e João Donato) — Quarteto 004

II Festival Internacional da Canção Popular
Philips, R 765.019 L, 1967
Lado A
1. "Margarida" (Guarabira) — Gutemberg Guarabira e Grupo Manifesto
2. "Carolina" (Chico Buarque) — Nara Leão
3. "O sim pelo não" (Alcivando Luz e Carlos Coqueijo) — MPB 4
4. "Canto de despedida" (Edu Lobo e Capinan) — Gracinha Leporace
5. "De serra, de terra e de mar" (Geraldo Vandré, Théo de Barros e Hermeto Paschoal) — Claudete Soares
6. "Desencontro" (Amauri Tristão e Mário Telles) — Gracinha Leporace e Mário Telles
Lado B
1. "Travessia" (Milton Nascimento e Fernando Brant) — Elis Regina
2. "Cantiga" (Dori Caymmi e Nelson Motta) — MPB 4
3. "Oferenda" (Luís Eça e Lenita Eça) — Gracinha Leporace
4. "Sou de Oxalá" (Alcivando Luz e Carlos Coqueijo) — Quarteto em Cy
5. "Canção de esquecer você" (Fernando Leporace) — Gracinha Leporace

I BIENAL DO SAMBA, TV RECORD, 1968

I Bienal do Samba
Philips, R 765.044 L, 1968
Promoção da TV Record de São Paulo
Lado A
1. "Lapinha" (Baden Powell e Paulo César Pinheiro) — Elis Regina
2. "Quem dera" (Sidney Miller) — MPB 4
3. "Luandaluar" (Sérgio Ricardo) — Marília Medalha
4. "Marina" (Sinval Silva) — Paulo Marques
5. "Coisas do mundo, minha nega" (Paulinho da Viola) — Jair Rodrigues
6. "Protesto, meu amor" (Pixinguinha e Hermínio Bello de Carvalho) — Arlete Maria
Lado B
1. "Canto chorado" (Billy Blanco) — Jair Rodrigues
2. "Bom tempo" (Chico Buarque) — Claudete Soares
3. "Tive, sim" (Cartola) — Paulo Marques
4. "Pressentimento" (Élton Medeiros e Hermínio Bello de Carvalho) — Marília Medalha
5. "Quando a polícia chegar" (João da Baiana) — José Ventura
6. "Rainha porta-bandeira" (Edu Lobo e Ruy Guerra) — Márcia e Edu Lobo

III FESTIVAL INTERNACIONAL DA CANÇÃO POPULAR, TV GLOBO, 1968

III Festival Internacional da Canção Popular — Rio — Vol. I
Philips, R 765.062 L, 1968
Lado A
1. "Maré morta" (Edu Lobo e Ruy Guerra) — Edu Lobo
2. "O sonho" (Egberto Gismonti) — Egberto Gismonti
3. "Amada canta" (Luís Bonfá e Maria Helena Toledo) — Claudete Soares
4. "Maria é só você" (Alcivando Luz e Carlos Coqueijo) — Agora 4

5. "Mestre-sala" (Reginaldo Bessa e Ester Bessa) — Tuca
6. "Corpo e alma" (Augusta Maria Tavares) — Paulo César
Lado B
1. "Rainha do sobrado" (Eduardo Souto Neto) — Elmo Rodrigues
2. "Rua da aurora" (Durval Ferreira e F. Gaspar) — Lucelena
3. "Engano" (R. de Oliveira e F. César) — Márcia
4. "Por causa de um amor" (Capiba) — Paulo Marques
5. "Herói de guerra" (Adilson Godoy) — Silvia Maria e O Vocal
6. "Pra não dizer que não falei de flores" (Geraldo Vandré) — Trio Marayá
7. "Praia só" (Irinéa Ribeiro) — Geise

III Festival Internacional da Canção Popular — Rio — Vol. II
Philips, R 765.063 L, 1968
Lado A
1. "É proibido proibir" (Caetano Veloso) — Caetano Veloso e Os Mutantes
2. "Visão" (Antônio Adolfo e Tibério Gaspar) — Malú
3. "Canção do amor armado" (Sérgio Ricardo) — Momento Quatro
4. "Guerra de um poeta" (Beth Carvalho) — Sônia Lemos
5. "Negroide" (Mauricio Einhorn, Arnaldo Costa e Taiguara) — Lúcio Alves
6. "Dois dias" (Dori Caymmi e Nelson Motta) — Lucelena
7. "Roda de samba" (Tito Madi) — Paulo Marques
Lado B
1. "Dia de vitória" (Marcos e Paulo Sérgio Valle) — Jair Rodrigues
2. "Despertar" (Hedys Barros Neto e Flávia de Queirós Lima) — Claudete Soares
3. "Filho de Iemanjá" (Evaldo Gouveia e Jair Amorim) — Luiz Vieira
4. "América, América" (Cezar Roldão Vieira) — Yvette e Trio Marayá
5. "Mergulhador" (Candinho e Lula Freire) — Ruy Felipe
6. "Tempo de partir" (Sérgio Knapp) — Walter Malasco
7. "Terra santa" (Marco Versiani e Alberto Araújo) — Jorge Nery

III Festival Internacional da Canção Popular — Rio — Vol. III
Philips, R 765.064 L, 1968
Lado A
1. "Sabiá" (Tom Jobim e Chico Buarque) — MPB 4
2. "Plenilúnio" (Johnny Alf) — Márcia
3. "Dança da rosa" (Chico Maranhão) — Chico Maranhão
4. "O tempo será tua paz" (Salvador da Silva Filho e Maria Inês da Silva) — Claudete Soares
5. "Passacalha" (Edino Krieger) — O Quarteto
6. "Oxalá" (Théo de Barros) — Trio Marayá e Quarteto Novo
7. "Capoeira" (José Orlando e Benil Santos) — Sônia Lemos
Lado B
1. "Andança" (Danilo Caymmi, Edmundo Souto e Paulinho Tapajós) — Joyce e Momento Quatro
2. "Salmo" (Roberto Menescal e Mário Telles) — Lúcio Alves
3. "Meu sonho antigo" (Sérgio Bittencourt) — Jair Rodrigues
4. "Razão de cantar" (Nonato Buzar e Chico Anísio) — Nonato Buzar
5. "Caminhante noturno" (Os Mutantes) — Os Mutantes
6. "A noite, a maré e o amor" (Sílvio da Silva Jr. e Aldir Blanc) — Ruy Felipe
7. "Na boca da noite" (Toquinho e Paulo Vanzolini) — Yvette

III Festival Internacional da Canção Popular
Ritmos/Codil, CDL 13.017, 1968
Lado A
1. "Sabiá" (Tom Jobim e Chico Buarque) — Maria José
2. "Dança da rosa" (Chico Maranhão) — Quarteto 004 e Tradicional Jazz Band
3. "Visão" (Antônio Adolfo e Tibério Gaspar) — Agostinho dos Santos
4. "Andança" (Danilo Caymmi, Paulinho Tapajós e Edmundo Souto) — Antônio João e Maria José
5. "Mestre-sala" (Reginaldo Bessa e Ester Bessa) — Reginaldo Bessa
6. "Rua da aurora" (Durval Ferreira e Fátima Gaspar) — Stelinha Egg
7. "Por causa de um amor" (Capiba) — Aloísio Silva
Lado B
1. "Pra não dizer que não falei de flores" (Geraldo Vandré) — Aloísio Silva

2. "Passacalha" (Edino Krieger) — Quarteto 004
3. "Dia de vitória" (Marcos Valle e Paulo Sérgio Valle) — Carlos Felipe
4. "O sonho" (Egberto Gismonti) — Agostinho dos Santos
5. "Roteiro" (Lapis e Paulo Vitola) — Lapis
6. "Razão de cantar" (Nonato Buzar e Chico Anísio) — Luiz Eduardo
7. "Plenilúnio" (Johnny Alf) — Agostinho dos Santos

IV FESTIVAL DA MÚSICA POPULAR BRASILEIRA, TV RECORD, 1968

IV Festival da Música Popular Brasileira — Vol. 1
Philips, R 765.065 L, 1968
Uma realização da TV Record de São Paulo
Lado A
1. "Benvinda" (Chico Buarque) — MPB 4
2. "Boletim" (Marconi C. Silva e Hilton Acioly) — Trio Marayá
3. "São, São Paulo meu amor" (Tom Zé) — Marília Medalha
4. "A família" (Ary Toledo e Chico Anísio) — Jair Rodrigues
5. "Casa de bamba" (Martinho da Vila) — José Ventura
6. "Sem mais Luanda" (Joyce e Zé Rodrix) — Joyce
Lado B
1. "Dom Quixote" (Arnaldo Baptista e Rita Lee) — Os Mutantes
2. "Atento, alerta" (Egberto Gismonti e Paulo Sérgio Valle) — Marília Medalha e Egberto Gismonti
3. "Sentinela" (Milton Nascimento e Fernando Brant) — MPB 4
4. "Cantiga" (Caetano Zamma e J. Carlos de Queiroz Telles) — O Quarteto
5. "O viandante" (Novelli e Wagner Tiso) — Lucelena
6. "Todas as ruas do mundo" (Fernando César e Elisabeth Sanches) — Rosely

IV Festival da Música Popular Brasileira — Vol. 2
Philips, R 765.066 L, 1968
Uma realização da TV Record de São Paulo
Lado A
1. "Memórias de Marta Saré" (Edu Lobo e Gianfrancesco Guarnieri) — Edu Lobo
2. "Diálogo" (Marcos Valle, Paulo Sérgio Valle e Milton Nascimento) — Nara Leão
3. "Terra virgem" (Saulo Nunes e Adylson Godoy) — Márcia
4. "Choro do amor vivido" (Eduardo Gudin e Walter de Carvalho) — O Quarteto
5. "A outra" (Toquinho e Maranhão) — Yvette
6. "Cavaleiro andante" (Edmundo Souto e Arnoldo Medeiros) — Eduardo Conde e Joyce
Lado B
1. "Divino, maravilhoso" (Gilberto Gil e Caetano Veloso) — Gal Costa
2. "Queremos guerra" (Jorge Ben) — Caetano Veloso
3. "A charrete" (José Rodrigues) — Momento Quatro
4. "Pequenina" (César Roldão Vieira) — Yvette
5. "Cantoria" (Lucelena Carvalho e Silva e Luiz Vieira) — Lucelena
6. "Sei lá, Mangueira" (Paulinho da Viola e Hermínio Bello de Carvalho) — Paulo Marques

IV Festival da Música Popular Brasileira — Vol. 3
Philips, R 765.067 L, 1968
Uma realização da TV Record de São Paulo
Lado A
1. "Rosa da gente" (Dori Caymmi e Nelson Motta) — Nara Leão e Edu Lobo
2. "Descampado verde" (Maranhão) — MPB 4
3. "Festa é festa" (Carlos Souza e Ronaldo Tapajós) — Os Kantikos
4. "A grande ausente" (Francis Hime e Paulo César Pinheiro) — Silvia Maria
5. "Madrasta" (Beto Ruschel e Renato Teixeira) — Renato Teixeira
Lado B
1. "Dois mil e um" (Rita Lee e Tom Zé) — Os Mutantes
2. "Bonita" (Hilton Acioly e Geraldo Vandré) — Trio Marayá
3. "Eu tenho que andar mais lento" (Mariozinho Rocha e Fernando Lobo) — Márcia
4. "Domingo de manhã" (Maurício Einhorn e Mário Telles) — Lúcio Alves
5. "Cajueiro velho" (Luiz Roberto de Oliveira e Milton Eric Nepomuceno) — Eduardo Conde

Observação:
Embora a contracapa relacione as músicas "O general e o muro" (Adilson Godoy), com Claudete Soares, e "Dia de graça" (Sérgio Ricardo), com João Mello, as mesmas não constam do disco.

IV FESTIVAL INTERNACIONAL DA CANÇÃO POPULAR, TV GLOBO, 1969

IV Festival Internacional da Canção Popular — Fase Nacional
Philips, R 765.090 L, 1969 (disco duplo)
Gravado ao vivo no Maracanãzinho
Promoção da Rede Globo de Televisão e Secretaria de Turismo da Guanabara
Disco 1:
Lado A
1. "Charles anjo 45" (Jorge Ben) — Jorge Ben
2. "Juliana" (Antônio Adolfo e Tibério Gaspar) — Claudete Soares
3. "Anunciação" (Francis Hime e Paulo César Pinheiro) — MPB 4
4. "Quem mandou" (Sérgio Bittencourt e Eduardo Souto Neto) — Marcos Samm
5. "O tempo e o vento" (Jorge Omar e Billy Blanco) — Malú
Lado B
1. "Ando meio desligado" (Os Mutantes) — Os Mutantes
2. "Beira vida" (Dori Caymmi e Nelson Motta) — Eduardo Conde
3. "Beijo sideral" (Marcos Valle e Paulo Sérgio Valle) — Marcos Samm
4. "O mercador de serpentes" (Egberto Gismonti) — Egberto Gismonti
Disco 2:
Lado A
1. "Madrugada, carnaval e chuva" (Martinho da Vila) — Darcy da Mangueira
2. "Minha Marisa" (Fred Falcão e Paulinho Tapajós) — Os Diagonais
3. "Bem-te-vi" (Arthur Verocai e Arnoldo Medeiros) — Dorinha Tapajós, Grupo Mineiro e The Youngsters
4. "Levança" (Sérgio Ferreira da Cruz) — Milton Santana
5. "Na roda do vento" (Candinho e Lula Freire) — Ruy Felipe
Lado B
1. "Visão geral" (César Costa Filho, Ruy Mauriti e Ronaldo Monteiro de Souza) — Quarteto 004
2. "Cantiga por Luciana" (Edmundo Souto e Paulinho Tapajós) — Regininha
3. "Copacabana, velha de guerra" (Joyce e Sérgio Flaksman) — Joyce
4. "Longe do tempo" (Danilo Caymmi e João Carlos Pádua) — O Bando

IV Festival Internacional da Canção
Odeon, MOFB 3599, 1969
Lado A
1. "Cantiga por Luciana" (Edmundo Souto e Paulinho Tapajós) — Eva
2. "Juliana" (Antônio Adolfo e Tibério Gaspar) — Antônio Adolfo e A Brazuca
3. "Visão geral" (César Costa Filho, Ruy Mauriti e Ronaldo Monteiro de Souza) — Clara Nunes
4. "Razão de paz para não cantar" (Eduardo Lages e Aléssio de Barros) — Quarteto Forma
5. "Minha Marisa" (Fred Falcão e Paulinho Tapajós) — Golden Boys
Lado B
1. "O tempo e o vento" (Jorge Omar e Billy Blanco) — Beth Carvalho
2. "Quem mandou" (Sérgio Bittencourt e Eduardo Souto Neto) — Quarteto Forma
3. "Beijo sideral" (Marcos Valle e Paulo Sérgio Valle) — Marcos Valle
4. "Flor, manequim depois mulher" (Taiguara) — Taiguara

V FESTIVAL DA MÚSICA POPULAR BRASILEIRA, TV RECORD, 1969

Estamos com Onze no V Festival da Música Popular Brasileira
RGE, XRLP 5337, 1969
Uma realização da TV Record
Gravado ao vivo
Lado A
1. "De vera" (Moraes Moreira e Galvão) — Os Novos Baianos
2. "Hey mister" (Ary Toledo e Francisco de Assis) — Ary Toledo
3. "Jeitinho dela" (Tom Zé) — Tom Zé e Os Novos Baianos

A Era dos Festivais

4. "Alô, Helô" (Nonato Buzar) — Edgar e Os Tais
5. "Bola branca" (Paulinho Nogueira) — Cláudia
6. "Casa azul" (Roberta Faro) — Roberta Faro
Lado B
1. "Monjolo" (Dino Galvão Bueno e Milton Eric Nepomuceno) — Maria Odette
2. "Vou trocar de namorada" (Célio Borges Pereira) — Os Três Morais
3. "Bola pra frente" (Tom Zé) — Tom Zé
4. "Tocha" (Expedito Faggioni) — Expedito Faggioni
5. "Falta uma rês" (José Itamar de Freitas) — Sílvio Aleixo

V Festival da Música Popular Brasileira
RCA Victor, LCD-1214, 1969 (compacto duplo)
Lado A
1. "Tu vais voltar" (Ribamar e Romeo Nunes) — Antônio Marcos
2. "Catendê (Canto de segredo e de procura)" (Jocafi, Onias Camardelli e Ildázio Tavares) — Os Caçulas
Lado B
1. "Comunicação" (Edinho e Hélio Matheus) — Vanusa
2. "Sinal fechado" (Paulinho da Viola) — José Milton

V FESTIVAL INTERNACIONAL DA CANÇÃO POPULAR, TV GLOBO, 1970

V Festival Internacional da Canção — Vol. 1
Odeon, MOFB 3657, 1970
Lado A
1. "Hino do Festival Internacional" (Miguel Gustavo) — Wilson Simonal
2. "Universo em teu corpo" (Taiguara) — Taiguara
3. "Em qualquer rua de Ipanema" (Billy Blanco) — Clara Nunes
4. "Onoceonekotô" (Nelson Ângelo) — A Tribo
Lado B
1. "BR-3" (Antônio Adolfo e Tibério Gaspar) — Toni Tornado
2. "Se você quiser e eu puder" (Ruy Mauriti e José Jorge) — Ruy Mauriti
3. "Ana" (Márcio Proença e Eduardo Lages) — Agostinho do Santos
4. "Tema do caminhante" (Renato Corrêa e Paulinho Tapajós) — Trio Esperança
5. "Cafusa" (Sérgio Fayne e Vitor Martins) — Módulo 1000

V Festival Internacional da Canção — Vol. 2
Odeon, MOFB 3663, 1970
Lado A
1. "Hino do Festival Internacional" (Miguel Gustavo) — Wilson Simonal
2. "Quem tem tempo pra ser meu amigo" (Alberto Land) — Sílvio César
3. "Quebra-cabeça" (Paulinho Soares e Marcelo Silva) — Antônio Adolfo e A Brazuca
4. "A velha porta" (Beth Carvalho) — Beth Carvalho e As Gatas
Lado B
1. "Hipnose" (Antônio Carlos e Jocafi) — Golden Boys
2. "Sonho de carochinha" (Codó e Heloísa Serra) — Ellen de Lima
3. "Feira moderna" (Beto Guedes e Fernando Brant) — Som Imaginário
4. "Conquistando e conquistado" (Carlos Imperial e Ibrahim Sued) — Guilherme Lamounier

VI FESTIVAL INTERNACIONAL DA CANÇÃO POPULAR, TV GLOBO, 1971

VI Festival Internacional da Canção Popular — Nacional — As Favoritas
Som Livre, SIG 1005, 1971
Lado A
1. "Lourinha" (Fred Falcão e Arnoldo Medeiros) — Marília Pêra
2. "América do Sol" (Osmar Milito) — Lucinha e Osmar Milito
3. "Kyrie" (Paulinho Soares e Marcelo Silva) — Trio Ternura
4. "Desacato" (Antônio Carlos e Jocafi) — Cláudia
5. "Júlia" (Sérgio Ferreira da Cruz) — Odylon
6. "É proibido pisar na grama" (Jorge Ben) — Betinho

Lado B
1. "Você não tá com nada" (Sílvio César) — Marlene
2. "Voltar eu não" (Luiz Bandeira) — Golden Boys
3. "Medo" (César Costa Filho e Aldir Blanc) — Jacks Wu
4. "Canção pra Janaína" (João Só) — João Só
5. "Palavras perdidas" (Reginaldo Bessa) — Maysa
6. "Casa no campo" (Zé Rodrix e Tavito) — Zé Rodrix

VII FESTIVAL INTERNACIONAL DA CANÇÃO POPULAR, TV GLOBO, 1972

Os Grandes Sucessos do FIC 72 — VII Festival da Canção
Philips, 6470 500, 1972
Lado A
1. "Eu quero é botar meu bloco na rua" (Sérgio Sampaio) — Sérgio Sampaio
2. "A volta do ponteiro" (Beto Scala e São Beto) — Beto Scala
3. "Fio Maravilha" (Jorge Ben) — Jorge Ben
4. "Diálogo" (Baden Powell e Paulo César Pinheiro) — Cláudia Regina e Tobias
5. "Nó na cana" (Ari do Cavaco e César Augusto) — Juracy
6. "Marinheiro" (Renato Teixeira) — Renato Teixeira
7. "Eu sou eu, Nicuri é o diabo" (Raul Seixas) — Lena Rios
Lado B
1. "Viva Zapátria" (Sirlan e Murilo Antunes) — MPB 4
2. "Let me sing, let me sing" (Nadine Wisner e Raul Seixas) — Raul Seixas
3. "Corpo a corpo" (Túlio Mourão e Nelson Motta) — Fábio
4. "Mande um abraço pra velha" (Arnaldo Baptista, Sérgio Dias, Rita Lee e Liminha) — Os Mutantes
5. "Quatro graus" (Fagner) — Fagner
6. "Pente" (Luiz Carlos Porto e Fernando Vale) — O Peso

VII Festival Internacional da Canção Popular — As 12 Finalistas — Fase Nacional
Som Livre, SSIG 1017, 1972
Lado A
1. "Viva Zapátria" (Sirlan e Murilo Antunes) — Sirlan
2. "Let me sing, let me sing" (Nadine Seixas e Raul Seixas) — Os Lobos
3. "Diálogo" (Baden Powell e Paulo César Pinheiro) — Renata e Flávio
4. "Carangola" (Fauzi Arap e Fototi) — Marlene
5. "A volta do ponteiro" (Roberto Lourenço da Silva e Roberto Ferreira dos Santos) — Os Originais do Samba
6. "Serearei" (Hermeto Paschoal) — Alaíde Costa
Lado B
1. "Fio Maravilha" (Jorge Ben) — Maria Alcina
2. "Nó na cana" (Ari do Cavaco) — Elson e Mirna
3. "Eu sou eu, Nicuri é o diabo" (Raul Seixas) — Os Lobos
4. "Eu quero é botar o meu bloco na rua" (Sérgio Sampaio) — Eustáquio Sena
5. "Mande um abraço pra velha" (Arnaldo Baptista, Rita Lee e Sérgio Dias) — Coral Som Livre
6. "Cabeça" (Walter Franco) — Eustáquio Sena

CD ESPECIAL A ERA DOS FESTIVAIS

A Era dos Festivais
Universal Music, 0004400394702, 2003 (CD duplo)
Seleção das gravações: Zuza Homem de Mello
CD 1:
1. "Arrastão" (Edu Lobo e Vinicius de Moraes) — Elis Regina
2. "A banda" (Chico Buarque de Hollanda) — Nara Leão
3. "Disparada" (Geraldo Vandré e Théo de Barros) — Jair Rodrigues
4. "Ponteio" (Edu Lobo e Capinan) — Edu Lobo, Marília Medalha, Momento Quatro e Quarteto Novo
5. "Eu e a brisa" (Johnny Alf) — Márcia

A Era dos Festivais

6. "Roda viva" (Chico Buarque de Hollanda) — MPB 4
7. "Domingo no parque" (Gilberto Gil) — Gilberto Gil
8. "Alegria, alegria" (Caetano Veloso) — Caetano Veloso
9. "Margarida" (Gutemberg Guarabira) — Gutemberg Guarabira
10. "Travessia" (Milton Nascimento e Fernando Brant) — Elis Regina
11. "Carolina" (Chico Buarque de Hollanda) — Nara Leão
12. "O sonho" (Egberto Gismonti) — Egberto Gismonti
13. "Lapinha" (Baden Powell e Paulo César Pinheiro) — Elis Regina
14. "Divino, maravilhoso" (Gilberto Gil e Caetano Veloso) — Gal Costa
CD 2:
1. "Andança" (Paulinho Tapajós, Danilo Caymmi e Edmundo Souto) — Joyce e Momento Quatro
2. "Ando meio desligado" (Os Mutantes) — Os Mutantes
3. "Sabiá" (Tom Jobim e Chico Buarque de Hollanda) — MPB 4
4. "Saveiros" (Dori Caymmi e Nelson Motta) — Elis Regina
5. "Eu também quero mocotó" (Jorge Ben) — Erlon Chaves e Banda Veneno
6. "O amor é meu país" (Ivan Lins e Ronaldo Monteiro de Souza) — Ivan Lins
7. "Fio Maravilha" (Jorge Ben) — Jorge Ben
8. "Ensaio geral" (Gilberto Gil) — Gilberto Gil e Os Mutantes
9. "Eu quero é botar meu bloco na rua" (Sérgio Sampaio) — Sérgio Sampaio
10. "Cantiga por Luciana" (Edmundo Souto e Paulinho Tapajós) — Regininha
11. "Charles anjo 45" (Jorge Ben) — Jorge Ben e Trio Mocotó
12. "A estrada e o violeiro" (Sidney Miller) — Nara Leão e Sidney Miller
13. "É proibido proibir" (ambiente de festival) (Caetano Veloso) — Caetano Veloso e Os Mutantes
14. "Pra não dizer que não falei de flores" (Geraldo Vandré) — Trio Marayá

Zuza Homem de Mello

BIBLIOGRAFIA

ALENCAR, Edigar de. *O carnaval carioca através dos tempos*. Rio de Janeiro: Livraria Freitas Bastos, 1965.

ANDRADE, Marco Venicio M. (org.). *O rádio paulista no centenário de Roquete Pinto*. São Paulo: Centro Cultural São Paulo, 1984.

ÂNGELO, Ivan. *85 anos de cultura: história da sociedade de cultura artística*. São Paulo: Studio Nobel, 1998.

BARBOSA, Marilia T. e Oliveira, Arthur L. de. *Cartola: os tempos idos*. Rio de Janeiro: Funarte, 1983.

BOAL, Julian. *As imagens de um teatro popular*. São Paulo: Hucitec, 2000.

BORGES, Márcio. *Os sonhos não envelhecem*. São Paulo: Geração Editorial, 1996.

BOTELHO, Cândida de Arruda. *Bate-papo com Sabá*. São Paulo: Árvore da Terra, 1998.

CABRAL, Sérgio. *Elizeth Cardoso: uma vida*. Rio de Janeiro: Lumiar, s.d.

_____. *Nara Leão: uma biografia*. Rio de Janeiro: Lumiar, 2001.

_____. *Pixinguinha: vida e obra*. Rio de Janeiro: Funarte, 1978.

CALADO, Carlos. *Tropicália: a história de uma revolução musical*. São Paulo: Editora 34, 1997.

CÂMARA, Marcelo, MELLO, Jorge e GUIMARÃES, Rogério. *Caminhos cruzados*. Rio de Janeiro: Mauad, 2001.

CARNEIRO, Maria Luiza Tucci (org.). *Minorias silenciadas*. São Paulo: Edusp, 2002.

CASTRO, Ruy. *Chega de saudade: a história e as histórias da Bossa Nova*. São Paulo: Companhia das Letras, 1990.

"Chico dá samba por Roberto Freire". Revista *Realidade*, São Paulo, dez. 1966.

CLARK, Walter e PRIOLLI, Gabriel. *O campeão de audiência*. São Paulo: Best Seller, 1991.

COSTA, Haroldo. *100 anos de carnaval no Rio de Janeiro*. São Paulo: Vitale, 2001.

DAMASCENO, Monica de Barros e MOTA, Paulo. *Pérola ao sol: apontamentos para uma história de Guarujá*. Guarujá: Prefeitura Municipal do Guarujá, s.d.

DREYFUS, Dominique. *O violão vadio de Baden Powell*. São Paulo: Editora 34, 1999.

ECHEVERRIA, Regina. *Furacão Elis*. Rio de Janeiro: Nórdica, 1985.

FAUSTO, Boris. *História do Brasil*. São Paulo: Edusp, 1994.

FAVARETTO, Celso F. *Tropicália: alegoria, alegria*. São Paulo: Kairós, 1979.

FERREIRA, Paulo César. *Pilares via satélite*. Rio de Janeiro: Rocco, 1998.

FONSECA, Herbert. *Caetano: esse cara*. Rio de Janeiro: Revan, 1993.

FRANCESCHI, Humberto M. *Registro sonoro por meios mecânicos no Brasil*. Rio de Janeiro: Studio HMF, 1984.

FREIRE, Roberto. *Ame e dê vexame*. São Paulo: Trigrama, 1987.

FRIEDWALD, Will. *Sinatra! The Song is You: A Singer's Art*. Nova York: Scribner, 1995.

FRÓES, Marcelo. *Jovem Guarda*. São Paulo: Editora 34, 2000.

GALVÃO, Luiz. *Anos 70: novos e baianos*. São Paulo: Editora 34, 1997.

GASPARI, Elio. *A ditadura envergonhada*. São Paulo: Companhia das Letras, 2002.

HENRI, Georges. *Um músico... sete vidas*. São Paulo: Letras & Letras, 1998.

História do Século 20, vol. 6: 1956-1975. São Paulo: Abril Cultural.

MACIEL, Luiz Carlos. *Geração em transe*. Rio de Janeiro: Nova Fronteira, 1997.

MARZAGÃO, Augusto. *Memorial do presente*. Rio de Janeiro: Nova Fronteira, 1994.

MATTOS, David José Lessa. *O espetáculo da cultura paulista*. São Paulo: Códex, 2002.

MELLO, Zuza Homem de. *Música popular brasileira cantada e contada*. São Paulo: Melhoramentos/Edusp, 1976.

MOSTARO, Carlos M., MEDEIROS FILHO, João e MEDEIROS, Roberto F. de. *História recente da música popular em Juiz de Fora*. Juiz de Fora: Edição dos Autores, 1977.

MOTTA, Nelson. *Noites tropicais*. Rio de Janeiro: Objetiva, 2000.

NAPOLITANO, Marcos. *Cultura brasileira: utopia e massificação (1950-1980)*. São Paulo: Contexto, 2001.

Nosso Século 1960-1980. São Paulo: Abril Cultural, 1980.

ORTIZ, Renato. *A moderna tradição brasileira*. São Paulo: Brasiliense, 1988.

PEREIRA JR., Araken Campos. *Cinema brasileiro (1906-1976)*. Santos: Casa do Cinema, 1979.

PEREIRA, Arley. *Cartola*. São Paulo: SESC, 1998.

PERRONE, Charles A. e DUNN, Christopher. *Brazilian Popular Music & Globalization*. Gainesville: University Press of Florida, 2001.

PERRONE, Charles A. *Letras e letras da MPB*. Rio de Janeiro: Elo, 1988.

PONTES, José Alfredo Vidigal e CARNEIRO, Maria Lúcia. *Do sonho ao pesadelo*. São Paulo: Grupo O Estado de S. Paulo, 1968.

PRADO, Luís André do. *Cacilda Becker: fúria santa*. São Paulo: Geração Editorial, 2002.

RENNÓ, Carlos (org.). *Gilberto Gil: todas as letras*. São Paulo: Companhia das Letras, 1996.

RICARDO, Sérgio. *Quem quebrou meu violão*. Rio de Janeiro: Record, 1991.

SANTOS, Alcino, BARBALHO, Gracio, SEVERIANO, Jairo e NIREZ (M. A. de Azevedo). *Discografia brasileira 78 rpm*. Rio de Janeiro: Funarte, 1982.

SEVERIANO, Jairo. *Yes, nós temos Braguinha*. Rio de Janeiro: Funarte, 1987.

SEVERIANO, Jairo e MELLO, Zuza Homem de. *A canção no tempo: 85 anos de músicas brasileiras* (vol. 1: 1901-1957; vol. 2: 1958-1985). São Paulo: Editora 34, 1997-98.

SILVA, Walter. *Vou te contar: histórias de música popular brasileira*. São Paulo: Códex, 2002.

Simões, Inimá. *Salas de cinema em São Paulo*. São Paulo: Secretaria Municipal da Cultura, 1990.

Souza, Reynaldo Mendes de. "Harry James em São Paulo", *Folha do ABC*, 3/2/2001.

Souza, Tárik de. *O som nosso de cada dia*. Porto Alegre: L&PM, 1983.

Tavares, Flávio. *Memórias do esquecimento*. Rio de Janeiro: Globo, 1999.

Veloso, Caetano. *Verdade tropical*. São Paulo: Companhia das Letras, 1997.

Ventura, Zuenir. *1968: o ano que não terminou*. Rio de Janeiro: Nova Fronteira, 1988.

Vidal, Ariovaldo José e Aguiar, Joaquim Alves de. *Leniza & Elis*. São Paulo: Ateliê Editorial, 2002.

Vilarino, Ramon Casas. *A MPB em movimento*. São Paulo: Olho d'Água, 1999.

William, Wagner. *Sílvio Luiz: olho no lance*. São Paulo: Best Seller, 2002.

Werneck, Humberto (org.). *Chico Buarque: letra e música*. São Paulo: Companhia das Letras, 1989.

Worms, Luciana Salles e Costa, Wellington Borges. *Brasil século XX: ao pé da letra da canção popular*. Curitiba: Nova Didática, 2002.

Xavier, Ana Maria Castella. *Os grandes festivais de MPB (1965-1968)*. 1989 (Tese).

Zappa, Regina. *Chico Buarque*. Rio de Janeiro: Relume Dumará, 1999.

Zé Kéti. Fascículos da História da Música Popular Brasileira, 3ª ed. São Paulo: Abril Cultural, 1982.

JORNAIS E REVISTAS

Última Hora, São Paulo (colunas de Ricardo Amaral, Marcos Rey, Moracy do Val, Antonio Contente, Franco Paulino, Chico de Assis e Walter Negrão)
Folha de S. Paulo (coluna de Adones de Oliveira, desde fevereiro de 1964)
Folha da Tarde
Diário da Noite
Notícias Populares
O Estado de S. Paulo
Jornal da Tarde
O Globo
Jornal do Brasil
Tribuna da Imprensa
Correio da Manhã
Guia Sobre as Ondas (Geraldo Anhaia Mello, editor)
Guia Histórico do Guarujá, nº 1 (Geraldo Anhaia Mello, editor)
Guia Histórico do Guarujá, verão 2002 (Geraldo Anhaia Mello, editor)
Arte em Revista, nº 1 (Anos 60), jan.-mar. 1979
Manchete
Veja
Fatos e Fotos
Intervalo

AGRADECIMENTOS

Minha profunda gratidão vai para o querido Tárik de Souza, genuíno amigo da velha barca, incentivador constante e orientador experiente, diretor desta preciosa coleção e criador da ideia do livro.

Para Ercilia Lobo, companheira inseparável e dedicada, que fez valer seu rigor em revisões e na elaboração de toda a seção "Ficha técnica dos festivais", um verdadeiro guia dos festivais.

Para o ilustre "classe de 33" e também tricolor de coração, Chico de Assis, o farol que ilumina sempre na direção certa.

A generosidade dos que me concederam depoimentos gravados (cujos nomes estão assinalados em itálico), entrevistas por telefone ou forneceram valiosas informações foi inestimável e a eles, grande parte companheiros de inesquecíveis momentos vividos nos teatros Record, devo meu reconhecimento. Não fosse sua paciência e colaboração, não seria possível reconstituir esse brilhante período da música popular brasileira. São eles: *Adones de Oliveira*, Airto Moreira, *Alberto Helena Jr.*, Álvaro Moya, *Angela de Castro Gomes*, *Antônio Adolfo*, Antônio Augusto Amaral de Carvalho, *Antonio José Waghabi Filho*, *Aquiles Rique Reis* (MPB 4), *Arthur Poerner*, *Augusto Marzagão*, *Blota Jr.*, *Boni de Oliveira Sobrinho*, *Caçulinha*, *Chico Buarque*, *Chico de Assis*, Chiquinho de Morais, Cirene Mendonça, *Cynara e Cybele*, Dom Salvador, Dori Caymmi, *Edu Lobo*, Elton Medeiros, Esther de Souza, *Fausto Canova*, Fausto Macedo Filho, Fernando Brant, *Franco Paulino*, Gal Costa, *Gilberto Gil*, *Gutemberg Guarabira*, Helio Prado, Hermínio Bello de Cavalho, *Horacio Berlinck Neto*, Ignácio de Loyola Brandão, *Jair Rodrigues*, Jean Sigriest, *João Luís de Albuquerque*, José Carlos Capinan, *Julio Medaglia*, Lair Cochrane, *Lenita Miranda de Figueiredo*, Luiz Chaves, Luiz Mello, *Manoel Barenbein*, *Manoel Carlos*, Marcelo Câmara, *Marcos Lázaro*, Maria Alcina, *Marília Medalha*, Milton Nascimento, Miriam Ribeiro, *Moacyr Peixoto*, Monica Damasceno, Moraes Moreira, *Murilo Antunes*, Nana Caymmi, *o Magro* (MPB 4), *Paulinho da Viola*, *Paulinho Tapajós*, *Paulo César Ferreira*, Paulo César Pinheiro, Paulo Jobim, *Paulo Machado de Carvalho Filho*, Paulo Moura, *Raul Duarte*, *Roberto Freire*, *Roberto Menescal*, Roosevelt Hamam, *Sabá*, Salomão Esper, *Silvio Di Nardo*, *Solano Ribeiro*, Stella Tostes Caymmi, *Telê Cardim*, *Théo de Barros*, Tibério Gaspar, *Tito Fleury*, *Tom Zé*, *Toni Tornado*, Vadim da Costa Arsky, Vera Brasil, Walter Silva, Ziraldo.

Nessa relação gostaria de destacar que três queridos amigos da Record e pós-Record já não estão mais entre nós, Blota Jr., Marcos Lázaro e Raul Duarte.

Sou muito grato a tantos que também colaboraram desprendidamente das mais variadas formas, incentivando, atendendo a pedidos ou prestando informações aparentemente insignificantes, mas realmente essenciais: Arley Pereira, Arquivo de Imagens da TV Record (Amélia Antunha), Arquivo de *O Estado de S. Paulo* (Araldo Castilho e Sibelia Di Bella), Ayrton Martini, Banco de Dados da *Folha de S. Paulo* (Maria Eduarda Araú-

Zuza Homem de Mello

jo Guimarães, Edinir de Farias Lima Jr., Luiz Carlos Ferreira, Reginaldo dos Santos e Rafael Martins Motta), Bartolomeo Gelpi, Beatriz Carneiro da Cunha, CEDOC da Rede Globo (Raquel Brandão, Laura Martins e Cristina Vignoli), Célio Pereira, Claudio Brito, Cybele Lelot, Discoteca da Rádio Gazeta (Marcio de Paula, Jefferson A. Xavier e Monica Pinto), Eduardo Gudin, Eugenio Cordaro, Fernando Kassab, Georges Henry, Geraldo Tassinari, Geraldo Anhaia Mello, Instituto Moreira Salles (Antonio Fernando De Franceschi e José Luiz Herencia), Itagiba de Oliveira Filho, Ivone Kassu, João Fleury, Jorge D. Chamma, José Carlos Costa Neto, José Carlos Rodrigues, Josimar Carneiro, Juca Novaes, Luiz Mello, Madu Sigriest, Manoel Poladian, Márcia, Marcos Napolitano, Mariana Martins Villaça, Marina Vidigal Beluomini, Marisa Tavares, Matilde Vargas, Milton Parron, Newton de Siqueira Campos, Oscar Castro Neves, Patricia Vidigal, Paulo Albuquerque, Paulo Sergio de Gouveia Rego, Pedrinho Mattar, Regina Zappa, Renato Leite, Rodrigo Naves, Sandra Penha, Sérgio Bello, Sérgio Cabral, Stella Queiroga Gomes dos Santos, Wagner Tiso, Zé Nogueira, o paciente Edson José Alves e o estimado parceiro em *A canção no tempo*, Jairo Severiano.

A Sílvio Julio Ribeiro, um muito obrigado especial pela colaboração dada tão gentilmente para a "Discografia da Era dos Festivais", e às dedicadas pesquisadoras que tão bem souberam fuçar, Lilian Bento, Fernanda Legrazie Ezabella e Cláudia Dottori, um beijo de agradecimento.

Finalmente, a todos da Editora 34, cujos laços profissionais se confundem deliciosamente com os de uma grande e sólida amizade.

Zuza Homem de Mello

ÍNDICE ONOMÁSTICO

Zuza Homem de Mello

Arlindo, 100
Armstrong, Louis, 58, 98
Arruda, Ayres de, 133
Arsky, Vadim da Costa, 27
Assis Valente, 15
Assis, Chico de, 49-51, 127, 174-5, 187, 198, 201, 219, 252, 261, 275, 280, 330, 356, 369
Assis, Francisco de, 271
Assumpção, Álvaro (Meninão), 43
Ataíde, Eduardo, 269, 372
Atlas, Júlio, 31
Aurino, 339
Austin, Patty, 231
Avadis, Sérgio, 41
Avalon, Frankie, 101
Avalons, The, 53
Avancini, Walter, 53
Azcárraga, Emilio, 411
Azevedo, Geraldo, 415-6
Aznavour, Charles, 101
Babo, Lamartine, 14, 37
Baby Consuelo, 360, 365
Bacharach, Burt, 337
Bahiana, Ana Maria, 402
Baiana, João da, 13, 253, 257, 261
Banda Veneno, 377, 380, 384, 389
Bandeira, Luís, 406
Bando, O (conjunto), 340
Bandolim, Jacob do, 35, 113, 175
Baptista, Arnaldo, 204, 314
Baptista, Cláudio César Dias, 314
Baptista, Sérgio, 204, 314
Barbato, Mário Luís, 419
Barbieri, Gato, 44
Barbosa (jogador de futebol), 351
Barbosa Lessa, 27
Barbosa, Abelardo (ver Chacrinha)
Barbosa, Adoniran, 18, 31, 120, 123, 253, 254, 353, 359

Barbosa, Ardovino, 428
Barbosa, Benedito Rui, 49
Barbosa, Haroldo, 355
Barbosa, Selmi, 108
Barclay, Eddie, 231, 241
Barenbein, Manoel, 186, 305-7, 312, 334
Barnard, Christian, 285
Barouh, Pierre, 231
Barra Três (grupo), 78
Barreto, Homero de Sá, 409
Barreto, Luís Carlos, 303
Barrière, Alain, 231
Barrios, Gregorio, 59
Barro, João de (ver Braguinha)
Barros, Adhemar de, 73, 85, 206
Barros, Nelson Lins e, 399
Barros, Théo de, 12, 53, 126, 130, 142, 179, 210, 276, 280, 333
Barroso, Ary, 14-5, 17, 36, 258
Barry, Gene, 101
Barsotti, Rubinho, 46
Bastos, Sebastião, 186, 189
Batata, João Roberto, 193
Batelli, Ciro, 43
Batista, Germano, 80, 83, 85
Batista, Linda, 134
Batista, Wilson, 267
Baxter, Les, 166-7
Beat Boys (conjunto), 203, 205, 215, 220, 276, 305, 320, 329
Beatles, The, 105, 180-1, 183, 192, 195, 208, 274, 306-7
Bécaud, Gilbert, 76, 105
Becker, Cacilda, 18, 277, 279
Belchior, Antônio Carlos, 415
Ben, Jorge, 111-2, 274, 320, 339, 342, 348, 377-8, 381, 386, 405-6, 420, 426, 428, 430-1

Benedictis, Piero, 384
Bennett, Tony, 101
Bergman, Allan, 231
Berlinck Neto, Horacio, 111, 114, 139
Besouro (cordão de ouro), 260, 266
Bessa, Reginaldo, 160, 358
Bide, 253, 257
Big Boy (Milton Alvarenga Duarte), 339, 419, 427
Bigode (jogador de futebol), 351
Billinho, 160
Bimba (A Brazuca), 341, 345
Bittencourt, Niomar Moniz Sodré, 301
Bittencourt, Sérgio, 126, 160, 175, 225, 282, 376, 406
Blanc, Aldir, 336, 341, 373, 393, 402
Blanco, Billy, 64, 69, 151, 160, 253, 258, 261-2, 270, 280
Bloch, Adolpho, 72
Bloch, Pedro, 339
Blood, Sweat and Tears, 414, 430
Blota Jr., 104, 108, 116, 126, 129, 134, 189, 194, 196, 204, 206, 209, 215, 253, 260, 316, 324, 328, 331, 355, 361, 365
Blum, Norma, 274
Boal, Augusto, 51, 157, 216, 325
Boca Livre (grupo vocal), 217, 348
Bochino, Alceu, 280
Bojanô, Irene de, 27
Boldrin, Rolando, 274
Boneka, 28
Bonfá, Luís, 151, 159, 169, 225, 228, 241
Bonfim, Paulo, 274

Boni (José Bonifácio de Oliveira Sobrinho), 38, 53, 149, 224-5, 229, 242, 273, 276, 280, 293, 343, 346, 368, 386, 401-2, 411, 414, 427, 431, 434

Boni, Regina, 275, 310

Borba, Antonio, 79, 257

Borba, Emilinha, 244

Borges, Márcio, 226, 242, 246, 281

Borges, Marilton, 426

Bôscoli, João Marcelo, 410

Bôscoli, Ronaldo, 50, 52, 61, 66, 69-70, 73, 154, 168, 176, 237

Bossa Jazz Trio, 112

Bossa Rio, 112

Bossa Três, 39, 55, 61, 80, 112

Boulanger, Nadia, 389

Boulez, Pierre, 304-5

Braga, Cecília (ver Matarazzo, Cecília)

Braga Jr., 32

Braga, Rubem, 79, 85, 296

Braguinha, 15-6, 70, 253, 257, 339, 355, 357, 404

Brandão, Ignácio de Loyola, 27

Brant, Fernando Rocha, 226, 238, 242, 246, 312, 333, 373, 432

Brasil 66, 267

Brasil Ritmo, 406

Brasil Sessenta, 339

Brasil, Vera, 27-8, 64, 70, 73, 86-7, 128, 152, 160

Brasões, Os (conjunto), 321, 326, 328, 340, 342

Brazuca, A (conjunto), 340-1, 345, 348-9, 382, 388

Brean, Denis, 10, 124, 130, 257

Brel, Jacques, 231

Briamonte, José, 190

Brown, James, 376, 379

Brown, Les, 102

Brück, Inge, 169

Bruno, Leonardo, 371, 379, 408, 420

Bryson, John, 46

Bueno, Dino Galvão, 358

Buentes, Waldir, 26

Busset, Pier, 18

Buzar, Nonato, 357-8, 361

Cabral, Mário, 252

Cabral, Sérgio, 62, 65-6, 159, 189, 242, 252, 280, 315, 320, 330, 389, 414, 419, 421, 427

Cachaça, Carlos, 317

Caçulinha, 111, 194, 201, 255, 260, 315, 317, 321, 389, 411

Caetano, Pedro, 253

Cahn, Sammy, 231, 281

Caique, 406

Caldas, Silvio, 16, 35, 37, 253, 285

Caldeira Filho, Carlos, 92

Calheiros, Rinaldo, 119

Calhelha, Ramos, 274

Calloway, Cab, 101, 172

Camargo, Hebe, 78, 120, 130, 141, 180, 186, 202, 222, 310

Camargo, Vilma, 155

Camisa de Vênus, 348

Campelo, Celly (Célia Campelo Gomes), 57, 114

Campelo, Tony (Sérgio Beneli Campelo), 114

Campos Filho, Paulo, 251

Campos, Augusto de, 59, 202, 277, 304, 308

Campos, Cidinha, 204, 214

Campos, Haroldo de, 304

Campos, Jair, 82

Campos, Newton de Siqueira, 40, 42, 44

Campos, Paulo Mendes, 79, 234, 280, 296

Canjiquinha, 266

Canova, Fausto, 33, 112, 355-7, 360

Canto 4, 274, 321, 325-6, 328

Cantoral, Roberto, 160

Cantores da Lapinha, Os, 267

Cantores de Ébano, 82, 88

Cantuária, Vinicius, 373

Capiba, 124, 151, 157, 160, 196, 225, 236, 281

Capinan, José Carlos, 126-7, 139, 190, 212, 215-7, 220, 225, 241, 307, 342, 392, 394-5, 398-9

Capovilla, Maurice, 274, 280

Capri, Pepino di, 101

Cardim, Telé, 193, 206, 215, 286-7, 293, 297, 324

Cardoso, Elizeth, 59, 63-4, 70, 78, 86, 96, 99, 113, 121, 123, 154, 157, 180, 234, 263, 332

Cardoso, Sílvio Túlio, 62, 65, 124, 154

Cardoso, Wanderley, 119, 389

Carequinha (palhaço), 141, 389

Carioca (maestro), 280

Cariocas, Os, 53, 111-2, 201, 355, 430

Carlo, Yvonne de, 101

Carmo, Carlos do, 368

Carneiro, Lívio, 369, 406

Caro, Julio de, 166

Carrero, Aluísio Porto, 373

Cartola, 35, 49, 253, 257, 261-2, 267, 269-70

Carvalhinho (compositor), 17

Carvalho Filho, Paulo Machado de (Paulinho), 10, 13, 17, 19, 74, 97-9, 101, 106, 108, 110-1, 117-8, 134, 136, 142, 178, 188, 198, 212, 217, 251-2, 310, 354, 365

Joyce, 226, 282, 300, 321, 336, 376

Juarez, Benito, 100

Juliano, Randal, 26, 35, 134, 136, 138-9, 214, 355-7

Julie (A Brazuca), 341, 345

Jurema (Trio Ternura), 377, 408

Jussara (Trio Ternura), 377, 408

Kadunk, Alexandre, 32

Kahn, Sammy, 280

Kalil Filho, 63, 79, 82-3, 86, 91, 328, 357

Kaper, Bronislaw, 231

Karabtchevsky, Isaac, 234, 246, 280

Kassu, Ivone, 386

Kazan, Elia, 418

Kelly, João Roberto, 124

Kéti, Zé (José Flores de Jesus), 66, 70, 81, 124, 127, 181, 253-5, 257, 330

Klabin, Beki, 419

Knapp, Sérgio, 281

Koellreutter, Hans Joachim, 151, 208, 305

Kraus, Lili, 226

Krieger, Edino, 241

Kubitscheck, Juscelino, 51, 178

Kuntz, 55-6

Lacerda, Benedito, 16

Lacerda, Carlos, 94, 178

Ladeira, César, 115

Lady Zu, 141

Laet, Carlos de, 152, 225-8, 237

Lages, Eduardo, 336

Lago, Mário, 77, 124, 138, 189

Lai, Francis, 230

Laine, Frankie, 101

Lamarca, Carlos, 367

Lamounier, Guilherme, 376

Lamour, Dorothy, 101

Lápis, 281

Lara, Odete, 133, 213

Last, James, 300, 348

Lázaro, Marcos, 106-9, 111, 116, 118, 175, 185, 279, 286-7, 365

Léa Maria, 427

Leão, Danuza, 135

Leão, João Evangelista, 110, 131

Leão, Nara, 34, 60, 73, 112, 121-2, 127, 130-2, 136, 138-42, 144-5, 158, 169, 178, 180-1, 186-7, 197, 206, 212, 219, 222, 249, 274, 300, 306, 399, 419-23, 427

Lebeis, Madalena, 97

Lebendiguer, Henrique, 58

Lee, Brenda, 101

Lee, Rita, 196, 205, 215, 274, 276, 283, 311, 314, 316, 327-8, 332, 372, 381, 420

Lees, Gene, 248

Legrand, Michel, 166

Leite, Edson, 32, 38, 58, 75, 92

Lelei (Originais do Samba), 234, 263, 280

Lemos, Carlos, 234, 280

Lemos, Tite de, 370, 373

Lemos, Túlio de, 31, 37, 85

Leporace, Fernando, 236, 242, 244

Leporace, Gracinha, 238, 241-4, 249

Leporace, Vicente, 31

Lessa, Adail, 33, 249

Lewis, Jerry, 116

Lima Duarte, 37

Lima, Ellen de, 372

Lima, Fernando Barbosa, 37

Lima, Helena de, 92, 107, 253

Lima, Jandira Negrão de, 225

Lima, Nelita Alves de, 23

Lins, Ivan, 282, 371, 373, 381-2, 394

Little Richard, 393

Liverpool Sound, 340

Livingston, Jay, 166-7, 281

Lobo Neto, Elias, 32

Lobo, Edu (Eduardo de Góis Lobo), 51, 57, 64, 69, 71, 73-4, 78, 112, 126, 130, 151-2, 155, 157, 181, 184-7, 190-1, 212, 218, 222, 225, 237, 241, 248, 250, 253, 258, 261, 266, 282-3, 312, 318-9, 327-8, 330, 333, 391-5, 398-400, 409

Lobo, Elias, 32

Lobo, Fernando, 71, 359

Lobo, Haroldo, 15

Lobo, Henrique, 32

Lobo, Jerônimo, 32

Lobo, Menininha, 32

Lobos, Os, 420, 424

Lona, Fernando, 86-7, 89-91, 358

London, Julie, 101

Lopes, Antonio Carlos, 234

Lopez, Trini, 105

Lorez, Prini, 119

Loy, Luis, 111, 190

Lubitsch, Ernest, 171

Lucina (Lucinha, Lucia Helena ou Lucelena), 238, 242, 282, 420

Luís Antônio, 16-7, 290, 373

Luís Cláudio, 341, 345

Luisa, 223

Luiz Carlos (Bombinha), 269

Luiz César, 100

Luiz Felipe (004), 269

Luiz Henrique, 111

Luiz Roberto (004), 86, 127, 269

Luli, 242, 282, 420

Luz, Alcivando, 151, 155, 241, 281, 341

Lymon, Frankie, 101

Mauro, Alberto, 25
Max Gold, 10, 108
May, Mag, 20, 28
Maysa, 74, 97, 113, 127-8, 135-6, 151, 159-63, 165-6, 168-70, 184, 341, 355, 358, 362
Mazagão, Zico, 20, 100
Mazzuca, Sílvio, 38, 61, 78, 86, 91
Medaglia, Julio, 123, 185, 189, 208, 304, 308, 314, 330, 414-5, 434
Medalha, Marília, 187, 190-1, 196, 199, 212, 216-8, 220-1, 257-8, 263-4, 268, 312, 318-9, 327, 333
Medauar, Alberto, 124
Medeiros Filho, João, 246
Medeiros, Arnoldo, 373
Medeiros, Dirceu "Xuxu", 196
Medeiros, Elton, 253, 258, 263, 270, 355, 399
Médici, Emílio Garrastazu, 367, 375, 382-3, 391, 396, 397, 401
Medina, Abrão, 102
Meira, Tarcisio, 38
Meireles, 130, 431
Meirelles, Cidalia, 281
Mello, Antonio Mauricio Horta de (ver Horta, Toninho)
Mello, Guto Graça, 242, 336
Mello, João, 359
Mello, Luiz, 55, 56
Mello, Zuza Homem de (ver Zuza)
Melo, Heloísa, 204, 206
Mem de Sá, 121
Mendes, Cassiano Gabus, 37, 109
Mendes, Sérgio, 53, 267, 339
Mendonça, Cirene, 28
Mendonça, Newton, 28, 29

Mendonça, Nilton, 24, 29
Menescal, Roberto, 66, 154, 155, 158, 160, 161, 194, 225, 227-9, 281-3, 432, 300
Menezes, Carlos, 234, 339, 372, 404
Menezes, Carolina Cardoso de, 14, 113, 226-9
Menezes, Francisco de Assis Bezerra de, 372
Menezes, Glória, 38, 274
Meninas, As, 241
Mercer, Johnny, 230
Mercês, César das, 406
Metais com Champignon, 179, 180, 339
Michael Jackson, 380
Midani, André, 186, 283, 381
Miele, 61, 176
Miglio, Tito de, 39
Migliori, Gabriel, 100, 113, 314, 324, 355, 357
Migret, Alberto, 39
Miguel Gustavo, 367, 389
Milito, Hélcio, 300
Milito, Osmar, 376
Miller, Glenn, 32, 33
Miller, Sidney, 66, 70, 174, 185-7, 197, 207, 214, 220, 242, 244, 253
Miltinho (MPB 4), 191, 201, 327
Milton Banana Trio, 141, 389
Minelli, Liza, 68
Minoru, 141
Mirabelli, Armando, 10, 118
Miranda, Aurora, 113
Miranda, Carmen, 113, 254, 415, 432
Miranda, Geraldo, 372, 404
Miranda, Milton, 249
Miranda, Wilson, 267
Mirna, 420
Misraki, Paul, 231, 235

Miúcha, 64
Modugno, Domenico, 19, 101
Molin, Paulo, 24, 26
Molles, Oswaldo. 31, 254
Momento Quatro, 196, 215, 216, 218, 190, 300
Monsueto, 258
Montand, Yves, 104
Monte, Heraldo do, 126, 130, 179
Monteiro, Carlos, 404
Monteiro, Cyro, 34, 59, 66, 70, 73, 112-3, 120, 175, 257-8, 260, 262, 264, 267
Monteiro, Dóris, 150
Monteiro, Edmundo, 109
Monteiro, Mário, 336
Monteiro, Ortiz, 36
Montenegro, Fernanda, 318
Montenegro, Oswaldo, 415
Montez, Chris, 180
Moraes Moreira, 360, 365
Moraes, Mário, 32, 36
Moraes, Vinicius de, 34-5, 45, 52, 54, 64, 67, 69-71, 73, 89, 126, 130, 151-2, 157, 162, 197, 225, 241, 245, 266-7, 295, 333, 344, 392
Morais Filho, Nelson de, 406
Morais, Chiquinho de, 168-9, 174, 283, 420
Morais, Fernando, 187
Morais, José Ermírio de, 97
Morais, Waldemar de, 79
Moreira, Adelino, 348
Moreira, Airto, 82, 88-91, 126, 130-1, 137, 175, 179, 208, 217
Moreira, Josimar, 19
Moreira, Mila (Marilda), 29, 29, 62
Moreira, Sandro, 154
Morelenbaum, Henrique, 372
Moreno, Ted, 17

Mores, Marianito, 231
Morton, Jelly Roll, 257
Motta, Nelson, 151-2, 155,
162, 164, 166, 168-9,
185, 216, 228, 268, 274,
307, 316, 372, 393
Moura, Paulo, 57, 130, 269
Moya, Álvaro, 36-38
MPB 4, 126, 133, 135, 141,
151, 155, 181, 186, 187,
190-1, 201, 209, 213-5,
220-1, 236-7, 257, 264,
268, 300, 321, 327, 329,
332, 393, 417, 434
Muniz, Almir, 268
Muniz, Egas, 10, 44
Mussurunga, Bento, 14
Mutantes, Os, 196, 198,
205, 207, 214-5, 221-2,
273-7, 279, 283-4, 291,
305-6, 308, 322, 327,
332, 339, 394, 420-1,
433
Muylaert, Eduardo, 111
Myrna, Jacqueline, 56, 100
Nabuco, João Maurício,
154
Nagib, Alfredo, 31
Nagib, Américo, 27
Nardo, Ernani de, 11
Nardo, Silvio di, 187
Nascimento, Aizita, 40, 419
Nascimento, Milton, 80,
86, 223, 226, 229-30,
235-42, 245-6, 250,
254, 272, 281, 300, 312,
320, 322, 323, 328, 330,
332, 333, 373, 394
Nássara, 15, 16, 253
Nasser, David, 229
Negrão de Lima, 84, 148,
149, 152, 154, 228
Negrão, Walter, 122, 134
Neide Mariarrosa, 241, 261
Nelson Ângelo, 323, 376,
409
Neneco, 54
Nepomuceno, Eric, 358
Nereu (Trio Mocotó), 342

Neri, Murilo, 154, 160,
419, 425, 427
Nero, Ciro Del, 354
Netinho, 105
Neves, José Otávio de
Castro, 225, 272, 274,
414, 422, 431
Neves, Oscar Castro, 53,
111, 160, 236, 242, 244
Nicholas, Harold, 101
Nilson (Cantores de
Ébano), 81, 88
Nina, Dona, 76
Niskier, Arnaldo, 154
Nogueira, Paulinho, 52-53,
112, 141, 166, 355-6
Noite Ilustrada, 254, 255,
258, 358
Norimar, Érica, 84
Noronha, Sérgio, 372
Nova Banda, 300
Novak, Kim, 231, 244, 247
Novelli, 376
Novos Baianos, 359, 360,
365
Nunes, Bené, 395
Nunes, Clara, 79, 80, 84,
300, 359
Nunes, Dulce, 54, 66
Nunes, José, 207
Nunes, Romeu, 358
Nunes, Saulo, 320
Ocampo, Mauricio
Cardoso, 166
Ogerman, Claus, 300
Okada, Yoko, 100
Oliveira Neto, 274
Oliveira, Adones de, 65, 69,
187, 199, 234, 252, 316,
331
Oliveira, Aloysio de, 62, 67,
102, 162, 201
Oliveira, Armando, 109
Oliveira, Carlinhos, 314-5,
330, 344
Oliveira, Dalva de, 92, 113
Oliveira, Fernando Hupsel,
334
Oliveira, Idalina de, 35

Oliveira, Januário de, 14
Oliveira, Luís de França,
299
Oliveira, Milton de, 15, 108
Oliveira, Otavio Frias de,
92
Oliveira, Renato de, 100
Oliveira, Thalma de, 31
Onjas, 356
Orico, Vanja, 166, 302
Originais do Samba, 255,
260, 262-3, 266, 312,
315, 321, 356, 359, 361,
420, 423
Ornstein, Oskar, 101
Orquestra Armorial, 409
Ortega, Palito, 394
Osanah, Tony, 203
Oscarito, 37
Osmond Brothers, The, 393
Pachá, 40
Pacheco, Diogo, 79, 81
Pacheco, Mattos, 25
Padilla, Frederico, 415
Paes, Rômulo Tavares, 234
Paioletti, Setimo, 100
Palmari, Roberto, 76, 79,
84-5, 174
Palmeira, Vladimir, 271
Pamplona, Fernando, 152-
3, 394
Panicalli, Lirio, 62, 64, 274,
280, 340, 348
Paoli, Gilberto, 162
Paquito, 16
Paraíba, João (ver
Joãozinho Paraíba)
Paralamas do Sucesso, Os,
348
Paraná, Luís Carlos, 48, 77,
124, 127, 129, 139, 185,
192, 220, 381
Parker, Steve, 101
Paschoal, Hermeto, 43, 85,
175, 179, 415, 420, 424
Passos, Enzo de Almeida,
33
Pato Preto, 100
Paul, Les, 101

Paula, Catulo de, 66, 69

Paulinho Boca de Cantor, 360, 365

Paulinho da Viola, 124-7, 142, 250, 253, 255-7, 259, 267, 312, 317, 320, 330, 332, 355-6, 358, 361, 364, 372, 394-5, 398-400

Paulino, Franco, 52, 60, 62, 64-6, 71, 124, 130, 174, 189, 252, 264, 268

Paulo Tiago, 66, 70

Pavone, Rita, 101, 105, 119

Pécora, José Renato, 49

Pedro Luiz, 32

Peixoto, Cauby, 59, 373

Peixoto, Moacyr, 41, 46-7

Pelé, 113, 121, 285, 352, 412

Pena, Alceu, 62

Penazzi, André, 267, 389

Penha Maria, 155

Pereira, Arley, 261, 355, 357

Pereira, Ciro, 100, 111, 189-90, 201, 205, 254, 263

Pereira, Geraldo, 253

Perreta, E., 244

Pestana, Agostinho, 404

Peterson, Oscar, 110

Petrônio, Francisco, 112, 348

Piazzolla, Astor, 414, 433

Pignatari, Baby, 25

Pignatari, Décio, 59, 277, 304, 414, 419, 422, 427

Pimentel, Antônio, 32

Pinheiro, Augusto, 238, 244

Pinheiro, Dilermando, 120

Pinheiro, Mauro, 32

Pinheiro, Paulo César, 255, 266-7, 270, 316, 369, 420, 426

Pinheiro, Toninho, 110, 179, 339

Pinto, Aloísio de Alencar, 154

Pinto, Antônio Marques, 185

Pinto, Walter, 10, 174

Piper, Carlos, 286, 411

Pires, Antônio Carlos Moraes, 365

Pires, Djalma, 356

Pirituba, 42

Pittigliani, Armando, 55, 186, 348

Pittman, Eliana, 154, 307

Pitty, 189

Pixinguinha, 13, 99, 185, 187, 201, 225, 235-6, 253, 257-8, 261

Pizzi, Nilla, 19

Platters, The, 88

Poerner, Arthur, 301

Poladian, Manoel, 52

Polera, 20

Polvoreli, Orestes, 336

Poly (guitarrista), 411

Pongetti, Henrique, 154

Ponte Preta, Stanislaw (ver Porto, Sérgio)

Portela, Juvenal, 154, 161, 237, 299

Porto, Sérgio (Stanislaw Ponte Preta), 63, 252

Pourcel, Frank, 281, 337

Póvoa, Ângelo, 49

Powell, Baden, 34-5, 43, 52, 80, 86, 89, 112, 223, 265, 267, 269-70, 369, 394, 399, 425-6, 428

Powell, Jane, 368

Pozer, Edgar, 85

Prado, Nilson, 81, 88

Purim, Flora, 80, 83, 88

Quadros, Jânio, 19, 51, 147-8

Quarteto 004, 241, 291

Quarteto em Cy, 133, 139, 160-2, 201, 236, 264, 266, 295

Quarteto Novo, 88, 175-6, 179, 190, 199-200, 202, 208, 210, 216, 218

Quarteto, O, 194, 322, 327

Quinteto de Luiz Loy, 111

Rabassi, 396, 400

Rabelo, Rafael, 263

Rachou, Ruth, 100

Raksin, David, 166-7

Ramos, Luiz Claudio, 282

Ramos, Marco A. Silva, 356

Ramos, Marco Antônio, 359

Randal Juliano, 26, 35, 134, 136, 138, 214, 355-7

Rangan, Livio, 60-2, 64, 66, 75-6, 85, 88, 130, 307-8

Rangel, Flávio, 139

Rangel, Lúcio, 62, 79, 84, 252

Raulzinho do Trombone (Raul de Souza), 61

Ravache, Silvia, 404

Ravel, 391

Ray, Johnny, 98

Rayol, Agnaldo, 11, 59, 112, 116, 120, 122, 151, 186, 199, 310, 358-9, 361-2, 364, 411

Razzi, Giulio, 18

RC 7, 203

Reali Jr., 100, 219

Rebels, The, 114

Reese, Della, 101

Regina, Elis, 54-9, 63, 68, 70-4, 78, 81, 84, 105-11, 113, 116-22, 127, 130-4, 139, 141-3, 145, 151-2, 155, 157, 160, 162, 166, 168-70, 176, 178, 181, 183-4, 186-7, 196-8, 200, 204, 213, 215, 219, 222-4, 237, 239-40, 248-9, 253, 258, 260, 264-8, 291, 300-1, 310, 333, 341, 364, 377, 409-10, 415

Regininha, 348

Rego, Alberto, 371

Rego, Ari, 54

Souza, Tárik de, 300, 342, 404
Souza, Tereza, 185, 193, 198
Spanky Wilson, 384-5
Splendore, Roberto, 251
St. John, Jill, 231
Steinke, Gunther, 336
Stewart, Slam, 172
Stockhausen, 304-5
Stuart, Walter, 37
Suassuna, Ariano, 196, 236
Sued, Ibrahim, 370, 386
Sumac, Yma, 101, 166, 231
Tabajara, Raul, 100
Tagliaferro, Magdalena, 151
Taiguara, 88, 111, 154, 166, 282, 327, 376, 381, 393-4
Tancredi, Silvio, 20, 127
Tapajós, Maurício, 393
Tapajós, Paulinho, 226, 282, 291, 300, 341, 344, 348, 394
Tapajós, Paulo, 84, 149, 369
Tavares, Augusta Maria, 281
Tavares, Heckel, 160-1
Tavares, Ildazio, 356
Tavares, Mário, 61, 235, 291, 371, 406, 419
Tavares, Marly, 55, 62
Tavito, 373, 393, 406
Taylor, Creed, 231, 249
Tcherkaski, José, 384
Teixeira, Celso, 142
Teixeira, Humberto, 229, 318
Teixeira, Renato, 185, 190, 312-3
Telles, C. Queiroz, 322
Telles, Mário, 228, 244, 283
Telles, Silvinha, 283
Temmer, Milton, 372
Thomas, David Clayton, 428, 430, 433

Tijuana Brass, 231
Timóteo, Agnaldo, 244
Tinhorão, José Ramos, 159, 330
Tiso, Wagner, 223, 246, 373
Titulares do Ritmo, 195
Toledo, Ary, 128, 322, 356, 369-71, 323
Toledo, Maria Helena, 151, 159, 169, 220
Tom Zé, 181, 185, 190, 305-6, 311, 316, 321-2, 324-6, 328, 330-2, 334, 358-60, 365
Tonico e Tinoco, 141, 369, 375
Toquinho, 111, 124-5, 185, 194, 213, 220, 254, 274, 321, 329-30, 333, 395, 399-400
Torales, Oscar, 421
Tornado, Toni (Antônio Viana Gomes), 376-9, 382-3, 385, 388-90
Torquato Neto, 122, 151, 158, 277, 306-7, 392
Torres, Florêncio e Rieli, 31
Torres, Raul, 31
Totó, 20
Toyu (Beat Boys), 203
Travassos, Luiz, 271
Travesso, Nilton, 355
Três Morais, Os, 267, 285, 320
Tribo, A, 376
Trio 3, 81
Trio Esperança, 343, 349, 409
Trio Marayá, 126, 131, 200, 313
Trio Mocotó, 342, 359, 386
Trio Novo (Théo, Heraldo e Airto), 85, 88, 126, 130-1, 135
Trio Surdina, 176
Trio Tamba, 52, 57, 61, 112

Trio Ternura, 376-8, 388, 406-8, 411
Trio Três D, 78
Tristão, Amauri, 238, 242, 244
Troussat, Alain Cohen, 186, 190
Troyka, Leda, 100
Tsé-Tung, Mao, 384
Tuca, 79, 82, 88, 90-1, 111, 151, 158, 160-1, 165-6, 174
Tudor, David, 304
Tuma, Nicolau, 115
Turma do Samba, 375
Turquinho, 55-6
Tuta (Antônio Augusto Amaral Machado de Carvalho), 98, 100, 113-7, 355
Tygell, David, 217
Tys, Hélio, 234, 412
Urban, Marisa, 301
Vadim, Roger, 337
Val, Moracy do, 52, 104-5, 174
Vale, João do (João Batista do Vale), 66, 69-70, 123
Valença, Alceu, 336, 415-6
Valença, Rosinha de, 53, 111, 375
Valente, Assis, 15
Valente, Caterina, 101
Valle, Marcos, 282, 291, 320, 330, 393, 400
Valle, Paulo Sérgio, 225, 248, 343, 392, 395, 398, 400
Vandré, Geraldo, 12, 34, 50-2, 59, 63, 65, 68, 74, 81-2, 84-92, 124, 126-8, 130-2, 135, 141-4, 151, 158, 174-9, 181-6, 199-200, 202, 206, 212-4, 226, 235, 237, 241, 250, 273, 276-7, 280, 285-94, 297, 299-302, 312-3, 316, 324, 333
Vânia, 344

Zuza Homem de Mello

Vanoni, Ornella, 141
Vanusa, 356, 359, 361, 364
Vanzolini, Paulo, 120, 124, 130, 253, 258, 274, 359
Varela, Obdulio, 351
Vargas, Getúlio, 390
Vargas, Pedro, 166
Vasconcelos, Ari, 226, 252, 280
Vasconcelos, José, 37, 96
Vasconcelos, José Mauro, 339
Vasconcelos, Marcos, 339, 369
Vassourinha, 120
Vaughan, Sarah, 101, 248
Velhinhos Transviados, Os, 300
Veloso, Caetano, 59, 79, 86, 89, 116, 126, 128, 139, 142, 151, 158, 162, 174, 178, 180-1, 183-4, 186-7, 189, 194, 196, 199, 203-5, 207, 214-5, 217, 220-1, 237, 250, 271, 273-81, 283, 301, 303-9, 316, 318, 320, 325, 328-9, 333-4, 342, 348, 391-2, 394
Ventura, Toninho, 2635
Venturini, Flávio, 425
Vergueiro, Carlos, 189
Vergueiro, Luiz, 124, 174, 189
Vernon, Vilma, 100
Verocai, Arthur, 228, 282, 336
Vianinha (Oduvaldo Vianna Filho), 49
Vianna, Carlos (O Quarteto), 194
Vianna, Xu, 41, 46, 55-6
Vicente, João, 20
Vieira, César Roldão, 273, 276, 280, 286, 290
Vieira, Luiz, 37, 355
Vieira, Mário, 296
Vieira, Relu Jardim, 45

Villa-Lobos, Heitor, 66, 295
Villaverde, Darcy, 404
Vinhas, Luiz Carlos, 61, 66, 70
Vinhas, Silvinha, 168
Vips, Os, 119
Vitale, Emilio, 186
Vitola, Paulo, 281
Vitta, Mario Regis, 134, 141
Vox Populi, 340
Voz do Morro, 81
Wagner, Robert, 231
Wainer, Samuel, 19
Waldir, 80
Wallinho (Wallace Cochrane Simonsen Neto), 35-6, 92, 94
Wanderléa (Wanderléa Salim), 114, 121, 180, 375
Wanderley, Raimundo, 296
Wanderley, Walter, 41-3, 46, 89, 111, 300
Warren, Harry, 281, 297
Warwick, Dionne, 231
Webb, Jimmy, 340
Weltman, Moyses, 404
Werneck, Iracema, 282
Williams, Andy, 231, 368
Williams, Fred, 267
Williams, Joe, 248
Williams, Tony, 88
Wilson, Nancy, 337
Winter, Paul, 164
Wisner, Edith, 420
Wu, William, 107
Wu, Jacks, 406
Xixa, 260
Xororó (baterista), 100
Zacharias, Helmut, 160-1, 169
Zaidan, Carlos, 193
Zamma, Caetano (Caetano Zammataro), 59, 322
Zan, Mário, 141
Zara, Carlos, 80, 82, 86, 91
Zé Carioca, 224

Zé Mário, 16
Zé Paulo, 300
Zé, Zilda do, 16
Zilda, Zé da, 16
Zimbo Trio, 41, 53, 59, 71, 110-1
Ziraldo, 37, 146, 234, 248-9, 280, 296, 411, 413, 416
Zitho, Lee, 422
Zizinho, 351
Zuza (Zuza Homem de Mello), 12, 17-8, 79, 180

CRÉDITOS DAS IMAGENS

Abril Imagens: pp. 21, 103a, 117b, 179b

Adhemar Veneziano/Abril Imagens: p. 378a

Agência Estado: pp. 83a, 83b, 87, 137, 140b, 179a, 200b, 218a, 247a, 262b, 265, 278a, 278b, 292b, 294, 298b, 309b, 315b, 319a, 319b, 345a, 347, 357a, 360a, 362a, 374b, 429

Arquivo Cynara: p. 298a

Arquivo Público do Estado de São Paulo/Acervo Última Hora: pp. 40a, 91b, 93, 153a, 156, 182, 243, 284b, 292a, 345b, 378b, 383a, 385b, 387a

Arquivo Esther de Souza: pp. 24a, 29b

Arquivo Franco Paulino: p. 65a

Arquivo Geraldo Anhaia Mello: p. 24b

Arquivo Gutemberg Guarabira: p. 403

Arquivo Lenita Miranda de Figueiredo: pp. 44b, 65b

Arquivo Maria Alcina: p. 426

Arquivo Moacyr Peixoto: p. 47a

Arquivo Newton de Siqueira Campos: pp. 40b, 42a, 44a, 56a

Arquivo Paulo Machado de Carvalho Filho: pp. 99a, 99b, 117a

Arquivo Paulo Sergio de Gouveia Rego: p. 146

Arquivo Pedrinho Mattar: pp. 42b, 47b

Arquivo Zuza Homem de Mello: pp. 8, 29a, 47c, 56b, 72a, 72b, 91a, 103b, 143, 163a, 163b, 165, 167a, 167b, 173b, 177a, 191a, 191b, 200a, 205a, 205b, 211a, 211b, 218b, 387b, 407b, 410a, 416a

Folha Imagem: p. 350

Célio Pereira: pp. 309a, 313a, 313b, 315a, 323a, 323b, 326a, 326b, 329a, 329b, 331a, 357b, 360b, 362b

Geraldo Guimarães/Abril Imagens: pp. 256a, 256b, 262a

Nelson Di Rago/Abril Imagens: p. 125

Paulo Salomão/Abril Imagens: pp. 140a, 331b

Paulo Sergio de Gouveia Rego: pp. 153b, 230, 233, 238a, 238b, 245a, 245b, 247b, 284a, 338a, 338b, 374a, 383b, 385a, 405a, 405b, 407a, 410b, 416b, 423a, 423b, 426b

SOBRE O AUTOR

Zuza Homem de Mello nasceu em São Paulo, em 1933. Atuando como baixista profissional na cidade, em 1955 abandona o curso de engenharia para dedicar-se à música. No ano seguinte, inicia-se no jornalismo, assinando uma coluna de jazz semanal para a *Folha da Noite*. Em 1957, frequenta a School of Jazz, em Tanglewood, Estados Unidos, onde teve aulas com Ray Brown, estudando musicologia na Juilliard School of Music, de Nova York, logo depois.

De volta ao Brasil, em 1959, Zuza ingressa na TV Record, onde permanece por cerca de dez anos trabalhando como engenheiro de som de programas musicais e dos festivais da Record, além de *booker* na contratação de atrações internacionais.

Entre 1977 e 1988, concentra suas atividades no rádio e na imprensa: produz e apresenta o premiado *Programa do Zuza*, na Rádio Jovem Pan AM; faz crítica de música popular para *O Estado de S. Paulo*; escreve para diversas revistas e coordena a *Enciclopédia da música brasileira*. Desde 1958 realiza palestras e cursos sobre música popular brasileira e jazz no Brasil e no exterior, tendo sido também jurado dos mais importantes festivais de música realizados em nosso país.

Como produtor e diretor artístico, Zuza dirige nos anos 70 a série de shows *O fino da música*, no Anhembi, em São Paulo. Nos anos 80, dirige os três Festivais de Verão do Guarujá e produz a turnê de Milton Nascimento ao Japão (1988); nos anos 90, assume a direção geral das três edições do Festival Carrefour; dirige para o SESC vários shows, como *Lupicínio às pampas*, o premiado *Raros e inéditos*, a série *Ouvindo estrelas* (por dois anos) e os dez espetáculos *Aberto para balanço*, comemorativos dos 50 anos da entidade. Na televisão, apresenta a série *Jazz Brasil*, pela TV Cultura, e na área fonográfica produz discos de Jacob do Bandolim, Orlando Silva, Severino Araújo, Fafá Lemos & Carolina Cardoso de Menezes, Elis Regina, entre outros.

Foi diretor musical do Baretto entre 2001 e 2004. Em 2005 produziu as vinhetas da Rádio Band News FM, e no ano seguinte da TV Band News. A partir de 2006 foi curador dos shows de MPB no Café Filosófico da CPFL em Campinas. Recentemente trabalhou em diversos projetos com o Itaú Cultural, o IMS e o SESC-SP.

Jornalista convidado para os mais representativos festivais de jazz do globo, Zuza integrou a equipe dos dois Festivais de Jazz de São Paulo (1978 e 80), sendo curador do Free Jazz Festival desde sua primeira edição, em 1985, e depois do seu sucessor, Tim Festival. Foi presidente da Associação dos Pesquisadores da MPB e publicou os livros *Música popular brasileira cantada e contada* (Melhoramentos, 1976, relançado com o título *Eis aqui os bossa-nova* pela Martins Fontes em 2008), *A canção no tempo* (dois volumes em coautoria com Jairo Severiano, Editora 34, 1997 e 1998), *João Gilberto* (Publifolha, 2001), *A Era dos Festivais* (Editora 34, 2003), *Música nas veias* (Editora 34, 2007), *Música com Z* (Editora 34, 2014, vencedor do Prêmio APCA) e *Copacabana: a trajetória do samba-canção* (Editora 34, 2017).

COLEÇÃO TODOS OS CANTOS
direção de Tárik de Souza

Iniciada em 1995, a coleção Ouvido Musical entrou em nova etapa em 1999. Com o título ainda mais abrangente de *Todos os Cantos*, ela passou a ter a dimensão ampliada pelo patrocínio do Grupo Pão de Açúcar, que através de seu programa de apoio cultural ofereceu bolsas de incentivo aos autores, bem como pagamento de pesquisadores e auxílio à produção para o desenvolvimento dos livros. Reforçou-se com isso a ideia de estudar os movimentos musicais do planeta utilizando as mais diversas abordagens, incluindo perfis, ensaios e reportagens.

Sempre partindo da visão de um país de musicalidade à flor da pele, a coleção está conectada às inúmeras vias de cada tema, fiel à tarefa de apresentar aos leitores o maior número de alternativas para o conhecimento desse universo complexo e interpenetrado.

Na era da simultaneidade virtual e interativa, a seleção de títulos e autores guia-se pelo critério da máxima abrangência, tendo como únicos vetores a qualidade e a relevância. A coleção procura ainda mapear as principais tendências que movem o tabuleiro da música, além de refletir e desvelar seus personagens, instrumentos e atitudes. O desenvolvimento técnico, o apuro virtuosístico, a influência no comportamento refletida na história das humanidades conviverão indissolúveis nesse enredo, retratado por autores escolhidos entre os expoentes de cada assunto. Com a série pretende-se uma visão nova e sistematizada sobre a música — essa arte volátil que nos cerca, mobiliza e define.

Zuza Homem de Mello
A Era dos Festivais: uma parábola

Jamari França
Os Paralamas do Sucesso: vamo batê lata

Tárik de Souza
Tem mais samba: das raízes à eletrônica

Títulos já lançados originalmente pela coleção Ouvido Musical:

Roberto Muggiati
Blues: da lama à fama

Arthur Dapieve
BRock: o rock brasileiro dos anos 80

Carlos Calado
A divina comédia dos Mutantes

Dominique Dreyfus
Vida do viajante: a saga de Luiz Gonzaga

Luiz Galvão
Anos 70: novos e baianos

Carlos Albuquerque
O eterno verão do reggae

Tom Leão
Heavy Metal: guitarras em fúria

Jairo Severiano e Zuza Homem de Mello
A canção no tempo: 85 anos de músicas brasileiras (Vol. 1: 1901-1957)

Carlos Calado
Tropicália: a história de uma revolução musical

Henrique Cazes
Choro: do quintal ao Municipal

Jairo Severiano e Zuza Homem de Mello
A canção no tempo: 85 anos de músicas brasileiras (Vol. 2: 1958-1985)

Silvio Essinger
Punk: anarquia planetária e a cena brasileira

Lançamento mais recente:

Lucas Nobile
Raphael Rabello: um violão em erupção

Este livro foi composto em Sabon pela Bracher & Malta, com CTP e impressão da Edições Loyola em papel Alta Alvura 90 g/m² da Cia. Suzano de Papel e Celulose para a Editora 34, em outubro de 2020.